P9-CSE-047

LES THIBAULT

VII

ŒUVRES DE ROGER MARTIN DU GARD

nrf

ŒUVRES ROMANESQUES

DEVENIR (1908).
JEAN BAROIS (1913).
CONFIDENCE AFRICAINE (1931).
VIEILLE FRANCE (1933).
LES THIBAULT (1922-1939).

Nouvelle édition en 7 volumes :

I. Le Cahier gris. — Le Pénitencier.
II. La belle Saison. — La Consultation.
III. La Sorellina. — La Mort du Père.
IV. L'Été 1914 *(début)*.
V. L'Été 1914 *(suite)*.
VI. L'Été 1914 *(fin)*.
VII. Épilogue.

ŒUVRES THÉATRALES

LE TESTAMENT DU PÈRE LELEU, *farce paysanne* (1920).
LA GONFLE, *farce paysanne* (1928).
UN TACITURNE, *drame* (1932).

ESSAIS

NOTES SUR ANDRÉ GIDE (1913-1951).

AUTRES ÉDITIONS

Collection « A la Gerbe » in-8° :

JEAN BAROIS (2 *vol.*).
LES THIBAULT (9 *vol.*).

Édition illustrée :

LES THIBAULT (2 *vol. grand in-8°*).
(*Illustrations de* Jacques Thévenet).

Bibliothèque de la Pléiade :

ŒUVRES COMPLÈTES (2 *vol.*).

ROGER MARTIN DU GARD

LES THIBAULT

VII

ÉPILOGUE

GALLIMARD
5, rue Sébastien-Bottin, Paris VIIe

Il a été tiré de la présente édition mille cinquante exemplaires sur vélin ivoiré reliés d'après la maquette de Paul Bonet, savoir : mille exemplaires numérotés de 1 *à* 1.000 *et cinquante, hors commerce, marqués de* I *à* L.

HUITIÈME PARTIE

I

— « Pierret! T'entends pas le téléphone? »

Le planton au secrétariat, profitant de l'heure matinale où les médecins et les malades, occupés par le traitement, laissaient le rez-de-chaussée vacant, humait l'odeur des jasmins, penché à la balustrade de la véranda. Il jeta précipitamment sa cigarette, et courut décrocher le récepteur.

— « Allô! »

— « Allô! Ici, le bureau de Grasse. Un télégramme pour la clinique du Mousquier. »

— « Minute... », fit le planton, en attirant à lui le bloc et le crayon. « J'écoute. »

La buraliste avait déjà commencé à dicter :

— « PARIS — 3 MAI 1918 — 7 HEURES 15 — DOCTEUR THIBAULT — CLINIQUE DES GAZÉS — LE MOUSQUIER PRÈS GRASSE — ALPES-MARITIMES — Vous y êtes? »

— « MA-RI-TIMES », répéta le planton.

— « Je continue : TANTE DE WAIZE... W comme Wladimir, A, I, Z, E... TANTE DE WAIZE DÉCÉDÉE — ENTERREMENT ASILE POINT DU JOUR DIMANCHE 10 HEURES — TENDRESSES — Signature : GISE. C'est tout. Je relis... »

Le planton sortit du hall et se dirigea vers l'escalier. A ce moment, un vieil infirmier, en tablier blanc, tenant un plateau, parut à la porte de l'office.

— « Tu montes, Ludovic? Porte-moi donc ce télégramme au 53. »

Le 53 était vide; le lit fait, la chambre rangée. Ludovic s'approcha de la croisée ouverte et inspecta le jardin : le major Thibault n'y était pas. Quelques malades valides, en pyjamas bleus et en espadrilles, un calot de soldat ou d'officier sur la tête, allaient et venaient au soleil, en devisant; d'autres, alignés contre la rangée des cyprès, lisaient les journaux, étendus à l'ombre sur des sièges de toile.

L'infirmier reprit son plateau, où refroidissait un bol de tisane, et entra au 57. Depuis une quinzaine, « le 57 » ne se levait plus. Dressé sur les oreillers, le visage en sueur, les traits tirés, la barbe pas faite, il respirait péniblement et son souffle rauque s'entendait du couloir. Ludovic versa deux cuillerées de potion dans le bol, soutint la nuque pour aider le malade à boire, vida le crachoir dans le lavabo; puis, après quelques paroles d'encouragement, partit à la recherche du docteur Thibault. Par acquit de conscience, avant de quitter l'étage, il entrouvrit la porte du 49. Le colonel, allongé sur une chaise longue de rotin, son crachoir près de lui, faisait un bridge avec trois officiers. Le major n'était pas parmi eux.

— « Il doit être à l'inhalation », suggéra le docteur Bardot, que Ludovic croisa au bas de l'escalier. « Donnez, j'y vais. »

Plusieurs malades, assis, la tête encapuchonnée de serviettes, étaient penchés sur les inhalateurs. Une vapeur qui sentait le menthol et l'eucalyptus emplissait la petite salle chaude et silencieuse, où l'on se voyait à peine.

— « Thibault, une dépêche. »

Antoine sortit de sous les linges sa figure congestionnée, ruisselante de gouttelettes. Il s'épongea les yeux, prit avec étonnement le télégramme des mains de Bardot, et le déchiffra.

— « Gravc ? »

Antoine secoua négativement la tête. D'une voix creuse, étouffée, sans timbre, il articula :

— « Une vieille parente... qui vient de mourir. »

Et, glissant le papier dans la poche de son pyjama, il disparut de nouveau sous les serviettes.

Bardot lui toucha l'épaule :

— « J'ai le résultat de l'examen chimique. Viens me trouver quand tu auras fini. »

Le docteur Bardot était de la même génération qu'Antoine. Ils s'étaient connus à Paris, jadis, alors qu'ils commençaient l'un et l'autre leur médecine. Puis, Bardot avait dû interrompre ses études pour aller se soigner deux ans dans les montagnes. Guéri, mais contraint à des ménagements et redoutant les hivers parisiens, il avait pris ses diplômes à la Faculté de Montpellier, et s'était spécialisé dans les affections pulmonaires. La déclaration de guerre l'avait trouvé à la direction d'un sanatorium dans les Landes. En 1916, le professeur Sègre, dont il avait été l'élève à Montpellier, l'avait demandé pour collaborateur à l'hôpital de gazés qu'il était chargé de créer dans le Midi; et ils avaient fondé ensemble cette clinique du Mousquier, près de Grasse, où plus de soixante soldats et une quinzaine d'officiers étaient actuellement en traitement.

C'est là qu'Antoine, ypérité à la fin de novembre 17 au cours d'une inspection sur le front de Champagne, avait échoué, au début de l'hiver, après avoir été soigné sans succès dans divers services de l'arrière.

Au Mousquier, dans le pavillon réservé aux officiers, Antoine se trouvait être l'unique major atteint par les gaz. Leurs communs souvenirs d'adolescence rapprochèrent tout naturellement les deux médecins, bien qu'ils fussent de tempéraments assez différents : Bardot était plutôt un méditatif, d'esprit appliqué, peu entreprenant, de volonté faible; mais, comme Antoine, il avait la passion de la médecine, et une conscience professionnelle exigeante. Ils s'aperçurent vite qu'ils parlaient la même langue; des liens d'amitié se nouèrent entre eux. Bardot, à qui le professeur Sègre laissait toute la besogne, ne sympathisait qu'à demi avec son assistant, le docteur Mazet, un ancien major de l'armée coloniale, affecté à la clinique du Mousquier après de graves blessures. Il prit d'autant plus de plaisir à confier ses idées, ses hésitations, à Antoine; à le consulter, à le tenir au courant de ses recherches, dans cette thérapeutique naissante où tant de points restaient encore obscurs. Bien entendu, il ne pouvait être question qu'Antoine secondât Bardot dans sa tâche : il était trop sérieusement touché, trop préoccupé de lui-même, trop souvent arrêté par des rechutes, trop accaparé par les soins méticuleux qu'exigeait son état; mais cet état ne l'empêchait pas de porter un constant intérêt aux cas des autres malades; et, dès qu'une amélioration passagère lui rendait quelque force, quelque liberté d'esprit, quelques loisirs, il se montrait aux consultations de Bardot, prenait part à ses expériences, assistait même parfois aux conférences qui, chaque soir, réunissaient Bardot et Mazet dans le cabinet du professeur Sègre. Grâce à quoi, cette atmosphère d'hôpital, où il ne menait pas exclusivement l'existence d'un malade, mais par instants aussi celle d'un médecin, lui était devenue moins pénible : il ne s'y trouvait pas complètement sevré de ce qui, depuis quinze ans, en temps de paix comme en temps de guerre, avait toujours été sa vraie, sa seule raison de vivre.

Dès qu'il eut terminé ses inhalations, Antoine noua un foulard autour de son cou pour se prémunir contre un trop brusque changement de température, et partit retrouver le docteur, qui, chaque matin, passait une demi-heure à l'annexe, pour surveiller en personne les exercices de gymnastique respiratoire qu'il ordonnait à certains gazés.

Bardot, debout au milieu de ses malades, présidait cette cacophonie essoufflée et rauque, avec une attention souriante. Il dépassait les plus grands d'une demi-tête. Une calvitie précoce lui dégageait le front et le grandissait encore. Le volume du corps était proportionné à la taille : cet ancien tuberculeux était un colosse. Des épaules aux reins, le torse, vu de dos, présentait sous la toile tendue de la blouse une surface presque carrée, de dimensions imposantes.

— « Je suis content », dit-il, entraînant aussitôt Antoine dans la petite pièce qui servait de vestiaire, et où ils se trouvèrent seuls. « Je craignais... Mais non : albumino-réaction négative, c'est bon signe. »

Il avait tiré un papier du revers de sa manche. Antoine le prit et le parcourut des yeux :

— « Je te rendrai ça ce soir, après l'avoir copié. » (Depuis le début de son intoxication, il tenait, dans un agenda spécial, un journal clinique très complet de son cas.)

— « Tu restes bien longtemps à l'inhalation », gronda Bardot. « Ça ne te fatigue pas? »

— « Non, non », fit Antoine. « Je tiens beaucoup à ces inhalations. » Sa voix était faible, courte de souffle, mais distincte. « Au réveil, les sécrétions qui couvrent la glotte sont si épaisses que l'aphonie est complète. Tu vois : elle s'atténue notablement, dès que le larynx est bien récuré par la vapeur. »

Bardot ne renonçait pas à son opinion :

— « Crois-moi, n'en abuse pas. L'aphonie, si agaçante qu'elle soit, ce n'est qu'un moindre mal. Les inhalations prolongées risquent d'enrayer trop brusquement la toux. » Sa prononciation traînante trahissait son origine bourguignonne; elle accentuait encore l'expression de douceur, de sérieux, qui émanait du regard. Il s'était assis et avait fait asseoir Antoine. Il s'appliquait à donner aux malades l'impression qu'il n'était pas pressé, qu'il avait tout le temps de les écouter, que rien ne l'intéressait plus que leurs doléances :

— « Je te conseille de reprendre, ces jours-ci, une de tes potions expectorantes », dit-il, après avoir interrogé Antoine sur la journée de la veille et sur la nuit. « Terpine ou drosera, ce que tu voudras. Et dans une infusion de bourrache... Oui, oui : remède de bonne femme... Une sueur abondante, avant de s'endormir, à condition de ne pas prendre froid, — rien de meilleur! » La façon dont il appuyait sur certaines voyelles, sur les diphtongues, et dont il prolongeait en chantant les finales (« pôtions expectôrântes... bourrâche... sûeur abôndânte... ») rappelait l'écrasement de l'archet sur les cordes basses d'un violoncelle.

Il prenait plaisir à multiplier les recommandations : il croyait religieusement à l'efficacité de ses traitements, et ne se laissait décourager par aucun échec. Il n'aimait rien tant qu'à persuader autrui : et spécialement Antoine, dont il sentait, sans mesquine jalousie, la supériorité.

— « Et puis », poursuivit-il, sans quitter son patient des yeux, « si tu veux modérer les sécrétions nocturnes, pourquoi pas, pendant quelques jours, une cure sulfoarsenicale?... N'est-ce pas? » ajouta-t-il, s'adressant au docteur Mazet qui venait d'entrer.

Mazet ne répondit pas. Il avait ouvert une armoire, au fond du vestiaire, et changeait contre une blouse blanche sa tunique de toile kaki, tout effilochée et pâlie par les lessives mais chamarrée de décorations. Un relent de transpiration flotta dans la pièce.

— « Au cas où l'aphonie augmenterait, nous pourrons toujours recourir de nouveau à la strychnine », continua Bardot. « J'ai eu de bons résultats cet hiver, avec Chapuis. »

Mazet se tourna, gouailleur :

— « Si tu n'as pas d'exemple plus encourageant à proposer!... »

Il avait la tête carrée, le front court et traversé d'une profonde balafre; ses cheveux grisonnants, très denses, étaient plantés bas et taillés en brosse. Le blanc des yeux se congestionnait facilement. La moustache noire tranchait durement sur son teint recuit de vieux colonial.

Antoine regardait Bardot d'un air interrogatif.

— « Le cas de Thibault n'a heureusement aucun rapport avec le cas de Chapuis », lança Bardot, précipitamment. Il était mécontent, et le dissimulait mal. « Ce pauvre Chapuis ne va pas fort », expliqua-t-il, s'adressant cette fois à Antoine. « La nuit a été mauvaise. On est venu me réveiller deux fois. L'intoxication du cœur fait de rapides progrès : arythmie extra-systolique totale... J'attends ce matin le patron, pour le mener au 57. »

Mazet, boutonnant sa blouse, s'était rapproché. Ils discoururent quelques instants sur les troubles cardio-vasculaires des ypérités, « si différents », affirmait Bardot, « selon l'âge des malades ». (Chapuis était un colonel d'artillerie en traitement depuis huit mois. Il avait dépassé la cinquantaine.)

— « ...et selon leurs antécédents », ajouta Antoine.

Chapuis était son voisin de palier. Antoine l'avait ausculté plusieurs fois, et il supposait que le colonel, avant d'être atteint par les gaz, devait être porteur d'un rétrécissement mitral latent : ce que ni Sègre, ni Bardot, ni Mazet, ne semblaient avoir soupçonné. Il fut sur le point de le dire. (Plus encore que naguère, il éprouvait une méchante satisfaction d'orgueil à prendre autrui en faute et à le lui faire constater, — fût-ce un ami — : c'était une petite revanche de cette infériorité à laquelle le condamnait la maladie.) Mais, parler lui était un effort. Il y renonça.

— « Avez-vous mis le nez dans les feuilles ? » demanda Mazet.

Antoine fit un signe négatif.

— « L'attaque des Boches dans les Flandres semble vraiment arrêtée », déclara Bardot.

— « Oui, ç'en a l'air », dit Mazet. « Ypres a tenu bon. Les Anglais annoncent officiellement que la ligne de l'Yser est maintenue. »

— « Ça doit coûter cher », observa Antoine.

Mazet eut un mouvement de l'épaule qui pouvait aussi bien signifier : « Très cher », que : « Peu importe ! » Il retourna vers l'armoire, fouilla les poches de sa tunique et revint vers Antoine :

— « Tenez, justement : un journal suisse que m'a passé Goiran... Vous verrez : d'après les communiqués des Centraux, dans le seul mois d'avril, les Anglais auraient perdu plus de deux cent mille hommes, rien que sur l'Yser ! »

— « Si ces chiffres étaient connus de l'opinion publique alliée... », remarqua Bardot.

Antoine hocha la tête, et Mazet ricana bruyamment. Il était près de la porte. Il jeta, par-dessus l'épaule :

— « Mais aucun renseignement exact n'arrive jamais jusqu'à l'opinion publique ! C'est la guerre ! »

Il avait toujours l'air de tenir les autres pour des imbéciles.

— « Sais-tu ce à quoi je réfléchissais ce matin », reprit Bardot, lorsque Mazet fut sorti. « C'est que, aujourd'hui, aucun gouvernement ne représente plus le sentiment national de son pays. Ni d'un côté ni de l'autre, personne ne sait ce que pensent vraiment les masses : la voix des dirigeants couvre celle des dirigés... Regarde, en France ! Crois-tu qu'il y ait un combattant français sur vingt qui tienne à l'Alsace-Lorraine au point de consentir à prolonger la guerre d'un mois, pour la ravoir? »

— « Pas un sur cinquante! »

— « N'empêche que le monde entier est persuadé que Clemenceau et Poincaré sont authentiquement les porte-parole de l'opinion générale française... La guerre a créé une atmosphère de mensonges officiels, sans précédent! Partout! Je me demande si les peuples pourront jamais faire entendre de nouveau leur vraie voix, et si la presse européenne pourra jamais recouvrer... »

L'entrée du professeur l'interrompit.

Sègre répondit militairement au salut des deux médecins. Il serra la main de Bardot, mais non celle d'Antoine. Son menton en galoche, son nez busqué, ses lunettes d'or, sa petite taille surmontée d'un toupet blanc vaporeux, le faisaient ressembler aux caricatures de M. Thiers. Il était extrêmement soigné dans sa tenue, toujours rasé de près. Son parler était bref; sa politesse, distante, même avec ses collaborateurs. Il vivait à l'écart, dans son bureau, où il se faisait servir ses repas. Grand travailleur, il passait ses journées à rédiger, pour des revues médicales, des articles sur la thérapeutique des gazés, d'après les observations cliniques de Bardot et de Mazet. Ses relations avec les malades étaient rares : à l'arrivée, et en cas d'aggravation subite.

Bardot voulut le mettre au courant de l'état du 57. Mais, dès la première phrase, le professeur coupa court en se dirigeant vers la porte :

— « Montons. »

Antoine les regarda partir. « Bon type, ce Bardot », songea-t-il. « J'ai de la chance de l'avoir... »

A cette heure-là, il avait l'habitude de regagner sa chambre, d'y achever son traitement, et de s'y reposer jusqu'à midi. Souvent, il était si fatigué par les soins de la matinée qu'il s'assoupissait dans son fauteuil, et que le gong du déjeuner le réveillait en sursaut.

Il suivit, à quelque distance, les deux médecins.

« N'empêche », se dit-il tout à coup, « si j'avais eu à mourir ici, l'amitié d'un Bardot ne m'aurait été d'aucun secours... »

Il marchait lentement pour ménager son souffle. L'ascension des deux étages, pour peu qu'il ne prît pas les précautions nécessaires, lui donnait parfois un point de côté, pas très douloureux, mais qui mettait plusieurs heures à se dissiper.

Joseph avait encore oublié de baisser le store. Des mouches voletaient autour de l'étagère où s'alignaient les médicaments. La tapette à mouches pendait à un clou; mais Antoine était trop las pour faire la chasse. Sans un regard pour l'admirable panorama qui se déployait devant sa fenêtre, il baissa le store, s'assit dans son fauteuil, et ferma un instant les yeux. Puis il tira de sa poche le télégramme et le relut machinalement.

Elle avait accompli son temps, la pauvre vieille... Qu'avait-elle d'autre à faire, qu'à disparaître? Pourtant, elle n'était pas tellement âgée... « A soixante et des, tu comprends, Antoine, je ne veux pas être à charge », répétait-elle, en branlant la tête, lorsqu'elle s'était mis dans l'esprit d'aller finir ses jours à l'Asile de l'Age mûr. C'était peu de jours après la mort de M. Thibault. En décembre 13, en janvier 14, peut-être... Mai 18 : plus de quatre ans, déjà! Avait-elle seulement atteint ses soixante-dix, avant de mourir?... Il revoyait, sous la suspension, le petit front jaune entre les bandeaux gris, les petites mains d'ivoire qui tremblotaient sur la nappe, les petits yeux de lama effarouché... Tout l'effrayait : une souris dans un placard, un roulement lointain de tonnerre, autant qu'un cas de peste découvert à Marseille, ou qu'une secousse sismique enregistrée en Sicile. Le claquement d'une porte, un coup de sonnette un peu brusque, la faisaient sursauter : « Dieu bon! » et elle croisait anxieusement ses bras menus sous la courte pèlerine de soie noire qu'elle nommait sa « capuche ». Et son rire... Car elle riait souvent, et toujours pour peu de chose, d'un rire de fillette, perlé, candide... Elle avait dû être charmante dans sa jeunesse. On l'imaginait si bien jouant aux *grâces* dans la cour de quelque pensionnat, avec un ruban de velours noir au cou et les nattes roulées dans une résille!... Quelle avait pu être sa jeunesse? Elle n'en parlait jamais. On ne la questionnait pas. Savait-on seulement son prénom? Personne au monde ne l'appelait plus par son prénom. On ne l'appelait même pas par son nom. On la désignait par sa fonction : on disait « Mademoiselle », comme on disait « la concierge », comme on disait « l'ascenseur »... Vingt ans de suite, elle avait vécu, avec une dévotieuse terreur, sous la tyrannie de M. Thibault. Vingt ans de suite, effacée, silencieuse, infatigable, elle avait été la cheville ouvrière de la maison, sans que nul songeât à lui savoir gré de sa ponctualité, de ses prévenances. Toute une existence impersonnelle, de dévouement, d'abnégation, de don de soi, de modestie, de tendresse bornée et discrète qui ne lui avait guère été rendue.

« Gise doit avoir du chagrin », se dit Antoine.

Il n'en était pas autrement sûr, mais il désirait s'en persuader : il avait besoin des regrets de Gise pour réparer une longue injustice.

« Il va falloir écrire », songea-t-il, avec impatience. (Dès la mobilisation, il avait réduit la correspondance au strict indispensable; et, depuis qu'il était malade, il avait à peu près complètement renoncé à écrire : par-ci, par-là, quelques mots sur une carte adressée à Gise, à Philip, à Studler, à Jousselin...) « Je vais envoyer un long télégramme de condoléances », décida-t-il. « Ça me donnera quelques jours de répit, pour la lettre... Pourquoi me donne-t-elle l'heure de l'enterrement? Elle n'a tout de même pas supposé que je ferais le voyage!... »

Il n'avait pas remis les pieds à Paris depuis le début de la guerre. Qu'aurait-il été y faire? Ceux qu'il aurait eu plaisir à revoir étaient mobilisés, comme lui. Retrouver la maison, l'appartement désert, l'étage des laboratoires désaffecté, à quoi bon? Ses tours de permission, il les avait toujours abandonnés à d'autres. Au front, il était du moins assujetti à une vie active, réglée, qui aidait à ne pas penser. Une seule fois, d'Abbeville, avant l'offensive de la Somme, il avait accepté de prendre sa « perm' », et il était parti se terrer, seul, à Dieppe, en fin d'hiver. Mais, deux jours après son arrivée, il avait repris le train et rejoint sa formation, tant lui pesait son oisiveté dans cette ville qui puait la marée, qu'un vent mouillé battait jour et nuit, et qui était infestée de blessés anglais... Il n'avait jamais revu Gise (ni Philip, ni Jenny, ni personne), depuis la mobilisation. Il n'avait même pas consenti à ce que Gise vînt le voir à Saint-Dizier, pendant sa convalescence, après sa première blessure. Les billets, tendres et laconiques, qu'ils échangeaient tous les deux ou trois mois, lui suffisaient bien pour garder un minimum de contact avec le monde de l'arrière et avec le passé.

C'était par correspondance qu'il avait appris la grossesse de Jenny; par correspondance, qu'il avait eu confirmation définitive de la mort de Jacques. Au cours de l'hiver 1915, Jenny, avec laquelle il avait échangé plusieurs lettres déjà, et des lettres assez intimes, lui avait écrit qu'elle désirait se rendre à Genève. Elle donnait à ce voyage un double but : elle voulait y faire ses couches, seule, loin des siens; et elle comptait profiter de son séjour en Suisse pour entreprendre des recherches sur la mort de Jacques, — mort qui restait jusqu'alors assez mystérieuse : le bruit s'était répandu, dans les milieux révolutionnaires avec lesquels Jenny était demeurée en relations, que Jacques avait disparu dans les premiers jours d'août, au cours d'une « mission périlleuse ». Antoine eut alors l'idée d'adresser Jenny à Rumelles. Le diplomate était mobilisé à Paris, à son poste du Quai d'Orsay. Sans grande peine, il avait procuré à la jeune femme les laissez-passer nécessaires. A Genève, Jenny avait retrouvé Vaneede. L'albinos l'avait aidée dans son enquête. Il l'avait accompagnée à Bâle et présentée à Plattner. Par le libraire, elle avait eu, enfin, des détails précis sur les derniers jours de Jacques, appris la rédaction du manifeste, le rendez-vous avec l'avion de Meynestrel, l'envol vers le front d'Alsace, au matin du 10 août. Plattner n'en savait pas davantage. Mais Antoine, mis au courant par Jenny, lança Rumelles sur la piste. Et c'est ainsi que, après de vains sondages parmi les listes de prisonniers des camps allemands, Rumelles avait fini par découvrir, dans les archives du ministère de la Guerre, à Paris, une note, émanée du Q. G. d'une division d'infanterie, et datée précisément du 10 août. Cette note, relative au repli des troupes d'Alsace, signalait qu'un avion en flammes s'était abattu dans les lignes françaises. Les restes humains, carbonisés, n'avaient permis aucune identification; mais, d'après la carcasse de l'appareil, il était possible d'affirmer qu'il s'agissait d'un avion non armé, de fabrication suisse; et le rapport ajoutait que, parmi des ballots de papiers calcinés, on avait réussi à déchiffrer les fragments d'un tract violemment antimilitariste. Pas de doute : les débris humains étaient ceux de Jacques et de son pilote... Inepte fin! Antoine n'avait jamais pu prendre son parti des conditions absurdes de cette mort. Aujourd'hui encore, après quatre ans, il en ressentait plus d'irritation que de chagrin.

Il se leva, décrocha la tapette, massacra rageusement une douzaine de mouches, et voulut chasser le reste à coups de serviette; mais une quinte de toux l'immobilisa, plié en deux, les mains sur le dossier de son fauteuil. Lorsqu'il put se redresser, il humecta de térébenthine une compresse qu'il appliqua quelques instants sur sa poitrine. Puis, momentanément soulagé, il alla prendre deux oreillers sur le lit, vint se rasseoir, et, le buste droit pour éviter l'hypostase, il commença avec précaution ses exercices respiratoires, pinçant son larynx entre le pouce et l'index, et s'efforçant d'émettre des sons bien distincts, d'un souffle de plus en plus soutenu :

— « A... E... I... O... U... »

Ses regards erraient de-ci, de-là, à travers la chambre. Elle était petite et d'une écœurante banalité. Ce matin, la brise de mer agitait le store, et des reflets dansaient sur les murs laqués, rose brique, nus jusqu'à la frise de liserons chocolat, qui ondulait sous la corniche. Au-dessus de la glace de la toilette, une rangée de six *girls* américaines, à cols marins, découpées dans quelque magazine, levait six jambes aux pieds cambrés : dernier vestige de la décoration artistique dont le prédécesseur d'Antoine avait, avant de mourir, orné le 53; décoration qu'Antoine avait réussi à faire disparaître, à l'exception de ces six *girls* frénétiques, placées trop haut pour qu'il pût les atteindre sans un imprudent effort. Il avait toujours eu l'intention de faire procéder à cette dernière exécution par Joseph, le garçon de l'étage; mais Joseph était de petite taille, l'escabeau était au rez-de-chaussée, et Antoine avait préféré n'y plus penser. Sur l'étroite table de pitchpin — où trônait un crachoir de porcelaine, et où, parmi des flacons et des boîtes pharmaceutiques, s'amassaient de vieux journaux, des revues, des cartes du front, des disques — c'est à peine s'il lui restait la place d'ouvrir, chaque soir, son agenda, pour y noter les observations médicales de la journée. D'autres fioles de potions encombraient la tablette de verre du lavabo. Entre la table et une armoire de bois blanc (qui contenait son linge et ses effets) était dressée, debout, une cantine vide, où se lisait encore, écaillée, l'inscription réglementaire : *Docteur THIBAULT — Major au 2e Bataillon.* Elle servait de piédestal à un phonographe hors d'usage.

Près de cinq mois bientôt qu'Antoine, confiné dans cette cellule rosâtre, surveillait les fluctuations de son mal et guettait en vain des symptômes nets de guérison. Près de cinq mois... Il y avait souffert, compté les minutes, mangé, bu, toussé, commencé des lectures qu'il n'avait jamais finies, rêvé au passé, à l'avenir, reçu des visites, plaisanté, discuté jusqu'à l'essoufflement sur la guerre et sur la paix... Il avait pris en dégoût ce lit, ce fauteuil, ce crachoir, témoins des heures de fièvre, d'étouffement, d'insomnie. Par bonheur, son état lui permettait assez souvent de descendre, de s'évader. Il se réfugiait alors, avec un livre qu'il ne lisait pas mais qui protégeait un peu sa solitude, dans l'allée des cyprès, ou sous les oliviers, parfois même jusqu'au fond du potager, près de la noria dont le ruissellement donnait une impression de fraîcheur. Ou bien, s'il se sentait capable de rester quelque temps debout, il allait s'enfermer avec Bardot et Mazet dans le laboratoire. Il y respirait aussitôt un air familier. Bardot lui prêtait une blouse, l'associait à ses manipulations. Il sortait de là fourbu, mais c'était ses meilleurs jours.

Si seulement il avait pu mettre à profit, pour l'avenir, ce répit forcé, ces semaines, ces mois, qu'il perdait là à attendre son rétablissement! A plusieurs reprises, il avait essayé d'entreprendre quelque travail personnel. Mais toujours survenait une rechute qui l'obligeait à suspendre son effort avant même qu'il eût donné quelque résultat. Un projet surtout le hantait : condenser en une longue étude les observations qu'il avait amassées, avant la guerre, sur les troubles respiratoires infantiles dans leur rapport avec le développement intellectuel et la faculté d'attention des enfants. Ces documents formaient dès maintenant un ensemble assez riche pour lui permettre d'en tirer un petit livre, au moins un copieux article de revue; et il avait hâte de le faire, pour prendre date, car ce sujet était « dans l'air », et Antoine risquait d'être devancé par quelque autre spécialiste d'enfants. Mais, sa santé lui eût-elle permis cet effort, qu'il n'aurait pu l'entreprendre, faute d'avoir ses dossiers, ses *tests*, qui étaient tous à Paris. Et aucun moyen de les faire revenir : son secrétaire, le jeune Manuel Roy, avait disparu, avec toute sa section, dans une attaque sous Arras, dès le second mois de la guerre; Jousselin était depuis deux ans prisonnier dans un camp, en Silésie; et quant au Calife, blessé à Verdun en 1916, puis rétabli mais resté dur d'oreille, il s'était spécialisé dans la radiologie, et il venait d'être affecté au service sanitaire de l'Armée d'Orient.

Le premier tintement de gong, qui annonçait l'approche du déjeuner, le fit se lever. Il alluma l'applique du lavabo pour éclairer le fond de sa gorge. Avant de se mettre à table il prenait généralement la précaution de se faire quelques instillations, afin d'atténuer la difficulté de la déglutition; — difficulté qui devenait si pénible, certains jours, qu'il lui fallait recourir à Bardot et à son galvano-cautère.

En attendant le second appel, il poussa son fauteuil près de la fenêtre et souleva le store. Devant lui, s'étendait une vaste pente de cultures en terrasses, couronnée de crêtes rocheuses; sur la droite, ondulait la ligne familière des collines, qui se succédaient, dans un poudroiement de soleil, jusqu'à l'horizon bleu foncé de la mer. Au-dessous de lui, le jardin, d'où montaient des parfums de fleurs et des voix. Il se pencha pour suivre un instant le va-et-vient habituel des malades dans la grande allée qu'abritait la rangée de cyprès. Il les connaissait tous : Goiran et son complice Voisenet (les deux seuls malades dont les cordes vocales étaient intactes, et qui discouraient du matin au soir); Darros, avec son livre sous le bras; Echmann, qu'on appelait « le Kangourou »; et le commandant Reymond, qui, au centre d'un groupe de jeunes officiers, avait, comme chaque matin, déplié une carte et commentait le communiqué. Rien qu'à les voir s'agiter, gesticuler, il croyait les entendre; et il en éprouvait presque la même lassitude que s'il avait été parmi eux.

Le gong retentit de nouveau, et tout le jardin s'anima comme une fourmilière alertée.

Antoine se redressa en soupirant. « Rien de moins engageant que ce tintement sinistre », songea-t-il. « Pourquoi pas une cloche, comme partout? »

Il n'avait aucune faim. Il se sentait sans courage pour descendre encore une fois ses deux étages, affronter une fois de plus l'odeur de mangeaille, le service bruyant, la promiscuité de l'éternelle *popote*, écouter avec un sourire complaisant les palabres quotidiennes sur les projets de l'Allemagne, les calculs sur la durée de la guerre, l'explication des sous-entendus du communiqué... — le tout, assaisonné de taquineries rituelles, de souvenirs du front, d'histoires scabreuses, et, pis encore : de confidences ingénues sur l'aspect de certaines mucosités ou sur l'abondance des expectorations de la nuit...

En troquant sa veste de pyjama contre une vieille tunique à trois galons, en toile blanche, il sortit de sa poche la dépêche de Gise, et s'immobilisa brusquement :

« Si j'y allais? »

Il ne put s'empêcher de sourire. Il savait qu'il n'en ferait rien, et cette certitude intérieure laissait à son imagination toute liberté de vagabonder un instant autour de ce projet fantaisiste. En soi, il n'aurait rien eu d'irréalisable, ce projet. Avec des précautions, en n'interrompant pas son traitement, en prenant soin d'emporter un inhalateur et son arsenal de drogues, Antoine ne courrait aucun risque d'aggravation. *Enterrement dimanche dix heures*... Il suffirait de prendre, demain, samedi, le rapide de l'après-midi, pour être à Paris dimanche matin... Sègre ne lui refuserait certainement pas une permission : n'en avait-il pas accordé une à Dosse, malgré son état?... L'occasion était tentante, à certains égards... Alléchante même, par son inattendu...

Il se vit, soudain, comme au temps de l'avant-guerre, — au temps de la vie facile et de la santé, — assis, seul, silencieux, à la table bien servie d'un wagon-restaurant...

A Paris, il pourrait consulter sur son état son vieux maître Philip... Surtout, il retrouverait ses dossiers, ses *tests :* il rapporterait une pleine valise de notes, de livres; de quoi travailler, de quoi utiliser enfin cette interminable convalescence...

Paris! Trois ou quatre jours d'évasion! Trois ou quatre jours sans *popote!*

Pourquoi pas, après tout?

II

Un déclic joua dans le silence, et le guichet de la sœur tourière s'entrebâilla. Antoine aperçut une manche de drap bleu, une main parcheminée où brillait une alliance.

— « Tout droit », murmura une bouche invisible; « dans la cour, au bout du corridor. »

Le vestibule se prolongeait par un couloir carrelé, vide et miroitant, qui s'enfonçait dans les profondeurs muettes de l'Asile. Sur la gauche, groupées comme pour une figuration, deux vieilles, accroupies sur les premières marches d'un escalier, les épaules serrées dans des fichus de crochet noirs, jacassaient à voix retenue, penchées l'une vers l'autre.

La cour, aux trois quarts ensoleillée, était déserte. Une chapelle en occupait le fond. L'un des battants, ouvert, creusait dans la façade un rectangle d'ombre; il s'en échappait des sons d'harmonium. Le service était commencé. Antoine approcha. Son regard, plongeant dans les ténèbres de la chapelle, aperçut une herse de petites flammes. Le dallage était plus bas que le sol de la cour; il fallait descendre deux degrés. Antoine se faufila entre les employés des pompes funèbres qui obstruaient le passage. Le petit vaisseau était plein de monde. Il y régnait une fraîcheur de crypte. Avec effort, s'appuyant d'une main au bénitier, Antoine se haussa sur ses pointes. Devant l'autel, la bière, mal recouverte d'un drap noir, reposait entre quatre cierges. Debout derrière cet humble catafalque, un nain à lunettes et à cheveux blancs se tenait, les bras croisés, auprès d'une infirmière agenouillée, dont le voile bleu cachait le visage;

elle tourna la tête, et Antoine reconnut le profil de Gise. « Sans parents, sans amis... Personne, que cet imbécile de Chasle... », songea-t-il. « J'ai bien fait de venir... Jenny n'est pas là... Ni Mme de Fontanin ni Daniel... Tant mieux. Je dirai à Gise de ne pas leur annoncer ma présence à Paris : ça m'évitera d'avoir à aller à Maisons-Laffitte. » Il s'assura, une dernière fois, qu'il ne découvrait aucune figure de connaissance dans les quelques rangées de bancs où s'entassaient des vieilles femmes à fichus et quelques religieuses à larges cornettes. « Jamais je ne pourrai rester debout jusqu'à la fin... Sans compter qu'il fait presque froid là-dedans... » Comme il se disposait à sortir, les bancs craquèrent : l'assistance se levait pour se mettre à genoux. Le prêtre qui officiait se retourna, les mains levées, vers les fidèles. Antoine reconnut la haute stature, le front dégarni, de l'abbé Vécard.

Il remonta les marches, se retrouva dans la cour, avisa un banc au soleil, et alla s'y asseoir. Il souffrait d'un point douloureux entre les omoplates. Pourtant, ce long voyage en chemin de fer ne l'avait pas fatigué outre mesure; il avait pu s'allonger, une partie de la nuit. Mais le trajet de la gare de Lyon au Point-du-Jour, dans un vieux taxi, sur le pavé rocailleux des quais, l'avait rompu.

« Un cercueil d'enfant », songea-t-il. « Si petite! » Il la revoyait, trottinant à travers l'appartement de la rue de l'Université, ou bien, dans sa chambre, piquée à contre-jour au bord d'une chaise, devant son bureau de marqueterie, — son « meuble de famille », comme elle disait; le seul souvenir qu'elle eût apporté avec elle lorsqu'elle était venue tenir la maison de M. Thibault. Elle y serrait l'argent du mois, dans un tiroir « à secret »; elle y gardait toutes ses reliques; elle y entassait ses réserves. C'était là qu'elle rangeait son jujube et ses factures, son papier à lettres et l'étui à vanille, les bouts de crayon jetés par M. Thibault, ses prospectus et ses recettes, son fil, ses aiguilles, ses boutons, sa mort aux rats et son taffetas gommé, ses sachets d'iris et son arnica, toutes les vieilles clefs de la maison, et ses paroissiens, et des photographies, et la pommade au concombre qui lui adoucissait la peau des mains et dont l'odeur fade, mêlée à celle de la vanille, à celle de l'iris, se répandait jusqu'au vestibule, dès que le bureau était ouvert. Longtemps, pour Antoine et pour Jacques enfants, ce bureau avait eu le prestige d'un trésor magique. Plus tard, Jacques et Gise l'avaient baptisé « la papeterie-mercerie du village », parce qu'il était comme ces bazars de campagne où l'on trouve de tout...

Un bruit de piétinement lui fit dresser la tête. Les hommes noirs avaient poussé le second battant, et ils déposaient des couronnes par terre, dans la cour. Antoine se leva.

L'office se terminait. Deux religieuses, en tablier de coutil, attelées à un grand panier à roulettes chargé de légumes, passèrent, les yeux baissés, et se hâtèrent de disparaître dans un des bâtiments qui encadraient la cour. Aux croisées du premier étage, les rideaux s'étaient soulevés, et de vieilles impotentes, en camisoles, s'installaient derrière les vitres. Les pensionnaires valides commençaient à sortir de la chapelle, et, clopin-clopant, se groupaient de chaque côté du portail. L'harmonium s'était tu. Une croix d'argent, un surplis, émergèrent de l'ombre. La bière apparut, portée par deux hommes. Des enfants de chœur suivaient, puis un vieux prêtre, puis l'abbé Vécard.

A son tour, Gise monta les marches et surgit dans la lumière. M. Chasle était derrière elle. Les porteurs s'étaient arrêtés pour laisser aux employés des pompes le temps de replacer les couronnes sur le cercueil. Les yeux de Gise étaient pleins de larmes et tournés vers la bière. Sur son visage recueilli, Antoine remarqua une expression de maturité qui le surprit : lorsqu'il songeait à elle, c'était toujours la gamine de quinze ans qu'il évoquait. « Elle ne m'a pas vu... Elle est bien loin de soupçonner que je suis là », se dit-il, un peu gêné de pouvoir l'examiner tout à son aise, sans qu'elle se doutât de rien. Il avait oublié qu'elle eût le teint aussi fortement bistré. « C'est ce liséré blanc sur le front qui doit faire paraître la peau plus sombre... »

M. Chasle, ganté de noir, tenait à la main un chapeau de forme antique; il tendait le cou et remuait de droite et de gauche sa petite tête d'oiseau. Soudain, il aperçut Antoine et mit brusquement sa main sur sa bouche, comme pour étouffer un cri. Gise tourna les yeux; son regard vint se poser sur Antoine. Elle le dévisagea deux secondes, comme si d'emblée elle ne le reconnaissait pas; puis elle courut à lui et fondit en sanglots. Il la tenait embrassée, gauchement. Il vit les porteurs se remettre en marche, et se dégagea avec douceur.

— « Viens près de moi », souffla-t-elle. « Ne me quitte pas. »

Elle alla reprendre sa place, et il la suivit. M. Chasle les regardait venir, la mine effarée.

— « Ah, c'est vous? » murmura-t-il, comme en rêve, lorsque Antoine lui tendit la main.

— « Le cimetière est loin? » demanda Antoine à Gise.

— « Notre caveau est à Levallois... Il y a des voitures », répondit-elle à voix basse.

Le cortège traversa lentement la cour.

Un fourgon à deux chevaux attendait dans la rue. Des gens du quartier, des gamins, faisaient haie sur le trottoir. Une sorte de coupé à trois places était juché sur le haut du vieux véhicule, comme un palanquin sur un éléphant. On y accédait par plusieurs marchepieds. Les trois places étaient réservées à Gise, à M. Chasle, et à l'ordonnateur de la cérémonie; mais ce dernier, cédant son privilège à Antoine, grimpa sur le siège, près du cocher à bicorne. La voiture s'ébranla et partit au pas, brimbalant sur le pavé de banlieue. Les deux prêtres suivaient dans un landau de deuil.

Pour se hisser dans le coupé, Antoine avait dû faire une suite d'efforts qui lui avaient irrité les bronches. A peine assis, il fut secoué par une quinte de toux tenace, et dut rester, un bon moment, tête baissée, le mouchoir aux lèvres.

Gise était placée entre les deux hommes. Elle attendit que la quinte fût passée, et toucha le bras d'Antoine.

— « Tu es bon d'être venu. Je m'y attendais si peu...! »

— « Ah, il faut s'attendre à tout, en ces temps », soupira sentencieusement M. Chasle. Il s'était penché pour regarder Antoine tousser, et il continuait à le considérer, par-dessus ses lunettes. Il hocha la tête : « Excusez. J'ai eu du mal à vous remettre, tout à l'heure. C'est déroutant, n'est-ce pas, Mademoiselle Gise? »

Antoine ne put se défendre d'une impression désagréable. Il fit bonne contenance, néanmoins :

— « Hé, oui... J'ai passablement maigri... L'ypérite!... »

Gise se tourna, effrayée soudain par cette voix caverneuse. Au premier instant, dans la cour, elle avait bien été frappée par l'aspect général d'Antoine; mais elle ne l'avait guère examiné. Rien d'étonnant d'ailleurs à ce qu'il lui parût changé, après ces cinq ans d'absence, et sous cet uniforme. La pensée qu'il était peut-être plus atteint qu'elle n'avait cru l'effleurait maintenant. Elle n'avait jamais eu de détails sur cette intoxication. Elle le savait en traitement dans le Midi : « en voie de guérison », disaient les lettres...

— « L'ypérite? », répéta M. Chasle, d'un air satisfait et connaisseur. « Parfaitement. Le gaz d'Ypres. Qu'on appelle aussi : *moutarde*... Une découverte du modernisme... » Il dévisageait toujours Antoine avec curiosité. « Ça vous a tout *écorcé*, ce gaz... Mais ça vous a donné la croix de guerre. Et avec deux palmes, jusqu'à plus ample informé... C'est glorieux. »

Gise jeta les yeux sur la tunique d'Antoine. Dans sa correspondance, il n'avait jamais soufflé mot de ces décorations.

— « Et tes médecins? », hasarda-t-elle. « Que disent-ils? Pensent-ils te garder longtemps encore dans leur clinique? »

— « Les progrès sont lents », avoua Antoine. Il s'efforça de sourire. Il voulut ajouter quelque chose, respira profondément, mais se tut : les chevaux s'étaient mis à trotter, et les secousses lui coupaient le souffle.

— « Nous vendons tout le nécessaire, et aussi le masque, bien entendu, à notre comptoir des Inventions », débita, tout d'un trait, M. Chasle, avec un rictus engageant.

Gise voulut dire un mot aimable :

— « Ça marche, votre commerce, Monsieur Chasle? Vous êtes content? »

— « Ça marche, euh, ça marche... Comme tout, en ces temps, Mademoiselle Gise! Il faut s'adapter. On nous a mobilisé tous nos inventeurs, vous comprenez; et, au front, dame, ils ne font plus rien d'utile... De temps à autre, il y en a un qui a une idée. Par exemple, notre *Jeu de l'Oie des Alliés*, qui vient de sortir... Portatif... Vignettes empruntées aux opérations : la Marne, les Eparges, Douaumont... Très apprécié dans les tranchées... Il faut s'adapter, Mademoiselle Gise... »

« Toi, en tout cas, tu n'as pas changé », pensa Antoine.

Le fourgon, pour aller du Point-du-Jour à Levallois, avait pris les boulevards extérieurs. Cette journée de dimanche s'annonçait lumineuse et gaie. Le soleil était déjà chaud. Sur les fortifications, des soldats flânaient. A la porte Dauphine, des Parisiennes, en robes claires, gagnaient le Bois, avec des enfants, des chiens; et le long des trottoirs, des voitures des quatre saisons stationnaient, chargées de fleurs. Comme autrefois.

— « De quoi... Mademoiselle... est-elle morte? » demanda Antoine, d'une voix brisée par les cahots.

Gise se tourna avec empressement :

— « De quoi? Pauvre tante... Elle était usée, comme on dit. L'estomac, les reins, le cœur. Depuis des semaines, elle ne digérait rien. La dernière nuit, le cœur a brusquement flanché. » Elle se tut, quelques secondes. « Tu n'imagines pas à quel point son caractère s'était modifié, depuis qu'elle était à l'Asile... Elle ne s'intéressait plus qu'à elle... Son régime, son bien-être, sa Caisse d'épargne... Elle tyrannisait les bonnes, les religieuses... Mais oui! Elle se plaignait de tout, elle se croyait persécutée. Elle a été jusqu'à accuser une voisine de l'avoir volée : toute une histoire... Elle restait des jours entiers sans boire, persuadée que les sœurs cherchaient à l'empoisonner!... »

Elle se tut de nouveau, et il y eut un silence. Elle s'expliquait mal le mutisme d'Antoine; elle l'interprétait comme un reproche. Car elle était, depuis ces derniers jours, la proie de ses scrupules : elle ne cessait de se demander si elle avait bien fait pour sa tante tout ce qu'elle devait. « Elle m'a entièrement élevée », se disait-elle; « et moi, dès que j'ai pu la quitter, je l'ai fait; et c'est à peine si j'allais la visiter, à son Asile... »

— « À Maisons », reprit-elle, élevant un peu la voix, comme pour se disculper, « nous sommes tellement prises par notre hôpital!... Tu comprends, cela m'était très difficile de venir. Ces derniers mois, surtout, j'étais restée longtemps sans la voir. Et puis, le mois dernier, la Supérieure m'a écrit, et je suis arrivée tout de suite. Je n'oublierai jamais... Pauvre tante... Je l'ai trouvée au fond du cabinet où elle rangeait ses robes, assise sur une malle, en chemise et en jupon, l'air égaré, son bonnet de treillis blanc sur ses bandeaux, un bas mis, l'autre jambe nue. Elle était déjà squelettique. Le front bombé, les joues creuses, un cou décharné... Mais la jambe était restée étonnamment jeune, fraîche même : une jambe de petite fille... Elle ne m'a pas demandé de mes nouvelles ni de personne. Elle s'est mise à se plaindre de ses voisines, des sœurs. Et puis elle a été ouvrir son bureau, tu sais? Elle voulait me montrer le tiroir où elle cachait ses économies, " pour payer le service ". Alors, elle a commencé à parler de son enterrement : " Tu ne me reverras pas. Je serai morte. " Et puis, elle m'a dit : " Mais, n'aie pas peur : je dirai à la Supérieure de t'envoyer quand même tes étrennes. " J'ai essayé de plaisanter : " Mais, ma tante, voilà des années que tu dis que tu vas mourir! " Elle s'est fâchée : " Je veux mourir! *Ça me fatigue de vivre!* " Et puis, elle a regardé sa jambe : " Vois, comme j'ai le pied mignon. Toi, tu as toujours eu des pattes de garçon! " Au moment de partir, j'ai voulu l'embrasser, mais elle s'est débattue : " Ne m'embrasse pas. Je sens mauvais, *je sens le vieux...* " Et c'est alors qu'elle a parlé de toi. J'étais à la porte; elle m'a rappelée : " Tu sais, j'ai perdu six dents! Cueillies, comme ça, comme des radis! " Et elle s'est mise à rire, gaiement, de son petit rire, tu sais? " Six dents! Dis-le à Antoine... Et qu'il se dépêche, s'il veut me revoir! " »

Antoine écoutait. Non sans émotion : il éprouvait maintenant une sorte de curiosité pour les histoires de maladie, de mort. D'autre part, ce bavardage le dispensait de parler.

— « Et ç'a été ta dernière visite? »

— « Non. Il y a une dizaine de jours, je suis revenue. On m'avait écrit qu'elle avait reçu les sacrements. La chambre était obscure. Elle ne supportait plus la lumière du jour... Sœur Marthe m'a conduite jusqu'au lit. Ma tante était pelotonnée sous l'édredon, minuscule... La sœur a essayé de la tirer de sa torpeur : " C'est votre petite Gise! " L'édredon a fini par remuer. Je ne sais pas si elle a compris, si elle m'a reconnue. Elle a dit très distinctement : " C'est long! " Et, un instant après : " Quoi de nouveau, cette guerre? " Je lui ai parlé, mais elle ne répondait pas, elle ne paraissait pas comprendre. Elle m'a interrompue, à plusieurs reprises : " Alors? Quoi de nouveau? " Quand j'ai voulu l'embrasser sur le front, elle m'a repoussée : " Je ne veux pas qu'on me décoiffe! " Pauvre tante... *Je ne veux pas qu'on me décoiffe*, le dernier mot que j'aie entendu d'elle... »

M. Chasle s'essuya les yeux avec son mouchoir. Puis il replia soigneusement le mouchoir dans ses plis, et marmotta entre ses dents, avec un accent de réprobation :

— « Ça, il ne fallait pas... Il ne fallait pas qu'on la décoiffe! »

Gise baissa rapidement la tête, et un sourire involontaire, jeune et malicieux, passa, comme un éclair, sur son visage. Antoine surprit ce sourire, et Gise lui redevint tout à coup très proche; il eut envie de l'appeler « Nigrette », et de la taquiner, comme autrefois.

La voiture franchit la grille de la porte Champerret, et s'arrêta pour des formalités. Sur la place, stationnaient des autos-canons de défense aérienne, des autos-mitrailleuses, des projecteurs gardés par des sentinelles et recouverts de bâches camouflées.

Lorsque le cortège eut repris sa marche et se fut engagé dans les rues populeuses de Levallois, M. Chasle poussa un soupir :

— « Ah... Quand même, elle a été heureuse, à l'Asile de l'Age Mûr, la bonne Mademoiselle! C'est ça que je cherche, moi, Monsieur Antoine : un asile d'hommes; mais bien conditionné... Et alors, on serait tranquille...

On n'aurait plus à s'occuper de ce qui se fait... » Il retira ses lunettes pour les essuyer. Ses yeux, débarrassés de leurs verres, avaient un regard clignotant, pathétique et doux. « Je leur laisserais la rente que j'ai de M. votre père », reprit-il, « et je serais à l'abri, pour jusqu'à la fin... Je pourrais dormir le matin, je pourrais penser à mes choses... J'en ai visité un, à Lagny. Mais, pour ces temps, c'est trop à l'Est. Est-ce qu'on peut être sûr de rien, avec ces Boches? Et puis, leurs caves, non; ça n'est pas des vraies caves. Et il faut de vraies caves, en ces temps... » Il prononçait : *en ces temps*, d'une voix craintive, en soulevant devant lui, comme pour écarter des présages néfastes, ses mains gantées de noir : des gants de Suède, râpés, trop longs, et dont la peau racornie se recroquevillait au bout des doigts en tortillons répugnants, pareils à des bigorneaux.

Antoine et Gise se taisaient. Ils n'avaient plus envie de sourire.

— « Rien n'est sûr, on n'a plus de tranquillité nulle part », reprit plaintivement le bonhomme. « On n'a plus de tranquillité que les nuits d'alerte, quand on peut avoir une vraie cave... Là, c'est sûr... Au 19, en face de chez moi, j'en ai une, de cave, une vraie... » Il se tut un instant, parce qu'Antoine toussait. Puis, il conclut : « Les nuits de cave, Monsieur Antoine, en ces temps, voyez-vous, c'est encore le meilleur! »

Les chevaux s'étaient mis au pas pour longer un grand mur.

— « Ce doit être ici », dit Gise.

— « Et, après, où vas-tu? » demanda Antoine. Il s'appuyait fortement des épaules au dossier de la guimbarde, pour atténuer les secousses qui lui labouraient les côtes.

— « Mais, rue de l'Université, chez toi... J'y couche, depuis avant-hier... Le fourgon doit m'y reconduire, c'est convenu dans le prix. »

— « Nous tâcherons plutôt de trouver un bon taxi », dit-il, en souriant. Depuis qu'il était grimpé dans le palanquin, il souffrait autant d'être obligé d'y rester qu'il appréhendait d'avoir à en descendre. Aussi, pour le retour, était-il bien résolu à chercher un autre mode de locomotion.

Elle le regarda, surprise. Mais elle ne demanda aucune explication.

D'ailleurs, la voiture venait de franchir le seuil du cimetière.

III

— « Elles sont toutes prises. Tu les garderas bien dix minutes? »

— « Vingt, si tu veux. »

Huit ventouses collées sur son dos nu, Antoine était assis à califourchon sur une chaise, dans son petit bureau de la rue de l'Université.

— « Attends », dit Gise. « Ne prends pas froid. »

Elle avait déposé sa pèlerine d'infirmière sur le dossier d'un fauteuil; elle lui en enveloppa les épaules.

« Qu'elle est douce et gentille », pensa-t-il, bouleversé de découvrir en lui, intacte, une tendresse qui lui réchauffait le cœur. « Pourquoi l'ai-je tenue à distance, ces dernières années? Pourquoi ne lui écrivais-je pas? » Il songea soudain à sa chambre rosâtre du Mousquier, aux six *girls* qui levaient la jambe au-dessus de la glace, à la promiscuité des repas, aux soins dévoués, mais rudes, de Joseph. « Comme ce serait bon de rester ici, avec Gise pour garde-malade... »

— « Je laisse les portes ouvertes », dit-elle. « Si tu as besoin de quelque chose, appelle. Je vais préparer la popote. »

— « Non, pas la *popote!* », fit-il avec brusquerie. « Non, non! Trop de *popotes*, vois-tu, depuis quatre ans! »

Elle sourit et s'esquiva, le laissant seul.

Seul, avec cette sensation d'un foyer retrouvé, ce rêve d'une douceur féminine à son chevet.

Seul, aussi, avec l'*odeur :* elle l'avait saisi, dès l'entrée, tandis qu'il traversait l'antichambre pour suspendre mécaniquement son képi à cette patère de gauche où il accrochait autrefois son chapeau; et, depuis, à chaque instant, il ouvrait les narines, avec une curiosité jamais rassasiée, pour humer ces effluves de chez lui, oubliés et pourtant si vite reconnus, flottants, indistincts, impossibles à analyser, qui émanaient à la fois de la peinture, du tapis, des rideaux, des fauteuils, des livres, et qui imprégnaient subtilement tout l'étage, — mélange de dix relents divers, laine, encaustique, tabac, cuir, pharmacie...

Le retour du cimetière, le détour par la gare de Lyon pour y prendre sa valise, lui avaient paru interminables. Son point de côté s'était accru; ses étouffements redoublaient; et, en descendant de taxi devant sa porte, sérieusement incommodé, il s'était amèrement reproché d'avoir entrepris ce voyage. Par bonheur, il avait avec lui son matériel de traitement; et, aussitôt arrivé, il avait pu se faire une injection d'oxygène qui avait apaisé la dyspnée. Puis, sur ses indications, Gise lui avait posé ces ventouses; elles commençaient à agir; déjà les bronches se dégageaient, la respiration devenait plus aisée.

Immobile, la nuque pliée, le dos tendu, ses bras maigres croisés sur le dossier de la chaise, il promenait autour de lui un œil attendri. Il n'avait pas prévu qu'il ressentirait tant de trouble à revoir sa maison, à retrouver son petit bureau de travail. Rien n'avait changé. En un tour de main, Gise avait enlevé les housses, remis les fauteuils à leurs places, ouvert les volets, baissé à demi le store. Rien n'avait changé, et pourtant tout était inattendu : cette pièce où, naguère, il avait toujours coutume de se tenir, lui était à la fois familière et étrangère, comme ces souvenirs d'enfance qui surgissent à l'improviste, avec une précision hallucinante, après des années d'oubli total. Ses regards erraient amicalement sur le beau tapis havane, les fauteuils de cuir, le divan, les coussins, la cheminée et sa pendule, les appliques, les rayons de la bibliothèque. « Ai-je vraiment pu attacher tant d'importance à l'ameublement de cet appartement? » se dit-il. Sur chacun de ces livres, — auxquels il n'avait certes pas une fois pensé depuis quatre ans —, il mettait le titre exact, comme s'il l'eût manié la veille. Chaque meuble, chaque objet, — le guéridon, le coupe-papier d'écaille, le cendrier de bronze avec son dragon, la boîte à cigarettes, — lui rappelait quelque chose, un moment de sa vie, l'époque et l'endroit où il en avait fait l'emplette, la gratitude d'un client après une maladie dont il savait encore toutes les phases, tel geste d'Anne, telle réflexion du Calife, tel souvenir de son père. Car ce bureau avait été le cabinet de toilette de M. Thibault. Il n'eut qu'à fermer les yeux pour revoir le grand lavabo d'acajou massif, l'armoire à glace, le bain de pieds en cuivre rouge, le tire-bottes debout dans l'angle... Et peut-être aurait-il été moins surpris s'il avait retrouvé cette pièce telle qu'il l'avait connue durant toute son enfance, qu'en la voyant telle qu'elle était aujourd'hui, transformée par lui.

« Etrange... », pensa-t-il. « Tout à l'heure, déjà, en franchissant la porte cochère, ce n'est pas *chez moi* que j'avais l'impression d'entrer, mais *chez père...* »

Il rouvrit les yeux et aperçut le téléphone sur la table basse du divan. L'homme jeune, qui tant de fois avait téléphoné là, se dressa devant lui, florissant, fier de sa force, autoritaire, toujours pressé, infatigablement heureux de vivre et d'agir. Entre cet homme et lui, il y avait quatre années de guerre, de révolte, de méditation; il y avait des mois de souffrance, une déchéance physique momentanée, un vieillissement précoce qui, pas un instant, ne se laissait oublier. Accablé soudain, il appuya son front sur ses bras. Le présent s'effaçait devant le passé. Son père, Jacques, Mademoiselle : tous disparus. L'ancienne existence familiale lui apparut à travers le prisme de la jeunesse, de la santé. Que n'eût-il pas donné pour retrouver cet autrefois? Le regret de ce qui n'était plus se mêlait à la tristesse d'aujourd'hui. Il fut sur le point d'appeler Gise, pour échapper à sa solitude. Mais il était encore capable de se ressaisir. De regarder la réalité en face. Tout ça, question de santé. D'abord, retrouver la santé. Il résolut d'avoir, au plus tôt, un sérieux entretien avec son maître, le docteur Philip, de chercher avec lui un traitement plus actif, plus rapide. Celui qu'il suivait, au Mousquier, devait, à la longue, être débilitant. Ce n'était pas naturel qu'il fût devenu si peu robuste; Philip l'aiderait à reprendre des forces. Philip... Gise... Ses pensées devinrent confuses. Emmener Gise au Mousquier... Guérir... Brusquement, il s'assoupit.

Lorsqu'il s'éveilla, quelques minutes plus tard, Gise, juchée sur le bras d'un fauteuil, le regardait. L'attention — avec une pointe d'inquiétude — lui fronçait les sourcils. Il lut ce qu'elle pensait sur son visage lisse qui n'avait jamais bien su dissimuler.

— « Tu me trouves amoché, n'est-ce pas? »

— « Non : maigri. »

— « J'ai perdu neuf kilos depuis l'automne! »

— « Te sens-tu un peu soulagé, déjà? »

— « Très. »

— « Tu as encore le timbre un peu... voilé. » (Parmi tous les changements qu'elle remarquait en lui, ce qui la frappait le plus, c'était cette faiblesse, cet enrouement des cordes vocales.)

— « En ce moment, ce n'est rien. Il y a des heures, le matin par exemple, où je suis complètement aphone. »

Il y eut un silence, qu'elle rompit en sautant sur ses pieds :

— « Alors, on les enlève? »

— « Si tu veux. »

Elle approcha une chaise, s'assit près de lui, passa les mains sous la pèlerine pour qu'il ne se refroidît pas, et, délicatement, elle décolla les ventouses. A mesure, elle les déposait entre ses genoux; puis, elle releva les coins de son tablier, et emporta les verres pour les rincer.

Il se mit debout, constata qu'il respirait beaucoup plus librement, examina dans la glace son dos osseux marqué de ronds violets, et se rhabilla.

Elle achevait de mettre le couvert lorsqu'il la rejoignit.

Il parcourut des yeux la vaste salle à manger, les vingt chaises alignées, la crédence de marbre où jadis officiait Léon, et déclara :

— « Tu sais, dès que la guerre sera finie, je vendrai la maison. »

Elle s'était tournée, surprise, les yeux fixés sur lui, une assiette à la main :

— « La maison? »

— « Je ne veux rien garder de tout ça. Rien. Je louerai un petit appartement, simple, pratique... Je... »

Il sourit. Il ne savait pas bien ce qu'il ferait, mais une chose était sûre : contrairement à ce qu'il avait cru jusqu'à ce matin, il ne reprendrait pas son train de vie d'autrefois.

— « Escalopes, nouilles au beurre, et fraises... Ça te va? » demanda-t-elle, renonçant à comprendre la désaffection d'Antoine pour un cadre qu'il avait entièrement fait à sa convenance. Elle avait peu d'imagination, et ne s'intéressait jamais beaucoup aux projets futurs.

— « Tu t'es donné bien du mal, petite fée », dit-il, en inspectant la table servie.

— « Il me faut encore dix minutes. Et je n'ai pas trouvé de serviettes. »

— « Je vais en chercher. »

La lingerie était encombrée par un lit pliant, ouvert et défait. Dans le creux du matelas, il aperçut une dizaine de chapelet. Des vêtements traînaient sur une chaise. « Pourquoi n'a-t-elle pas pris la chambre du bout? » se demanda-t-il.

Il ouvrit un placard, puis un second, puis un troisième. Ils étaient tous trois remplis de linge neuf : draps, taies d'oreillers, peignoirs en tissu éponge, torchons, tabliers d'office; les douzaines étaient encore nouées par les ficelles rouges du fournisseur. Il haussa les épaules : « Absurde, tout ça... Le strict nécessaire. Le reste, à l'Hôtel des Ventes! » Il prit néanmoins une pile de serviettes, et en tira deux du tas. « Je sais pourquoi, parbleu! Elle a voulu s'installer là, pour ne pas coucher dans l'ancienne chambre de Jacques... »

Il reprit le couloir, d'un pas flâneur, palpant de-ci, de-là la peinture laquée des murs, entrouvrant les portes devant lesquelles il passait, et jetant un coup d'œil curieux à l'intérieur, comme s'il visitait le logis d'un autre.

Revenu dans le vestibule, il s'arrêta devant la porte

à deux battants de son cabinet de consultation. Il hésitait à entrer là. Enfin il tourna le bouton. Les fenêtres étaient closes. On avait roulé devant les bibliothèques les meubles recouverts de housses. La pièce paraissait encore plus grande. Le jour qui glissait par les lames des persiennes répandait une lumière diffuse, comme dans ces grands salons de province où l'on ne pénètre qu'aux jours de réception.

Il se rappela soudain les derniers jours de juillet 1914, les journaux qu'apportait Studler, les discussions, l'angoisse... Et les visites de son frère... Jacques n'était-il pas venu là, avec Jenny? Le jour même de la mobilisation?...

Appuyé au chambranle, le buste penché, il reniflait à petits coups : l'*odeur* était là, mieux conservée, plus pénétrante qu'ailleurs; un peu différente aussi, plus aromatique... Au centre, le grand bureau ministre, dissimulé sous un drap, ressemblait à un catafalque d'enfant.

« Qu'est-ce qu'ils ont bien pu empiler là-dessous? »

Il se décida à entrer et à soulever la toile. Le bureau disparaissait sous un amoncellement de paquets et de brochures. Depuis le début de la guerre, c'était là que la concierge apportait tout le fatras des imprimés, des prospectus, des journaux, des revues, et les multiples échantillons qu'envoyaient les laboratoires. « Qu'est-ce que ça sent? » se dit-il. A l'odeur familière, se mêlait ici un parfum particulier, lourd, vaguement balsamique.

Machinalement, il déchira l'enveloppe de quelques périodiques médicaux, pour les feuilleter. Et brusquement, il pensa à Rachel. Pourquoi? Pourquoi pas à Anne? Pourquoi, précisément à celle qui n'était jamais entrée dans cette maison, et dont il n'avait pas évoqué le souvenir depuis des mois? « Qu'est-elle devenue? Où peut-elle être? Quelque part, sous les tropiques, avec son Hirsch, loin de l'Europe, loin de la guerre... » Il jeta sur la cheminée plusieurs brochures qu'il souhaitait emporter au Mousquier. « Les médecins qui accaparent maintenant ces revues sont tous des vieux, non mobilisés... Une aubaine! Ils en profitent, ils raclent leurs fonds de tiroirs... » Il parcourait des yeux les sommaires. De temps en temps, d'une ambulance du front, un jeune trouvait le temps d'envoyer un bref rapport, sur un cas curieux. Des chirurgiens, surtout... « La guerre aura du moins servi à ça : à faire avancer la chirurgie... » Il restait là, piochant dans le tas, pêchant de-ci de-là un fascicule qu'il envoyait sur la cheminée. « Si je pouvais seulement mettre au net mon article sur les troubles respiratoires infantiles, Sébillon me le prendrait sûrement dans sa revue... »

Un paquet, différent des autres, attira son attention, à cause des timbres bariolés qui le couvraient. Il le prit, et aussitôt le flaira : de nouveau, ces émanations aromatiques, qu'il avait remarquées tout à l'heure, l'intriguèrent soudain. Les narines en éveil, il déchiffra le nom de l'expéditeur : *Mlle Bonnet. Hôpital de Conakry. Guinée française*. Les timbres étaient estampillés : *mars* 1915. Trois ans. Etonné, il retournait le petit colis dans sa main, le soupesait. Un médicament? Un parfum? Il rompit la ficelle et sortit du papier une boîte rectangulaire, en bois rougeâtre, clouée sur toutes ses faces. « Hum... Difficile à ouvrir... » Il chercha des yeux un outil. Il allait renoncer à satisfaire sa curiosité, lorsqu'il réfléchit qu'il avait son couteau de guerre dans sa poche. La lame grinça dans la rainure; une légère pesée, et le couvercle céda. Un parfum violent monta jusqu'à lui; un parfum de cassolette orientale, de benjoin, d'encens; un parfum connu, et que cependant il ne parvenait pas à identifier. Prudemment, du bout de l'ongle, il écarta le lit de sciure : de petits œufs jaunâtres apparurent, brillants et poussiéreux. Et tout à coup, le passé lui sauta au visage : ces grains jaunes... Le collier d'ambre et de musc! Le collier de Rachel!

Il le tenait entre ses doigts, et l'essuyait avec précaution. Ses yeux s'étaient embués. Rachel! Son cou blanc, sa nuque... Le Havre, le départ de la *Romania*, dans le petit jour... Mais pourquoi ce collier? Qui était cette demoiselle Bonnet, de Conakry? Mars 1915... Qu'est-ce que tout cela voulait dire?

Il entendit marcher dans le couloir, et glissa vivement le collier dans sa poche.

Gise le cherchait pour déjeuner. Elle s'arrêta sur le seuil, et huma l'air.

— « Ça sent drôle... »

Il rabattit le drap sur le fouillis de brochures et de médicaments.

— « C'est là qu'ils empilent toutes les spécialités pharmaceutiques... »

— « Viens-tu? C'est prêt. »

Il la suivit. Au fond de sa poche, dans le creux de sa paume, il sentait s'attiédir les grains froids. Il pensait au corps blanc et roux de Rachel.

IV

Dès qu'ils furent installés côte à côte à l'un des bouts de la grande table, Gise prit un petit air résolu :

— « Maintenant, parle-moi sérieusement de ta santé. »

Il fit la moue. Il n'était que trop enclin à parler de lui, de son mal, de son traitement; mais il ne lui déplaisait pas de se faire prier, et il répondit sans empressement aux premières questions de la jeune fille. Il s'aperçut vite que ces questions n'étaient pas sottes. Cette petite Gise, qu'il avait toujours tendance à traiter comme une enfant, avait, en ses trois années d'hôpital, acquis des compétences précises. On pouvait parler médecine avec elle. Un lien de plus entre eux... Encouragé par l'attention qu'elle lui portait, il fit un exposé de son cas, et passa en revue les diverses phases qu'il avait traversées ces derniers mois. Si elle avait paru prendre à la légère ce qu'il lui disait, et si elle avait cru bon de lui prodiguer des paroles d'encouragement, il aurait aussitôt exagéré ses inquiétudes. Mais elle l'avait écouté avec un visage si tendu, elle fixait sur lui un regard si préoccupé, si scrutateur, qu'il prit, au contraire, un ton rassurant pour conclure :

— « Tout compte fait, je m'en tirerai. » (Et c'était, en effet, le fond de sa pensée.) « Ce sera plus ou moins long », reprit-il, souriant avec confiance. « Mais, pour m'en tirer, ça oui : je m'en tirerai... Seulement, voilà : me remettrai-je jamais complètement? Imagine que je reste infirme du larynx, ou très fragile des cordes vocales, pourrai-je exercer, comme avant?... Tu comprends, il ne me suffit pas d'avoir la certitude de vivre. Je ne me soucie pas, à l'avenir, de mener l'existence d'un homme diminué. Je voudrais être sûr de retrouver ma belle santé d'autrefois! Et ça, c'est moins certain... »

Elle avait cessé de manger, pour mieux écouter, mieux comprendre. Elle le considérait de ses yeux ronds, étonnés, immobiles, enfantins et fidèles comme ceux des êtres primitifs. Ce tendre intérêt, dont il était sevré depuis des années, lui semblait très doux. Il eut un petit rire assuré :

— « C'est moins certain, mais ce n'est pas impossible. Avec de la ténacité, il y a fort peu de choses impossibles!... Jusqu'à maintenant, tout ce que j'ai voulu énergiquement, je l'ai fait. Pourquoi ne réussirais-je pas cette fois encore?... Je veux guérir. Je guérirai. »

Il avait forcé la voix sur ces derniers mots, et dut s'arrêter pour tousser. La quinte fut forte, et dura une grande minute, pendant laquelle Gise, penchée sur son assiette, l'observait à la dérobée. Elle s'efforçait de se tranquilliser : « Il peut ce qu'il veut. Il saura se soigner. Il saura guérir. »

Lorsque la crise fut passée, elle se tourna vers lui. Il fit signe qu'il préférait demeurer quelques instants sans parler.

— « Bois un peu d'eau », dit-elle, en emplissant son verre. Et, incapable de retenir la question qui lui brûlait les lèvres : « Combien de jours restes-tu avec nous? »

Il ne répondit pas. C'était un sujet qu'il aurait voulu éviter. En réalité, sa permission était de quatre jours. Mais il pensait l'écourter : il n'avait guère envie de passer à Paris quatre longs jours, réduit à des soins improvisés, exposé à cent occasions de fatigue.

— « Combien? » reprit-elle, en l'interrogeant du regard. « Huit? Six? Cinq? »

Il secouait négativement la tête. Il fit une aspiration profonde, sourit, et dit enfin :

— « Je repars demain. »

— « Demain? » Elle était si déçue que sa voix trembla : « Alors, tu ne viendras pas nous voir à Maisons-Laffitte? »

— « Pas possible, ma petite Gise... Pas possible, cette fois-ci... Plus tard... Dans le courant de l'été, peut-être... »

— « Mais je t'aurai à peine vu ! Après si longtemps !... Demain ?... Et je ne peux même pas rester à Paris avec toi : il faut que je rentre coucher ce soir à Maisons ! J'ai mon service demain matin, qui m'attend. Pense donc ! Trois jours que je suis partie ; et la veille de mon départ, il venait d'arriver six nouveaux ! »

— « Nous avons du moins une bonne journée à passer ensemble », fit-il, conciliant.

— « Mais, ça aussi, c'est impossible ! », s'écria-t-elle, consternée. « J'ai rendez-vous à l'Asile, tout à l'heure. Il faut bien en finir, là-bas, avec les affaires, les meubles, de ma tante : ils ont besoin de la chambre... »

Des larmes gonflaient ses paupières. Il se souvint aussitôt de ses désespoirs, quand elle était enfant. Et, de nouveau, cette pensée le traversa : « Il serait bon d'être soigné par elle, de sentir cette affection autour de moi... »

Il ne savait que dire. Lui-même, il était tout désappointé que cette rencontre fût si courte.

— « Peut-être pourrai-je obtenir une prolongation... », hasarda-t-il hypocritement. « Je ne sais pas... Je peux essayer... »

Les yeux de Gise s'éclairèrent d'un coup, redevinrent rieurs. Ils étaient beaux à travers les larmes... (Et cela aussi rappelait à Antoine les années d'autrefois.)

— « C'est ça qu'il faut faire ! », décida-t-elle en battant des mains. « Et tu viendras passer quelques jours à Maisons, avec nous ! »

« Elle est encore une enfant », se dit-il. « Et ce je ne sais quoi de puéril, qui contraste avec sa maturité de femme, est plein de charme... »

Pour changer le tour de la conversation, il se pencha, d'un air interrogatif :

— « Maintenant, explique-moi quelque chose. Comment se fait-il que personne ne soit venu à Paris avec toi ? Maisons n'est pas si loin ! T'avoir laissée toute seule pour cet enterrement ! »

Elle protesta aussitôt :

— « Mais tu n'as aucune idée du travail que nous avons là-bas ! Comment veux-tu ?... Et, moi partie, les autres avaient encore plus à faire ! »

Il ne put s'empêcher de sourire de cet air indigné. Alors, pour le convaincre, elle se lança dans une volubile explication de ce qu'était le service de l'hôpital, leur vie à Maisons, etc.

(Dès la mi-septembre 1914, après la Marne, Mme de Fontanin, que dévorait le besoin de se rendre utile, avait formé le projet de fonder un hôpital à Maisons-Laffitte. Elle y possédait toujours la propriété de son père, à la lisière de la forêt de Saint-Germain; les locataires, des Anglais, avaient quitté la France à la déclaration de guerre; le vieux chalet familial était donc libre. Mais, outre qu'il était trop exigu, il se trouvait trop éloigné de la gare et des ressources. C'est alors que Mme de Fontanin avait eu l'idée de demander à Antoine s'il consentirait à lui prêter la maison de M. Thibault, qui était beaucoup plus importante que la sienne, et située à proximité du « pays ». Antoine avait naturellement acquiescé; et il avait aussitôt écrit à Gise, restée à Paris, de se mettre, avec les deux bonnes, à la disposition de Mme de Fontanin pour la transformation de la villa. De son côté, Mme de Fontanin s'était assuré la collaboration de sa nièce Nicole Héquet, la femme du chirurgien, laquelle possédait son diplôme d'infirmière. Un comité de direction, placé sous le contrôle de la Société de secours aux blessés militaires, avait été rapidement constitué. Et, six semaines plus tard, la villa Thibault, hâtivement équipée, figurait sous la désignation : Hôpital n° 7, sur les états du Service sanitaire, et se trouvait prête à recevoir sa première fournée de convalescents. Depuis lors, l'Hôpital n° 7, dirigé par Mme de Fontanin et par Nicole, n'avait pas chômé un seul jour.)

Antoine avait été tenu au courant de tout cela, par des lettres. Il avait été heureux que la propriété de son père servît à quelque chose; heureux surtout que Gise, qu'il s'inquiétait de savoir désœuvrée à Paris, eût trouvé un si chaud accueil dans la famille Fontanin. Mais, à vrai dire, il n'avait pas attaché grand intérêt au fonctionnement de l'Hôpital n° 7; non plus qu'à l'organisation du chalet des Fontanin, devenu, sous la conduite de la robuste Clotilde, l'ancienne cuisinière de M. Thibault, un bizarre phalanstère, — où logeaient Nicole et Gise, — où Daniel avait échoué après son amputation, — et où Jenny était venue habiter avec son enfant, à son retour de Suisse. Aussi écoutait-il avec curiosité le bavardage de Gise : l'existence de ce petit groupe humain, auquel il ne songeait pas souvent, prenait soudain une réalité à ses yeux.

— « De nous toutes, c'est encore Jenny qui se donne le plus de mal », expliquait Gise, pleine de son sujet. « Elle a, non seulement à s'occuper de Jean-Paul, mais à diriger le service de la lingerie : et tu imagines ce que c'est, le blanchissage, le repassage, le raccommodage, la comptabilité, et le rangement, et la distribution quotidienne, de tout le linge nécessaire à un hôpital de trente-huit lits, parfois quarante, et même quarante-cinq ! Elle rentre éreintée le soir. Elle passe tous ses après-midi à l'hôpital, mais elle reste au chalet le matin, pour les soins du petit... Quant à Mme de Fontanin, elle loge auprès de ses malades; elle s'est installée une chambre au-dessus des écuries, tu sais ? »

Cela semblait assez étrange à Antoine d'entendre Gise (la nièce de la prude Mademoiselle), parler de Jenny et de sa maternité comme d'une chose toute naturelle. « Il est vrai », se dit-il, « que ça date de trois ans, déjà... Et puis, ce qui aurait sans doute fait quelque scandale autrefois est plus facilement accepté aujourd'hui, dans le bouleversement général de toutes les valeurs... »

— « Et, un peu plus, tu allais être venu à Paris sans seulement avoir vu notre petit ! » soupira Gise, sur un ton de reproche. « Jenny en aurait été inconsolable. »

— « Tu n'aurais eu qu'à n'en rien dire, petite sotte... »

— « Non », fit-elle, sur un ton étrangement sérieux, en baissant soudain le front. « A Jenny, je ne veux rien cacher, jamais. »

Il la regarda, surpris, et n'insista pas.

— « Es-tu sûr, au moins, de l'obtenir, cette prolongation ? », demanda-t-elle.

— « Je vais essayer. »

— « Comment ? »

Il continua de mentir :

— « Je demanderai à Rumelles de téléphoner aux bureaux militaires dont ces choses-là dépendent... »

— « Rumelles... », fit-elle, songeuse.

— « J'avais, de toutes façons, l'intention de lui faire visite aujourd'hui. Je ne l'ai jamais revu, depuis... Je veux le remercier de la peine qu'il a prise pour nous. »

C'était la première fois de la journée qu'une allusion était faite à la mort de Jacques. Le visage de Gise se contracta brusquement, et le bistre de son teint fonça par plaques.

(Pendant l'automne 1914, elle s'était longtemps refusée à croire que Jacques fût mort. Le silence persistant de Jacques, l'annonce de sa disparition par ses amis de Genève, la certitude de Jenny, d'Antoine, tout cela, pour elle, ne comptait pas : « Il a profité de la guerre pour une nouvelle évasion », pensait-elle obstinément. « Il nous reviendra, une fois de plus. » Ce retour, elle l'attendait, anxieusement, en faisant des neuvaines. C'est à cette époque qu'elle s'était attachée à Jenny. Attachement qui avait d'abord pris racine dans un assez vilain calcul : « Quand Jacques reviendra, il nous trouvera amies : je resterai en tiers dans leur vie. Et peut-être me sera-t-il reconnaissant d'avoir entouré Jenny en son absence... » Lorsqu'on avait appris, par Rumelles, la chute de l'avion en flammes, lorsqu'elle avait lu la copie de la note officielle, il avait bien fallu qu'elle se rendît à l'évidence. Mais, dans son cœur, une intuition confuse la persuadait que ce n'était pas l'exacte vérité. Et maintenant encore, il lui arrivait par éclairs de se dire : « Qui sait?... »)

Elle avait de nouveau baissé le front, pour ne pas croiser le regard d'Antoine; et, comme si tout en elle avait chaviré soudain, elle demeura quelques secondes immobile, interdite, retenant avec effort ses larmes. Enfin, pour ne pas éclater en sanglots, elle se leva précipitamment, et se dirigea vers l'office.

« Comme elle s'est alourdie », remarqua-t-il, en la suivant des yeux, agacé un peu par ce trouble qu'il avait involontairement provoqué. « Ces hanches!... Du buste, du corps, on lui donnerait dix ans de plus que son âge : elle paraît avoir passé la trentaine! »

Il avait sorti le collier de sa poche. Des petits grains de musc, d'un gris plombé, gros comme des noyaux de cerises, alternaient avec les boules d'ambre ancien, qui avaient la forme de mirabelles, et aussi leur couleur : ce jaune assombri, mi-opaque, mi-transparent, des mirabelles trop mûres. Machinalement, il roulait le collier entre ses doigts, et l'ambre devenait tiède, et il semblait à Antoine qu'il venait de détacher le collier du cou de Rachel...

Quand Gise reparut, apportant une platée de fraises, l'acuité de son chagrin se lisait encore si clairement sur son visage, qu'Antoine en fut ému. Comme elle déposait les fraises sur la table, il caressa en silence le poignet mordoré, que cerclait un bracelet d'argent. Elle tressaillit; ses cils frémirent... Elle évitait de le regarder. Elle s'assit à sa place, et deux nouvelles larmes se formèrent au bord de ses paupières. Alors, ne cherchant plus à dissimuler son chagrin, elle se tourna vers lui, avec un sourire confus, et demeura quelques secondes ainsi, sans pouvoir parler.

— « Je suis stupide », soupira-t-elle, enfin. Et, sagement, elle commença de sucrer ses fraises. Mais, presque aussitôt, elle posa la sucrière et se redressa nerveusement : « Sais-tu ce dont je souffre le plus, Antoine? C'est que personne, autour de moi, ne prononce plus son nom... Jenny ne cesse pas de penser à lui, je le sais, je le sens : elle n'aime tant ce petit que parce qu'il est le fils de Jacques... Et Jacques est toujours présent entre nous : cette affection que j'ai maintenant pour elle est faite du souvenir de Jacques. Et elle, pourquoi m'aurait-elle accueillie aussi tendrement, pourquoi me traiterait-elle comme une sœur, sans cela? Mais jamais, jamais, elle ne me parle de lui! C'est comme un secret, qui nous obsède l'une et l'autre, qui nous lie pour toujours, et auquel, jamais, aucune allusion n'est faite! Et moi, Antoine, ça m'étouffe!... Je vais te dire », continua-t-elle avec une sorte de halètement : « elle est orgueilleuse, Jenny, et difficile! Elle... Je la connais bien, maintenant!... Je l'aime, je donnerais ma vie pour elle et pour ce petit! Mais je souffre. Je souffre qu'elle soit comme elle est, si fermée, si... — je ne sais comment dire... Vois-tu, je crois qu'elle est torturée par l'idée que Jacques a été méconnu de tous, — sauf d'elle. Elle se figure qu'elle est la seule à l'avoir compris! Et elle tient farouchement à avoir été la seule! Et alors, elle refuse de parler de lui avec personne. Surtout avec moi!... Et pourtant, pourtant... »

De lourdes larmes coulaient maintenant sur ses joues, bien que son visage, soudain vieilli, n'exprimât plus le chagrin, mais seulement la passion, la colère, avec quelque chose de sauvage qu'Antoine ne s'expliquait pas bien. Il réfléchissait. Il était surpris : il n'avait jamais soupçonné que Jenny et Gise fussent devenues si intimes.

— « Je n'ai jamais été certaine qu'elle ait su... mes sentiments pour Jacques », poursuivit Gise, plus bas, mais avec la même altération de la voix. « J'aimerais tant pouvoir lui en parler, moi, à cœur ouvert! Je n'ai rien à lui cacher... J'aimerais qu'elle sache tout! Qu'elle sache même que si je l'ai détestée, autrefois, — oh, oui : profondément détestée! — maintenant, au contraire, depuis que Jacques est mort, tout ce que j'éprouvais pour lui... » (son regard prit un éclat magnétique)... « je l'ai reporté sur elle, et sur leur enfant! »

Depuis un instant, Antoine oubliait presque de l'écouter, attentif seulement au battement de ces paupières brunes, de ces longs cils, qui se levaient et s'abaissaient avec lenteur, voilant et dévoilant le jet lumineux des prunelles, comme le rayonnement intermittent d'un phare. Il avait posé son coude sur la table et appuyait sa joue sur sa main, flairant amoureusement le bout de ses doigts qui restaient imprégnés de musc.

— « C'est toute ma famille, aujourd'hui! » reprit Gise, faisant effort pour paraître plus calme. « Jenny m'a promis qu'elle me garderait toujours auprès d'elle... »

« Viendrait-elle vivre avec moi, si je le lui proposais? » se demanda-t-il.

— « ... Oui, elle me l'a promis. Et c'est ça qui m'aide

à vivre, à accepter l'avenir, tu comprends? Rien au monde ne compte plus pour moi : rien d'autre qu'elle, — et notre petit! »

« Elle n'accepterait pas », se dit-il. Cependant, il était frappé de percevoir, dans la vibration de cette voix, certaines sonorités discordantes, qui lui semblaient révélatrices. « Que de choses troubles, sans doute », songea-t-il, « dans l'intimité de ces deux cœurs de femmes..., — de ces deux cœurs de *veuves!*... Tendresse, je n'en doute pas. Mais jalousie, à coup sûr. Et de la haine, à doses perfides, bien probablement!... Et tout ça fait un violent mélange qui ressemble diablement à de l'amour... »

Gise poursuivait; et c'était maintenant un monologue plaintif, qui la soulageait, qu'elle ne pouvait retenir :

— « Un être exceptionnel, cette Jenny... Noble, énergique... Admirable! Mais, comme elle est sévère pour les autres! Ainsi, elle est sévère, elle est même injuste, pour Daniel... Et pour moi aussi, je sens bien qu'elle... Oh, elle en a le droit, je suis si peu de chose à côté d'elle! Tout de même, elle n'a pas toujours raison. Elle s'aveugle, elle n'a confiance qu'en elle-même, elle n'admet pas qu'on puisse avoir d'autres idées... Je ne demande pourtant pas l'impossible! Si elle ne veut pas que Jean-Paul soit élevé dans la religion de son père, je n'y peux rien, je ne la convaincrai pas... Mais, alors, qu'elle le fasse au moins baptiser par un pasteur! » Son regard était devenu dur; et, comme faisait jadis Mademoiselle, elle remuait son front bombé, à petits coups têtus, et ses lèvres jointes étaient fermées à toute conciliation. « Tu ne trouves pas? » s'écria-t-elle, en se tournant avec brusquerie vers Antoine : « Qu'elle en fasse un petit protestant, si elle veut! Mais qu'elle n'élève pas le fils de Jacques comme un chien! »

Antoine esquissa un geste évasif.

— « Tu ne le connais pas, ce petit », reprit-elle. « C'est une nature ardente, et qui aura besoin de piété!... » Elle soupira, et ajouta soudain, sur un autre ton, douloureux : « Comme Jacques! Rien ne serait arrivé, si Jacques n'avait pas perdu la foi!... » Et, de nouveau, avec une mobilité extrême, sa physionomie se modifia, s'adoucit, tandis qu'un sourire ravi illuminait progressivement ses yeux : « Il ressemble tellement à Jacques, ce petit! Il est roux foncé, comme lui! Il a ses yeux, ses mains!... Et, à trois ans déjà, si volontaire! Si rétif, quelquefois, et, par instants, si câlin... » Toute trace de rancune avait disparu de sa voix. Elle rit franchement : « Il m'appelle : *Tante Gi!* »

— « Si volontaire, dis-tu? »

— « Comme Jacques. Et il a ces mêmes colères, tu sais? ces colères sourdes... Et alors il fuit au bout du jardin, seul, pour ruminer on ne sait quoi. »

— « Intelligent? »

— « Très! Il comprend, il devine tout. Et d'une sensibilité! On peut tout obtenir de lui par la douceur. Mais si on le heurte, si on lui défend quelque chose qu'il a décidé de faire, ses sourcils se crispent, ses poings se serrent, il ne se connaît plus... Exactement comme Jacques. » Elle resta quelque temps songeuse. « Daniel vient de faire une bonne photo de lui. Jenny a dû te l'envoyer? »

— « Non. Jenny ne m'a jamais envoyé aucune photo de son fils. »

Surprise, elle leva les yeux sur lui, sembla l'interroger, faillit dire quelque chose, et y renonça. Puis :

— « Je l'ai ici, dans mon sac, cette photo... Tu veux la voir? »

— « Oui. »

Elle courut chercher son sac à main, et en tira deux petites épreuves d'amateur.

Dans l'une, qui devait dater de l'an dernier, Jean-Paul était avec sa mère : une Jenny un peu épaissie, le visage plus plein qu'autrefois, les traits calmes et même austères. « Elle ressemblera à Mme de Fontanin », se dit Antoine. Jenny portait une robe noire; elle était assise sur une marche du perron, et serrait l'enfant contre elle.

Dans l'autre, évidemment plus récente, Jean-Paul était seul : vêtu d'un jersey rayé qui moulait un petit corps étonnamment musclé, il se tenait debout, raidi, le menton baissé, l'air boudeur.

Antoine considéra longuement les deux images. La seconde surtout lui rappelait Jacques : même plantation des cheveux, même regard encaissé, pénétrant, même bouche, même mâchoire, — la forte mâchoire des Thibault.

— « Tu vois », expliquait Gise, debout, penchée sur l'épaule d'Antoine, « il était en train de jouer au sable. Voilà sa pelle, là-bas : il l'avait jetée dans un mouvement de rage, parce qu'on l'interrompait dans son jeu; et il avait reculé jusqu'au mur... »

Antoine leva la tête vers elle, en riant :

— « Tu l'aimes donc tant que ça, ce petit? »

Elle ne répondit pas, mais elle sourit, et rien n'était plus révélateur que ce sourire épanoui, empreint d'une tendresse émerveillée.

Cependant, un trouble, dont Antoine ne s'aperçut pas, venait de s'emparer d'elle, — comme chaque fois qu'elle se rappelait cette chose insensée qu'elle avait faite... (Il y avait deux ans de cela, davantage, même : Jean-Paul était encore un poupon, non sevré... Gise n'aimait rien tant que de l'avoir dans ses bras, de le bercer, de l'endormir contre sa poitrine; et lorsqu'elle voyait Jenny allaiter l'enfant, un sentiment atroce de désespoir, d'envie, s'emparait d'elle. Un jour d'été que Jenny lui avait donné l'enfant à garder — il faisait une chaleur orageuse, énervante, — cédant à une tentation insensée, elle s'était enfermée avec le bébé dans sa chambre, et elle lui avait donné le sein. Ah, comme cette petite bouche avide s'était jetée sur elle, comme elle l'avait sucée, mordue, meurtrie!... Gise avait souffert plusieurs jours; de ses ecchymoses, autant que de sa honte... Etait-ce un péché? Elle n'avait retrouvé un peu de calme qu'après en avoir fait l'aveu, à demi-mot, au confessionnal, et s'être infligé, elle-même, une longue pénitence. Et jamais elle n'avait recommencé...)

— « Il a souvent cette attitude-là? Cet air de ne pas vouloir céder? » demanda Antoine.

— « Oh, çà oui, très souvent! Pourtant, là, c'était Daniel qui l'avait dérangé. Et c'est encore à Daniel qu'il obéit le moins mal. Parce que c'est un homme, je crois.

Oui. Il adore sa mère; et, moi aussi, il m'aime bien. Mais nous sommes des femmes. Comment dire? Il a déjà très bien conscience de sa supériorité d'homme. Tu ris? Je t'assure! Ça se sent à un tas de petites choses... »

— « Je croirais plus volontiers que votre autorité s'émousse, parce que vous êtes toujours auprès de lui; tandis que son oncle, qu'il voit plus rarement... »

— « Plus rarement? Mais il est bien plus souvent avec son oncle qu'avec nous, à cause de l'hôpital! C'est Daniel qui le garde, presque toute la journée. »

— « Daniel? »

Elle retira sa main, qui était restée sur l'épaule d'Antoine, s'écarta légèrement, et s'assit :

— « Oui. Pourquoi? Ça t'étonne? »

— « J'imagine assez mal Daniel dans ce rôle de *nurse*... »

Gise ne comprenait pas : elle ne connaissait Daniel de Fontanin que depuis son amputation.

— « Au contraire. Le petit lui tient compagnie. Les journées sont longues, à Maisons. »

— « Mais, maintenant qu'il a sa réforme, il doit s'être remis à travailler? »

— « A l'hôpital? »

— « Non, à sa peinture! »

— « Sa peinture? Je ne l'ai jamais vu peindre... »

— « Et il ne va pas souvent à Paris? »

— « Jamais. Il ne quitte même pas le chalet, ou le jardin. »

— « Il a vraiment tant de peine à marcher? »

— « Oh, ce n'est pas ça. Il faut même l'observer avec attention, pour s'apercevoir qu'il boite; surtout depuis son nouvel appareil... Mais il n'a pas envie de sortir. Il lit les journaux. Il surveille Jean-Paul, il le fait jouer, il le promène autour de la maison. Quelquefois il va aider Clotilde à écosser des pois, à éplucher des fruits pour les confitures. Quelquefois aussi il ratisse le gravier de la terrasse. Pas souvent... Je crois que c'est une nature comme ça, tranquille, indifférente, un peu endormie... »

— « Daniel? »

— « Mais oui. »

— « Il n'était pas du tout comme tu dis... Il doit être rès malheureux. »

— « Quelle idée! Il n'a même pas l'air de s'ennuyer. En tout cas, il ne se plaint jamais. S'il est quelquefois un peu maussade, — avec les autres, jamais avec moi, — c'est parce qu'on ne sait pas le prendre. Nicole le taquine, l'asticote, inutilement. Jenny aussi est maladroite : elle le blesse par ses silences, ses raideurs... Elle est bonne, Jenny, très bonne : mais elle ne sait pas le montrer : elle n'a jamais le mot, le geste, qui font plaisir... »

Antoine ne protestait plus. Mais il gardait un air si stupéfait que Gise se mit à rire :

— « Je crois que tu ne connais pas bien la nature de Daniel. Il a toujours dû être un peu trop gâté... Et affreusement paresseux! »

Le repas était achevé depuis longtemps. Elle consulta sa montre, et se leva vivement :

— « Je vais débarrasser la table, et puis il faudra que je parte. »

Elle se tenait debout, devant lui, et le considérait tendrement. Elle était désespérée de le laisser seul, malade, dans cette maison déshabitée. Elle hésitait à dire quelque chose. Un sourire engageant et timide passa dans son regard et vint jusqu'à ses lèvres :

— « Si je revenais te prendre, à la fin de la journée? Et si tu passais la soirée avec nous, à Maisons, au lieu de rester ici, tout seul? »

Il secoua la tête :

— « Pas ce soir, en tout cas. Aujourd'hui, j'ai à voir Rumelles. Demain, j'ai à voir Philip. Et puis des rangements à faire en bas, des dossiers à chercher... »

Il réfléchissait. Il suffisait qu'il fût de retour au Mousquier vendredi soir. Rien ne l'empêchait donc d'aller passer deux jours à Maisons-Laffitte.

— « Mais, où logerais-je là-bas? »

Avant de répondre, elle se pencha, très vite, et l'embrassa joyeusement.

— « Où? Au chalet, bien sûr! Il reste deux chambres inoccupées. »

Il avait gardé à la main la photo de Jean-Paul, et, de temps à autre, il y jetait un regard.

— « Eh bien, je vais faire le nécessaire, pour la prolongation... Et, demain, à la fin de la journée... » Il souleva la photo entre ses doigts : « Tu me la donnes ? »

V

Bien que ce fût dimanche, Rumelles était à son bureau du Quai d'Orsay, lorsque Antoine, resté seul après le départ de Gise, l'appela au téléphone. Le diplomate s'excusa de ne pouvoir disposer d'une heure dans le courant de l'après-midi, et invita Antoine à venir le prendre pour le dîner.

A huit heures, Antoine arriva au ministère. Rumelles l'attendait au bas de l'escalier, où brûlait une ampoule en veilleuse. Dans cette pénombre réglementaire, le va-et-vient silencieux des employés qui quittaient leurs bureaux et de quelques visiteurs tardifs prenait un aspect étrange, clandestin.

— « Je vous emmène chez *Maxim's*, ça vous changera un peu de votre vie d'hôpital », proposa Rumelles, avec un sourire gentiment protecteur, en conduisant Antoine vers l'une des autos à fanion qui stationnaient dans la cour.

— « Je suis un piètre convive », avoua Antoine, « le soir, je ne prends que du lait. »

— « Ils en ont de l'excellent, en carafes frappées », affirma Rumelles, qui avait décidé de dîner chez *Maxim's*.

Antoine acquiesça d'un mouvement de tête. Il était exténué de sa journée, qu'il avait passée chez lui à fouiller dans ses cartonniers et ses bibliothèques. Cette soirée de conversation n'était pas sans lui faire peur. Il se hâta de prévenir Rumelles qu'il parlait avec effort, et devait ménager ses cordes vocales.

— « Bonne aubaine pour un bavard comme moi », s'écria le diplomate. Il affectait un ton plaisant, pour ne rien laisser paraître de la fâcheuse impression que lui causaient les traits tirés, la voix caverneuse et oppressée, de son ami.

Dans la salle illuminée du restaurant, l'amaigrissement, la mauvaise mine d'Antoine, le frappèrent davantage encore. Mais il évita de l'interroger avec trop d'intérêt sur sa santé, et, après quelques questions imprécises, s'empressa de parler d'autre chose :

— « Pas de potage. Quelques huîtres, plutôt. C'est la fin de la saison, mais elles sont encore bonnes... Je dîne souvent ici. »

— « J'y suis beaucoup venu, moi aussi », murmura Antoine. Son regard fit lentement le tour de la salle, et s'arrêta sur le vieux maître d'hôtel, qui, debout, attendait la commande. « Vous ne me reconnaissez pas, Jean? »

— « Oh, parfaitement si, Monsieur », fit l'autre, en s'inclinant avec un sourire banal.

« Il ment », songea Antoine, « il m'appelait toujours : *Monsieur le docteur...* »

— « C'est si près de mon bureau », continua Rumelles. « Et, les soirs d'alerte, c'est assez commode : je n'ai qu'à traverser la rue, pour trouver un bon abri au ministère de la Marine. »

Antoine l'observa, tandis qu'il composait son menu. Il avait changé, lui aussi. Son masque léonin s'etait empâté; la crinière avait passablement blanchi; autour des yeux, d'innombrables petites rides plissaient en tous sens sa peau de blond vieillissant. Le regard restait bleu et vif; mais, sous les paupières inférieures, des boursouflures mauves surplombaient des pommettes vermiculées de couperose.

— « Pour le dessert, je verrai », acheva-t-il d'un air las, en rendant la carte au maître d'hôtel. Il renversa la tête, posa un instant ses mains à plat sur sa figure, appuyant ses doigts sur ses paupières brûlantes, et soupira profondément : « Tel que vous me voyez, cher ami, je n'ai pas pris un jour de vacances depuis la mobilisation. Je suis à bout. »

Cela se voyait. La fatigue accumulée se traduisait, chez ce nerveux, par une extrême fébrilité. Antoine avait quitté un Rumelles-1914, assuré, maître de lui, un peu suffisant et qui pérorait volontiers sur toutes choses, mais avec une retenue étudiée. Quatre années de surmenage en avaient fait cet homme au rire brusque et convulsif, au regard papillotant, cet homme gesticulant, qui sautait sans transitions d'un sujet à l'autre, et dont le visage congestionné passait soudain d'une agitation maladive au plus morne abattement. Néanmoins, il s'efforçait de porter beau, comme naguère. A chaque aveu de fatigue, à chaque abandon, succédait un bref redressement : il renversait un peu la tête, peignait sa chevelure d'un ample geste de la main, et arborait un sourire plein d'ardeur retrouvée.

Antoine voulut le remercier de sa longue enquête sur la mort de Jacques, et de l'aide qu'il avait apportée à Jenny lorsqu'elle avait voulu gagner la Suisse. Rumelles l'arrêta avec vivacité :

— « Tout naturel, voyons ! Laissez donc, mon cher... ! » Puis il lança étourdiment : « La jeune femme m'a paru charmante... tout à fait charmante... »

« Trop homme du monde pour n'être pas souvent un sot », pensa Antoine.

Rumelles lui avait coupé la parole et il ne la lâchait plus. Il entreprit un récit détaillé des démarches qu'il avait faites, comme si Antoine eût été étranger à l'affaire. Tout était demeuré étonnamment précis dans sa tête : il citait sans hésiter des noms d'intermédiaires, des dates.

— « Triste fin ! », soupira-t-il, en conclusion. « Vous ne buvez pas votre lait ? Il va tiédir... » Il coula vers Antoine un regard hésitant, trempa ses lèvres dans son verre, essuya ses moustaches ébouriffées de chat, et soupira de nouveau : « Oui, triste fin... Bien pensé à vous, je vous assure... Mais, étant données les circonstances... vos idées... l'honorabilité du nom... on peut se demander si, — pour la famille, du moins —, cette fin... n'a pas été, somme toute, une chose... heureuse...? »

Antoine fronça les sourcils, sans répondre. Le propos de Rumelles le blessait au vif. Pourtant, cette pensée, il lui fallait bien reconnaître qu'il l'avait eue lui-même, lorsqu'il avait connu la vérité sur les derniers jours de Jacques. Oui, il l'avait eue; mais aujourd'hui il ne l'avait plus; et il éprouvait même, à se souvenir qu'il l'avait eue, une poignante confusion. Ces dernières années de guerre, les réflexions qu'il avait été amené à faire pendant les longues insomnies de la clinique, avaient mis un grand désarroi dans la plupart de ses jugements antérieurs.

Il n'avait aucune velléité d'aborder avec Rumelles ces questions personnelles. Et ici moins qu'ailleurs. Sa présence, dans cette salle où il était si fréquemment venu dîner avec Anne, lui causait, depuis son arrivée, un surcroît de gêne. Il était surpris, naïvement, qu'il y eût tant de monde dans ce restaurant de luxe, en ce quarante-quatrième mois de guerre. Toutes les tables étaient occupées, comme autrefois aux soirs d'affluence. Les femmes étaient peut-être moins nombreuses, — moins élégantes aussi : beaucoup d'entre elles gardaient leur allure d'infirmière. La grande majorité des hommes appartenait à l'armée : sanglés dans leurs baudriers bien cirés, ils plastronnaient, la tunique barrée de rubans multicolores. Quelques permissionnaires, officiers de troupe; mais, la plupart, officiers de la Place de Paris ou du Grand Quartier général. Un grand nombre d'aviateurs, bruyants et fêtés, le regard triste, un peu fou, et qui paraissaient ivres avant d'avoir bu. Un échantillonnage bariolé d'uniformes italiens, belges, roumains, japonais. Quelques officiers de marine. Mais surtout des Anglais, — vestes kaki à cols ouverts et linge impeccable —, qui venaient là pour dîner au champagne.

— « N'oubliez pas de me prévenir quand vous serez à la fin de votre convalescence », dit aimablement Rumelles. « Il ne faut pas qu'on vous renvoie sur le front. Vous avez largement payé votre part... »

Antoine voulut rectifier. Depuis l'hiver 17, époque où il avait été jugé guéri de sa première blessure, on l'avait affecté à des hôpitaux de l'arrière. Mais Rumelles continuait de parler :

— « Moi, je suis à peu près sûr, maintenant, que je finirai la guerre sans quitter le ministère. A l'arrivée de M. Clemenceau, j'ai bien failli être envoyé à Londres : sans le président Poincaré, avec qui je suis resté en excellents termes, et surtout sans la protestation de

M. Berthelot, dont je connais toutes les manies et qui a besoin de moi, j'étais débarqué. Evidemment, la vie là-bas, en ce moment, n'aurait pas été sans intérêt. Mais je n'aurais plus été au centre de tout, comme je suis ici. Ce qui est passionnant! »

— « Je le crois sans peine... Vous, au moins, vous êtes de ces privilégiés qui peuvent comprendre quelque chose aux événements... Et, qui sait? prévoir un peu l'avenir! »

— « Oh », coupa Rumelles, « comprendre, non; et prévoir, moins encore... On a beau connaître le dessous des cartes, mon cher, on ne comprend rien à ce qui se passe; à peine si, rétrospectivement, on comprend quelque chose à ce qui s'est passé... Ne croyez pas qu'un homme d'Etat d'aujourd'hui, fût-il entier et tyrannique comme M. Clemenceau, ait prise directe sur les faits. Il est à la remorque des circonstances... Gouverner, en temps de guerre, c'est quelque chose comme de piloter un navire qui fait eau de toutes parts : il s'agit d'improviser, d'heure en heure, des trucs pour aveugler les voies d'eau les plus menaçantes; on vit dans une atmosphère de naufrage; à peine si on a, de temps à autre, le loisir de faire le point, de regarder la carte, d'indiquer une vague direction... M. Clemenceau fait comme les autres : il subit les événements, et, quand il le peut, il les exploite. Je le vois d'assez près, au poste où je suis. Curieux phénomène... » Il prit un air pensif, et débita, avec des hésitations étudiées : « M. Clemenceau, voyez-vous, c'est un paradoxal mélange de scepticisme naturel... de pessimisme réfléchi... et d'optimisme résolu; mais il faut reconnaître que le dosage est excellent! » Il souriait finement, jusque dans le coin des paupières, comme s'il s'amusait lui-même de son improvisation et savourait la qualité des formules qu'il venait de trouver. Or, de toute évidence, c'était un cliché qu'il servait depuis des mois à chaque nouvel interlocuteur. « Et puis », continua-t-il, « ce grand douteur est mû par une foi de charbonnier: il croit dur comme fer que la patrie de M. Clemenceau ne peut pas être battue. Cela, mon cher, c'est une force incomparable! Même en ce moment, — où, pourtant, avouons-le tout bas, je vois chanceler la confiance des plus optimistes —, eh bien, pour ce vieux patriote, la victoire reste absolument certaine! Certaine, comme si, par droit divin, la cause de la France ne pouvait pas ne pas triompher glorieusement! »

Antoine, toussotant, — à la table voisine, un major anglais venait d'allumer un cigare — essaya de prendre la parole. Mais la voix était si faible, étouffée encore par la serviette qu'il appuyait sur ses lèvres, que, seuls, quelques mots furent intelligibles :

— « ...aide américaine... Wilson... »

Rumelles trouva plus simple de faire comme s'il avait entendu. Il prit même un air particulièrement intéressé :

— « Peuh », fit-il, en se caressant la joue d'un geste rêveur, « vous savez, pour nous autres, le président Wilson...! Nous sommes bien obligés, en France et en Angleterre, d'afficher une respectueuse considération pour les fantaisies de ce professeur américain; mais nous ne nous méprenons pas sur son compte. C'est un esprit obtus, et qui n'a aucune notion du relatif. Pour un homme d'État...! Il vit dans un univers irréel que son imagination mystique a créé de toutes pièces... Dieu nous préserve de voir le moralisme simpliste de ce puritain, venir fausser les rouages subtils de nos vieilles affaires européennes! »

Antoine aurait souhaité pouvoir intervenir. L'état de sa voix ne le lui permettait guère. Wilson était le seul, parmi les grands responsables de l'heure, qui lui parût capable de regarder au-delà de la guerre; le seul, capable de penser l'avenir du monde. Il se contenta d'ébaucher un geste énergique de protestation.

Rumelles sourit, amusé :

— « Non, sans blague, mon cher? Vous ne marchez tout de même pas pour les billevesées du président Wilson! Cela peut être pris au sérieux de l'autre côté de l'Atlantique, dans un pays d'enfants, à demi sauvages. Mais dans notre vieille et sage Europe, allons donc! Acclimater chez nous ces utopies, ce serait préparer un beau gâchis! Voyez-vous, on ne se méfiera jamais assez du mal que peuvent faire certains grands mots à majuscules : " Droit ", " Justice ", " Liberté ", etc. Dans la France de Napoléon III, on devrait pourtant savoir à quels désastres conduisent les politiques " généreuses " ! »

Il allongea le bras, posa sur la nappe sa main trapue, tachée de son, et, se penchant, confidentiel :

— « D'ailleurs, les gens renseignés prétendent que le président Wilson est bien moins naïf qu'il ne le paraît, et qu'il n'est pas dupe lui-même de ses *Messages*... Ce champion de la " paix sans victoire " aurait tout simplement l'ambition très réaliste de profiter des circonstances pour mettre le Vieux Continent sous la tutelle américaine, en empêchant les Alliés de prendre, demain, dans les affaires du monde, la place prépondérante qu'une victoire pourrait leur assurer. Ce qui, entre parenthèses, révèle une fameuse dose d'ingénuité! Car il faut être bien naïf pour supposer que la France et l'Angleterre accepteraient de s'être épuisées pendant des années dans une lutte aussi ruineuse, sans en tirer de sérieux profits *matériels!* »

« Mais », répliquait Antoine en son for intérieur, « est-ce que l'établissement d'une véritable paix, d'une paix enfin durable, ne serait pas, pour les peuples européens, le plus *matériel* des profits de guerre? » Il se taisait, néanmoins. La chaleur, le bruit, l'odeur des victuailles mêlée à la fumée du tabac, lui causaient un malaise croissant. Son oppression ne cessait d'augmenter. « Pourquoi suis-je là? » songeait-il, furieux contre lui-même. « Je me prépare une belle nuit! »

Rumelles ne s'apercevait de rien. Il semblait prendre un plaisir personnel à dénigrer Wilson. Dans les couloirs du Quai d'Orsay, c'était depuis des mois la cible sur laquelle la verve de ces messieurs s'exerçait férocement. Il coupait ses phrases d'un rire de gorge, vindicatif, et s'agitait sur sa chaise comme s'il eût été assis sur des chardons :

— « Heureusement, le président Poincaré et M. Clemenceau, en bons réalistes, en bons Latins qu'ils sont, ont compris, non seulement l'inanité de ses chimères, mais aussi la secrète mégalomanie du président Wilson... Laquelle peut être utilisée à des fins... qui rapportent!

L'important, à l'heure présente, c'est de soutirer d'Amérique autant de pétrole, de matériel, d'avions et d'hommes que possible. Pour cela, prendre bien garde de contredire le puissant pourvoyeur. Au besoin, même, donner complaisamment dans ses marottes. Comme on fait avec les doux aliénés. Et, ma foi, jusqu'ici, les résultats de cette tactique sont appréciables... » Il inclina le buste vers Antoine et lui souffla à l'oreille : « Saviez-vous que c'est grâce aux deux mille tonnes d'essence qu'il nous a procurées en quelques semaines, et grâce aux trois cent mille hommes qu'il nous expédie chaque mois, que nous avons pu tenir le coup, cette année, après le désastre anglais en Picardie?... Il n'y a donc qu'à continuer. A flatter les manies chimériques de ce Lohengrin à binocle... Quand nous aurons, sur notre sol français, une solide armée américaine pour prendre la relève, alors nous pourrons souffler un peu, et attendre en spectateurs que l'Amérique nous tire les marrons du feu! »

Antoine, pensivement, regardait Rumelles mordre dans son tournedos, — qu'il avait commandé : « à peine cuit : bleu! » Il souleva la main comme pour demander la parole :

— « Ainsi, vous croyez... à plusieurs années de guerre encore? »

Rumelles repoussa son assiette, se renversa légèrement en arrière :

— « Plusieurs années, non; en réalité, je ne crois pas. Je crois même que nous pourrions avoir d'heureuses surprises... » Il examina un instant ses ongles, en silence : « Ecoutez, Thibault », reprit-il, baissant de nouveau la voix pour ne pas être entendu des voisins. « Je me rappelle. C'était en février 15. M. Deschanel, un soir, a déclaré devant moi : “ La durée et les péripéties de cette guerre sont incalculables. Pour moi, c'est le recommencement des guerres de la Révolution et de l'Empire. Peut-être y aura-t-il des *trêves;* mais la *paix finale* est loin! ” Eh bien, à ce moment-là, j'ai cru que c'était une boutade. Aujourd'hui... Aujourd'hui, je suis bien près de considérer cela comme une vision prophétique. » Il fit une pause, joua un instant avec la salière, et ajouta : « A telle enseigne que si, demain, après un succès écrasant des Alliés, les Centraux proposaient de déposer les armes, je penserais, avec M. Deschanel : Voilà la *trêve;* mais la *paix finale* est encore loin. »

Il soupira, et, sans quitter ce ton de leçon apprise, qui agaçait tant Antoine, il se lança dans un brillant compte rendu des diverses phases de la guerre depuis l'invasion de la Belgique. Ainsi décantés, réduits à des schèmes bien nets, les événements s'enchaînaient avec une logique impressionnante. On eût dit le récit d'une partie d'échecs. Cette guerre, — qu'Antoine, lui, jour après jour, avait faite, — elle lui apparaissait soudain avec le recul du temps et sous son aspect historique. Dans la bouche diserte du diplomate, la Marne, la Somme, Verdun, — ces noms qui, jusqu'alors, évoquaient pour Antoine des souvenirs concrets, personnels et tragiques, — devenaient, dépouillés soudain de leur réalité, les jalons précis d'un exposé technique, les têtes de chapitres d'un manuel pour les générations futures.

— « Et nous voici en 18 », conclut Rumelles. « L'entrée des Etats-Unis dans la guerre, c'est le resserrement du blocus, la démoralisation des peuples germaniques. Logiquement, c'est leur défaite inévitable. Devant ce fait neuf, ils avaient le choix entre deux attitudes : négocier une paix boiteuse, tandis qu'il en était encore temps ou bien, reprendre désespérément l'offensive, pour essayer de vaincre avant l'arrivée massive des Américains. Ils ont opté pour l'offensive. D'où le formidable coup de bélier de mars, en Picardie. Une fois de plus il s'en est fallu de peu qu'ils ne l'emportent. Aussi reviennent-ils à la charge. Et nous en sommes là. Réussiront-ils ce coup-ci? C'est possible : rien ne permet de dire que nous ne serons pas réduits à demander la paix, avant cet été. Mais, s'ils échouent, alors ils auront joué leur ultime carte. Alors ils auront perdu la guerre. Soit que nous attendions passivement l'heure de la ruée américaine; soit que, — ce qui, paraît-il, serait le projet du général Foch — nous jetions nos dernières forces dans une attaque sur tous les fronts, et prenions des gages sérieux, avant que les Américains se soient mis en branle.

C'est pourquoi je dirais volontiers : la véritable paix, *la paix finale*, elle est peut-être encore éloignée; mais une *trêve* est vraisemblablement assez proche. »

Il dut s'interrompre : Antoine était en proie à une quinte si violente qu'il était difficile, cette fois, de ne pas paraître s'en apercevoir.

— « Excusez-moi, mon cher... Je vous éreinte avec mes bavardages... Partons. »

Il fit signe au maître d'hôtel, sortit de la poche de son pantalon, — à la manière des soldats américains — une poignée de billets froissés, et régla négligemment l'addition.

La rue Royale était obscure. L'auto, feux éteints, attendait au bord du trottoir.

Rumelles leva le nez en l'air :

— « Le ciel est clair, *ils* pourraient bien venir, cette nuit... Je retourne au ministère, voir s'il y a du neuf. Mais, d'abord, je vais vous déposer chez vous. »

Avant de monter dans la voiture, où déjà Antoine avait pris place, il acheta plusieurs feuilles du soir à une vendeuse de journaux.

— « Bourrage de crâne », murmura Antoine.

Rumelles ne répondit pas tout de suite. Il prit la précaution de clore le châssis vitré qui les séparait du chauffeur.

— « Bien sûr, bourrage de crâne! » fit-il alors, en se tournant presque agressif vers Antoine. « Comment ne comprenez-vous pas que l'approvisionnement régulier en nouvelles rassurantes est aussi essentiel pour le pays que le ravitaillement en vivres ou en munitions? »

— « C'est vrai, vous avez charge d'âmes », lança ironiquement Antoine.

Rumelles lui tapota familièrement le genou :

— « Allons, allons, Thibault, soyez sérieux. Réfléchissez. Que peut un gouvernement en guerre? Diriger les événements? Vous savez bien que non. Mais diriger l'opinion? ça, oui : c'est même la seule chose qu'il puisse faire!... Eh bien, nous nous y employons. Notre principal travail, c'est — comment dirai-je? — la transmission *arrangée* des faits... Il faut bien alimenter sans cesse la foi de la nation en sa victoire finale... Il faut bien protéger, quotidiennement, la confiance qu'elle a mise, à tort ou à raison, dans la valeur de ses chefs, militaires ou civils... »

— « Et tous les moyens vous sont bons ! »

— « Bien sûr ! »

— « Le mensonge organisé ! »

— « Franchement : croyez-vous possible de laisser dire — je ne sais pas, moi — ...que nos bombardements aériens sur Stuttgart et sur Carlsruhe ont fait, dans la population civile, infiniment plus d'" innocentes victimes ", que tous les obus que la *Bertha* pourra lancer sur Paris ?... Ou bien, que la campagne des sous-marins boches, que nous avons présentée comme un crime de lèse-humanité, était, pour les Centraux, une opération nécessaire, la seule chance qui leur restait de briser notre résistance après l'échec des offensives de 1916 ?... Ou bien, que le fameux torpillage du *Lusitania* était, à tout prendre, un acte de représailles parfaitement justifié, une très bénigne réponse, en somme, à ce blocus implacable qui a déjà tué, en Allemagne et en Autriche, dix ou vingt mille fois plus de femmes et d'enfants qu'il n'y en avait sur le *Lusitania ?*... Non, non, la vérité est très rarement bonne à dire ! Il est indispensable que l'ennemi ait toujours tort, et que la cause des Alliés soit la seule juste ! Il est indispensable... »

— « ...de mentir ! »

— « Oui, ne fût-ce que pour cacher, à ceux qui se battent, ce qui se trame à l'arrière ! Ne fût-ce que pour cacher à ceux de l'arrière les choses effroyables qui se passent au front !... Indispensable de taire, aux uns comme aux autres, ce qui se fait dans la coulisse des chancelleries, chez l'adversaire, chez les neutres ! Mais oui, mon cher ! Aussi, le plus clair de notre activité — je veux dire l'activité des chefs civils — est-elle employée... pas seulement à mentir, comme vous dites, mais à *bien* mentir ! Ce qui n'est pas toujours facile, veuillez le croire ! Ce qui exige une longue expérience, et une ingéniosité, un esprit d'invention, qui ne soient jamais à court. Il y faut une espèce de génie... Et, je peux l'affirmer : l'avenir nous rendra justice! Dans ce domaine du *mensonge utile*, nous avons, en France, accompli des prodiges, depuis quatre ans! »

La voiture, après avoir suivi, à faible allure, le boulevard Saint-Germain et la rue de l'Université, à peine éclairés, venait de stopper devant la porte d'Antoine. Les deux hommes descendirent.

— « Tenez », poursuivit Rumelles, « je me rappelle la semaine de l'offensive Nivelle, en avril 17... » Sa voix trahit soudain une recrudescence de fébrilité. Il saisit Antoine par le bras, pour l'entraîner à quelque distance du chauffeur : « Vous n'imaginez pas ce que cela a pu être, pour nous qui savions tout, heure par heure..., — qui assistions à cette accumulation de fautes..., — qui pouvions calculer, chaque soir, le total des pertes! Trente-quatre mille tués, plus de quatre-vingt mille blessés, en quatre ou cinq jours!... Et la rébellion de ces régiments décimés!... Pourtant, il ne s'agissait ni d'être véridiques ni d'être justes. Il fallait, coûte que coûte, réprimer impitoyablement l'insurrection des troupes avant qu'elle ne gagne toute l'armée! Question de vie ou de mort pour le pays... Il fallait, coûte que coûte, soutenir le commandement, camoufler ses fautes, sauvegarder son prestige... Pire encore : il fallait, sciemment, persévérer dans l'erreur, et reprendre l'offensive, et jeter d'autres divisions dans la fournaise, et sacrifier vingt ou vingt-cinq mille nouveaux soldats, au Chemin des Dames, devant Laffaux... »

— « Mais pourquoi? »

— « Pour obtenir un petit succès, si mince fût-il, sur lequel nous puissions greffer *le mensonge salutaire!* Et redresser la confiance, qui flanchait de toutes parts!... Enfin, nous avons eu l'heureux coup de main de Craonne. Nous avons pu en faire une éclatante victoire. Nous étions sauvés!... Dix jours plus tard, le gouvernement limogeait les chefs, et nommait le général Pétain... »

Antoine, épuisé, incapable de rester plus longtemps debout, s'était adossé au mur. Rumelles le soutint jusqu'à la porte cochère :

— « Oui », poursuivait-il, « nous étions sauvés; mais, je vous jure, je donnerais un an de ma vie plutôt que d'avoir à revivre ces quatre ou cinq semaines-là! » Il semblait sincère. « Je vous laisse. J'ai été si heureux de vous revoir... » Et tandis qu'Antoine franchissait le seuil : « Soignez-vous sérieusement, mon cher! Les médecins sont tous les mêmes : quand il s'agit de leur propre santé, les plus consciencieux sont d'une négligence...! »

La chambre avait été préparée par Gise. Les volets et les rideaux étaient clos, les housses retirées des sièges, le lit fait; un verre et une carafe d'eau fraîche avaient été posés à portée de la main, sur la table de chevet. Ces menues attentions troublèrent Antoine si fort, qu'il se dit : « Je dois être encore plus fatigué que je ne crois... »

Son premier soin fut de se faire une injection d'oxygène. Après quoi, il se laissa tomber dans un fauteuil, et demeura une dizaine de minutes, immobile, le buste droit, la nuque appuyée au dossier.

Il pensait à Rumelles avec une hostilité soudaine, violente, injuste sans doute, et dont il était lui-même surpris : « Ceux qui *la* font... Ceux qui ne *la* font pas... Entre nous et eux, jamais plus la réconciliation ne sera possible! »

Son étouffement cédait peu à peu. Il se leva pour prendre sa température. 38°1... Rien d'excessif après une pareille journée...

Il prit encore le temps de faire une bonne inhalation, avant de se mettre au lit.

« Non », se dit-il, en enfonçant rageusement sa tête dans l'oreiller, « pas d'entente possible avec eux! Le jour de la démobilisation, ceux qui ne *l'*auront pas faite, devront se cacher, disparaître. La France, l'Europe, de demain, seront, de droit, aux anciens combattants. Nulle part, ceux qui *l'*auront faite n'accepteront de collaborer avec ceux qui n'*y* auront pas été! »

L'obscurité lui pesait, mais il se retint de rallumer. Sa chambre était l'ancienne chambre de M. Thibault, celle où le vieillard avait tant lutté, tant souffert, avant de mourir. Antoine se rappelait les moindres détails, le dernier bain, Jacques, la piqûre libératrice, toutes les péripéties de cette agonie. Et c'était la chambre de son père, avec le grand lit d'acajou, le prie-Dieu de tapisserie, et la commode chargée de médicaments, que ses yeux, grands ouverts dans le noir, croyaient apercevoir autour de lui.

VI

La nuit n'avait pas été mauvaise, grâce à la piqûre d'oxygène; mais Antoine n'avait pour ainsi dire pas dormi. A l'aube enfin, le sommeil l'avait pris, un bref instant : le temps de se débattre dans un absurde cauchemar, d'où l'avait tiré un accès de transpiration, si violent qu'il avait dû changer de linge. Recouché, et bien certain qu'il ne se rendormirait plus, il chercha à se rappeler les détails du rêve saugrenu qu'il venait de faire :

« Voyons... Il y a eu trois épisodes distincts... Trois scènes, mais dans un décor unique : le vestibule de mon appartement...

« Au début, je m'y trouvais avec Léon. En proie à une folle angoisse, parce que, d'une minute à l'autre, père allait arriver. La situation était terrible. J'avais profité de l'absence de père pour m'emparer de tout ce qu'il possédait, pour bouleverser de fond en comble la maison. Et père allait revenir; et j'allais être pris sur le fait. C'était affreux. J'arpentais le vestibule, ne sachant que faire pour éviter la catastrophe. Et il m'était impossible de fuir. A cause de quoi? A cause de Gise, qui allait bientôt rentrer... Léon, aussi affolé que moi, était au guet, la joue collée à la porte d'entrée. Je vois encore son œil godiche, écarquillé de peur. A un moment, il a tourné la tête pour dire : " Si j'allais vite prévenir Madame? "

« Ça, c'est la première scène. Ensuite, père s'est tout à coup trouvé là, devant moi, debout au milieu du vestibule, en redingote, avec un chapeau garni d'un crêpe (comme celui de Chasle), *à cause de l'enterrement*. Quel enterrement? Autour de lui, par terre, une valise neuve (comme celle du type avec qui j'ai voyagé avant-hier). Léon avait disparu. Père fouillait dans ses poches, d'un air digne et affairé. Il m'a aperçu, il m'a dit : " Ah, c'est toi?... Mademoiselle n'est pas là? " Et puis, il m'a dit aussi : " Mon cher, je te raconterai : j'ai visité des pays très *pittoresques*... " (Sur ce ton paterne et solennel qu'il prenait dans ces cas-là.) Moi, j'avais la bouche sèche, j'étais incapable de dire un mot. Je me sentais redevenu le petit garçon qui tremble devant une correction méritée... Et, en même temps, je me demandais, avec stupéfaction : " Comment se fait-il qu'il n'ait pas remarqué, en montant, les changements de l'escalier? La suppression des vitraux? Le tapis neuf? " Et puis, j'ai pensé avec terreur : " Comment l'empêcher d'entrer dans *notre* chambre, de voir le lit?... " Et puis, je ne sais plus; je crois qu'il y a eu une coupure...

« En tout cas, — et c'est la troisième scène, — je revois père, toujours debout à la même place, mais en chaussons et dans sa vieille vareuse d'intérieur. Il avait son air mécontent. Il dressait par à-coups sa barbiche, et tirait son cou pincé entre les pointes de son faux col. Et alors il m'a dit, avec son petit rire froid : " Dis-moi, mon cher : où diable as-tu mis mon lorgnon? " Et ce lorgnon qu'il réclamait, c'était ce lorgnon d'écaille que je me souviens d'avoir trouvé sur son bureau, et que j'ai donné, en même temps que sa garde-robe et toutes ses affaires, aux Petites Sœurs des pauvres... Et alors, sa colère a brusquement éclaté. Il s'est avancé sur moi en criant : " Et mes titres? Qu'est-ce que tu as fait de mes titres? " Je balbutiais : " Quels titres, père? " Je suais à grosses gouttes, je m'épongeais, et, tout en m'épongeant, je me souviens que je prêtais l'oreille : je m'attendais, d'un instant à l'autre, à entendre le déclic de l'ascenseur, et à voir entrer Gise (en infirmière, parce que c'était l'heure où elle rentrait de sa clinique)... Et, à ce moment-là, je me suis éveillé, effectivement trempé de sueur... »

Il souriait au souvenir de son épouvante. Mais il en était encore tout ébranlé. « Je dois avoir un peu de température », se dit-il. En effet : 37°8. Un peu moins que la veille au soir; mais un peu plus qu'il n'aurait fallu, ce matin.

Deux heures plus tard, vaquant aux soins de sa toilette et de son traitement, sa pensée le ramena au souvenir de son rêve.

« Curieux », remarqua-t-il. « Ce rêve, en somme, a été très court. En tout, trois tableaux rapides : l'attente anxieuse avec Léon; puis, l'irruption de père, avec la valise; puis, cette histoire de lorgnon, et de titres... Oui, mais tout ce qu'il y avait *autour!* Tout ce passé, très particulier, très complet, dans lequel ce rêve prenait racine! »

Comme il éprouvait un peu d'oppression pour avoir fait une station trop prolongée devant son lavabo, il s'assit sur le rebord de la baignoire, et demeura un moment pensif :

« Ce passé, dans lequel baignent, en quelque sorte, les rêves, c'est évidemment un phénomène connu, et qui doit avoir été étudié... Je n'y avais jamais réfléchi... Pour mon rêve de cette nuit, le cas est particulièrement net... Au point que, si j'avais le courage, ça mériterait que je le note... Sans quoi, dans deux jours, j'aurai tout oublié. »

Il regarda l'heure. Rien ne le pressait. Il prit l'agenda où il inscrivait chaque soir ses observations de malade et qu'il n'avait pas omis d'apporter, en arracha quelques pages blanches, et, s'enveloppant dans le peignoir de bain que Gise avait pendu à une patère du cabinet de toilette (« Elle a pensé à tout, cette petite », se dit-il en souriant), il alla se remettre sur son lit.

Il griffonnait avec entrain depuis trois quarts d'heure, lorsqu'un coup de sonnette l'interrompit.

C'était un pneumatique du Patron. En termes très affectueux, le docteur Philip s'excusait de ne pouvoir recevoir Antoine avant le surlendemain soir : il quittait Paris pour deux jours, à la tête d'une commission chargée d'inspecter quelques hôpitaux du Nord.

Antoine était fort désappointé. Pour se consoler, il se dit qu'il avait encore de la chance que Philip revînt avant son départ. Il dînerait mercredi avec lui, et reprendrait jeudi le train pour Grasse.

Les feuillets étaient épars sur le lit. Ils étaient au nombre de cinq, couverts de sa bizarre écriture hiéroglyphique où chaque lettre était isolée, — habitude qui datait de l'époque où il faisait des thèmes grecs. Antoine les rassembla, et les relut. Les deux premiers étaient consacrés au récit analytique du rêve, avec les détails caractéristiques dont il se souvenait. Les trois autres contenaient un commentaire assez confus. « *Ce que l'on conçoit bien...* », grommela-t-il, dépité. Autrefois, il excellait pourtant à la rédaction de ces notes substantielles où, en quelques lignes, son esprit net savait condenser l'essentiel d'une longue réflexion. « Un entraînement à refaire », se dit-il, « si je veux me remettre à travailler pour les revues... »

Voici ce qu'il avait écrit :

. . . .

Dans un rêve, deux choses bien distinctes :

1° *Le rêve lui-même, l'épisode (auquel le rêveur est toujours plus ou moins mêlé).* Action, *généralement brève, fragmentaire, mouvementée, analogue à une scène de théâtre jouée par des acteurs.*

2° *Autour de ce court moment dramatique, il y a une* situation *donnée. Qui commande ce moment, et qui le rend plausible. Une situation qui reste en dehors, en marge, de l'action. Mais dont le rêveur a une conscience précise. Situation dans laquelle, d'après la fabulation du rêve, le rêveur se trouve installé depuis longtemps. Comparable à ce que représente, pour chacun de nous, à l'état de veille, notre passé.*

Dans l'exemple du rêve que je viens d'avoir, je remarque, autour des trois épisodes qui constituent l'action, tout un faisceau de circonstances *qui, sans faire partie intégrante de mon rêve, y étaient implicitement contenues. Et même, à bien considérer, ces circonstances sont de deux sortes, constituent comme deux* zones *différentes : il y a les cir-*

constances immédiates, dans lesquelles le rêve est comme enveloppé. Et puis, il y a une seconde zone, plus éloignée dans le temps : un ensemble de circonstances beaucoup plus anciennes, formant un passé imaginaire sans lequel le rêve n’aurait pas été possible. Ce passé, dont moi, le rêveur, j’étais constamment conscient, n’a joué au cours du rêve aucun rôle : il était seulement préexistant *à ce rêve, comme le passé des personnages est préexistant à l’action qui les rassemble fortuitement sur la scène.*

Précisons un peu. Ce que j’entends par circonstances de la première zone, c’est, par exemple, que je savais *l’heure qu’il était, bien qu’il n’ait pas été question de l’heure pendant le rêve.* Je savais *qu’il était midi moins quelques minutes, et que j’attendais Gise pour déjeuner, comme tous les jours.* Je savais *que, le matin même, en son absence et sans pouvoir l’avertir, j’avais reçu un télégramme de père, annonçant son retour, à cause de l’enterrement. (Ici, un point qui reste obscur : l’enterrement de qui? Ce n’était pas l’enterrement de Mademoiselle. Mais c’était l’enterrement d’un proche, car nous étions tous atteints par ce deuil.)* Je savais *que père fouillait dans ses poches à la recherche de monnaie pour payer sa voiture, car* je savais *qu’un taxi, chargé de bagages, venait de le déposer devant la maison. (Je crois même pouvoir dire que* je voyais *ce taxi, arrêté dans la rue, en même temps que je voyais père dans le vestibule.) Etc.*

Circonstances de seconde zone. J’entends par là une série d’événements assez anciens, dont l’Antoine du rêve connaissait l’existence. Ces événements, je ne puis pas dire précisément que j’y pensais, au cours du rêve; mais leur souvenir était en moi, *comme sont les souvenirs de notre vie réelle. Ainsi* je savais *(en réalité je devrais écrire :* j’étais sachant) *que père avait quitté la France depuis longtemps, envoyé à l’autre bout du monde, par je ne sais quelle Société de bienfaisance pour procéder à des enquêtes relatives à ses œuvres. (Inspection des services pénitentiaires étrangers, ou quelque chose de ce genre.) Voyage si lointain, que c’était comme s’il n’avait jamais dû en revenir...* Je savais *également les réactions que nous avions eues au moment de ce départ, accueilli par nous tous comme une aubaine inespérée.*

Je savais *que, aussitôt libéré de sa tutelle, j'avais épousé Gise. Que nous avions pris possession de l'appartement, déménagé tout, vendu les meubles, distribué aux Sœurs les affaires personnelles de père, abattu des cloisons pour transformer totalement la maison. (Et, ce qui est étrange : ces transformations, dans le rêve, n'étaient pas celles que j'ai faites, dans la réalité. Ainsi, le vestibule du rêve était bien repeint en ocre clair; mais il était garni d'un tapis rouge et non havane; et, à la place de la console, il y avait l'ancienne horloge de chêne de l'antichambre de père.) Ce n'est pas tout. Je n'en finirais pas de noter ce que* je savais. *Ceci, par exemple :* je savais, *très précisément, que notre chambre, à Gise et à moi (où pourtant aucune scène du rêve ne s'est passée) était l'ancienne chambre de père, et qu'elle était devenue semblable à la chambre d'Anne, avenue de Wagram. Bien plus :* je savais *que, ce matin-là, Léon n'avait pas eu le temps de faire le ménage, que notre grand lit était resté en désordre; et j'étais terrifié à l'idée que père allait ouvrir la porte de cette chambre... Enfin* je savais *mille autres détails de notre vie, et de celle de notre entourage. Notamment ceci, qui me paraît curieux, puisque mon frère n'a eu absolument aucun rôle dans ce rêve :* je savais *que Jacques, désespéré de jalousie après notre mariage, avait émigré en Suisse, et qu'il...*

La rédaction s'arrêtait là. Antoine n'avait plus aucune envie de poursuivre. Il prit son crayon et inscrivit en marge :

Rechercher ce qu'ont dit, à ce sujet, ceux qui se sont occupés du Rêve.

Puis il plia les feuillets, se leva, et mit de l'eau à chauffer pour son inhalation.

Quelques instants plus tard, la tête enfouie sous les serviettes, la figure ruisselante, les yeux clos, il respirait profondément la buée bienfaisante, tout en continuant à ruminer son rêve de la nuit. Il s'avisa soudain que le sujet même de ce rêve témoignait d'un certain état de mauvaise conscience, d'un certain sentiment de responsabilité, voire de culpabilité, que, à l'état de veille, son orgueil parvenait à maintenir dans l'ombre. « Et, en effet », reconnut-il, « je n'ai pas lieu d'être bien fier de tout ce qui s'est passé après la mort de père. » (Il entendait par là, non seulement son installation luxueuse, mais aussi sa liaison avec Anne, ses sorties du soir; tout un irrésistible glissement vers la vie facile.) « Sans compter », ajouta-t-il, « la perte d'une grande partie de la fortune laissée par père... » (Il avait englouti, dans les dépenses faites pour la transformation de la maison, une bonne moitié de sa fortune mobilière; le reste, dédaignant le taux des sages placements de M. Thibault, il l'avait converti en valeurs russes, aujourd'hui tombées à zéro.) « Bah », se dit-il, « pas de regrets stériles... » C'est ainsi qu'il avait coutume d'apaiser ses scrupules. Cependant, — et ce rêve en était le sûr indice — il conservait, au fond, la conception bourgeoise du « bien familial », de l'argent économisé pour être transmis; et, bien qu'il n'eût de comptes à rendre à personne, il éprouvait un sentiment de honte à avoir dilapidé, en moins d'un an, un patrimoine que plusieurs générations avaient sagement constitué.

Il dégagea sa tête pendant quelques secondes, respira un peu d'air frais, tamponna ses yeux congestionnés, puis se blottit de nouveau sous les linges humides et brûlants.

Ces réflexions de ce matin, sur son hiver de 1914, rejoignaient les impressions irritantes qu'il avait éprouvées, la veille, après le départ de Gise, en parcourant ses beaux laboratoires déserts, et la pièce pompeusement baptisée « des archives », avec ses fichiers de *tests*, ses rangées de cartons neufs, numérotés et vides. Il avait pénétré dans la « salle de pansement », si bien agencée, et qui, pas une fois, n'avait servi. Et là, se souvenant de sa modeste installation de jadis, au rez-de-chaussée, de son existence active, utile, de jeune médecin, il avait compris que, depuis la mort de son père, il était engagé dans une fausse route.

L'inhalateur, attiédi, ne produisait plus qu'une faible vapeur. Il jeta loin de lui les serviettes trempées, s'épongea le visage, et regagna sa chambre.

— « Ah... Eh... Ah... Oh... », fit-il debout devant la glace, pour essayer sa voix. Elle restait rauque, mais elle avait retrouvé du timbre, et il sentait son larynx momentanément dégagé.

« Vingt minutes de gymnastique respiratoire... Puis, dix minutes de repos. Après quoi, je m'habillerai, je préparerai ma valise, et, puisque je ne peux pas voir Philip aujourd'hui, j'irai prendre le premier train pour Maisons. »

Dans l'auto qui le conduisait à la gare, tandis qu'il traversait les parterres des Tuileries et regardait, sous le soleil de mai, les statues blanches se dresser sur les gazons, et une buée mauve estomper les contours de l'arc du Carrousel, il se rappela soudain ce matin de printemps où Anne et lui s'étaient donné rendez-vous dans la cour du Louvre; et une idée subite lui traversa l'esprit :

— « Menez-moi à l'entrée du Bois », cria-t-il au chauffeur. « Et vous prendrez la rue Spontini. »

Parvenu à proximité de l'hôtel Battaincourt, il fit ralentir l'allure, et se pencha à la portière. Tous les volets étaient clos; la grille, fermée. Sur le pavillon du concierge était pendu un écriteau :

BEL HOTEL A VENDRE

Cour intérieure — Garage — Jardin

(Superficie totale : 625 m.)

Au-dessus de : A VENDRE, on avait ajouté, à la main : OU A LOUER.

L'auto longea lentement le mur du jardin. Antoine n'éprouvait rien. Exactement, rien : ni émotion ni regret. Et il se demanda pourquoi il était venu faire ce pèlerinage.

— « Demi-tour... Gare Saint-Lazare », cria-t-il au chauffeur.

« Oui », se dit-il, presque aussitôt, comme si rien n'avait interrompu ses méditations du matin, « je me suis bien dupé moi-même en me persuadant qu'il était indispensable de mieux organiser ma vie professionnelle... Au lieu de stimuler le travail, toutes ces facilités matérielles ne faisaient que le paralyser! Tout ce beau mécanisme fonctionnait à vide. Tout était prêt pour des réalisations de grande envergure. Et, en réalité, je ne fichais plus rien... » Il se rappela, soudain, l'attitude de son frère devant l'héritage paternel, et ce dégoût de Jacques pour l'argent, qu'Antoine, alors, avait jugé si niais. « C'est lui qui avait raison. Comme nous nous comprendrions mieux, aujourd'hui!... L'empoisonnement par l'argent. Par l'argent hérité, surtout. L'argent qu'on n'a pas gagné... Sans la guerre, j'étais foutu. Je ne me serais jamais purgé de cette intoxication. J'en étais arrivé à croire que tout s'achète. Je m'attribuais déjà, comme un privilège naturel d'homme riche, le droit de travailler peu, de faire travailler les autres. Je me serais, sans vergogne, attribué le mérite de la première découverte faite par Jousselin ou par Studler dans *mes* laboratoires... Un profiteur, voilà ce que je m'apprêtais à devenir!... J'ai connu le plaisir de dominer, par l'argent... J'ai connu le plaisir d'être considéré pour mon argent... Et je n'étais pas loin de trouver cette considération naturelle, pas loin de penser que l'argent me conférait une supériorité... Pas beau!... Et ces rapports faussés, équivoques, que l'argent établit entre le richard et les autres! Un des plus sournois méfaits de l'argent! Je commençais déjà à me méfier de tout et de tous. Je commençais à penser, de mes meilleurs amis : " Pourquoi me raconte-t-il ça? Est-ce à mon carnet de chèques qu'il en a?... " Pas beau, pas beau!... »

Il ressentait, à remuer cette lie, une telle amertume, que son arrivée à la gare Saint-Lazare lui parut une délivrance. Et il s'élança dans la cohue qui encombrait le hall, sans prendre garde à son essoufflement, heureux de cette diversion qui lui permettait d'échapper à lui-même.

— « Un billet de... Non : une *troisième* militaire pour Maisons-Laffitte... A quelle heure est le train? »

Il n'était pas bien souvent monté dans un wagon de troisième. Il y prenait aujourd'hui un âpre plaisir.

VII

Clotilde avait frappé. Le plateau en équilibre sur une main, elle attendit quelques secondes, puis frappa de nouveau. Pas de réponse. Dépitée à la pensée qu'Antoine était sorti sans avoir déjeuné, elle ouvrit la porte.

L'obscurité régnait dans la chambre. Antoine était encore au lit. Il avait entendu; mais, le matin, avant son inhalation, il était si aphone qu'il renonçait d'avance à tout effort pour émettre un son. C'est ce qu'il essaya de faire comprendre, par gestes, à Clotilde.

Bien qu'il eût accompagné sa mimique d'un sourire rassurant, la brave femme restait sur le seuil, les sourcils levés de surprise et de saisissement : en voyant Antoine incapable d'articuler un mot, — alors que, la veille au soir, à son arrivée, il était venu causer avec elle dans la cuisine, — l'idée qu'il avait eu une attaque et qu'il était à demi paralysé lui avait subitement traversé l'esprit. Antoine devina vaguement sa pensée, lui sourit davantage, lui fit signe d'apporter le plateau jusqu'au lit, et prenant le crayon et le bloc posés sur la table de chevet, il griffonna :

Excellente nuit. Le matin, suis toujours sans voix.

Elle déchiffra lentement le papier, considéra un instant Antoine avec stupéfaction, puis déclara, sans ambages :

— « Ça ne fait rien, on ne s'attendait pas à retrouver Monsieur dans cet état... *Ils* vous ont proprement arrangé ! »

Elle alla pousser les persiennes. Le soleil matinal envahit la pièce. Le ciel était bleu, et, par-delà l'encadrement de la vigne vierge qui pendait au balcon de bois, les sapins tout proches, et, plus loin, les cimes déjà verdoyantes et la forêt de Saint-Germain, frémissaient sous un souffle léger.

— « Monsieur va-t-il seulement pouvoir manger? » fit-elle, en revenant près du lit. Elle emplit la tasse de lait chaud; et, tandis qu'Antoine y émiettait un peu de pain, elle recula d'un pas, attentive, les mains dans les poches de son tablier. Il avalait si difficilement, qu'elle ne se retint pas de répéter :

— « On ne s'y attendait pas, non, pour sûr! On savait bien que Monsieur était gazé. Mais on se disait : " Les gaz, c'est tout de même moins pire qu'une blessure... " Faut croire que non!... C'est vrai qu'aux maladies, j'y connais rien. Quand Monsieur nous a écrit, à ma sœur et à moi, de venir avec Mlle Gise chez Mme Fontanin, Adrienne, elle, tout de suite, elle a dit : " Je veux soigner des blessés. " Mais moi, j'ai dit : " Tout ce qu'on voudra, cuisine, ménage, j'ai jamais boudé le travail. Seulement, pour ce qui est des blessés, non, c'est pas mon goût. " Ça fait que ces dames ont pris Adrienne à l'hôpital, et que je suis restée au chalet. Je ne me plains pas, quoiqu'il n'y ait guère le temps de musarder, Monsieur se rend compte : pour faire proprement tout ce qu'il y a à faire ici, une femme seule, il lui faudrait des jours de vingt-cinq heures. Mais, moi, ça me plaît mieux que de tripoter dans les plaies. »

Antoine l'écoutait en souriant. (A défaut de Gise, être soigné par cette fille dévouée n'eût pas été désagréable... Dommage qu'elle eût si peu la vocation de garde-malade...)

Pour marquer qu'il savait apprécier à sa valeur le fardeau de cette tâche quotidienne, il pinça les lèvres avec considération, et secoua plusieurs fois la tête.

— « Oh », reprit-elle aussitôt, prise de scrupule, « à bien regarder, ça fait moins de tracas qu'on ne croit. Ces dames sont quasiment toujours parties à l'hôpital. Je ne les ai guère que pour le dîner. Au midi, j'ai seulement M. Daniel et Mme Jenny, avec le petiot. »

Plus familière qu'autrefois, comme si les années de guerre avaient aboli d'anciennes distances, elle assourdissait Antoine de son bavardage, s'exprimant en toute liberté sur chacun : « ... Mlle Gise, toujours si serviable avec nous... » « Mme Fontanin, pas fière dans le fond, mais si intimidante qu'on ne sait jamais comment lui causer... » « ... Mme Nicole, qui a si peu d'ordre, — et qui sait bien se faire servir, elle ! » « ... Mme Jenny, pas très parlante, mais forte au travail, et qui comprend les choses... » Et toujours elle revenait au « petiot », sur un ton d'admiration et de tendresse : « Un petiot qui promet ! Et qui saura commander, comme feu Monsieur !... » (« C'est vrai qu'il est le petit-fils de père », se dit Antoine.) « Il ferait déjà tourner tout son monde en bourriques, si on le laissait faire... Monsieur n'imagine pas ce que c'est : un vif-argent, un touche-à-tout ! Ça n'écoute rien ni personne... Encore heureux que M. Daniel soit toujours là pour le garder : moi, avec mon ouvrage, ça ne serait pas possible. Faut jamais le perdre de vue... M. Daniel, lui, ça l'occupe : toute la journée, là, tout seul, à ne rien faire que de mâcher son élastique, le temps lui durerait, sans ça... » Elle branla un instant la tête, d'un air plein de sous-entendus : « On ne m'ôtera pas de l'idée que, par le temps qui court, il y en a d'aucuns qui ne sont pas fâchés de pouvoir boiter... »

Antoine prit son bloc, et écrivit : *Léon ?*

— « Ah, le pauvre Léon... » Elle n'avait guère de nouvelles à lui donner du domestique. (Il avait été fait prisonnier, près de Charleroi, après quatorze heures de campagne, le lendemain même du jour où il était arrivé sur le front ; et Antoine, dès qu'il avait connu le numéro du camp, avait chargé Clotilde d'expédier, chaque mois, un colis de provisions. Léon remerciait, régulièrement, par trois mots sur une carte. Il ne donnait aucun détail sur sa vie.) « Monsieur sait qu'il nous a demandé une flûte ? Mlle Gise en a acheté une, à Paris. »

Antoine avait depuis longtemps achevé de boire son lait.

— « Faut que je redescende aider Mme Jenny », dit Clotilde, en le débarrassant du plateau. « Mardi, c'est son blanchissage, et la lessiveuse est lourde à manier : ça salit, un petiot !... »

Elle avait déjà gagné la porte, lorsqu'elle se retourna pour jeter sur Antoine un dernier regard. Son visage plat prit soudain un air songeur :

— « Monsieur Antoine, on en aura vu, quand même, en ces années, dites? On en aura vu de toutes!... Je le dis souvent avec Adrienne : " Si défunt Monsieur revenait! S'il pouvait voir tout ce qui s'est passé, depuis qu'il n'est plus là! " »

Resté seul, Antoine commença flâneusement sa toilette. Rien ne le pressait. Il avait l'intention de faire, avec application, son traitement.

« Si défunt Monsieur revenait... » La phrase de Clotilde lui avait remis en mémoire son rêve de la veille. « Quelle emprise père exerce encore sur nous tous! » songea-t-il.

Il était onze heures passées, lorsqu'il rouvrit la fenêtre, — qu'il avait fermée pour faire, sans être entendu, ses vocalises respiratoires.

Une voix d'homme s'éleva dans le jardin : « Jean-Paul! Descends de là! Viens près de moi! » Et, comme un écho éloigné, une voix de femme, calme et fraîche : « Jean-Paul! Veux-tu obéir à l'oncle Dane! »

Il s'avança sur le balcon. Sans écarter le rideau de vigne vierge, il glissa un regard dehors. Au-dessous de lui s'étendait l'étroite terrasse dominant le saut de loup qui séparait le jardin de la forêt. A l'ombre des deux platanes (où Mme de Fontanin se tenait toujours autrefois), Daniel était allongé sur une chaise d'osier, un livre sur les genoux. A quelques pas, un bambin en tricot bleu pâle cherchait à grimper sur le parapet de la terrasse à l'aide d'un petit seau, renversé à dessein au pied du mur. De l'autre côté du terre-plein, dans l'ancienne maison du jardinier, dont la porte ensoleillée était grande ouverte, Jenny, les bras nus, à demi agenouillée devant un baquet, savonnait du linge.

— « Viens, Jean-Paul! » répéta Daniel.

Un rayon de soleil fit flamber, une seconde, la tignasse rousse. L'enfant s'était décidé à se retourner. Mais, pour ne pas paraître céder, il s'assit gravement par terre, prit sa pelle, et remplit le seau de sable.

Lorsque Antoine, quelques instants plus tard, descendit le perron, Jean-Paul était toujours à la même place.

— « Viens dire bonjour à l'oncle Antoine », fit Daniel.

Le gamin, accroupi au pied du parapet, s'affairait à manier sa pelle, sans paraître avoir entendu. Il vit Antoine approcher, lâcha sa pelle et baissa davantage la tête. Saisi à bras le corps, soulevé, il gigota une seconde; puis, acceptant le jeu, il éclata d'un rire clair. Antoine lui planta un baiser sur les cheveux, et lui demanda à l'oreille :

— « Tu le trouves méchant, l'oncle Antoine? »

— « Oui », cria l'enfant.

L'effort avait essoufflé Antoine. Il reposa le petit à terre, et revint auprès de Daniel. Il était à peine assis, que Jean-Paul revint à lui, en courant, escalada ses genoux, et, se blottissant contre la tunique, feignit de dormir.

Daniel n'avait pas bougé de sa chaise longue. Il était sans cravate, vêtu d'un vieux pantalon sombre et d'une ancienne veste de tennis en flanelle à raies. Sa jambe artificielle était chaussée d'une bottine noire; l'autre pied était nu dans une pantoufle. Il avait engraissé : il gardait une noble régularité de traits, mais dans un masque empâté. Avec ses cheveux trop longs, ce menton bleu, il faisait songer, ce matin, à quelque tragédien de province qui se néglige à la ville, mais qui, le soir, à la rampe, fait encore de l'effet en empereur romain.

Antoine qui, depuis son lever, s'occupait de ses bronches et de son larynx, remarqua, sans d'ailleurs y attacher autrement d'importance, que le jeune homme, après s'être laissé serrer la main, n'avait même pas pensé à le questionner sur sa santé. (La veille au soir, à vrai dire, ils avaient eu l'occasion de s'entretenir l'un l'autre de leur état, et de se confier leurs misères.) Par contenance, il se pencha, avec un geste interrogatif, vers l'in-quarto relié que Daniel venait de fermer et de poser sur le gravier.

— « Ça? » fit Daniel. « *Le Tour du Monde*... Un vieux périodique de voyages... *L'Année* 1877. » Il avait repris le volume et le feuilletait d'un doigt nonchalant : « C'est plein de gravures... Nous avons toute la collection là-haut. »

Antoine, distraitement, caressait les cheveux du petit qui semblait perdu dans une profonde songerie, la tête appuyée à la poitrine de son oncle, et les yeux largement ouverts.

— « Quoi de neuf, ce matin? Vous avez eu les journaux? »

— « Non », fit Daniel.

— « Le Conseil interallié semblait décidé, ces jours-ci, à étendre au front italien les pouvoirs de Foch. »

— « Ah? »

— « Ce doit être officiel maintenant. »

Comme si tout à coup il avait découvert qu'il s'ennuyait, Jean-Paul se laissa glisser à terre.

— « Où vas-tu? » dirent, en même temps, l'oncle Dane et l'oncle Antoine.

— « Avec maman. »

Le gamin, sautant deux fois sur chaque pied, s'élança gaiement vers la maison du jardinier. Les deux hommes échangèrent un coup d'œil amusé.

Daniel avait sorti de sa poche un paquet de *chewing-gum*. Il le présenta à Antoine.

— « Non, merci. »

— « Ça occupe », expliqua Daniel. « Je ne fume plus. »

Il choisit une tablette, l'introduisit tout entière dans sa bouche, et commença à mastiquer.

Antoine le regardait faire en souriant :

— « Vous me rappelez un souvenir de guerre... A Villers-Bretonneux... Nous avons eu à installer notre ambulance dans une ferme qui avait été occupée longtemps par des formations sanitaires américaines. Nos infirmiers ont perdu toute une journée à détacher à coups de marteaux les dépôts de chiques que ces dégoûtants avaient collées partout, aux plinthes, aux portes, sous les tables, sous les bancs... Ça devient dur comme du ciment, cette saleté-là!... Pour peu que l'occupation anglo-saxonne dure encore quelques années, tous les mobiliers de l'Artois et de la Picardie auront perdu leur silhouette primitive, pour devenir d'informes agglomérats de *chewing-gum...* » Une légère quinte l'interrompit quelques secondes. « ... A la façon... dont certains rochers du Pacifique... sont devenus des montagnes de *guano!* »

Daniel sourit; et Antoine, qui avait toujours été, comme Jacques, très sensible au charme de ce sourire, éprouva un sentiment de plaisir à constater que ce sourire n'avait rien perdu de sa séduction, et que, malgré l'empâtement des traits, la lèvre supérieure se retroussait toujours de même, vers la gauche, de biais, avec une spirituelle lenteur, tandis qu'une lueur malicieuse s'allumait insensiblement entre les paupières plissées.

Il n'en finissait pas de tousser. Il eut un geste d'impatience et de découragement :

— « Vous voyez... quel vieux... catarrheux... je suis devenu... », articula-t-il, avec effort. Puis, après avoir repris son souffle : « *Ils* nous ont proprement arrangés, — comme dit Clotilde. Et encore : nous sommes, sans doute, parmi les privilégiés!... »

— « Vous, peut-être », dit Daniel, vite et bas.

Il y eut une minute de silence. Ce fut, cette fois, Daniel qui le rompit :

— « Vous me demandiez si j'avais lu les journaux? Non. Le moins possible. Je ne pense que trop à tout ça! Je ne peux plus penser à rien d'autre... La lecture du communiqué, quand on sait, comme nous, ce que les mots veulent dire : *Légère activité sur le front de...* Ou bien : *Coup de main heureux à...* Non! » Il renversa la tête sur le dossier de sa chaise longue, et ferma les yeux, tout en continuant, à mi-voix : « Il faut avoir *attaqué*, et attaqué comme fantassin, pour comprendre... Tant que j'étais cavalier, je ne savais pas ce qu'était la guerre... J'avais pourtant chargé, oui, trois fois... Et, ça non plus, une charge, ça ne peut pas se raconter... Mais ce n'est rien, à côté d'un assaut d'infanterie, d'une " sortie ", à l'heure H, avec la baïonnette... »

Il frissonna, rouvrit les yeux, et regarda fixement devant lui, en mâchant rageusement sa gomme, avant de poursuivre :

— « Au fond, combien sommes-nous, à l'arrière, qui savons ce que c'est? Ceux qui en sont revenus, combien sont-ils?... Et ceux-là, pourquoi en parleraient-ils? Ils ne peuvent, ils ne veulent rien dire. Ils savent qu'on ne pourrait pas les comprendre. »

Il se tut, et les deux hommes restèrent plusieurs minutes sans échanger un mot, sans même se regarder. Puis, Antoine, à son tour, commença, d'une voix hésitante, entrecoupée de toux :

— « Il y a des moments où je me dis que c'est la dernière; que, après celle-là, non, il n'est pas possible de penser qu'il puisse y en avoir d'autres!... Des moments, où j'en suis sûr... Mais, à d'autres moments, je doute... Je ne sais plus... »

Daniel mastiquait en silence, les regards perdus. Que pensait-il?

Antoine s'était tu. Il avait vraiment trop de peine à parler plusieurs minutes de suite. Mais il continuait à réfléchir aux mêmes choses, pour la centième, pour la millième fois. « On est épouvanté », se disait-il, « quand on mesure froidement tout ce qui s'oppose à la pacification entre les hommes... Combien de siècles encore avant que l'évolution morale, — s'il y a une évolution morale? — ait enfin purgé l'humanité de son intolérance instinctive, de son respect inné de la force brutale, de ce plaisir fanatique qu'éprouve l'animal humain à triompher par la violence, à imposer, par la violence, ses façons de sentir, de vivre, à ceux, plus faibles, qui ne sentent pas, qui ne vivent pas, comme lui?... Et puis, il y a la politique, les gouvernements... Pour l'autorité qui déclenche la guerre, pour les hommes au pouvoir qui la décident et la font faire par les autres, ce sera toujours, aux heures de faillite, une solution si tentante, si facile... Peut-on espérer que jamais plus les gouvernements n'y auront recours?... Il faudrait alors que ce leur soit devenu impossible : il faudrait que le pacifisme ait de telles racines dans l'opinion, ait pris une telle extension, qu'il oppose un infranchissable obstacle à la politique belliqueuse des Etats. C'est chimère que d'espérer ça... Et puis, le triomphe du pacifisme serait-il seulement une sérieuse garantie de paix? Même si, un jour, dans nos pays, les partis pacifistes tenaient le pouvoir, qui nous dit qu'ils ne céderaient pas à la tentation de faire la guerre pour le plaisir d'imposer, par la violence, l'idéologie pacifiste au reste du monde?... »

— « Jean-Paul! », lança gaiement Clotilde, à la cantonade.

Elle s'avançait vers eux, portant, sur un plateau, une écuelle de porridge, des pruneaux cuits, une timbale de lait, qu'elle déposa sur la table de jardin.

— « Jean-Paul! » appela Daniel.

Le bambin traversa la terrasse, courant dans le soleil de toute la vitesse de ses jambes. Le bleu de son tricot, déteint par les lavages, avait exactement la nuance de ses yeux. Sa ressemblance avec Jacques enfant frappa de nouveau Antoine, tandis que Jean-Paul, enlevé par la robuste Clotilde, se laissait installer sur une chaise. « Le même front », songeait-il. « Le même épi dans les cheveux... Le même teint brouillé, le même semis de taches de son autour du petit nez froncé... » Il lui sourit; mais l'enfant, croyant qu'il se moquait, détourna la tête, et, crispant ses sourcils, lui jeta un coup d'œil furtif et rancunier. Ses yeux, semblables à ceux de Jacques étaient d'une expression insaisissable, trop changeante : tantôt rieurs et câlins, tantôt inquiets, tantôt, comme en ce moment, sauvages et durs, du ton de l'acier. Mais, sous ces expressions diverses, le regard demeurait extraordinairement aigu, observateur.

Jenny, à son tour, traversa le terre-plein ensoleillé. Elle avait les manches retroussées, les mains gonflées par l'eau; son tablier était trempé. Elle eut un bref et affectueux sourire pour Antoine :

— « Comment s'est passée la nuit?... Non, j'ai les doigts mouillés... Avez-vous dormi? »

— « Plutôt mieux que de coutume, merci. »

Devant cette jeune mère, au buste épanoui, et qui accomplissait avec simplicité ces besognes de femme de ménage, Antoine se souvint brusquement de la jeune fille réservée, distante, raidie dans son tailleur de drap sombre, et les mains gantées — que Jacques avait amenée rue de l'Université, le jour de la mobilisation.

Elle se tourna vers Daniel :

— « Tu serais gentil de lui faire manger son porridge. Je n'ai pas encore étendu mon linge. » Elle s'approcha de son fils, lui noua une serviette au cou, et caressa la petite nuque d'oiseau : « Jean-Paul va manger sagement sa bouillie avec l'oncle Dane... Je vais revenir », ajouta-t-elle en s'éloignant.

— « Oui, maman. » (Il prononçait : *ma-man*, en détachant les syllabes, comme faisaient aussi Jenny et Daniel.)

Celui-ci avait quitté sa chaise longue pour venir s'asseoir à côté de l'enfant. Il n'avait pas cessé de suivre sa pensée, car, dès que sa sœur se fut éloignée, il dit, comme si rien ne l'avait interrompu :

— « Et autre chose encore dont on ne peut pas parler, une chose dont personne, à l'arrière, ne pourra jamais se faire une idée : cette espèce de miracle qui se produisait toujours, dès qu'on entrait dans la zone de feu : d'abord, cette sensation d'affranchissement suprême que donnaient la soumission absolue aux hasards, l'interdiction de choisir, l'abdication de toute volonté individuelle; et puis », ajouta-t-il, d'une voix qui trahissait son émotion, « la camaraderie, la *fraternité* qu'il y avait là-bas, entre tous, dans la menace du danger... C'était si vrai, qu'il nous suffisait de passer " en soutien ", de faire quatre kilomètres vers l'arrière, pour redevenir des hommes... »

Antoine acquiesça en silence. De la guerre, il avait surtout des souvenirs de boue et de sang. Mais il comprenait ce que Daniel voulait dire. Il avait connu ce « miracle », cette communauté mystique des troupes au feu, cette épuration de l'individu, cette formation soudaine d'une âme collective et fraternelle, sous le poids d'une même fatalité.

Jean-Paul, intimidé par la présence d'Antoine, se laissait donner la becquée par Daniel, dont l'adresse à enfourner, tout en causant, la cuiller pleine dans la bouche ouverte de l'enfant, témoignait qu'il n'en était pas à ses débuts dans ce rôle de père nourricier.

« Ce qui se passe là, devant moi », se dit tout à coup Antoine, « aurait été jadis absolument imprévisible... Daniel, infirme, mal tenu, métamorphosé en bonne d'enfant!... Et ce petit, qui est le fils de Jenny et de Jacques!... Pourtant, cela est. Et c'est à peine si je m'étonne... Tant la réalité a d'évidence... Tant cette évidence s'impose!... Dès que les choses sont arrivées, nous ne pensons même plus qu'elles auraient pu ne pas être... Ou qu'elles auraient pu être toutes différentes... » Il pataugea une demi-minute dans ces pensées confuses : « Si Goiran m'entendait, je n'y couperais pas d'un discours en quatre points sur le libre arbitre... », observa-t-il.

— « Allons, fais donc attention », gronda l'oncle Dane. Le gavage devenait plus laborieux depuis que le porridge avait cédé la place aux pruneaux. Le gamin, distrait, suivait des yeux le va-et-vient de sa mère, qui, de l'autre côté de la terrasse, suspendait sa lessive au grillage du poulailler; et Daniel restait souvent, un bon moment, la cuiller levée, attendant que Jean-Paul consentît à ouvrir le bec. Mais il ne s'impatientait pas.

Lorsque Jenny eut terminé sa besogne, elle se hâta de venir relayer son frère. Antoine la regarda traverser de nouveau l'espace ensoleillé; elle avait quitté son tablier, et baissait ses manches en marchant. Elle voulut délivrer Daniel. Mais il protesta :

— « Laisse. Nous avons fini. »

— « Et notre lait? » fit-elle, d'une voix gaie. « Vite! Qu'est-ce que va dire l'oncle Antoine si Jean-Paul n'a pas bu son lait? »

L'enfant qui, le coude dressé, repoussait déjà la timbale, s'arrêta pour fixer sur l'oncle Antoine un regard volontaire, chargé de défi. Il s'attendait à quelque menace. Déconcerté par le sourire complice et le clignement d'œil qu'Antoine lui décochait, il hésita une seconde; puis, une gaieté malicieuse éclaira sa frimousse;

et, sans quitter Antoine des yeux, comme pour le prendre à témoin de sa docilité, il vida sa timbale sans reprendre souffle.

— « Maintenant, Jean-Paul va venir faire un bon somme, pour que maman puisse déjeuner tranquille avec l'oncle Antoine et l'oncle Dane », reprit Jenny, en dénouant la serviette, et en aidant le petit à descendre de sa chaise.

Les deux hommes restèrent seuls.

Daniel fit quelques pas sur place, arracha au tronc du platane une lamelle d'écorce qu'il considéra distraitement avant de la briser entre ses doigts. Puis, il tira de sa poche une nouvelle tablette de gomme, et se remit à mastiquer. Enfin, il revint à sa chaise longue, et s'y allongea.

Antoine se taisait. Il songeait à Daniel, à la guerre, à l'attaque; il songeait à cette confrérie mystique de la première ligne. Le petit Lubin, au Mousquier, — ce petit Lubin, qui, si souvent, lui rappelait son ancien collaborateur, le jeune Manuel Roy — n'avait-il pas, un jour, à table, soutenu, avec un frémissement de la voix et de la nostalgie dans le regard, que « on peut dire ce qu'on voudra, la guerre a aussi sa *beauté* »? Parbleu : c'était un gamin de vingt ans qui avait brusquement passé des bancs de la Sorbonne à la caserne, d'une équipe de football aux tranchées; qui était arrivé au front sans avoir rien « commencé » dans le civil, sans rien laisser derrière lui. Il s'était enivré gaillardement de ce sport périlleux. « La *beauté* de la guerre », se disait Antoine. « Est-ce que ça compte, auprès de toutes les horreurs que j'ai vues? »

Brusquement, un souvenir lui revint. Une nuit — au début de septembre 14, au cours de cette longue bataille qu'Antoine, en lui-même, continuait à appeler « les attaques de Provins », et qui était pour tous la bataille de la Marne, — il avait eu à déménager en vitesse son poste de secours, sous un violent bombardement. Après avoir réussi à évacuer les blessés, il était parvenu, en rampant dans un fossé, suivi de ses infirmiers, à s'éloigner des points de chute et à atteindre une masure décapitée, dont les murs épais et la cave voûtée pouvaient offrir un refuge provisoire. A ce moment, les canons ennemis avaient allongé leur tir. Les obus se rapprochaient. Il avait aussitôt fait descendre tous ses hommes dans la cave, et refermé lui-même la trappe sur eux. Puis il était resté seul, une vingtaine de minutes, au rez-de-chaussée de la maison, accoté à la porte d'entrée, guettant la fin de la rafale. Et c'est alors que la chose s'était produite. Un éclatement brutal, à trente ou quarante mètres, l'avait fait reculer précipitamment au fond de la salle, sous un nuage de plâtras : et là, il s'était heurté à ses hommes, debout, alignés dans l'obscurité. Comment étaient-ils là? Voyant que le major dédaignait de se « planquer » avec eux, ils avaient, un à un, soulevé la trappe, et, sans se donner le mot, ils étaient venus se ranger silencieusement derrière leur chef.

« C'était pourtant un assez sale moment », songea Antoine. « Mais cette preuve de solidarité, de fidélité, m'a procuré une minute de joie que je n'oublierai jamais... Cette nuit-là, si quelque Lubin m'avait dit : " La guerre a aussi sa beauté ", peut-être que j'aurais dit : oui... »

Aussitôt, il se ressaisit :

— « Non! »

Daniel, surpris, tourna la tête. Antoine, sans s'en apercevoir, avait parlé à mi-voix.

Il sourit légèrement :

— « Je veux dire... », commença-t-il.

Il souriait, comme pour s'excuser. Il renonça à s'expliquer, et se tut.

Au premier étage, on entendait pleurer Jean-Paul, qui refusait de se laisser mettre au lit.

VIII

Jenny avait couché l'enfant dans son petit lit, et, comme chaque matin, en attendant qu'il fût endormi, elle s'habillait pour pouvoir, aussitôt après le déjeuner, aller prendre son service à la lingerie de l'hôpital. Lorsqu'elle passait devant l'une des fenêtres, elle apercevait à travers le tulle les deux hommes qui devisaient sous les platanes. La voix sans timbre d'Antoine ne parvenait pas jusqu'à elle; celle de Daniel, lasse, avec de brusques éclats, montait par instants, sans toutefois que Jenny pût distinguer les paroles.

Elle se rappelait, avec un serrement de cœur, les deux jeunes hommes qu'ils avaient été, robustes, insouciants, gonflés l'un et l'autre de projets ambitieux. La guerre en avait fait ce qu'ils étaient aujourd'hui... Du moins ils étaient là, eux! Ils continuaient à vivre! Leur état s'améliorerait; Antoine retrouverait sa voix; Daniel s'accoutumerait à sa boiterie; bientôt ils reprendraient leurs existences!... Jacques, non! Lui aussi, par ce clair matin de mai, il aurait pu être vivant, quelque part... Elle aurait tout quitté pour le rejoindre... Ils seraient deux pour élever leur fils... Mais tout était à jamais fini!

La voix de Daniel s'était tue. Jenny s'approcha de la croisée et vit qu'Antoine se dirigeait vers la maison. Elle cherchait, depuis la veille, une occasion de le voir seul. Elle s'assura d'un coup d'œil que Jean-Paul ne s'agitait plus, acheva d'agrafer sa jupe, mit rapidement un peu d'ordre dans la chambre, et ouvrit la porte sur le palier.

Antoine gravissait lentement l'escalier, la main agrippée à la rampe. Lorsqu'il leva la tête et l'aperçut, elle sourit, posa un doigt sur ses lèvres, et vint au-devant de lui :

— « Venez le voir dormir. »

Trop essoufflé pour répondre, il la suivit sur la pointe des pieds.

La chambre, tapissée d'une toile de Jouy à dessins bleus, était très grande; plus longue que large. Le fond était occupé par deux lits pareils, entre lesquels était placé celui de l'enfant. « Ce doit être l'ancienne chambre des parents Fontanin », se dit Antoine, cherchant à s'expliquer ces lits jumeaux, qui, chose curieuse, semblaient être utilisés l'un et l'autre, car chacun d'eux était flanqué d'une table de chevet garnie d'objets familiers. Au-dessus des lits, au centre du panneau, attirant le regard comme une présence, était accroché un portrait de Jacques, grandeur nature : une peinture à l'huile, de facture moderne, et qu'Antoine voyait pour la première fois.

Jean-Paul sommeillait, recroquevillé, une épaule enfouie sous le traversin, les cheveux emmêlés, les lèvres entrouvertes et humides; le bras libre était allongé sur la couverture, mais sans abandon : le petit poing était serré, comme pour un pugilat.

Antoine désigna le portrait, avec une mimique interrogative.

— « Une toile que j'ai rapportée de Suisse », souffla Jenny. Elle contempla à son tour la peinture, puis l'enfant : « Ce qu'ils se ressemblent ! »

— « Et si vous aviez connu Jacques à cet âge-là ! » « Mais », songeait-il, « ça n'implique en rien qu'ils se ressembleront moralement... Les innombrables éléments étrangers à Jacques que ce gosse porte en lui ! » Il acheva sa pensée à mi-voix :

— « Etrange, n'est-ce pas ? cette multitude d'ancêtres, proches et lointains, directs et indirects, qui ont collaboré à cette petite existence ! Quels sont ceux dont l'influence prédominera ? Mystère... Chaque naissance est un miracle inédit; chaque être est un ensemble d'éléments anciens, mais un assemblage entièrement neuf... »

L'enfant, sans s'éveiller, sans desserrer le poing, replia

brusquement le bras devant son visage, comme pour se dérober à l'examen. Antoine et Jenny sourirent en même temps.

« Etrange aussi », se dit-il, tandis que tous deux, en silence, reculaient à l'autre bout de la pièce, « étrange que, sur toutes les possibilités d'êtres différents que Jacques portait en lui, celui-là seul, — ce composé-là, Jean-Paul, et aucun autre — ait trouvé sa forme, ait éclos à la vie... »

— « De quoi ce pauvre Daniel vous parlait-il avec tant d'animation? » demandait-elle, en retenant un peu sa voix.

— « De la guerre... Quoi qu'on fasse, c'est toujours par cette obsession-là qu'on est repris. »

Les traits de Jenny se durcirent :

— « Avec lui, c'est un sujet que je n'aborde jamais plus. »

— « Non? »

— « Il émet trop souvent des opinions qui me font honte pour lui... Des choses qu'il trouve dans ses journaux nationalistes... Des choses que Jacques n'aurait jamais supporté qu'il dise devant lui! »

« Et elle, quels journaux lit-elle donc? » se demanda Antoine. « *L'Humanité*, en souvenir de Jacques? »

Elle se rapprocha brusquement :

— « Le soir de la mobilisation (je vois encore l'endroit : devant la Chambre, près d'une guérite de factionnaire) Jacques m'a dit, en me saisissant le bras : " Voyez-vous, Jenny : à partir d'aujourd'hui, il faudra classer les gens d'après leur acceptation ou leur refus de l'idée de guerre! " »

Elle demeura un instant immobile; les paroles de Jacques résonnaient encore en elle. Puis elle eut un soupir étouffé, tourna sur elle-même, et vint s'asseoir devant un secrétaire d'acajou, dont le battant était ouvert. D'un geste, elle invita Antoine à prendre un siège.

Il restait debout, examinant le portrait. Jacques y était peint de trois quarts, assis, la tête hardiment levée, une main crispée sur la cuisse. Il y avait un peu de défi dans cette pose. Mais elle était naturelle, et Jacques aimait à s'asseoir ainsi. La mèche roux sombre barrait durement le front. (« Plus tard, les cheveux du petit fonceront aussi », se dit Antoine.) Le regard encaissé, la grande bouche au pli amer, la mâchoire tendue, donnaient au visage une expression tourmentée, presque farouche. Le fond était inachevé.

— « Ça date de juin 14 », expliqua Jenny. « C'est l'œuvre d'un Anglais, un nommé Paterson, — qui se bat maintenant dans les rangs bolchevistes, paraît-il... Vanheede avait recueilli ce portrait chez lui, et me l'a donné, à Genève. Vous savez, le petit Vanheede, l'albinos, l'ami de Jacques... J'ai dû vous en parler, dans mes lettres. »

De souvenir en souvenir, elle se mit à raconter tout son séjour en Suisse. (Elle était visiblement heureuse de s'entretenir avec Antoine, de ces choses qu'elle taisait à tous) : Vanheede l'avait conduite à l'*Hôtel du Globe*, lui avait montré la chambre de Jacques (« une mansarde, sur un palier, sans fenêtre... »), l'avait emmenée au *Café Landolt*, au *Local*, l'avait présentée aux survivants des réunions de « *la Parlote* »... C'est parmi eux qu'elle avait retrouvé Stefany, l'ancien collaborateur de Jaurès à *l'Humanité* (que Jacques lui avait fait connaître à Paris). Stefany avait réussi à gagner la Suisse, où il avait créé un journal : *Leur Grande Guerre*. Il était un des plus actifs de ce groupe de purs socialistes internationaux... « Vanheede m'a aussi accompagnée à Bâle », dit-elle, les yeux songeurs.

Elle se pencha vers son secrétaire, ouvrit un tiroir fermé à clef, et, avec précaution, comme d'un reliquaire, elle en tira un paquet de feuilles manuscrites. Avant de les donner à Antoine, elle les garda quelques secondes dans ses mains.

Antoine, intrigué, avait pris les papiers, et les feuilletait. Cette écriture...

Vous voilà aujourd'hui face à face, avec des balles dans vos fusils, stupidement prêts à vous entretuer...

Tout à coup, il comprit. Il tenait là, entre ses doigts, les dernières pages griffonnées par Jacques à la veille de sa mort. Les feuillets étaient froissés, surchargés de ratures, tachés d'encre d'imprimerie. L'écriture était bien celle de Jacques, mais méconnaissable, déformée par la hâte et la fièvre, tantôt violente et appuyée, tantôt tremblée comme celle d'un enfant :

L'Etat français, l'Etat allemand, ont-ils donc le droit de vous arracher à votre famille, à votre travail, et de disposer de votre peau, contre vos intérêts personnels les plus évidents, contre votre volonté, contre vos convictions, contre les plus humains, les plus légitimes, de vos instincts ? Qu'est-ce qui leur a donné, sur vous, ce monstrueux pouvoir de vie et de mort ? Votre ignorance! Votre passivité!...

Antoine leva les yeux.

— « Le brouillon du *manifeste* », murmura Jenny, d'une voix altérée. « Plattner me l'a remis à Bâle... Plattner, le libraire qui s'était chargé de l'impression... Ils avaient gardé le manuscrit, ils m'ont... »

— « *Ils ?* »

— « Plattner et un jeune Allemand, Kappel, qui avait connu Jacques... Un médecin... Qui m'a été d'un précieux secours pour l'accouchement... Ils m'ont fait visiter le taudis où Jacques avait logé, où il avait écrit ça... Ils m'ont menée sur le plateau d'où il est parti en avion... » Elle revivait, en le racontant, son séjour dans la ville frontière, remplie de soldats, d'étrangers, d'espions... Elle revoyait ces bords du Rhin qu'elle essayait de décrire à Antoine, les ponts gardés militairement, la vieille maison de Mme Stumpf, la soupente habitée par Jacques, l'étroite lucarne qui s'ouvrait sur un paysage charbonneux de docks... Le trajet qu'elle avait fait jusqu'au plateau, avec Vanheede, Plattner et Kappel, dans la carriole branlante d'Andrejew, la même qui avait conduit Jacques au rendez-vous de Meynestrel... Elle entendait encore la voix gutturale de Plattner, expliquer : « Ici, nous avons grimpé le talus... Il faisait nuit... Ici, nous nous sommes couchés, en attendant le petit jour... Ici, dans l'échancrure de la crête, l'avion est apparu... Il s'est posé là-bas... Thibault est monté... »

— « Qu'a-t-il fait, à quoi songeait-il, pendant cette attente sur le plateau ? », soupira-t-elle. « Ils disent qu'il s'est éloigné d'eux... Qu'il a été s'étendre, à l'écart, tout seul... Il a dû pressentir sa mort. Quelles ont été ses dernières pensées? Je ne le saurai jamais. »

Antoine, les regards attirés vers le portrait, réfléchissait, lui aussi, en écoutant la jeune femme, à cette veillée sur le plateau, à cette arrivée de l'avion fatal, — à cet absurde sacrifice! Il songeait à l'inutilité tragique de cet héroïsme, et de tant d'autres... A l'inutilité de presque tous les héroïsmes. Vingt souvenirs de guerre lui revenaient à l'esprit, sublimes et vains! « Presque toujours » pensait-il, « c'est une faute de jugement qui est à la base de ces folies courageuses : une confiance illusoire en certaines valeurs dont on ne s'est pas demandé, froidement, si elles méritaient la suprême abnégation... » Il avait — jusqu'au fétichisme — le culte de l'énergie et de la volonté; mais sa nature répugnait à l'héroïsme; et quatre années de guerre n'avaient fait que fortifier cette répugnance. Il ne cherchait nullement à rapetisser l'acte de son frère. Jacques était mort pour défendre ses convictions; il avait été conséquent avec lui-même, jusqu'au sacrifice. Une telle fin ne pouvait inspirer que du respect. Mais, chaque fois qu'Antoine songeait aux « idées » de Jacques, il se heurtait toujours à cette contradiction fondamentale : comment son frère, qui, de toutes les forces de son tempérament et de son intelligence, haïssait la violence — (et ne l'avait-il pas prouvée, cette haine foncière, lorsqu'il n'avait pas hésité à risquer sa vie pour lutter contre la violence, pour prêcher la fraternisation et le sabotage de la guerre?) — comment avait-il pu, pendant des années, militer pour la révolution sociale, c'est-à-dire soutenir la pire violence, la violence théorique, calculée, implacable, des doctrinaires? « Jacques n'était tout de même pas assez naïf », se disait-il, « Jacques n'avait tout de même pas assez d'illusions sur la nature de l'homme, pour croire que la Révolution totale qu'il espérait pût se faire sans de sanglantes injustices, sans une hécatombe d'innombrables victimes expiatoires ! »

Ses regards, cessant d'interroger l'énigmatique visage du portrait, revinrent se poser sur celui de Jenny. Elle poursuivait simplement son récit; et une merveilleuse exaltation intérieure la transfigurait.

« Après tout », se dit-il, « je n'ai jamais rien accompli qui me donne le droit de juger ceux que leur foi jette dans l'action extrême... Ceux qui ont l'audace de tenter l'impossible. »

— « Une des choses qui me torturent le plus », ajouta Jenny, après un bref silence, « c'est de penser qu'il n'a pas su que j'allais avoir un enfant. » Tout en parlant, elle avait repris les feuillets et les avait remis dans le tiroir. Elle se tut de nouveau, quelques secondes. Puis, comme si elle continuait à penser tout haut (et Antoine lui savait un gré infini de cette simple confiance) : « Vous savez, je suis heureuse que le petit soit né à Bâle; là où son père a vécu ses derniers jours; là où, sans doute, il a vécu les heures les plus intenses de sa vie... »

Chaque fois qu'elle évoquait le souvenir de Jacques, le bleu de ses prunelles fonçait insensiblement, un peu de rougeur envahissait ses tempes, et sur tout le visage affleurait une expression particulière, ardente et comme inassouvie, qui s'évanouissait aussitôt. « Cet amour l'a marquée pour toujours », se dit Antoine. Il en était irrité, et il s'étonna de cette irritation. « Amour absurde », ne pouvait-il s'empêcher de penser. « Entre ces deux êtres si manifestement mal faits l'un pour l'autre, l'amour n'a pu être qu'un malentendu... Un malentendu qui n'aurait sans doute pas duré, mais qui se prolonge maintenant dans le souvenir qu'elle garde de Jacques, et qui perce dans tout ce qu'elle dit de lui! » (C'était une idée à laquelle il tenait : qu'il y a, fatalement, à la base de tout amour passionné, un malentendu, une illusion généreuse, une erreur de jugement : une conception fausse qu'on s'est faite l'un de l'autre, et sans laquelle il ne serait pas possible de s'aimer aveuglément.)

— « Le devoir qui me reste est lourd », dit-elle, « faire de Jean-Paul ce que Jacques aurait voulu faire de son fils. Par instants, ça m'épouvante... » Elle releva le front : une lueur d'orgueil glissa dans son regard. Elle semblait penser : « Mais j'ai confiance en moi. » Elle dit :

— « Mais j'ai confiance en ce petit! »

Il était enchanté, d'ailleurs, de la voir aussi virile,

aussi vaillante en face de l'avenir. D'après le ton de certaines lettres, il s'était attendu à la trouver plus hésitante, plus vulnérable, moins bien préparée à sa tâche. Il constatait avec plaisir qu'elle avait su échapper à l'envoûtement du désespoir; qu'elle ne s'était pas, comme tant de femmes éprouvées, offerte avec complaisance en pâture au malheur, pour sublimer à ses propres yeux et au regard de tous son amour brisé. Non : elle avait fait le rétablissement salutaire; elle avait énergiquement repris la maîtrise d'elle-même, et assumé, seule, la direction de sa vie. Il lui laissa entendre combien une telle attitude lui inspirait d'estime :

— « En cela, vous avez donné la mesure de votre trempe! »

Elle l'avait écouté en silence. Puis, très simplement :

— « Je n'ai aucun mérite... Ce qui m'a considérablement aidée, je crois, c'est que nous n'avions jamais eu de vie commune, Jacques et moi. Sa mort ne changeait rien aux habitudes de mon existence quotidienne... Oui, au début du moins, ça m'a aidée... Ensuite, il y a eu le petit. Bien avant sa naissance, c'est sa présence qui m'a soutenue. Ma vie gardait encore un but : élever l'enfant que Jacques m'avait laissé... »

Elle se tut de nouveau. Puis elle reprit :

— « C'est une entreprise difficile... Cette petite nature est si délicate à manier! Parfois, il me fait peur, ce petit... » Elle l'enveloppa d'un regard scrutateur, presque soupçonneux : « Daniel a dû, naturellement, vous parler de lui? »

— « De Jean-Paul? Non, pas particulièrement. »

Il flaira aussitôt que le frère et la sœur ne portaient pas le même jugement sur le caractère de l'enfant, et que cette divergence créait entre eux un point de désaccord.

— « Daniel prétend que Jean-Paul éprouve du plaisir à désobéir. C'est injuste. Et c'est faux. En tout cas, c'est plus compliqué que ça... J'y ai bien réfléchi. Il est exact que, d'instinct, cet enfant dit : non. Mais ce n'est pas mauvaise volonté : c'est un besoin de s'opposer. Je veux dire : un besoin de s'affirmer. Quelque chose comme le besoin de se prouver à lui-même qu'il existe... Et c'est, si manifestement, l'expression d'une force intérieure irrésistible, qu'on ne peut pas lui en vouloir... C'est un instinct qui est en lui, comme l'instinct de conservation!... Moi, le plus souvent, je n'ose pas le punir. »

Antoine écoutait, avec un intérêt amusé. Il fit un signe d'approbation pour encourager Jenny à poursuivre.

— « Vous me comprenez? », dit-elle, avec un sourire rassuré et confiant. « Vous qui avez l'habitude des enfants, il est probable que ça ne vous surprend pas... Moi, devant ce caractère rétif, je me sens devant un mystère... Oui : souvent, je le regarde me désobéir, avec une sorte de stupeur, de surprise intimidée, — j'allais presque dire : d'émerveillement —, comme je le regarde grandir, se développer, comprendre... S'il est seul dans le jardin, et qu'il tombe, il pleure; mais je l'ai bien rarement vu pleurer s'il se fait du mal en présence de l'un de nous... Sans aucune raison perceptible, il refusera le bonbon que je lui offre; mais il reviendra, en cachette, voler la boîte. Non par gourmandise : il n'essayera même pas de l'ouvrir : il ira la cacher sous le coussin d'une bergère, ou l'enfouir dans son tas de sable. Pourquoi? Par simple désir, je crois, de faire un acte d'*indépendance*... Si je le gronde, il se tait : tous ses petits muscles se raidissent de révolte; son regard change de couleur et se fixe sur moi si durement que je n'ose pas continuer. Un regard irréductible... Mais aussi un regard pur, solitaire... Un regard qui m'en impose! Le regard de Jacques enfant, sans doute... »

Antoine sourit :

— « Et le vôtre, peut-être, Jenny! »

Elle écarta cette supposition d'un geste de la main, et enchaîna aussitôt :

— « Je dois dire que, s'il résiste à toute contrainte, il cède, en revanche, au moindre geste de tendresse... Ainsi, au cours d'une bouderie, quand je parviens à l'attirer dans mes bras, tout est sauvé : il cache sa figure dans mon cou, il m'embrasse, il rit : c'est comme si quelque chose de dur, qu'il portait en lui, s'amollissait et fondait tout à coup... Comme s'il était brusquement délivré de son démon! »

— « Avec Gise, il doit être encore plus désobéissant? »

— « Ce n'est pas la même chose », fit-elle, avec une soudaine raideur. « *Tante Gi*, c'est une passion : dès qu'elle est là, rien ne compte plus! »

— « Obtient-elle de lui ce qu'elle veut? »

— « Moins encore que moi, ou que Daniel. Il ne peut se passer d'elle, mais c'est pour la plier à tous ses caprices! Et les services qu'il exige d'elle, ce sont, en général, ceux qu'il ne demandera à personne d'autre, par orgueil : comme de lui déboutonner sa culotte, ou de prendre un objet qu'il n'est pas assez grand pour atteindre. Et, si je ne suis pas là, jamais il ne lui dira merci! Il faut entendre de quel air il la commande! On croirait... » Elle s'interrompit une seconde, avant d'achever sa pensée : « Ce n'est pas très gentil pour Gise, ce que je vais dire là, mais je crois que c'est vrai : on croirait que Jean-Paul a flairé en elle l'esclave-née... »

Antoine, intrigué par ces derniers mots, considérait Jenny avec une attention interrogative. Mais elle évita son regard; et comme, à ce moment, la cloche du déjeuner se mettait à tinter, elle se leva.

Ils s'approchèrent ensemble de la porte. Jenny semblait désireuse de dire quelque chose. Elle posa la main sur la serrure, puis la retira.

— « Ça m'a fait du bien... », murmura-t-elle. « Depuis mon retour de Suisse, je n'ai pu parler de Jacques avec personne... »

— « Et pourquoi pas avec Gise? » hasarda Antoine, se souvenant des confidences et des regrets de la jeune fille.

Jenny, debout, les yeux baissés, l'épaule appuyée au chambranle, paraissait ne pas avoir entendu.

— « Avec Gise? » répéta-t-elle enfin, comme si les sons avaient mis plusieurs secondes pour arriver jusqu'à elle.

— « Gise est la seule qui pourrait vous comprendre. Elle aimait Jacques. Elle a beaucoup de chagrin... — elle aussi. »

Jenny, sans lever les paupières, secoua la tête. Elle semblait vouloir se dérober à toute explication. Puis elle regarda Antoine, et, avec une rudesse inattendue :

— « Gise? Elle a son chapelet! Ça occupe ses doigts, ça l'aide à ne pas penser! » Elle avait de nouveau courbé la tête. Après une pause, elle ajouta : « Parfois, je l'envie! » Mais le ton, et un bruit de gorge semblable à un rire avorté, démentaient violemment ses paroles. Elle parut aussitôt regretter ce qu'elle venait de dire : « Vous savez, Antoine, Gise est devenue une véritable amie pour moi », murmura-t-elle, d'une voix radoucie, et d'un accent sincère. « Quand je songe à notre avenir, elle y tient une grande place. C'est une espèce de consolation pour moi d'espérer que, sans doute, elle restera toujours auprès de nous... »

Antoine attendait un « mais », qui vint, en effet, après une brève hésitation :

— « Mais Gise est comme elle est, n'est-ce pas? Chacun sa nature... Gise a d'immenses qualités. Gise a aussi ses défauts... » Après une nouvelle hésitation, elle déclara : « Par exemple, Gise n'est pas très franche. »

— « Gise? Avec son regard si droit! »

Le premier mouvement d'Antoine avait été de protester. A la réflexion, il entrevoyait maintenant ce que Jenny voulait dire. Sans être fausse, Gise, en effet, gardait volontiers certaines pensées secrètes; elle évitait d'affirmer ses préférences ou ses antipathies; elle redoutait les explications; elle savait taire un ressentiment, et se montrer sans effort souriante, serviable, avec ceux qu'elle aimait le moins. Timidité? Pudeur? Dissimulation? Ou plutôt, instinctive duplicité de ces noirs dont un peu de sang coulait dans ses veines, — défense naturelle des races longtemps asservies? « L'esclave-née... »

Il rectifia presque aussitôt :

— « Si, si, je comprends. »

— « Et vous voyez alors pourquoi, en dépit d'une affection qui est très grande, en dépit d'une intimité quotidienne, eh bien... malgré tout... il y a des sujets que je ne peux pas aborder avec elle... » Elle se redressa : « Absolument pas ! »

Et, d'un geste vif, comme pour mettre un point final à l'entretien, elle ouvrit la porte :

— « Venez à table ! »

IX

Le couvert était mis dehors, sous le porche de la cuisine.

Le déjeuner fut rapide. Jenny n'avait guère d'appétit. Antoine, à qui le temps avait manqué pour faire son traitement avant le repas, avalait avec difficulté. Daniel fut le seul à faire honneur aux tendrons de veau et aux petits pois de Clotilde. Il mangeait en silence, indifférent et distrait. A la fin du repas, à propos d'une remarque d'Antoine sur Rumelles et les « mobilisés de l'arrière », il sortit brusquement de son mutisme pour se lancer dans une apologie féroce des « profiteurs » (« les seuls qui ont su ramener les événements à la mesure de l'homme... ») Et, à titre d'exemple, il cita, avec une admiration ricanante, l'essor pris par son ancien patron, « ce génial forban de Ludwigson », installé à Londres depuis le début des hostilités, et qui, affirmait-on, avait plusieurs fois décuplé sa fortune en créant, avec l'appui équivoque des banquiers de la City et de quelques politiciens anglais, une Société Anonyme de Carburants, la fameuse S. A. C.

« Oui, plus tard, elle ressemblera étrangement à sa mère », se disait Antoine, frappé de voir combien le physique de Jenny s'était modifié en ces quatre ans. La maternité, l'allaitement, avaient développé les hanches, les seins, épaissi la base du cou. Mais cet alourdissement n'était pas désagréable : il corrigeait ce qui subsistait encore de raideur protestante dans son maintien, son port de tête, et jusque dans la finesse un peu sèche des traits. Le regard était bien resté le même : il avait toujours cette expression de solitude, de courage silencieux, de détresse, qui avait tant intrigué Antoine, jadis, la première fois qu'il l'avait vue, enfant, au moment de la fugue de son frère et de Jacques... « Mais, malgré tout », se disait-il, « elle paraît maintenant être plus à l'aise dans son personnage... Je m'étonne de l'attrait qu'elle exerçait sur Jacques... Comme elle était rebutante, autrefois! Cet inconfortable mélange de timidité et d'orgueil! Cette réserve glaciale! Maintenant au moins elle ne donne plus cette impression d'avoir un effort surhumain à faire pour livrer un peu d'elle à autrui... Ce matin, elle m'a vraiment parlé avec confiance... Oui, elle a vraiment été parfaite, ce matin, avec moi... Oh, elle n'aura jamais la grâce, l'aménité de sa mère... Non : il y aura toujours, dans ce genre de distinction qu'elle a, je ne sais quoi qui semble dire : " Je ne cherche pas à paraître. Je n'ai pas le souci de plaire. Je me suffis à moi-même... » Il en faut pour tous les goûts. Ce ne sera jamais mon type... N'empêche : elle a beaucoup gagné. »

Il avait été convenu qu'Antoine, aussitôt le déjeuner fini, accompagnerait Jenny à l'hôpital pour rendre visite à Mme de Fontanin.

Tandis que Daniel, allongé de nouveau sur sa chaise longue, prenait son café, Jenny monta éveiller Jean-Paul; et Antoine en profita pour gagner lui aussi sa chambre, et procéder à une rapide inhalation : il redoutait les fatigues de la journée.

Jenny avait coutume de faire le trajet à bicyclette. Elle prit sa machine pour l'avoir au retour, et elle partit à pied avec Antoine à travers le parc.

— « Daniel me semble assez changé », hasarda Antoine, dès qu'ils eurent traversé le jardin et atteint l'avenue. « Est-ce que vraiment il ne travaille plus? »

— « Plus du tout! »

Le ton était chargé de reproche. Au cours de la matinée et pendant le repas, Antoine avait observé quelques indices de mésentente entre le frère et la sœur. Il en avait été surpris, se souvenant des prévenances que Daniel, naguère, prodiguait à Jenny. Et il s'était demandé si, sur ce terrain-là aussi, Daniel ne se négligeait pas.

Ils marchèrent quelques minutes en silence. Le feuillage naissant des tilleuls projetait sur le sol une ombre parsemée de taches lumineuses. L'air, sous ces vieux arbres, était lourd et mou comme avant la pluie, bien que le ciel fût pur.

— « Sentez-vous? », dit-il, en dressant la tête. Par-dessus la palissade d'un jardin, une haie de lilas en fleurs embaumait.

— « Il pourrait, s'il voulait, se rendre utile à l'hôpital », reprit-elle, sans attacher d'attention aux lilas. « Maman le lui a demandé bien des fois. Il dit : " Avec ma patte en bois, je ne suis plus bon à rien! " Mais ce n'est qu'un prétexte... » Elle changea la main qui tenait le guidon, pour se rapprocher d'Antoine. « Le vrai, c'est qu'il n'a jamais été capable de faire grand-chose pour les autres. Et maintenant moins que jamais. »

« Elle est injuste », se dit-il, « elle devrait lui savoir gré de s'occuper de l'enfant. »

Jenny s'était tue. Puis elle décréta avec raideur :

— « Il n'a jamais eu aucun sens social. »

Le mot était inattendu... « Elle rapporte tout à Jacques », remarqua-t-il, agacé. « C'est d'après Jacques, maintenant, qu'elle juge son frère. »

— « Vous savez », dit-il tristement, « on est à plaindre quand on se sent un homme diminué... »

Elle ne songeait qu'à Daniel; elle répliqua brutalement :

— « Il pourrait avoir été tué! De quoi se plaint-il? Il est vivant, lui! »

Elle reprit aussitôt, sans avoir conscience de sa cruauté :

— « Sa jambe? Il boite à peine... Qu'est-ce qui l'empêcherait d'aider maman à tenir la comptabilité de l'hôpital? Ou même, s'il n'éprouve pas le désir d'être utile à la collectivité... »

« Encore un mot qui vient de Jacques », pensa Antoine.

— « ...qu'est-ce qui l'empêcherait de se remettre à sa peinture?... Non, voyez-vous, il y a autre chose. Ce n'est pas une question de santé, c'est une question de caractère! » Sa fébrilité lui avait fait insensiblement accélérer l'allure. Antoine s'essoufflait. Elle s'en aperçut, et ralentit le pas. « Daniel a toujours eu la vie trop facile... Tout lui était dû! Aujourd'hui, c'est dans sa vanité qu'il souffre, tout bêtement. Il ne sort jamais du jardin, il ne va jamais à Paris. Pourquoi? Parce qu'il a honte de se montrer. Il ne prend pas son parti d'avoir dû renoncer à ses " succès " d'autrefois! de ne plus pouvoir mener l'existence qu'il menait! son existence de joli garçon! son existence dissolue! son existence immorale d'avant la guerre! »

— « Vous êtes sévère, Jenny! »

Elle regarda Antoine, qui souriait, et elle attendit que ce sourire fût dissipé pour déclarer, d'un ton tranchant :

— « J'ai peur pour mon petit! »

— « Pour Jean-Paul? »

— « Oui! Jacques m'a fait comprendre bien des choses... J'étouffe, maintenant, dans ce milieu, — qui n'est plus le mien! Et je ne peux pas accepter la pensée que c'est dans cette atmosphère-là que Jean-Paul est appelé à grandir! »

Antoine eut un bref redressement du buste, comme s'il ne saisissait pas bien.

— « Je vous dis tout cela parce que j'ai confiance », dit-elle. « Parce que j'aurai besoin de vos conseils, plus tard... J'ai pour maman une affection profonde. J'admire son courage, la dignité de sa vie. Je n'oublie pas tout ce qu'elle a fait pour moi... Mais, qu'y puis-je? Nous n'avons plus une seule idée commune! Sur rien!... Evidemment, je ne suis plus celle que j'étais en 1914. Mais maman a tant changé, elle aussi!... Voilà quatre ans qu'elle est à la tête de cet hôpital; quatre ans qu'elle organise, qu'elle décide, qu'elle ne fait pas autre chose que de donner des ordres, de se faire respecter, de se faire obéir... Elle a pris le goût de l'autorité. Elle... Enfin, elle n'est plus la même, je vous assure!... »

Antoine esquissa un geste évasif, vaguement incrédule.

— « Maman était toute indulgence », continua Jenny. « Elle avait beau être très croyante, jamais elle ne cherchait à imposer aux autres ses façons de voir. Aujourd'hui!... Si vous l'entendiez catéchiser ses malades!... Et ce sont toujours les plus dociles qui obtiennent les plus longues convalescences... »

— « Vous êtes sévère », répéta Antoine. « Injuste, sans doute. »

— « Peut-être... Oui... J'ai peut-être tort de vous raconter tout ça... Je ne sais comment me faire comprendre... Tenez, par exemple : maman dit " nos poilus... " Maman dit " les Boches... " »

— « Nous tous ! »

— « Non. Pas de la même manière... Tous les crimes que l'on a pu commettre, depuis quatre ans, au nom du patriotisme, maman les absout ! Maman les approuve ! Maman est convaincue que la cause des Alliés est la seule pure, la seule juste ! La guerre doit durer aussi longtemps que l'Allemagne ne sera pas anéantie !... Et ceux qui ne pensent pas comme elle sont de mauvais Français... Et ceux qui cherchent les vraies origines du mal, et qui rendent le capitalisme responsable de tout ça, sont... »

Il l'écoutait avec étonnement. Ce que ces confidences lui révélaient sur l'état d'esprit de Jenny, sur sa vision du monde, sur cette nouvelle échelle des valeurs qu'elle avait adoptée sous l'influence posthume de Jacques, intéressait Antoine bien plus que les modifications survenues dans le caractère de Mme de Fontanin. Il avait envie de dire, à son tour : « J'ai peur pour le petit ! » Car il se demandait avec inquiétude si cette évolution de Jenny, (qui ne pouvait être, selon lui, qu'assez factice, assez superficielle), ne risquait pas de créer autour de Jean-Paul une atmosphère dangereuse; plus dangereuse, en tout cas, pour le développement d'un jeune cerveau, que l'exemple oisif de l'oncle Dane, ou que le chauvinisme à courte vue de la grand-mère...

Ils débouchaient sur le rond-point ensoleillé d'où l'on apercevait l'entrée de la villa Thibault. Distrait malgré lui, Antoine parcourait du regard ces lieux qu'il lui semblait avoir connus dans un lointain passé, dans une existence antérieure...

Tout était cependant demeuré immuablement pareil : la large avenue, à double bas-côté, que bornait la perspective solennelle du château; la petite place, avec son bassin rond et son jet d'eau des dimanches, ses parterres gazonnés et leurs bordures de buis, ses lices blanches, et, là-bas, enfouie sous les branches basses des arbres du jardin paternel, la barrière de service où Gise enfant venait guetter son arrivée. Ici, la guerre semblait n'avoir touché à rien...

Jenny s'arrêta avant de traverser la place :

— « Maman, depuis plus de trois ans, vit en contact quotidien avec les souffrances de la guerre... Et on dirait qu'elle n'est plus capable d'en être émue, tant sa sensibilité s'est endurcie à faire ce métier révoltant... »

— « Le métier d'infirmière? »

— « Non », fit-elle durement, « le métier qui consiste à soigner, à guérir, de jeunes hommes uniquement pour qu'ils puissent repartir se faire tuer! Comme on recoud les chevaux éventrés des picadors avant de les relancer dans l'arène! » Elle baissa le front, et, soudain, se tourna vers Antoine avec une tardive timidité : « Je vous scandalise? »

— « Non! »

Il fut surpris lui-même par la spontanéité de ce « non »; surpris de s'apercevoir qu'il était, aujourd'hui, infiniment plus éloigné du patriotisme d'une Mme de Fontanin que des réprobations, des indignations, d'une Jenny. Et, songeant à son frère, il se répéta, une fois de plus : « Comme je le comprendrais mieux qu'autrefois! »

Ils arrivaient à la grille.

Elle soupira; elle regrettait que leur promenade prît fin. Elle lui sourit affectueusement :

— « Merci... C'est si bon, une fois par hasard, de pouvoir parler à cœur ouvert... »

X

La grille ouvragée de la villa (avec son prétentieux monogramme O. T., à peine dédoré par le temps) était ouverte. Les roues des ambulances avaient creusé des ornières dans l'allée, où il ne restait plus trace du gravier fin que M. Thibault faisait jadis ratisser chaque jour. Ouvertes aussi, la plupart des fenêtres de la maison, dont on apercevait entre les branches la façade ensoleillée, gaiement pavoisée de stores neufs à raies rouges.

— « C'est ici mon domaine de lingère », dit Jenny, lorsqu'ils arrivèrent devant les portes des anciennes remises. « Je vous laisse... Traversez la véranda, et entrez à droite, au bureau. Vous y trouverez maman. »

Resté seul, il fit halte pendant quelques secondes, pour souffler. Chaque buisson, chaque tournant d'allée où se posait son regard, lui redevenait immédiatement familier. Les sons d'un piano, qui arrivaient jusqu'à lui par bouffées, évoquèrent soudain une vision d'autrefois : Gise, juchée sur un tabouret, sa natte sur le dos, et ânonnant des gammes sous le double contrôle de la vieille Mademoiselle et d'un métronome au rythme impératif...

A travers les massifs, il apercevait, devant la villa, une animation de kermesse : de jeunes hommes, coiffés de bonnets de police et vêtus de flanelle grise, en espalier sur les degrés du perron, devisaient au soleil. D'autres, réunis autour des tables de jardin, jouaient aux cartes, ou lisaient les journaux. Deux soldats, sans vestes, en culottes bleues d'uniforme et en bandes molletières, coupaient l'herbe de la pelouse, et Antoine reconnut le cliquetis exaspérant de la tondeuse à gazon. Plus loin, sous le hêtre, une demi-douzaine de convalescents s'ébrouaient autour du vieux jeu de tonneau, et l'on entendait tinter les palets contre la grenouille de bronze.

A l'approche de ce major étranger, les hommes vautrés sur les marches se soulevèrent pour saluer militairement. Antoine gravit le perron. La véranda avait été entièrement vitrée et transformée en un jardin d'hiver, clos et tiède comme une serre. C'est là que venaient s'étendre les malades que leur état n'autorisait pas encore à sortir. A gauche, se dressait le piano, — et c'était bien l'antique instrument en noyer clair sur lequel s'exerçait Gise enfant. Un soldat, assis au clavier, y cherchait d'un doigt novice le refrain de *la Madelon*.

Le piano se tut, et des mains se levèrent pour saluer le passage du major. Antoine pénétra dans le salon. Il était désert à cette heure. Il avait pris l'aspect d'un hall d'hôtel : fauteuils et chaises étaient groupés autour de quatre tables à jeu.

La porte du cabinet de M. Thibault était fermée. Sur un carton fixé par des punaises, il lut : *Secrétariat*. Il entra. Et, d'abord, il ne vit personne. La pièce avait conservé son mobilier : la grande table de chêne, le fauteuil, les bibliothèques, trônaient solennellement à leurs places consacrées. Mais le cabinet était divisé en deux par un paravent déplié. Au bruit de la porte, une machine à écrire stoppa, et la tête d'un jeune secrétaire émergea au-dessus du paravent. Il eut à peine dévisagé l'arrivant, qu'il s'écria, joyeux :

— « Monsieur le docteur! »

Antoine, interloqué, sourit. A vrai dire, il ne reconnaissait pas du tout le grand garçon qui venait à lui; mais ce devait être Loulou, le plus jeune des deux orphelins de la rue de Verneuil, le gamin qu'il avait jadis opéré d'un abcès au bras. (En quittant Paris au début de la guerre, Antoine avait confié les deux enfants à Clotilde et à Adrienne. Il se rappela vaguement avoir appris que Mme de Fontanin leur avait trouvé un emploi à l'hôpital.)

— « Ce que tu as grandi! » fit-il. « Quel âge, maintenant? »

— « Classe 20, Monsieur le docteur. »

— « Et qu'est-ce que tu fais ici? »

— « J'ai commencé par être vaguemestre. Maintenant, je fais les écritures. »

— « Et ton frère? »

— « En Champagne... Il a été blessé, vous avez su? A la main. En avril 17, près de Fismes. Vous connaissez?... Il s'était engagé en 16... On lui a rogné ces deux doigts-là... Heureusement, c'est la gauche... »

— « Et il est reparti au front? »

— « Oh, il sait se débrouiller! Il s'est fait affecter à la météo... Il ne risque plus. » Loulou regardait Antoine avec une curiosité apitoyée. Il murmura enfin : « Vous, c'est les gaz? »

— « Oui », répondit Antoine. Il avisa un petit fauteuil de velours grenat à clous dorés, qui lui rappelait son enfance, et s'assit d'un air las.

— « C'est moche, les gaz », constata Loulou, en fronçant le museau. « Et puis, moi je trouve que ça n'est pas loyal... pas régulier... »

— « Mme de Fontanin n'est pas là? » interrompit Antoine.

— « Elle est montée... Je vais la prévenir... On s'attend à un arrivage : on rajoute des lits partout. »

Antoine demeura seul. Seul, avec son père. La forte personnalité de M. Thibault habitait encore cette pièce. Elle émanait de chaque objet, de la place choisie pour chacun d'eux et conforme à un usage déterminé, — de l'encrier à capsule d'argent, de la lampe de bureau, du tampon buvard, de l'essuie-plume, du baromètre pendu au mur. Personnalité si tenace, qu'il ne suffisait pas d'un déplacement de meuble ou de la pose d'un paravent pour en venir à bout : elle restait opiniâtrement enracinée dans ces lieux qu'elle avait, durant un demi-siècle, encombrés de son autoritaire prédominance. Antoine n'avait qu'à jeter les yeux sur cette porte de faux chêne pour l'entendre s'ouvrir et se refermer d'une certaine manière, inoubliable, à la fois contenue, sournoise et violente. Il n'avait qu'à regarder sur le tapis cette traînée d'usure, pour revoir aussitôt son père, dans sa jaquette aux basques flottantes, les yeux mi-clos, ses grosses mains gonflées solidement nouées sur sa croupe, allant et venant, d'un pas pesant, de la bibliothèque à la cheminée. Et il lui suffisait de contempler un instant cette copie du *Christ* de Bonnat, et, au-dessous, ce fauteuil vide, avec ces initiales enlacées en creux dans le cuir : il y ressuscitait immédiatement la volumineuse présence de M. Thibault, lourdement tassé sur son siège, les épaules rondes, levant sa barbiche vers quelque visiteur importun, et, avant de parler, cueillant son lorgnon entre ses sourcils pour le glisser dans la poche de son gilet, d'un geste recueilli et assuré qui ressemblait à un signe de croix.

Le bruit de la serrure le fit se lever. Mme de Fontanin entrait.

Elle était en blouse, comme ses infirmières; mais ne portait pas de voile sur les cheveux, devenus tout à fait blancs. Le visage était pâle et amaigri. « Teint de cardiaque », songea machinalement Antoine. « ... Ne fera peut-être pas de vieux os... »

Elle lui saisit les deux mains, le fit se rasseoir, et alla s'installer de l'autre côté de la grande table, dans le fauteuil à initiales. C'était, de toute évidence, la place habituelle de la « huguenote... » (« Si défunt Monsieur revenait!... »)

Tout de suite, elle le questionna sur sa santé. Ces quelques minutes d'attente l'avaient reposé; il sourit :

— « Si j'avais dû y rester, ce serait déjà fait... Heureusement, le fond est solide... »

A son tour, il l'interrogea sur l'hôpital, sur la vie qu'elle s'était faite. Elle s'anima aussitôt :

— « Je n'ai aucun mérite... J'ai un personnel admirable. Sous les ordres de Nicole. La chère enfant a tous ses diplômes, comme vous savez. Elle me rend d'immenses services... Oui : un personnel admirable! Et entièrement composé de jeunes femmes et de jeunes filles qui habitent Maisons, de sorte que toutes mes chambres sont pour mes malades. Et mes infirmières sont bénévoles, ce qui me permet de boucler mon budget, malgré la modicité des allocations. Mais je suis très aidée! Je l'ai été depuis le premier jour! Le pays s'est montré si généreux! Songez que tout mon matériel, lits, cuvettes, vaisselle, linge, tout m'a été fourni par des voisins! Et, tenez : nous prévoyons un nouvel arrivage... Nicole et Gisèle sont parties quêter de la literie. Je suis sûre qu'elles trouveront tout ce qui me manque! » Ses yeux levés, son sourire triomphant, épanoui de gratitude, semblaient rendre grâce au Tout-Puissant d'avoir peuplé le monde, et singulièrement Maisons-Laffitte, de créatures serviables et de cœurs compatissants.

Elle décrivit en détail les modifications apportées à la villa, et celles qu'elle projetait encore. L'idée que la guerre et sa vie d'hôpital pussent jamais prendre fin ne paraissait pas l'effleurer.

— « Venez voir! » fit-elle allégrement.

Tout était transformé, en effet. La salle de billard était devenue une infirmerie; l'office, un cabinet de consultation; la salle de bains, une salle de pansement. L'orangerie, bien chauffée, était convertie en chambrée où douze lits tenaient à l'aise.

— « Montons. »

Les chambres, désertes à cette heure, formaient des petits dortoirs. Quinze malades logeaient au premier; dix au second; et, à l'étage des combles, une demi-douzaine de lits supplémentaires étaient utilisés en cas de presse.

Antoine eut la curiosité de revoir son ancienne chambre mais elle était fermée à clef. On attendait le service de désinfection : la pièce venait d'être occupée par un paratyphique qu'on avait transféré le matin même à l'hôpital de Saint-Germain.

Mme de Fontanin allait de chambre en chambre, ouvrant les portes avec l'autorité d'un chef d'entreprise, inspectant tout d'un œil averti, vérifiant au passage la propreté des lavabos, la température des radiateurs, et jusqu'aux titres des livres et des revues qui traînaient sur les tables. Par intervalles, d'un geste qui était devenu un tic, elle soulevait son poignet et vérifiait l'heure.

Antoine suivait, un peu essoufflé. La phrase de Clotilde lui trottait en tête : « Si défunt Monsieur...! »

Au second étage, comme Mme de Fontanin le faisait

entrer dans une chambre tendue d'un papier à fleurs et dont la croisée s'ouvrait sur les cimes des marronniers, il s'arrêta sur le seuil, saisi par ses souvenirs :

— « La chambre de Jacques... »

Elle le regarda, surprise. Et, soudain, ses yeux s'emplirent de larmes. Par contenance, elle alla fermer la fenêtre. Puis, comme si ce rappel imprévu lui faisait désirer un entretien plus intime :

— « Maintenant, je vous emmène au pavillon des écuries, où j'ai établi mon quartier général. Nous y serons mieux pour causer. »

Ils descendirent l'escalier en silence. Afin d'éviter le passage par la véranda, ils gagnèrent le jardin par la porte de service. Quatre soldats, à l'ombre, repeignaient en blanc des lits de fer. Mme de Fontanin s'approcha :

— « Dépêchons, mes enfants... Il faut que ce soit sec pour demain... Et vous, Roblet, descendez de là ! » (Un homme, perché sur l'auvent de la cuisine, rattachait les tiges de la clématite.) « Avant-hier vous étiez encore au lit, et aujourd'hui vous grimpez aux échelles ? » L'homme, un barbu qui devait être dans la territoriale, obéit en souriant. Dès qu'il fut à terre, elle alla vers lui, défit deux boutons de sa veste, et lui tâta les côtes : « Naturellement. Votre bandage est desserré. Allez montrer ça à l'infirmerie ! » Et, prenant Antoine à témoin : « Un garçon qui a été opéré il n'y a pas trois semaines ! »

Ils firent le tour de la pelouse pour arriver aux anciennes écuries. Les malades qu'ils croisaient tournaient vers Mme de Fontanin un visage amical, et soulevaient leurs bonnets de police, à la manière des civils.

— « Mon logis est là-haut », dit-elle, en poussant la porte du pavillon.

Au rez-de-chaussée, des établis occupaient les stalles des chevaux; le sol était jonché de débris.

— « Ici, c'est ce qu'ils appellent l'atelier de *bricolage* », expliqua-t-elle, en s'engageant dans le petit escalier de moulin qui donnait accès à l'ancien logement du cocher. « Je n'ai plus jamais de travaux à faire faire au dehors. Ces braves enfants me font toutes mes réparations : plomberie, menuiserie, électricité... »

Elle le précéda dans la première des deux mansardes, dont elle s'était fait un petit bureau personnel. Le mobilier se composait de deux fauteuils de jardinet d'une table chargée de dossiers et de livres de comptes; une natte usée était jetée en travers du carrelage. Sur la table, Antoine, en entrant, avait tout aussitôt reconnu *sa* lampe, — une grosse toupie à pétrole, coiffée d'un abat-jour de carton vert, sous lequel, jadis, par les nuits chaudes de juin bourdonnantes de phalènes, il avait préparé tant d'examens, tandis que tout dormait dans la maison. Le mur était fraîchement blanchi à la chaux. Quelques photographies y étaient épinglées : Jérôme, jeune homme, la taille cambrée, une main posée sur le dossier d'un fauteuil à capitons; Daniel, les mollets nus, en costume de marin anglais; Jenny, enfant, les cheveux flottants, un pigeon apprivoisé sur son poing tendu; et une autre Jenny, jeune femme, en deuil, avec son fils sur les genoux.

Une quinte de toux obligea Antoine à prendre un siège, sans attendre d'y être invité. Lorsqu'il redressa la tête, il surprit le regard attentif de Mme de Fontanin fixé sur lui; mais elle ne fit aucune réflexion sur sa santé.

— « Je vais profiter de votre visite pour avancer un peu mes raccommodages », dit-elle, riant avec un rien de coquetterie. « Je n'ai plus jamais le temps de faire un point. » Elle repoussa la bible noire qui était sur la table pour installer à la place sa corbeille à ouvrage; et, après un nouveau coup d'œil à sa montre, elle s'assit.

— « Daniel vous a-t-il un peu parlé? Vous a-t-il seulement laissé examiner sa jambe? » demanda-t-elle, en étouffant un soupir. (Daniel ne lui avait jamais laissé voir son membre mutilé.)

— « Non. Mais il m'a conté toutes ses misères... Je lui ai conseillé certains exercices de rééducation. On arrive à des résultats prodigieux avec un peu de persévérance... Il reconnaît d'ailleurs qu'il ne peine presque plus à marcher, depuis qu'il a ce nouvel appareil. »

Elle semblait ne pas avoir écouté. Les mains au creux de sa jupe, la tête levée vers la croisée, elle laissait son regard songeur errer sur les verdures du jardin.

Brusquement, elle se tourna :

— « Vous a-t-il raconté ce qui s'est passé, ici, le jour où il a été blessé? »

— « Ici?... Non... »

— « Dieu m'a fait la grâce de me prévenir », expliqua-t-elle gravement : « Au moment où Daniel a été atteint, j'ai reçu l'avertissement de l'Esprit. » Sa main se souleva légèrement et elle se tut, troublée. Puis, non sans quelque solennité dans sa simplicité voulue (comme si elle récitait une page des Ecritures, — et aussi comme si elle avait un devoir à remplir en portant, devant les hommes, témoignage d'un miracle —), elle poursuivit : « Ce jour-là était un jeudi. Je me suis éveillée au petit jour. J'ai senti la présence de Dieu, et j'ai voulu prier. Mais j'éprouvais un grand malaise... Depuis la création de l'hôpital, c'était la première fois que j'étais souffrante; et je ne l'ai plus jamais été après... J'ai voulu aller ouvrir ma fenêtre pour appeler une des gardes de nuit. Je n'ai pu tenir debout. Heureusement, ne me voyant pas venir comme à l'habitude, l'une d'elles est accourue. Elle m'a trouvée immobilisée dans mon lit. Dès que je me soulevais, je retombais, prise de vertige. J'étais sans forces, comme si j'avais perdu mon sang par une plaie. Je ne cessais de penser à Daniel. J'ai prié. Mais mon état n'a fait qu'empirer pendant toute la matinée. Jenny m'a plusieurs fois amené le médecin. On m'a donné du sirop d'éther. Je ne pouvais presque pas parler. Enfin, à onze heures et demie, un peu après la première cloche du déjeuner, j'ai poussé un cri involontaire, et j'ai eu une courte syncope. Aussitôt revenue à moi, je me suis sentie mieux. Tellement mieux que, à la fin de l'après-midi, j'ai pu me lever, descendre au secrétariat, signer les états et le courrier. C'était fini. » Elle parlait d'une voix égale, un peu retenue; elle fit une pause avant de continuer : « Eh bien, mon ami, c'est ce jeudi-là, au petit jour, que le régiment de Daniel a reçu l'ordre d'attaquer. Toute la matinée, il s'est battu comme un héros, le cher enfant, sans être blessé. Mais, un peu après onze heures et demie, un éclat d'obus lui a fracassé la cuisse. Un peu après onze heures et demie... On l'a porté au poste de secours, et de là dans une ambulance où il a été amputé, quelques heures après. Il était sauvé... » Elle secoua la tête, plusieurs fois, en le regardant. « Tout cela, naturellement, je ne l'ai su que dix jours plus tard. »

Antoine se taisait. Qu'aurait-il pu dire?... Ce récit lui remit en mémoire la méningite de Jenny enfant, et l'intervention « miraculeuse » du pasteur Gregory. Il se souvint aussi d'un mot que le docteur Philip disait quelquefois en souriant : « Les gens ont toujours les histoires qu'ils méritent... »

Mme de Fontanin était demeurée quelques instants silencieuse. Elle avait pris son ouvrage. Mais, avant de commencer à coudre, elle pointa vers la photo de Jenny et de Jean-Paul ses lunettes qu'elle venait de tirer de leur étui :

— « Vous ne m'avez pas encore dit comment vous trouviez notre petit? »

— « Magnifique! »

— « N'est-ce pas? » fit-elle, triomphalement. « Daniel me l'amène, de loin en loin, le dimanche. Chaque fois, je le trouve plus développé, plus vigoureux!... Daniel se plaint que cet enfant soit difficile, désobéissant. Mais si ce petit a du caractère, comment s'en étonner? Et puis, il faut qu'un garçon ait de l'énergie, de la volonté... Vous ne me contredirez pas! » dit-elle, malicieusement. « C'est dur pour moi de le voir aussi rarement. Mais il a moins besoin de moi que mes malades... » Et, comme un cours d'eau un instant détourné qui retrouve sa pente, elle se remit à parler de son hôpital.

Il l'approuvait en silence, peu désireux de répondre, car il craignait de réveiller sa toux. Depuis qu'elle avait mis ses lunettes, c'était une vieille femme. « Un teint de cardiaque », pensa-t-il de nouveau. Elle se tenait très droite dans son fauteuil, et elle cousait sans hâte dans une pose à la fois familière et majestueuse, tout en expliquant le fonctionnement de ses services et les mille soucis de la responsabilité qu'elle assumait.

« A quelque chose malheur est bon », songea Antoine. « La guerre a procuré aux femmes de cette espèce, et de cet âge, une forme inespérée de bonheur; une occasion de dévouement, d'activité publique; le plaisir de la domination, dans une atmosphère de gratitude... »

Comme si Mme de Fontanin eût deviné ses pensées, elle dit :

— « Oh, je ne me plains pas ! Si lourde que soit parfois ma tâche, elle m'est devenue nécessaire : je ne crois pas que je pourrai jamais reprendre ma vie d'autrefois. J'ai maintenant besoin de me sentir utile. » Elle sourit : « Savez-vous ? Il faudrait que vous fondiez, plus tard, une clinique pour vos malades : et moi, je vous la dirigerais ! » Elle ajouta aussitôt : « Avec Nicole, avec Gisèle... Avec Jenny, peut-être... Pourquoi non ? »

Il répéta, complaisamment :

— « Pourquoi non, en effet ? »

Après une courte pause, elle reprit :

— « Jenny aussi aura besoin d'une occupation dans la vie. » Elle soupira soudain, et, sans chercher à exprimer l'association secrète de ses pensées : « Pauvre Jacques. Je n'oublierai jamais cette dernière fois où je l'ai vu... »

Elle se tut de nouveau. Son retour de Vienne, au lendemain de la mobilisation, lui revint à l'esprit. Mais elle excellait à chasser les souvenirs pénibles. Elle fit, en même temps, un geste de la main pour rejeter une mèche blanche qui lui frôlait le front. Néanmoins, elle était résolue à aborder avec Antoine certaines questions qui lui tenaient à cœur :

— « Nous devons avoir confiance en la Sagesse suprême », commença-t-elle (de ce ton aimablement sentencieux qui semblait dire : « Ne m'interrompez pas. ») « Nous devons accepter les choses voulues par Dieu. La mort de votre frère a été une de ces choses-là. » Elle se recueillit une seconde avant de prononcer son jugement : « Cet amour était voué aux pires souffrances. Pour l'un et pour l'autre... Pardonnez-moi de vous dire cela. »

— « Je pense exactement comme vous », fit-il vivement. « Si Jacques avait vécu, leur existence à tous deux eût été un enfer. »

Elle l'enveloppa d'un regard satisfait, approuva en remuant plusieurs fois la tête, et se remit à coudre.

Après un nouveau silence, elle repartit de l'avant :

— « Je mentirais si je n'avouais pas que j'ai beaucoup souffert de... de tout cela... Le jour où j'ai su que ma Jenny attendait un enfant... »

Il avait souvent pensé à elle, à ce propos. Et, comme elle levait les yeux vers lui, il battit doucement des paupières, pour lui faire comprendre qu'il l'entendait fort bien.

— « Oh », fit-elle, craignant qu'il ne se méprît sur ce qu'elle avait voulu dire, « pas à cause de... de l'irrégularité de cette naissance... Non... Pas tellement à cause de cela... J'étais surtout accablée par la pensée que cette terrible aventure allait laisser, dans notre vie, ce témoignage, cette conséquence durable... Je vous parle librement, n'est-ce pas? Je me suis dit : " Voilà l'existence de Jenny entravée pour toujours... C'est la punition! *Fiat!* " ... Eh bien, mon ami, je me trompais. J'ai manqué de foi. Les desseins de l'Esprit sont impénétrables; ses voies, secrètes; sa bonté, infinie... Ce que je supposais devoir être une épreuve, un châtiment, c'était au contraire une bénédiction divine... Un signe de pardon... Une source de joies... Et, en effet, pourquoi Dieu aurait-il châtié? Ne savait-Il pas, mieux que nous, que le Mal n'avait joué aucun rôle dans cet entraînement? que le cœur de ces deux enfants était demeuré pur, et chaste, même dans la faute? »

« Comme c'est étrange », songeait Antoine, « elle devrait m'agacer au-delà de toute mesure... Et non : il y a en elle je ne sais quoi qui force le respect. Plus que le respect : la sympathie... Sa bonté, peut-être?... En somme, c'est extrêmement rare, la bonté : la vraie, la *naturelle*... »

— « La part de Jenny est belle », continuait Mme de Fontanin, de sa voix chantante et ferme, sans cesser de tirer l'aiguille. « Elle possède maintenant au fond d'elle un trésor qui ennoblira toute sa vie : le souvenir d'un don total, d'un instant merveilleux; et qui — chose exceptionnelle — n'a pas été suivi de lendemains avilissants... »

« Il y a des gens », se dit Antoine, « qui se sont fabriqué, une fois pour toutes, une conception satisfaisante du monde... Après, ça va tout seul... Leur existence ressemble à une promenade en barque, par temps calme :

ils n'ont qu'à se laisser glisser au fil de l'eau, — jusqu'au débarcadère... »

— « ... Et il lui reste la plus noble des tâches : un enfant à... »

— « Je l'ai trouvée toute différente, tout autre », interrompit résolument Antoine. « Très mûrie... Non, pas mûrie... Enfin, très... »

Mme de Fontanin avait posé son ouvrage sur ses genoux, et retiré ses lunettes :

— « Je vais vous confesser quelque chose, mon ami : eh bien, je crois Jenny *heureuse!*... Oui... Heureuse, comme elle ne l'a jamais été; — heureuse, autant qu'il lui est permis de l'être... Car Jenny n'est pas née pour le bonheur. Enfant déjà, elle était profondément malheureuse et personne n'y pouvait rien : la souffrance était installée en elle. Pire encore : la haine de soi : elle ne parvenait pas à s'aimer, à aimer en elle la créature de Dieu. Son âme, hélas, n'a jamais été religieuse : son âme a toujours été un temple désaffecté... Eh bien, voyez les miracles que l'Esprit opère, chaque jour, en nous, autour de nous ! Toute douleur a sa récompense; tout désordre concourt à l'Harmonie universelle... Aujourd'hui, la grâce est venue. Aujourd'hui, — et mon intuition ne me trompe pas —, aujourd'hui la chère enfant a trouvé, dans ce rôle de veuve et de mère, tout ce qu'elle peut atteindre de bonheur humain, tout ce que sa nature peut réaliser d'équilibre, de contentement... Et je sens maintenant en elle... »

— « Tante ! » appela une voix, dans le jardin.

Mme de Fontanin se leva :

— « Voilà Nicole de retour. »

— « Monsieur le maire est là, tante », reprit la voix. « Il voudrait vous parler. »

Mme de Fontanin avait déjà gagné la porte. Antoine l'entendit crier gaiement, du haut de l'escalier :

— « Monte un instant, ma chérie. Tu tiendras compagnie à... à quelqu'un que tu connais ! »

Lorsque Nicole eut poussé la porte, elle s'arrêta, interdite, dévisageant Antoine comme si elle n'était pas certaine de le reconnaître.

Il en eut un pinçon au cœur, et balbutia :

— « Vous me trouvez bien amoché, n'est-ce pas? »

Elle rougit, et, dominant sa gêne, se mit à rire.

— « Mais non... Simplement, je ne m'attendais pas à vous trouver là. »

Ils ne s'étaient pas encore revus, car elle n'était pas venue dîner au chalet la veille, retenue auprès de ce paratyphique qu'elle n'avait pas voulu confier à une garde de nuit.

Elle, en revanche, avait plutôt rajeuni. L'éclat laiteux de son teint n'avait même pas été altéré par cette nuit blanche; les yeux bleus avaient toujours leur eau incomparable.

Il lui demanda des nouvelles de son mari, qu'il avait rencontré deux fois, au cours de la guerre.

— « Actuellement, son *auto-chir* est sur le front de Champagne », dit-elle, sans cesser de promener autour d'elle son regard brillant où se mélangeaient, sans qu'on pût jamais les dissocier tout à fait, une innocence de fillette et une coquette sensualité de femme. « Beaucoup de travail... Mais il trouve encore le temps d'écrire pour des revues... J'ai reçu cette semaine un travail à faire taper... Sur la pratique du garrot, ou quelque chose de ce genre... »

Un rayon de soleil, glissant sur la rondeur de l'épaule que moulait la toile de la blouse, jouait, à chacun de ses mouvements, dans les plis de son voile, dorait la chair duveteuse de l'avant-bras nu, et faisait luire ses dents, dès qu'elle souriait. « Ce qu'elle doit éveiller de désirs chez tous ces jeunes rescapés », songea-t-il rapidement.

— « J'ai bien regretté hier de ne pouvoir rentrer au chalet », dit-elle. « Comment s'est passée la soirée? Daniel a-t-il été aimable? Avez-vous réussi à l'apprivoiser un peu? »

— « Mais oui. Pourquoi? »

— « Il est si sombre, si maussade... »

Antoine esquissa un geste apitoyé :

— « Il est à plaindre, vous savez! »

— « Il faudrait le sortir de là », reprit-elle. « Le décider à reprendre sa peinture ». L'accent était sérieux, comme s'il se fût agi d'un véritable problème, et qu'elle eût précisément attendu la visite d'Antoine pour le résoudre. « Cette vie qu'il mène ici ne peut pas durer. Il s'abrutit. Il deviendra... »

Antoine sourit :

— « Je n'ai pas remarqué. »

— « Oh, si... Demandez à Jenny... Il est vraiment impossible... Ou bien il monte dans sa chambre dès que nous arrivons, — par sauvagerie? par bouderie? on ne sait pas... — Ou bien il reste auprès de nous, sans ouvrir le bec; et alors, c'est comme si brusquement la température baissait dans le salon!... Sa présence gêne tout le monde... Je vous assure : vous lui rendriez un inestimable service si vous lui persuadiez qu'il doit travailler, retourner à Paris, revoir des gens, revivre! »

Antoine se contenta de hocher la tête et de murmurer, à nouveau :

— « Il est à plaindre... »

Une défiance instinctive le tenait sur ses gardes. Sans pouvoir expliquer pourquoi, il avait l'impression que la jeune femme était mue par des pensées secrètes qu'elle n'exprimait pas.

(Ce n'était pas complètement faux. Nicole avait son idée sur Daniel, depuis un certain soir du dernier hiver. Ce jour-là, il était tard, Jenny et Gise étaient montées se coucher, et Nicole, attardée à quelque besogne qu'elle désirait finir, se trouvait seule avec son cousin devant la cheminée du salon. Soudain, il lui avait dit : « Attends, Nico, ne bouge pas! » Et, sur le dos d'un prospectus qui traînait là, il s'était mis à crayonner un profil de Nicole. Elle s'était prêtée de bonne grâce à ce caprice imprévu. Mais, au bout d'un instant, comme avertie par un pressentiment confus, elle avait brusquement tourné la tête : Daniel ne dessinait plus; il la couvait des yeux; un regard odieux, chargé de désir, de fureur sombre, de honte, et peut-être de haine... Baissant aussitôt le front, il avait violemment froissé le prospectus et l'avait jeté dans le feu. Puis, sans un mot, il avait quitté la pièce. « C'est donc ça! », s'était dit Nicole, atterrée, « il m'aime encore. » Elle n'avait rien oublié du temps lointain où elle habitait chez sa tante, à Paris, et où Daniel adolescent la traquait, comme un possédé, dans tous les coins de l'appartement. Cet amour frénétique et vain, qu'elle croyait depuis longtemps dissipé, s'était réveillé sans doute dans la cohabitation au chalet... De ce jour-là, tout était devenu clair aux yeux de Nicole; l'amour de Daniel expliquait tout : son air renfermé, inquiet, ses bouderies, son obstination à ne pas quitter Maisons et à mener cette existence recluse, oisive et chaste, si opposée à ses habitudes et à son tempérament.)

— « Voulez-vous mon avis? » reprit Nicole, sans se douter combien son insistance paraissait suspecte à Antoine. « Daniel est à plaindre, vous avez raison. Mais ce n'est pas seulement de son infirmité qu'il souffre. Non... Les femmes ont de ces intuitions, vous savez... Il doit souffrir d'autre chose encore... D'une chose intime, et qui le ronge... Quelque amour malheureux, peut-être... Quelque passion sans espoir... »

Elle craignit brusquement de s'être trahie, et rougit légèrement. Mais Antoine ne la regardait pas. La vision de Daniel, allongé à l'ombre des platanes, mâchonnant sa chique, l'œil vague et les mains sous la nuque, passa devant les yeux d'Antoine.

— « C'est possible », fit-il, naïvement.

Elle se mit à rire, rassurée.

— « Enfin, voyons, vous vous rappelez comme moi la vie que Daniel menait à Paris, avant la guerre!... »

Elle n'acheva pas : elle venait d'entendre le pas de sa tante sur le palier.

Mme de Fontanin portait un paquet de paperasses :

— « Excusez-moi; je reviens, mais c'est pour repartir tout de suite... » Elle souleva le tas de lettres et de plis administratifs qu'on venait de lui remettre. « Nous sommes accablés d'*états* quotidiens, que nous devons envoyer en plusieurs exemplaires aux autorités. Mon courrier de l'après-midi me demande deux heures, tous les jours! »

— « Je vais vous laisser », dit Antoine, qui s'était levé.

— « Il faudra revenir. Restez-vous quelque temps avec nous? »

— « Hé, non... Je repars demain. »

— « Demain? » fit Nicole.

— « Je dois être de retour au Mousquier vendredi. »

Ils descendirent tous trois le petit escalier branlant. Mme de Fontanin consulta son poignet :

— « Je vais tout de même vous accompagner jusqu'à la grille... »

— « Et, moi, je vous quitte », s'écria Nicole. « A ce soir. »

Dès que la jeune femme se fut éloignée, Mme de Fontanin, sans s'arrêter, demanda, d'une voix troublée :

— « Nicole vous parlait de Daniel, n'est-ce pas? Le pauvre enfant... Je pense à lui bien des fois chaque jour. Je prie pour lui... Elle est si lourde, la croix qu'il porte! »

— « Au moins, vous êtes sûre qu'il vivra, Madame. Malgré tout, par le temps qui court, cette certitude n'est pas sans prix! »

Elle n'eut pas l'air de vouloir comprendre. Ce n'était pas sous cet angle-là qu'elle voyait les choses.

Ils firent quelques pas en silence.

— « Toute la journée, seul... », reprit-elle. « Seul, avec son infirmité! Seul avec ce regret, qu'il ne confie à personne... Pas même à moi! »

Antoine s'arrêta au milieu de l'allée, avec un regard franchement interrogatif.

— « On comprend si bien ce qu'il peut éprouver, le cher enfant », continua Mme de Fontanin, sur le même ton, assuré et douloureux : « Avec sa nature ardente, généreuse... Se sentir encore plein de courage, de santé! Et voir sa Patrie envahie... menacée... Sans plus rien pouvoir pour elle! »

— « Vous croyez que c'est cela? » hasarda Antoine. Il s'attendait si peu à cette explication, qu'il n'avait pu dissimuler son incrédulité.

Elle redressa le buste, et un sourire entendu, avivé d'une pointe de fierté, passa sur ses lèvres :

— « Daniel? C'est très simple, et c'est, hélas, sans remède... Daniel est inconsolable de ne plus pouvoir faire son devoir. » Et, comme Antoine ne semblait pas encore complètement convaincu, elle ajouta, avec un visage austère et buté :

— « Tenez, ce que je vous dis est si vrai que, si Daniel redoute de venir à l'hôpital, ce n'est pas tant, comme il le dit, parce que le trajet le fatigue. Non : c'est parce qu'il lui est intolérable de se trouver parmi tous ces garçons, tous ces soldats, qui ont le même âge que lui, qui ont été blessés comme lui, mais qui, eux, sont à la veille de pouvoir repartir se battre ! »

Il ne répondit rien. Ils arrivèrent en silence à proximité de la grille. Mme de Fontanin s'arrêta :

— « Dieu seul sait quand nous nous reverrons », dit-elle, en le considérant avec émotion. Elle prit la main qu'Antoine lui tendait, et la retint un moment entre les siennes : « Bonne chance, mon ami. »

XI

« Ils parlent tous de Daniel comme d'une énigme », songeait Antoine, en traversant la place. « Et chacun me donne son interprétation personnelle... Et, bien probablement, il n'y a pas d'énigme du tout! »

Un peu las, — mais surpris et satisfait de ne pas l'être davantage —, il s'achemina sans hâte vers la propriété des Fontanin. Il était soulagé d'être seul. La grande avenue de tilleuls s'allongeait devant lui, jusqu'à la forêt. Le soleil de quatre heures, déjà bas, s'insinuait entre les troncs, et couchait sur le sol de longues traînées flamboyantes. Par instant, se souvenant des routes poussiéreuses du Midi, il humait avec gourmandise cet air léger, aigrelet, saturé des senteurs printanières de l'Ile-de-France.

Mais le cours de ses pensées était triste. Ce séjour à Maisons remuait trop de souvenirs. La visite à la villa Thibault avait fait lever trop de fantômes. Ils l'accompagnaient, sans qu'il pût se défendre d'eux. Sa jeunesse, sa santé d'autrefois... Son père, Jacques... Jacques, en ces vingt-quatre heures, lui était redevenu tout proche. Jamais encore il n'avait senti à ce point que la disparition de Jacques le privait d'un être absolument irremplaçable : son seul *frère*... Non, jamais, depuis la mort de Jacques, jamais il n'avait si exactement mesuré l'irréparable de cette perte. Il se reprochait même d'avoir attendu jusqu'à maintenant pour ressentir ce désespoir vrai, ce désespoir nu. Comment cela était-il possible? Les circonstances, la guerre... Il se souvenait très bien du moment où il avait reçu la lettre de Rumelles, — cette lettre après laquelle il eût été insensé de conserver le moindre espoir. Elle lui avait été remise, un soir, dans la cour de l'ambulance de Verdun, quelques heures à peine avant le départ de sa division pour le secteur des Eparges. Il s'attendait à la nouvelle; et, cette nuit-là, dans le tohu-bohu du départ, il n'avait pas eu le temps de s'abandonner au chagrin. Pas davantage, d'ailleurs, au cours des deux semaines qui avaient suivi : des déplacements successifs, sous la pluie, dans la boue; la difficulté d'assurer son service dans les ruines de ces petits villages de la Woëvre; une vie harassante, qui ne laissait aucune place aux soucis personnels. Plus tard, au repos, quand il avait relu la lettre, répondu à Rumelles, il s'était trouvé habitué à cette mort, sans y avoir beaucoup pensé. Mais aujourd'hui, dans ce cadre retrouvé de la vie familiale, son regret prenait tardivement consistance; l'irréparable l'obsédait avec une acuité insolite. Même là, dans ces avenues, chaque détail du paysage lui rappelait des souvenirs, des jeux. Ensemble, malgré leur différence d'âge, Jacques et lui avaient, d'un bond, franchi ces barrières blanches; ensemble, ils s'étaient roulés dans cette herbe de mai, avant la fenaison; ensemble, ils avaient bouleversé, à la pointe d'un bâton, ces nids d'insectes à dos plats qui grouillent entre les racines moussues des tilleuls, et qu'ils appelaient des « soldats » parce que leur carapace est d'un rouge garance et porte d'étranges soutaches noires. Ensemble, par des après-midi pareils à celui-ci, ils avaient longé ces palissades et ces haies, arraché au passage des grappes de cytise ou de lilas, suivi ce chemin à bicyclette, avec, sur leur guidon, un maillot de bain ou une raquette. Et, là-bas, ce portail ombragé d'acacias lui rappelait l'année où, encore un gamin, il allait pendant les vacances prendre des répétitions chez un professeur de lycée, en villégiature à Maisons. Souvent, à la tombée du jour, en septembre, pour qu'il n'errât pas seul dans le parc, Mademoiselle et Jacques venaient l'attendre à ce portail. Il revit son frère, bambin de trois ans, s'échappant des mains de Mademoiselle, courant à sa rencontre, et se suspendant à son bras pour lui conter dans son jargon les menus faits de sa journée...

Il y rêvait encore lorsqu'il arriva au chalet. Et quand il eut poussé la petite porte, et qu'il vit, à l'entrée du jardin, Jean-Paul quitter soudain la main de l'oncle Dane pour se précipiter au-devant de lui, c'est Jacques qu'il crut voir courir, avec sa tignasse rousse et ses gestes décidés. Plus ému qu'il ne voulait le laisser voir, il saisit le petit dans ses bras, comme il faisait jadis avec son frère, et le souleva pour l'embrasser. Mais Jean-Paul, qui ne supportait pas d'être contraint, fût-ce à recevoir une caresse, se débattit et gigota avec une telle vigueur qu'Antoine, essoufflé et riant, dut le reposer à terre.

Daniel, les mains dans ses poches, contemplait la scène.

— « Est-il musclé, le gaillard! » dit Antoine, avec une fierté quasi paternelle. « Ces coups de reins qu'il donne! Un poisson qu'on vient de sortir de l'eau! »

Daniel sourit, et il y avait, dans son sourire, une fierté toute semblable à celle d'Antoine. Puis il leva la main vers le ciel :

— « Belle journée, n'est-ce pas?... Encore un été qui commence... »

Antoine, un peu oppressé par sa lutte avec Jean-Paul, s'était assis au bord de l'allée.

— « Vous restez là un instant? » demanda Daniel. « Il y a longtemps que je suis debout, il faut que j'aille allonger *ma* jambe... Voulez-vous que je vous laisse le petit? »

— « Volontiers. »

Daniel se tourna vers l'enfant :

— « Tu rentreras tout à l'heure avec l'oncle Antoine. Tu vas être sage? »

Jean-Paul baissa le front, sans répondre. Il décocha vers Antoine un coup d'œil en dessous, suivit d'un regard hésitant Daniel qui s'en allait, parut un instant vouloir le rejoindre; mais, l'attention attirée par un hanneton qui venait de choir à ses pieds, il oublia aussitôt l'oncle Dane, s'accroupit, et demeura en contemplation devant les efforts de l'insecte qui ne parvenait pas à se remettre sur ses pattes.

« Le mieux pour l'acclimater, c'est de ne pas avoir l'air

de m'occuper de lui », se dit Antoine. Il se souvint d'un jeu qui amusait son frère à cet âge : il ramassa un épais morceau d'écorce de pin, sortit son couteau, et, sans rien dire, se mit à sculpter le bois en forme de barque.

Jean-Paul, qui l'observait à la dérobée, ne tarda pas à s'approcher :

— « A qui c'est le couteau ? »

— « A moi... L'oncle Antoine est soldat, alors il a besoin d'un couteau pour couper son pain, pour couper sa viande... »

Visiblement, ces explications n'intéressaient pas Jean-Paul.

— « Qu'est-ce tu fais ? »

— « Regarde... Tu ne vois pas ? Je fais un petit bateau. Je fais un petit bateau pour toi. Quand ta maman te donnera ton bain, tu mettras le bateau dans la baignoire, et il restera sur l'eau, sans tomber au fond. »

Jean-Paul écoutait, le front plissé par la réflexion. Par un certain malaise, aussi : cette voix faible et rauque lui causait une sensation désagréable.

Il paraissait d'ailleurs n'avoir rien compris au discours d'Antoine. Peut-être n'avait-il jamais vu de bateau ?... Il poussa un gros soupir; et s'attaquant au seul détail qui l'avait frappé parce que ce détail était d'une flagrante inexactitude, il rectifia :

— « D'abord, moi, mon bain, c'est pas maman : c'est oncle Dane ! »

Puis, parfaitement indifférent au travail d'art d'Antoine, il retourna vers son hanneton.

Sans insister, Antoine jeta la barque, et posa le couteau près de lui.

Au bout d'un instant, Jean-Paul était revenu. Antoine essaya de renouer les relations :

— « Qu'est-ce que tu as fait de beau, aujourd'hui ? Tu as été te promener dans le jardin, avec l'oncle Dane ? »

L'enfant parut chercher jusque dans l'arrière-fond de sa mémoire, et fit signe que oui.

— « Tu as été sage ? »

Nouveau signe affirmatif. Mais presque aussitôt, il se

rapprocha d'Antoine, hésita une seconde, et confia, gravement :

— « Ze ne suis pas sûr. »

Antoine ne put s'empêcher de sourire :

— « Quoi? Tu n'es pas sûr d'avoir été sage? »

— « Si! Moi été sage! » cria Jean-Paul, agacé. Puis, repris par le même étrange scrupule, et fronçant comiquement le nez, il répéta, en détachant les syllabes : « Mais ze ne suis pas sûr. »

Il passa derrière Antoine, comme s'il s'éloignait, et, se penchant soudain, voulut subrepticement s'emparer du couteau resté à terre.

— « Non! Pas ça! » gronda Antoine, en posant la main sur son couteau.

L'enfant, sans reculer, lui lança un regard courroucé.

— « Pas jouer avec ça! Tu te couperais », expliqua Antoine. Il referma le couteau, et le glissa dans sa poche. Le petit, vexé, restait dressé sur ses ergots, dans une pose de défi. Gentiment, pour faire la paix, Antoine lui présenta sa main grande ouverte. Un éclair brilla dans les prunelles bleues : et, saisissant la main tendue comme s'il voulait l'embrasser, l'enfant y planta ses petits crocs.

— « Aïe... », fit Antoine. Il était si surpris, si déconcerté, qu'il n'eut même pas la tentation de se fâcher. « Jean-Paul est méchant », dit-il, en frottant son doigt mordu. « Jean-Paul a fait mal à l'oncle Antoine. »

Le gamin le regardait avec curiosité :

— « Beaucoup mal? » demanda-t-il.

— « Beaucoup mal. »

— « Beaucoup mal », répéta Jean-Paul, avec une satisfaction manifeste. Et, pivotant sur ses talons, il s'éloigna en gambadant.

L'incident avait rendu Antoine perplexe : « Simple besoin de vengeance? Non... Alors quoi? Il y a toutes sortes de choses dans un geste de ce genre... Très possible que, devant ma défense, devant la difficulté de l'enfreindre, le sentiment de son impuissance ait atteint tout à coup un paroxysme intolérable... Peut-être n'est-ce pas tant pour me faire mal, pour me punir, qu'il s'est jeté sur ma main. Peut-être a-t-il cédé à un besoin physique, un besoin irrésistible de détendre ses nerfs... D'ailleurs, pour juger une réaction comme celle-là, il faudrait commencer par pouvoir mesurer le degré de convoitise. L'envie de saisir ce couteau était peut-être impérieuse, — à un point qu'un adulte ne soupçonne pas !... »

Du coin de l'œil, il s'assura que Jean-Paul restait à portée. L'enfant, à une dizaine de mètres de là, s'efforçait de grimper sur une levée de terre, et ne se souciait de personne.

« Cette réaction rancunière, Jacques, sans aucun doute, en aurait été capable », se disait Antoine. « Mais aurait-il été jusqu'au coup de dents ? »

Il faisait appel à ses souvenirs pour mieux comprendre. Il ne résistait pas à la tentation d'identifier le présent avec le passé, le fils avec le père. Ces sentiments embryonnaires de révolte, de rancune, de défi, d'orgueil concentré et solitaire, qu'il avait déchiffrés au passage dans le regard de Jean-Paul, il les reconnaissait : il les avait maintes fois surpris dans les yeux de son frère. L'analogie lui semblait si frappante, qu'il n'hésitait pas à la pousser plus loin encore : et jusqu'à se persuader que l'attitude insurgée de l'enfant recouvrait ces mêmes vertus refoulées, cette pudeur, cette pureté, cette tendresse incomprise, que Jacques, jusqu'à la fin de sa vie, avait dissimulées sous ses violences cabrées.

Craignant de prendre froid, il s'apprêtait à se lever, lorsque son attention fut sollicitée par les acrobaties bizarres auxquelles se livrait le petit. La butte qu'il essayait de prendre d'assaut pouvait avoir deux mètres de haut; sur la droite et sur la gauche, ce talus rejoignait le sol par des plans inclinés, d'accès facile; mais, sur la face centrale, l'escarpement était abrupt, et c'est par ce côté que l'enfant avait justement choisi de grimper. Plusieurs fois de suite, Antoine le vit prendre son élan, gravir la moitié de la pente, glisser et rouler à terre. Il ne pouvait se faire grand mal : un tapis d'aiguilles de pins amortissait les chutes. Il semblait tout à son affaire : seul au monde avec ce but qu'il s'était fixé. Chaque tentative le rapprochait de la crête, et chaque fois il dégringolait de plus haut. Il se frottait les genoux, et recommençait.

« L'énergie des Thibault », songea Antoine complaisamment. « Chez mon père, autorité, goût de domination... Chez Jacques, impétuosité, rébellion... Chez moi, opiniâtreté... Et maintenant? Cette force que ce petit a dans le sang, quelle forme va-t-elle prendre? »

Jean-Paul s'était de nouveau lancé à l'attaque : avec tant d'intrépidité rageuse, qu'il avait presque atteint le sommet du talus. Mais le sol s'effritait sous ses pieds, et il allait une fois de plus perdre l'équilibre, lorsqu'il saisit une touffe d'herbe, parvint à se retenir, donna un dernier coup de reins, et se hissa sur la plate-forme.

« Je parie qu'il va se retourner pour voir si je l'ai vu », pensa Antoine.

Il se trompait. Le gamin lui tournait le dos et ne s'occupait pas de lui. Il se tint une minute sur le faîte, bien campé sur ses petites jambes. Puis, satisfait sans doute, il descendit tranquillement par l'un des plans inclinés, et, sans même jeter un regard en arrière sur le lieu de son succès, il s'adossa à un arbre, retira une de ses sandales, secoua les cailloux qui y étaient entrés, et se rechaussa avec application. Mais comme il savait qu'il ne pouvait boutonner lui-même la patte de cuir, il vint vers Antoine, et, sans un mot, lui tendit son pied. Antoine sourit et, docilement, rattacha la sandale.

— « Maintenant nous allons rentrer à la maison, veux-tu?

— « Non. »

« Il a une façon très personnelle de dire non », remarqua Antoine. « Jenny a raison : c'est moins un désir de se dérober à la chose particulière qui lui est demandée, qu'un refus général, prémédité... Le refus d'aliéner la moindre parcelle de son indépendance, pour quelque motif que ce soit! »

Antoine s'était levé :

— « Allons, Jean-Paul, sois gentil. L'oncle Dane nous attend. Viens! »

— « Non. »

— « Tu vas me montrer le chemin », reprit Antoine, pour tourner la difficulté. (Il se sentait fort gauche dans ce rôle de mentor.) « Par quelle allée va-t-on passer? Par celle-ci? Par celle-là? » Et il voulut prendre l'enfant par la main. Mais le petit, buté, avait croisé ses bras sur ses reins :

— « Moi, ze dis : non! »

— « Bien! » fit Antoine. « Tu veux rester là, tout seul? Reste! » Et il partit délibérément dans la direction de la maison, dont on apercevait, entre les troncs, le crépi rose enflammé par le couchant.

Il n'avait pas fait trente pas qu'il entendit Jean-Paul galoper derrière lui pour le rejoindre. Il résolut de l'accueillir gaiement, comme s'il n'y avait pas eu d'incident. Mais l'enfant le dépassa en courant, et, sans s'arrêter, lui jeta insolemment au passage :

— « Moi, ze rentre! Parce que, moi, ze veux! »

XII

Les dîners du chalet étaient généralement assez animés, grâce au bavardage de Gise et de Nicole. Heureuses d'en avoir fini de leur tâche quotidienne, — peut-être aussi de se sentir hors du contrôle maternel mais vigilant de Mme de Fontanin —, elles passaient le repas à commenter librement les événements de la journée, à échanger leurs impressions sur les nouveaux arrivés à l'hôpital, à se raconter, avec une verve de jeunes pensionnaires, les menus incidents survenus dans leurs services respectifs.

Bien qu'il fût assez las ce soir, Antoine s'amusait du sérieux avec lequel, en termes techniques, elles discutaient de certains traitements, et portaient des jugements sur les capacités des médecins. A plusieurs reprises, elles en appelèrent à sa compétence; et il leur donna son avis, en souriant.

Jenny, occupée par son fils qui dînait à table, ne prêtait à la conversation qu'une attention distraite. Quant à Daniel, silencieux comme à son habitude (surtout lorsque sa sœur et Nicole étaient là), il adressa néanmoins plusieurs fois la parole à Antoine.

Nicole avait apporté un journal du soir. Il fut question des bombardements à longue portée sur Paris. Divers immeubles des VIe et VIIe arrondissements avaient été atteints récemment. On comptait cinq cadavres, dont trois femmes et un enfant à la mamelle. La mort de ce bébé avait provoqué dans la presse alliée une explosion unanime contre la barbarie teutonne.

Nicole était révoltée que pareilles atrocités fussent possibles.

— « Ces Boches! » s'écria-t-elle. « Ils font la guerre comme des brutes! Déjà, avec leurs lance-flammes, leurs gaz asphyxiants! Leurs sous-marins! Mais massacrer d'innocentes populations civiles, ça dépasse tout, c'est monstrueux! Il faut qu'ils aient perdu tout sens moral, tout sentiment d'humanité! »

— « Le massacre des innocentes populations civiles vous paraît-il vraiment beaucoup plus inhumain, beaucoup plus immoral, beaucoup plus monstrueux, que celui des jeunes soldats qu'on envoie en première ligne? » demanda insidieusement Antoine.

Nicole et Gise le regardèrent, stupéfaites.

Daniel avait posé sa fourchette. Il se taisait, les yeux baissés.

— « Attention... », reprit Antoine. « Codifier la guerre, vouloir la limiter, l'organiser (l'*humaniser*, comme on dit!) décréter : " Ceci est barbare! Ceci est immoral! " — ça implique qu'il y a une autre manière de faire la guerre... Une manière parfaitement civilisée... Une manière parfaitement morale... »

Il fit une pause et chercha le regard de Jenny. Mais elle était penchée vers son fils, qu'elle faisait boire.

— « Ce qui est monstrueux », poursuivit-il, « est-ce vraiment que telle ou telle façon de tuer soit plus ou moins cruelle? Et qu'elle atteigne ceux-ci, plutôt que ceux-là?... »

Jenny s'interrompit net, et posa si brusquement la timbale qu'elle faillit la renverser :

— « Ce qui est monstrueux », dit-elle, en serrant les dents, « c'est la passivité des peuples! Ils sont le nombre! Ils sont la force! Toute guerre dépend de leur acceptation ou de leur refus! Qu'est-ce qu'ils attendent? Il leur suffirait de dire : Non! Et la paix, qu'ils réclament tous, deviendrait à l'instant même une réalité! »

Daniel leva les paupières, et enveloppa sa sœur d'un bref et énigmatique coup d'œil.

Il y eut un silence.

Antoine conclut posément :

— « Ce qui est monstrueux, ce n'est ni ceci ni cela : c'est la guerre, tout court! »

Quelques minutes passèrent sans que personne osât reprendre la parole.

« Les hommes réclament tous la paix », se disait Antoine, songeant à la phrase de Jenny. « Est-ce vrai?... Ils la réclament dès qu'elle est compromise... Mais leur intolérance réciproque, leur instinct combatif, la rendent précaire, dès qu'ils l'ont... Rejeter la responsabilité des guerres sur les gouvernements et la politique, bien sûr! Mais ne pas oublier, dans cette responsabilité, la part de la nature humaine... A la base de tout pacifisme, il y a ce postulat : la croyance au progrès moral de l'homme. Je l'ai, cette croyance, — ou plutôt : j'ai sentimentalement besoin de l'avoir : je ne peux pas me résoudre à penser que la conscience humaine n'est pas indéfiniment perfectible! J'ai besoin de croire que, un jour, l'humanité saura établir l'ordre et la fraternité sur la planète... Mais pour réaliser cette révolution, il ne suffira pas de la volonté ni du martyre de quelques sages : il y faudra des siècles d'évolution; des millénaires, peut-être... (Que peut-on espérer de vraiment grand d'un homme du xxe siècle?...) Alors, j'ai beau me battre les flancs, je ne parviens pas à trouver, dans une si lointaine perspective, de quoi me consoler d'avoir à vivre dans la faune vorace du monde actuel... »

Il s'aperçut que tous continuaient à se taire autour de lui. L'atmosphère restait lourde, chargée d'électricité. Il regretta d'avoir été la cause de ce brusque orage, et voulut tenter de ranimer l'entretien.

Il se tourna vers Daniel :

— « Au fait, et votre ami, ce type extravagant... Le pasteur, vous savez bien... Qu'est-ce qu'il devient? »

— « Le pasteur Grégory? »

Ce nom avait suffi à ramener une lueur de malice dans tous les regards.

Nicole prit une voix attristée, qui contrastait avec l'expression amusée du visage :

— « Tante Thérèse est bien inquiète de lui : depuis Pâques, il est dans un sana d'Arcachon... »

— « Aux dernières nouvelles, il ne quittait plus son lit », ajouta Daniel.

Jenny fit observer que le pasteur était au front depuis le début de la guerre. Puis la conversation retomba.

Antoine, pour dire quelque chose, demanda :

— « Il s'était engagé? »

— « C'est-à-dire », rectifia Daniel, « qu'il a fait l'impossible pour cela. Mais il n'a pu y parvenir à cause de son âge et de sa santé. Alors il s'est fait admettre dans une section des ambulances américaines. Il a passé sur le front anglais tout ce terrible hiver de 17... A transporter des blessés... Bronchites sur bronchites... Crachements de sang... Il a fallu l'évacuer de force. Mais trop tard. »

— « La dernière fois que nous l'avons vu, c'est en 1916, pendant une permission. Il est venu ici », dit Jenny.

Nicole précisa :

— « Et il était déjà méconnaissable... Un spectre... Une longue barbe, à la Tolstoï... Un vrai sorcier de conte de fée! »

— « Est-ce qu'il se refusait toujours à employer des remèdes? et à soigner les malades autrement que par ses incantations? » railla Antoine.

Nicole se mit à rire :

— « Oui, oui... Il nous a tenu là-dessus des propos délirants. Quand il est venu ici, il y avait déjà deux ans qu'il charriait des mourants dans sa camionnette, et il répétait paisiblement : " La mort n'existe pas! " »

— « Nicole! » fit Gise. Elle souffrait de voir le pasteur exposé aux moqueries, devant Antoine.

— « D'ailleurs, le mot *mort* est un mot qu'il ne prononce jamais », continua Nicole. Il dit : " *L'illusion mortelle...* " »

— « Et dans sa dernière lettre à maman », ajouta Daniel, en souriant, « il y a cette phrase étonnante : " Ma vie se retirera bientôt dans *le champ de l'invisibilité...* " »

Gise jeta vers Antoine un regard de reproche :

— « Ne ris pas, Antoine... C'est un saint homme, malgré ses ridicules... »

— « Que veux-tu? C'est peut-être un saint », concéda Antoine. « Mais je ne peux pas m'empêcher de penser à tous les malheureux *tommies* blessés qui ont eu la guigne de tomber entre ses saintes pattes, — et je persiste à croire qu'il devait faire un dangereux infirmier! »

Le dessert était achevé.

Jenny fit descendre Jean-Paul de sa chaise, et se leva. Tous l'imitèrent et la suivirent au salon. Elle ne fit que traverser la pièce : il était plus tard que les autres soirs, et elle avait hâte de mettre l'enfant au lit.

Tandis que Gise s'installait, loin de la lumière, sur une chaise basse, pour y tricoter une de ces paires de chaussettes qu'elle remettait, comme un viatique, aux convalescents guéris qui regagnaient leurs dépôts, Daniel prit sur le piano un tome du *Tour du Monde*, et alla s'asseoir sur le canapé, au fond, derrière la table ronde sur laquelle brûlait l'unique lampe à pétrole de la pièce. « Est-ce une contenance? » se demanda Antoine, en observant le jeune homme, qui, penché sous l'abat-jour, tournait les pages avec une application d'enfant sage; « ou bien prend-il réellement intérêt à ces vieilles gravures? »

Il s'approcha de la cheminée, où Nicole, agenouillée devant l'âtre, allumait une flambée :

— « Voilà bien longtemps que je n'ai vu un feu de bois! »

— « Les soirées sont encore fraîches », dit-elle; « et puis, c'est si gai! » Elle se releva à demi : « C'est ici, à Maisons, que nous nous sommes rencontrés pour la première fois. Je m'en souviens si bien... Et vous?

— « Moi aussi. »

Il se rappelait, en effet, ce soir d'été lointain, où, cédant aux instances de Jacques, et à l'insu de M. Thibault, il avait consenti à accompagner son frère chez les « Huguenots »; — son étonnement d'y retrouver Félix Héquet, le chirurgien, son aîné de quelques années; — Jenny et Nicole, dans l'allée des roses; — Jacques, étudiant, qui venait d'être reçu à Normale; — lui-même, jeune médecin, que Mme de Fontanin était la seule à appeler cérémonieusement : « Docteur »... Tous, jeunes! Tous, confiants dans leur âge et dans la vie, ignorant l'avenir, sans le moindre soupçon du cataclysme que les hommes d'Etat d'Europe leur préparaient, et qui devait balayer d'un coup leurs petits projets individuels, anéantir l'existence des uns, métamorphoser celle des autres, accumuler dans chaque destinée particulière les ruines, les deuils, bouleverser le monde pour combien d'années encore?

— « C'était le début de mes fiançailles », reprit-elle, pensivement. Ce souvenir semblait lourd de mélancolie. « Félix m'avait amenée dans son auto... Nous avons eu une panne, au retour, en pleine nuit, à Sartrouville... »

Daniel leva les paupières, et, sans bouger la tête, décocha dans leur direction un rapide coup d'œil qu'Antoine surprit. Ecoutait-il? Cette évocation du passé remuait-elle en lui des émotions, des regrets? Ou, simplement, ce papotage l'importunait-il? Il se remit à feuilleter son livre. Mais, peu après, il étouffa un bâillement, ferma le volume, se leva, et, sans hâte, vint dire bonsoir.

Gise posa son tricot :

— « Vous montez, Daniel? »

Dans la pénombre, ses cheveux paraissaient plus laineux, son teint plus foncé, le blanc de ses yeux plus luisant. Ainsi éclairée par les flammes du foyer, cette silhouette courbée sur ce siège bas évoquait l'Afrique ancestrale : une femme indigène, accroupie devant un feu de brousse.

Elle s'était levée :

— « Votre lampe, je crois, est restée à l'office. Venez, que je vous l'allume. »

Ils sortirent ensemble du salon. Antoine les suivit machinalement des yeux, puis son regard revint vers Nicole, qui, debout, l'observait. Ils étaient seuls. Elle sourit bizarrement :

— « Il faudrait que Daniel l'épouse », dit-elle, à mi-voix.

— « Quoi? »

— « Mais oui. Ce serait parfait, vous ne trouvez pas? »

L'idée était si inattendue pour lui, qu'Antoine était demeuré immobile, l'œil fixe, les sourcils dressés. Elle éclata de rire : un rire de gorge, sonore et roucoulant :

— « Je ne pensais pas vous étonner à ce point! »

Elle avait approché un fauteuil du feu. Les jambes croisées, dans une pose abandonnée, un peu provocante, elle l'examinait sans rien dire.

Il vint s'asseoir à côté d'elle :

— « Vous croyez qu'il y a quelque chose entre eux? »

— « Je n'ai pas dit ça », fit-elle vivement. « Daniel, en tout cas, n'y a certainement jamais songé... »

— « Gise non plus », affirma-t-il spontanément.

— « Gise non plus, sans doute. Mais on voit bien qu'elle s'intéresse à lui. C'est toujours elle qui fait ses commissions en ville, qui lui achète ses journaux, ses paquets de *chewing-gum*... Elle l'entoure de mille gentillesses. Qu'il accepte, d'ailleurs, avec un visible plaisir... Vous avez déjà pu remarquer, peut-être, qu'elle est la seule à laquelle il épargne ses mouvements d'humeur? »

Il se taisait. L'hypothèse du mariage de Gise lui avait été, au premier abord, désagréable : il n'avait pas complètement oublié le passé, la place que, pendant un court moment, Gise avait tenue dans sa vie. Mais, à la réflexion, il ne trouvait aucune objection valable à formuler.

Elle continuait à rire en silence, ce qui creusait deux fossettes aux coins de sa bouche. Cette gaieté avait quelque chose d'excessif, de peu naturel. « Aimerait-elle son cousin, par hasard? » se demanda-t-il.

— « Allons, docteur, convenez que mon idée n'est pas tellement saugrenue », insista Nicole. « Gise se consacrerait à lui; et c'est dans un dévouement de ce genre qu'une fille comme elle a le plus de chance de se faire une vie acceptable... Quant à Daniel... » Elle renversa lentement la tête jusqu'à ce que ses tresses blondes eussent trouvé l'appui du dossier, et, dans l'écartement des lèvres humides, Antoine vit un instant briller les dents. Puis les paupières s'abaissèrent, et un regard intentionnellement malicieux coula entre les cils : « Vous savez, Daniel est de ces hommes qui sont toujours prêts à se laisser aimer... »

Un imperceptible signe d'impatience lui échappa : elle venait d'entendre, à travers les cloisons, grincer les marches du vieil escalier :

— « C'est comme le paratyphique que j'ai veillé cette

nuit », s'écria-t-elle, changeant de sujet avec une prestesse, une fourberie, passablement inquiétantes. « Un Savoyard... Un vieux de la classe 92... » L'entrée de Jenny, suivie de Gise, la fit accélérer encore son débit : « Il délirait dans un patois incompréhensible. Mais, à chaque instant, il appelait : " Maman !... " D'une voix enfantine. C'était déchirant. »

— « Oh », fit Antoine, se prêtant au jeu avec un à-propos dont il se sentit sottement assez fier, « j'ai entendu ça, moi aussi, bien souvent. Mais, ne vous y trompez pas : ce n'est heureusement qu'une plainte machinale, une habitude qui remonte inconsciemment du passé... Sur tous les mourants que j'ai entendus crier : " Maman ! ", il y en a fort peu, je crois, qui pensaient avec précision à leur mère. »

Jenny tenait dans ses bras un paquet d'écheveaux de laine brune, à mettre en pelotes :

— « Qui veut m'aider, ce soir ? »

— « J'ai bien sommeil », confessa Nicole, avec un sourire paresseux. Elle regarda vers la pendule : « Dix heures moins vingt, déjà... »

— « Moi », proposa Gise.

Jenny refusa d'un mouvement de tête.

— « Non, chérie, tu es fatiguée, toi aussi. Monte te reposer. »

Après avoir embrassé Jenny, Nicole s'approcha d'Antoine :

— « Excusez-moi : nous partons le matin à sept heures, et je n'ai pas fermé l'œil l'autre nuit. »

Gise, à son tour, s'approcha. Elle avait le cœur serré en songeant qu'Antoine partait le lendemain, et que ce séjour s'achevait sans qu'ils se fussent revus seul à seule, sans qu'ils eussent retrouvé l'intimité de leur rencontre à Paris. Mais elle craignit de fondre en larmes si elle exprimait ce regret. Elle lui tendit son front en silence.

— « Adieu, petite Nigrette », dit-il, à mi-voix, avec une grande douceur.

Elle se persuada aussitôt qu'il avait deviné ce qu'elle pensait; qu'il ressentait comme elle le déchirement de cette séparation; et cette certitude lui rendit tout à coup cette séparation moins cruelle.

Elle évita de croiser son regard, et rejoignit Nicole.

« Tiens, elle ne dit pas bonsoir à Jenny? » remarqua Antoine. Il n'eut pas le temps de se demander si quelque mésentente était survenue entre elles : Jenny traversait précipitamment le salon, rattrapait Gise sur le seuil, lui mettait la main à l'épaule :

— « J'ai peur de ne pas avoir suffisamment couvert le petit. Mets-lui quelque chose sur les pieds, veux-tu? »

— « La couverture rose? »

— « La blanche est plus chaude. »

De nouveau elles se séparèrent sans s'être dit bonsoir.

Antoine était resté debout :

— « Et vous, Jenny, vous ne montez pas? Il ne faut pas que vous restiez pour moi. »

— « Je n'ai aucun sommeil », affirma-t-elle, en s'installant dans le fauteuil que Nicole venait de quitter.

— « Alors, travaillons. Je vais remplacer Gise. Passez-moi un écheveau. »

— « Jamais de la vie! »

— « Pourquoi? Est-ce si difficile? »

Il s'empara de la laine et s'accroupit sur la chaise basse, Jenny céda, en souriant.

— « Voyez », dit-il, après quelques fausses manœuvres, « maintenant, ça va tout seul! »

Elle était surprise et charmée de le trouver aussi simple, aussi affectueux. Elle avait honte de l'avoir longtemps méconnu. N'était-il pas, maintenant, son plus sûr appui? Comme une quinte obligeait Antoine à s'interrompre : « Pourvu qu'il guérisse! » pensa-t-elle, « pourvu qu'il retrouve toute sa santé d'autrefois! » Elle avait besoin de la santé d'Antoine pour son fils.

Lorsque la toux eut diminué, il déclara, sans préambule, en se remettant au travail :

— « Savez-vous, Jenny? J'éprouve un grand soulagement à vous voir ainsi... Je veux dire : aussi bien... aussi calme... »

Les yeux baissés sur sa pelote, elle répéta, pensivement :

— « Calme... »

C'était vrai, malgré tout. Elle-même, parfois, elle s'étonnait de cette atmosphère apaisée où baignait maintenant son chagrin. Réfléchissant à la remarque d'Antoine, elle comparait son état actuel à la période de désarroi, de vide atroce, qu'elle avait traversée, trois ans et demi plus tôt. Elle se revit, tout au début de la guerre, sans aucune nouvelle de Jacques et pressentant le pire, livrée à des accès contradictoires de faiblesse et de violence, accablée par sa solitude et ne pouvant supporter la présence de personne, fuyant sa mère, sa maison, comme si elle était à la recherche d'une chose indispensable qui lui échappait sans cesse et qu'elle était sans cesse sur le point de ressaisir, marchant parfois des après-midi entiers dans ce Paris transformé par la mobilisation, refaisant sans se lasser le pèlerinage de tous les endroits où Jacques l'avait conduite, — la gare de l'Est, le square Saint-Vincent-de-Paul, la rue du Croissant, les bars des environs de la Bourse où elle avait si souvent attendu, les ruelles de Montrouge et cette salle de meeting où Jacques, un soir, avait soulevé contre la guerre une foule effervescente... Enfin, l'épuisement, la nuit, la ramenaient chez elle, brisée. Elle se jetait alors, gémissante, sur ce lit où Jacques l'avait tenue dans ses bras, et s'endormait quelques heures, pour se réveiller bientôt au seuil d'une nouvelle journée de désespoir... Certes oui, comparée à ces semaines-là, sa vie actuelle était merveilleusement « calme »! En ces trois ans, tout avait changé autour d'elle, en elle. Tout, — et même l'image qu'elle gardait de Jacques... Comme c'est étrange que l'amour le plus fervent ne puisse se défendre contre le travail du temps! Lorsqu'elle pensait à Jacques maintenant, jamais elle ne l'imaginait tel qu'il serait aujourd'hui; ni même tel qu'il était en juillet 1914. Non : celui que maintenant sa pensée évoquait, ce n'était pas l'être fiévreux, changeant, qu'elle avait connu : c'était un Jacques immobile et figé, assis de trois quarts, une main sur la cuisse, le front violemment éclairé par un vitrage d'atelier : le Jacques du portrait qu'elle avait nuit et jour sous les yeux.

Et, tout à coup, elle prit conscience d'une chose terrible. Elle venait d'imaginer que Jacques était brusquement de retour : et, ce qu'elle avait éprouvé, c'était autant de gêne que de joie... Inutile de se mentir : si le Jacques de 1914 lui était soudain rendu, s'il surgissait, par miracle, devant la Jenny d'aujourd'hui, eh bien, la place qu'elle croyait jusqu'alors lui avoir si pieusement conservée, elle ne pourrait pas la lui rendre intacte...

Elle leva vers Antoine un regard de détresse qu'il ne vit pas. Attentif à maintenir l'écheveau bien tendu entre ses poignets crispés, et à guider le dévidage en se penchant avec régularité de droite et de gauche, il n'osait pas quitter des yeux le brin de laine ensorcelé. Il se sentait un peu ridicule. Il souffrait de crampes dans les épaules. Il se disait, en maugréant, qu'il avait eu tort de proposer son concours; que ce geste de lever le bras augmentait d'instant en instant son oppression; qu'après être ainsi resté trop près du feu, sur cette chaise basse, il risquait de prendre froid là-haut, en se déshabillant...

Elle eût voulu lui parler d'elle, de Jacques, de l'enfant, — comme elle avait fait, ce matin, dans sa chambre. Ce moment de confiance exceptionnelle lui avait fait un bien dont elle s'était ressentie tout le jour. Mais, ce soir, elle était de nouveau *nouée*... C'était le drame de sa vie intime que cette inaptitude au contact, cette condamnation à demeurer incommunicable! Même auprès de Jacques, elle n'avait pas su s'abandonner sans réticence. Combien de fois lui avait-il reproché d'être « indéchiffrable »? Ces souvenirs restaient cuisants, et l'obsédaient encore. Comment serait-elle, plus tard, avec son fils? Ne le rebuterait-elle pas, malgré elle, par sa réserve, son apparente froideur?

La sonnerie de la pendule leur fit dresser la tête en même temps, et prendre, ensemble, conscience de leur long silence.

Jenny sourit :

— « Tant pis pour les écheveaux qui restent. Finissons seulement celui-ci. Il va falloir que je monte. » Et, se hâtant de rouler la pelote commencée, elle expliqua : « Sans quoi je risque de trouver Gise endormie et de l'éveiller dans son premier sommeil... Elle a grand besoin de repos. »

Il se souvint alors des deux lits jumeaux, et il comprit pourquoi Gise n'avait pas dit bonsoir à Jenny : elles faisaient chambre commune. Elles dormaient toutes deux, là-haut, sous le portrait de Jacques, de chaque côté du petit lit d'enfant... Songeant à la morne enfance de Gise dans l'appartement de M. Thibault, il eut un élan joyeux : « La pauvre petite a trouvé une famille. » Les paroles de Nicole Héquet lui revinrent à l'esprit. « Epousera-t-elle Daniel? » Sans bien savoir pourquoi, il ne le croyait guère. D'ailleurs, elle pouvait être heureuse sans cela. Elle pouvait trouver sa raison d'être et sa joie à vivre dans le sillage de Jenny et de Jean-Paul. A ces deux êtres en qui survivait pour elle la présence de Jacques, elle consacrerait sa tendresse vacante, son attachement de chien fidèle. Elle deviendrait une moricaude à cheveux gris, une vieille et douce « Tante Gi »...

La pelote achevée, Jenny se leva, rangea les écheveaux, couvrit les bûches de cendre, et s'empara de la grosse lampe qui était sur la table.

— « Donnez », proposa Antoine, sans conviction.

Il avait le souffle si rauque, si court, qu'elle voulut lui éviter tout effort :

— « Merci. J'ai l'habitude. C'est toujours moi qui monte la dernière. »

Arrivée près de la porte, elle se retourna et souleva la lampe pour s'assurer que tout était en ordre. Son regard fit le tour du vieux salon familial, puis revint se fixer sur Antoine :

— « Elever le petit hors de tout ça! » fit-elle, résolument. « Aussitôt la guerre finie, je changerai ma vie, je m'installerai ailleurs! »

— « Ailleurs? »

— « Je veux quitter tout ça », reprit-elle, du même ton ferme et réfléchi. « Je veux partir. »

— « Pour où? » Une supposition traversa son esprit : « Pour la Suisse? »

Elle le considéra quelques secondes avant de répondre.

— « Non », fit-elle enfin. « J'y ai pensé, naturellement.

Mais, là-bas, depuis la Révolution d'octobre, les vrais, ceux qui étaient les amis de Jacques, ont tous gagné la Russie... J'ai pensé aussi, un moment, à la Russie... Non : il est préférable que Jean-Paul reçoive une éducation française. Je resterai en France. Mais je m'éloignerai de maman, je m'éloignerai de Daniel. Je me ferai une vie à moi. En province, peut-être. Je m'installerai quelque part, avec Gise. Nous travaillerons. Et nous élèverons ce petit comme il doit l'être, comme Jacques aurait voulu qu'il le soit. »

— « Jenny », dit Antoine avec vivacité, « j'espère bien, à cette époque-là, avoir repris mon existence de médecin et pouvoir prendre à ma charge... »

Elle l'interrompit d'un mouvement de tête :

— « Merci. De vous, je n'hésiterais pas à accepter une aide, s'il le fallait. Mais je tiens avant tout à être une femme qui gagne sa vie. Je veux que Jean-Paul ait pour mère une femme indépendante, une femme qui se soit assuré, par son travail, le droit de penser ce qui lui plaît, et d'agir selon ce qu'elle croit être bien... Vous me désapprouvez? »

— « Non! »

Elle le remercia d'un regard amical. Et, comme si elle avait achevé de dire ce qu'elle voulait qu'il sût, elle ouvrit la porte et s'engagea devant lui dans l'escalier.

Elle le conduisit jusqu'à sa chambre, y posa la lampe du salon, constata qu'il ne manquait rien. Puis elle lui tendit la main :

— « Je vais vous confesser quelque chose, Antoine. »

— « Oui », fit-il, pour l'encourager.

— « Eh bien... Je n'ai pas toujours eu pour vous... les sentiments... que j'ai aujourd'hui. »

— « Moi non plus », avoua-t-il en souriant.

Elle hésitait à continuer, à cause de ce sourire. Elle avait laissé sa main dans celle d'Antoine. Elle le regardait gravement. Elle se décida, enfin :

— « Mais maintenant, quand je pense à l'avenir du petit, je... Vous comprenez, ça augmente mon courage de penser que vous serez là, et que l'enfant de Jacques ne sera pas un étranger pour vous... Il faudra me conseiller, Antoine... Il faut que Jean-Paul ait toutes les qualités de son père, sans avoir... » Elle n'osa pas terminer sa phrase. Mais, aussitôt, elle eut un redressement du buste (il sentit la petite main frémir entre ses doigts) et, pareille à un cavalier qui ramène devant l'obstacle une monture rétive, elle reprit, en avalant sa salive : « Je n'étais pas sans voir les défauts de Jacques, vous savez... » Elle se tut de nouveau; puis, comme une parenthèse involontaire, elle ajouta, les yeux au loin : « Mais je les oubliais, dès qu'il était là... »

Ses paupières battirent. Elle cherchait en vain la suite de ses idées. Elle demanda :

— « Vous ne partez qu'après le déjeuner, n'est-ce pas ?... Alors... » Elle fit un effort pour sourire : « ... Alors, on sc reverra encore un peu, dans la matinée... » Elle dégagea sa main, murmura : « Reposez-vous bien », et s'éloigna sans se retourner.

XIII

— « Le docteur Thibault », annonça joyeusement le vieux domestique.

Philip, attablé dans son cabinet, griffonnait quelques lettres en attendant l'arrivée d'Antoine. Il se leva précipitamment, et, de son pas sautillant, dégingandé, s'avança vers Antoine arrêté sur le seuil. Avant de lui saisir les mains, il l'enveloppa d'un de ces regards vifs qui semblaient pétiller entre ses paupières clignotantes; et, branlant un peu la tête, avec ce sourire gouailleur qui l'aidait à cacher ses émotions :

— « Vous êtes magnifique, mon cher, dans ce bleu horizon! Comment va? »

« Qu'il est vieilli », pensa Antoine.

Les épaules de Philip s'étaient voûtées, et son long corps était plus mal affermi que jamais sur ses jambes. Les sourcils broussailleux, la barbe de chèvre, étaient devenus tout à fait blancs; mais les gestes, le regard, le sourire, gardaient une vivacité, une jeunesse, voire une espièglerie déconcertantes, presque déplacées dans ce visage de vieil homme.

Il portait, sur un ancien pantalon d'uniforme rouge à bandes noires, une jaquette aux basques fripées; et ce costume amphibie symbolisait assez bien ses fonctions à moitié civiles, à moitié militaires. Il avait été nommé, dès la fin de 1914, à la tête d'une commission chargée d'améliorer les services sanitaires de l'armée, et, depuis cette date, il s'était donné pour tâche de lutter contre les vices d'une organisation qui lui était apparue scandaleusement défectueuse. Sa notoriété dans le monde médical lui assurait une exceptionnelle indépendance. Il s'était attaqué aux règlements officiels; il avait dénoncé les abus, alerté les pouvoirs; et les heureuses mais tardives réformes accomplies en ces trois dernières années étaient dues, pour une grande part, à ses courageuses et tenaces campagnes.

Philip tenait toujours les mains d'Antoine, et il les secouait mollement, faisant entendre de petits gloussements mouillés :

— « Allons!... Eh bien!... Depuis le temps!... Comment va? » Puis, poussant Antoine vers son bureau : « On a tant à se dire qu'on ne sait par où commencer... » Il avait installé Antoine dans le fauteuil qu'il donnait à ses clients; mais, au lieu d'aller s'asseoir derrière sa table, il allongea le bras, saisit une chaise volante, s'assit à califourchon tout près d'Antoine, et le dévisagea.

— « Voyons, mon cher. Parlons de vous. Cette histoire de gaz, où ça en est-il? »

Antoine se troubla. Il avait cent fois vu sur les traits de Philip cette attention, cette gravité, professionnelles; mais c'était la première fois qu'il en était l'objet.

— « Vous me trouvez amoché, Patron? »

— « Un peu maigri... Pas très surprenant! »

Philip enleva son binocle, l'essuya, le remit avec soin, se pencha et sourit :

— « Alors, racontez! »

— « Eh bien, Patron, je suis ce qu'on nomme avec respect un *grand gazé*. Ça n'est pas drôle. »

Philip eut un petit mouvement d'impatience.

— « Ta, ta, ta... Commençons par le commencement. Votre première blessure? Qu'est-ce qu'il en reste? »

— « Il en serait resté fort peu de chose, si la guerre s'était terminée pour moi l'été dernier, avant ma rencontre avec l'ypérite... J'en ai absorbé assez peu, d'ailleurs, et je ne devrais pas être dans l'état où je suis. Mais il est évident que les lésions produites par le gaz ont été aggravées, à droite, par l'état du poumon, celui qui avait été perforé et qui n'avait pas retrouvé son élasticité normale. »

Philip fit la grimace.

— « Oui », reprit Antoine, pensif, « je suis sérieusement

atteint, il ne faut pas se faire d'illusions... Bien entendu, je m'en tirerai. Mais ce sera long. Et... » Une quinte l'interrompit quelques secondes. « Et je suis très probablement handicapé pour le reste du parcours ! »

— « Vous dînez toujours avec moi ? » demanda brusquement Philip.

— « Volontiers, Patron. Mais, je vous l'ai écrit, je suis au régime.... »

— « Denis est prévenu : il s'est approvisionné de lait... Donc, si vous dînez, nous avons tout le temps. Reprenons depuis le début. Comment est-ce arrivé ? Je vous croyais à l'abri ? »

Antoine haussa rageusement les épaules :

— « Stupidement ! C'était à la fin d'octobre dernier. J'étais, à cette époque-là, bien tranquille à Epernay, où l'on m'avait chargé — prédestination sans doute — d'organiser un service de gazés. J'avais été frappé, à la suite des récentes opérations dans le secteur du Chemin-des-Dames, — nous venions de prendre la Malmaison, Pargny, — de constater, parmi les gazés qu'on m'envoyait, la présence d'un grand nombre d'infirmiers et de brancardiers. Ça n'était pas naturel. Je me suis demandé si, dans les postes de secours, les précautions contre les gaz étaient suffisantes, et si elles étaient bien prises par le personnel. J'ai voulu faire du zèle. Je connaissais un peu le médecin directeur du corps. J'ai obtenu l'autorisation d'aller faire une enquête sur place. Et c'est au retour de cette randonnée, que je me suis fait choper, comme un imbécile... Les Boches ont déclenché une attaque de gaz au moment où je revenais des lignes : première déveine. Seconde déveine : un temps humide et tiède, malgré la saison. Vous savez que l'humidité rend l'ypérite plus nocive, à cause des réactions acides. »

— « Continuez », dit Philip. Il avait posé ses coudes sur ses genoux, son menton sur ses poings, et il regardait fixement Antoine.

— « Je me dépêchais pour retrouver l'auto que j'avais laissée au P. C. de la division. J'ai voulu éviter des boyaux encombrés par des troupes de relève. J'ai cru prendre un raccourci. Il faisait nuit noire. J'ai barboté vingt minutes dans une tranchée à moitié inondée. Je vous passe les détails... »

— « Vous n'aviez pas de masque? »

— « Si, bien sûr! Mais un masque prêté... J'ai dû sans doute l'assujettir mal. Ou trop tard. Je n'avais qu'une idée : retrouver l'auto... Quand, enfin, je suis arrivé au P. C., j'ai sauté en voiture, et nous avons filé. J'aurais mieux fait de m'arrêter à l'ambulance divisionnaire et de me gargariser tout de suite au bicarbonate... »

— « Oui, sans aucun doute! »

— « Mais je ne soupçonnais pas que j'étais pincé. C'est seulement une heure plus tard que j'ai senti des picotements au cou, et sous les bras... Nous sommes rentrés à Epernay au milieu de la nuit. Je me suis fait aussitôt un pansement au collargol, et je me suis couché. Je pensais toujours que ce n'était pas grand-chose. Mais l'arbre bronchique avait été plus profondément atteint que je ne le soupçonnais... Vous voyez combien c'est ridicule : j'allais là-bas pour vérifier si l'on observait bien toutes les précautions réglementaires, — et je n'ai même pas été fichu de les prendre moi-même!... »

— « Alors? » interrompit Philip. Et, cédant à la tentation de montrer qu'il n'ignorait pas tout de la question : « Le lendemain, accidents oculaires, accidents digestifs, et cætera... »

— « Ni l'un ni l'autre. Le lendemain, presque rien. De légers érythèmes aux aisselles. Quelques accidents cutanés, qui paraissaient bénins. Pas de phlyctères. Mais, aux bronches, des lésions traîtreuses, profondes, qu'on n'a découvertes que plusieurs jours après... Vous devinez le reste : Laryngo-trachéites successives... Bronchites aiguës, avec fausses membranes... Les séquelles classiques, quoi! Ça dure depuis six mois... »

— « Les cordes vocales? »

— « En piteux état! Vous entendez ma voix. Et encore, ce soir, grâce aux soins que j'ai pris toute la journée, je peux parler. Bien souvent, c'est l'aphonie complète. »

— « Lésions inflammatoires des cordes? »

— « Non. »

— « Lésions nerveuses ? »

— « Non plus. C'est la superposition des bandes ventriculaires tuméfiées qui produit l'aphonie. »

— « Evidemment, ça doit empêcher toute vibration. On vous a fait prendre de la strychnine? »

— « Jusqu'à six et sept milligrammes par jour. Sans aucune amélioration, d'ailleurs! Mais avec de belles insomnies! »

— « Vous êtes dans le Midi depuis quand? »

— « Depuis le début de l'année. J'ai d'abord été envoyé d'Epernay à l'hôpital de Montmorillon, puis à cette clinique du Mousquier, près de Grasse. C'était à la fin de décembre. Les lésions pulmonaires paraissaient alors en voie de cicatrisation. Mais, au Mousquier, on a constaté de la sclérose pulmonaire. La dyspnée a pris assez vite un caractère pénible. Sans raisons apparentes, la température s'élevait brusquement à 39°5 et à 40°, puis retombait, aussi brusquement, à 37°5... En février, j'ai fait une pleurite sèche avec expectorations sanguinolentes. »

— « Vous n'avez plus de ces grandes oscillations de température? »

— « Si. »

— « Que vous attribuez à quoi? »

— « A l'infection. »

— « A l'infection latente? »

— « Ou à une certaine infection chronique, qui sait? »

Leurs regards se croisèrent. Une lueur interrogative passa dans celui d'Antoine. Philip étendit la main :

— « Non, non, Thibault! Si c'est à *ça* que vous pensez, vous vous inquiétez à tort. L'évolution vers la tuberculose pulmonaire n'a jamais été constatée, à ma connaissance, dans des cas de ce genre. Vous devez savoir ça mieux que moi. Un ypérité ne fait un tuberculeux que s'il a présenté des symptômes *antérieurement* à l'absorption des gaz... Or », ajouta-t-il, en se redressant, « vous avez la chance de n'avoir aucun antécédent pathologique du côté respiratoire! »

Il souriait d'un air confiant. Antoine l'examinait en silence. Tout à coup il enveloppa son vieux maître d'un regard affectueux, et sourit à son tour :

— « Oui, je sais », fit-il, « c'est une chance! »

— « De même », reprit Philip, comme s'il pensait tout haut, « l'œdème pulmonaire, qui est fréquent, je crois, chez ceux qui ont été atteints par des gaz suffocants, est extrêmement rare chez les ypérités. C'est encore une chance... Et puis, les séquelles pulmonaires dues à l'ypérite sont plus rares, et, je crois, moins graves en général que celles qui résultent des autres gaz toxiques. N'est-ce pas? J'ai lu, dernièrement, un bon article, là-dessus. »

— « Celui d'Achard? » fit Antoine. Il hocha la tête : « On croit généralement que l'ypérite, contrairement aux suffocants, s'attaque aux petites bronches plutôt qu'aux alvéoles, et qu'elle altère moins profondément les échanges gazeux. Mais mon expérience personnelle et les constatations que j'ai pu faire sur d'autres m'ont rendu sceptique. Le vrai, hélas, c'est que les poumons ypérités présentent toutes sortes d'affections secondaires, très rebelles pour la plupart, et qui tendent à devenir chroniques. Et j'ai même observé, chez des ypérités, plusieurs cas où la sclérose intra-alvéolaire, et, en même temps pariétale, a fini par bloquer le poumon... »

Il y eut un silence.

— « Du côté cœur? » interrogea Philip.

— « Jusqu'à présent, ça tient à peu près. Mais pour combien de temps? Ce serait folie de demander à un cœur de ne pas flancher, quand il est, depuis des mois, le centre de résistance d'un organisme surmené et intoxiqué. Je me demande même si l'intoxication ne commence pas déjà à gagner la fibre musculaire et les noyaux nerveux. Ces dernières semaines, j'ai constaté quelques troubles cardio-vasculaires... »

— « Constaté? Comment? »

— « Je n'ai pas encore pu faire faire de radioscopie; et, à l'auscultation, ceux qui me soignent affirment qu'ils ne trouvent rien. Mais, est-ce vrai?... Il y a d'autres modes d'investigation : l'étude du pouls et de la tension. Eh bien, sans que ma température dépasse 38°5 ou 39°, j'ai observé, pas plus tard que la semaine dernière, des accélérations insolites, variant entre 120 et 135. Je ne serais pas surpris qu'il y ait un rapport entre cette tachycardie et un début d'œdème pulmonaire... Pas vous? »

Philip éluda la question :

— « Pourquoi n'allégez-vous pas le travail du cœur par des ventouses scarifiées fréquentes? Au besoin même par de petites saignées?... »

Antoine semblait n'avoir pas entendu. Il regardait attentivement son vieux maître. Celui-ci sourit, tira de son gilet la grosse montre d'or à deux boîtiers, qu'Antoine lui avait toujours connue, et, se penchant, (comme s'il cédait à une vieille manie, plutôt qu'à une curiosité réelle), il prit entre ses doigts le poignet d'Antoine.

Une longue minute s'écoula. Philip demeurait immobile, l'œil fixé sur l'aiguille. Subitement, Antoine eut un choc : la vue de ce visage concentré, énigmatique, venait de faire surgir du fond de sa mémoire un souvenir très précis et depuis longtemps oublié. Un matin, à l'hôpital, tout au début de ses relations avec Philip, comme ils sortaient ensemble de la salle de consultation où Philip venait d'avoir à faire un diagnostic particulièrement embarrassant, celui-ci, dans un accès d'humour et de confiance, avait saisi Antoine par le bras : « Voyez-vous, mon cher, un médecin doit, avant tout, dans un cas critique, pouvoir s'isoler, réfléchir. Eh bien, pour ça, il y a un moyen infaillible : le chronomètre! Un médecin doit avoir, dans son gousset, un grand et beau chronomètre, imposant, large comme une soucoupe! Et, avec ça, il est sauvé. Il peut être assailli par toute une famille anxieuse, il peut se trouver dans la rue, devant un accidenté, au milieu d'une foule qui le presse de questions; s'il veut réfléchir, s'il veut qu'on lui fiche la paix, il n'a qu'à faire le geste magique : il tire ostensiblement son oignon, et il prend le pouls! Aussitôt, silence complet, solitude! Tant qu'il restera là, le nez sur son cadran, il pourra peser calmement le pour et le contre, établir son diagnostic avec autant de recueillement que s'il était, dans son cabinet, la tête dans ses mains... Croyez-en mon expérience, mon cher : courez acheter un beau chronomètre! »

Philip ne s'était pas aperçu du trouble d'Antoine. Il lâcha le poignet, et se redressa sans hâte :

— « Pouls rapide, évidemment. Un peu vibrant. Mais régulier. »

— « Oui. Et certains jours, au contraire — surtout le soir — il est petit, mou, difficile à saisir. Expliquez ça ! Et puis, en période de troubles pulmonaires accentués, l'accélération reparaît... Intermittente, en général. »

— « Vous avez essayé la compression oculaire ? »

— « Elle n'amène, pour ainsi dire, aucun ralentissement notable. »

Il y eut une nouvelle pause.

— « Je suis déjà un débile pulmonaire », déclara Antoine, avec un sourire contraint. « Le jour où je serai aussi un débile cardiaque !... »

Philip l'arrêta d'un geste :

— « Pfuit ! Hypertension et tachycardie ne sont, bien souvent, que de simples phénomènes de défense, Thibault. Je ne vous apprends rien. Dans les embolies cérébrales minimes, par exemple, vous savez comme moi que c'est par l'hypertension et la tachycardie que le cœur lutte victorieusement contre l'obstruction des alvéoles pulmonaires. Roger l'a démontré. Et bien d'autres, depuis. »

Antoine ne répondit rien. Une nouvelle quinte le ployait en deux.

— « Quels traitements ? » demanda Philip, sans paraître attacher lui-même grande importance à sa question.

Dès qu'il put parler, Antoine souleva les épaules, avec lassitude :

— « Tous ! Nous avons tout essayé... Pas d'opiacés, naturellement... Soufre... Et puis arsenic... Et encore soufre, — et arsenic... »

Sa voix était rauque, faible, entrecoupée. Il se tut. Cette longue conversation l'avait éreinté. Il rejeta la tête en arrière, et resta quelques secondes le buste droit, la nuque appuyée, les yeux clos. Lorsqu'il rouvrit les paupières, il surprit le regard de Philip, posé sur lui et empreint d'une grande douceur. Cette expression de bonté le bouleversa plus que n'eût fait une attitude inquiète. Il balbutia :

— « Vous ne vous attendiez pas à me trouver si... »

— « Au contraire ! » interrompit Philip en riant. « Je ne m'attendais pas, d'après votre dernière lettre, à vous trouver en si bonne voie ! » Et, coupant court, il ajouta : « Maintenant, j'aimerais écouter un peu ce qui se passe à l'intérieur... »

Antoine fit un effort pour se lever. Il retira sa tunique.

— « Faisons les choses selon les règles », dit Philip, gaiement. « Allongez-vous là-dessus. »

Il désignait la chaise longue recouverte d'une toile blanche, où il faisait étendre ses clients. Antoine obéit. Philip s'agenouilla devant lui, et procéda, en silence, à une minutieuse auscultation. Puis, brusquement, il se mit debout :

— « Peuh... », fit-il, évitant, sans trop en avoir l'air, le regard anxieux d'Antoine. « Evidemment... Quelques râles sibilants disséminés... Un peu d'infiltration, peut-être... Un peu de congestion, aussi, dans toute la hauteur du poumon droit... » Il se décida enfin à tourner la tête vers Antoine. « Je ne vous apprends rien, n'est-ce pas ? »

— « Non », fit Antoine. Et il se releva lentement.

— « Parbleu », reprit Philip, en allant de son pas désarticulé jusqu'à son bureau, devant lequel il s'assit. Machinalement il tira son stylo de sa poche, comme s'il avait une ordonnance à faire. « Emphysème, ce n'est pas douteux. Et, pour être tout à fait franc, je crois possible que vous conserviez longtemps une certaine sensibilité des muqueuses... » Il jouait avec son stylo, et, les sourcils levés, il examinait distraitement les objets placés sur la table. « Mais, voilà tout ! » fit-il, en fermant, d'un geste sec, l'annuaire des téléphones qui était resté ouvert.

Antoine s'approcha et posa les paumes sur le bord du bureau. Philip reboucha son stylo, le mit dans sa poche, leva la tête, et conclut, en appuyant sur les mots :

— « C'est embêtant, mon petit. Mais, *sans plus!* »

Antoine se redressa en silence, et s'éloigna vers la cheminée pour rajuster son col devant la glace.

Deux coups discrets retentirent à la porte.

— « Notre dîner est servi », déclara Philip, d'un ton enjoué.

Il restait assis. Antoine revint à lui, et remit, de nouveau, les mains sur la table.

— « Je fais vraiment tout ce qu'on peut faire, Patron », murmura-t-il, d'une voix lasse. « Tout! J'essaie avec persévérance tous les traitements connus. Je m'observe cliniquement comme s'il s'agissait d'un de mes malades; depuis le premier jour, je prends des notes quotidiennes! Je multiplie les analyses, les radios; je vis penché sur moi-même pour ne pas faire une imprudence, pour ne pas laisser échapper une occasion de soin... » Il soupira : « Tout de même, il y a des jours où il est difficile de résister au découragement! »

— « Non! Puisque vous constatez des progrès! »

— « Mais c'est que je ne suis pas sûr du tout de constater des progrès! » fit Antoine. Il avait répondu d'intuition, sans réfléchir. Il avait presque crié cela, involontairement. Et aussitôt il se sentit envahi par un trouble inattendu, comme si ce qu'il venait de dire trahissait soudain une pensée secrète que jamais encore il n'avait laissé monter à la surface. Une légère sueur perla au-dessus de sa lèvre supérieure.

Philip vit-il ce trouble? En comprit-il le pathétique? Etait-ce parce qu'il restait toujours très maître de lui, que son visage était demeuré aussi paisible, aussi confiant? Non, il était bien difficile de croire à tant de supercherie, en le voyant hausser gaiement les épaules, en l'entendant lancer de sa voix de fausset, verveuse et ironique :

— « Voulez-vous lire jusque dans le fond de ma pensée, mon cher? Eh bien, je me dis qu'il est très heureux que les progrès soient aussi lents!... » Il savoura quelques secondes l'étonnement d'Antoine : « Ecoutez. Sur les *six* anciens internes que je considérais un peu comme mes enfants, trois ont été tués, deux sont infirmes pour la vie. J'avoue égoïstement que je ne suis pas fâché de savoir le sixième à l'abri; condamné pour des mois encore, à vivre au bon soleil du Midi, à quinze cents kilomètres du front! Pensez ce que vous voudrez, je ne tiens pas du tout à vous voir guéri avant la fin du cauchemar! Si vous n'aviez pas été gazé en octobre dernier, qui sait seulement si nous aurions encore la possibilité de dîner ensemble, comme ce soir !... » Il se leva allégrement : « Et là-dessus, à table ! »

« Il a raison », se dit Antoine, gagné par la bonne humeur persuasive de son vieil ami. « Le fond est solide, malgré tout... »

Une assiettée de potage fumait sur la talbe de la salle à manger. (Depuis des années, Philip dînait d'une soupe et d'une compote de fruits.)

Il fit asseoir Antoine devant la tasse et la carafe de lait qui lui étaient destinées.

— « Denis n'a pas fait chauffer votre lait, mais il est encore temps... »

— « Non, je le prends toujours froid. C'est parfait. »

— « Sans sucre ? »

Une quinte empêcha Antoine de répondre. Il fit un geste négatif, de la main. Philip évitait de le regarder, bien décidé à ne pas remarquer cette toux, à ne plus parler de santé, à donner au plus vite un autre cours à l'entretien. Il tournait songeusement sa cuiller dans son potage, en attendant la fin de la quinte. Puis, pour rompre un silence qui devenait gênant, il commença, sur un ton très naturel :

— « J'ai encore passé une journée à batailler à notre commission de l'hygiène... L'incohérence des prescriptions officielles, pour les injections de vaccin antityphique est incroyable ! »

Antoine sourit et but une gorgée de lait pour s'éclaircir la voix :

— « Vous avez pourtant fait du bon travail, Patron, depuis trois ans ! »

— « Non sans peine, je vous assure ! » Il chercha un autre sujet, n'en trouva pas, et reprit : « Non sans peine ! Lorsque j'ai eu, en 1915, à m'occuper de l'organisation des services sanitaires, vous n'imaginez pas ce que j'ai trouvé ! »

« J'étais bien placé pour le savoir ! » se dit Antoine. Mais il voulait éviter les occasions de parler ; il se contenta d'écouter avec un sourire entendu.

— « C'était l'époque », continua Philip, « où les blessés

étaient encore évacués dans des trains ordinaires, ceux qui avaient amené des troupes, ou du ravitaillement... Quand ce n'était pas des wagons à bestiaux!... J'ai vu des malheureux qui avaient attendu vingt-quatre heures dans des compartiments non chauffés, parce qu'ils n'étaient pas assez nombreux pour former un convoi réglementaire... Ils étaient nourris, le plus souvent, par la population... Et pansés, tant bien que mal, par de bonnes dames charitables, ou par les vieux pharmaciens du cru! Et quand, enfin, le train se mettait en marche, ils en avaient souvent pour deux ou trois jours de trimbalage, avant qu'on les sorte de leur paille... Aussi, dans presque chaque convoi, qu'est-ce que nous avions comme pourcentage de tétaniques! Et on les empilait dans des hôpitaux bondés, où l'on manquait de tout! d'antiseptiques, de compresses, et, bien entendu, de gants de caoutchouc! »

— « J'ai vu, à quatre ou cinq kilomètres des lignes », dit Antoine, avec effort, « des ambulances chirurgicales... où l'on faisait bouillir les pinces... dans de vieilles casseroles... sur un feu de bois... »

— « Ça encore, ça pouvait s'expliquer, à la rigueur... On était débordé... » Philip fit entendre son petit ricanement : « L'offre dépassait la demande... La guerre exagérait sa casse! Elle ne se conformait pas aux prévisions des règlements!... Mais ce qui était sans excuse, mon cher », continua-t-il, en reprenant son sérieux, « c'est la façon dont la mobilisation médicale avait été conçue, et faite! L'armée avait eu sous la main, dès le premier jour, un personnel de réservistes incomparable. Eh bien, quand j'ai été chargé de mes premières inspections, j'ai trouvé des praticiens notoires, comme Deutsch, comme Hallouin infirmiers de seconde classe dans des ambulances qui étaient dirigées par des médecins militaires de vingt-huit ou trente ans! A la tête de grands services chirurgicaux, des chefs ignares, qui avaient l'air de n'avoir jamais opéré que des panaris, et qui décidaient et pratiquaient les interventions les plus graves, amputaient à tort et à travers, simplement parce qu'ils avaient quatre ficelles sur leur manche, sans vouloir écouter les avis des civils mobilisés — fussent-ils chirurgiens des hôpitaux — qu'ils avaient sous leurs ordres!... Nous avons mis des mois, mes collègues et moi, à obtenir les réformes les plus élémentaires. Il a fallu remuer ciel et terre pour qu'on révise les règlements, pour que les répartitions des blessés soient confiées à des médecins de carrière... Pour qu'on renonce, par exemple, au principe absurde de remplir d'abord les hôpitaux les plus éloignés, sans tenir compte de la gravité des blessures et de leur urgence... On expédiait couramment à Bordeaux ou à Perpignan des blessés du crâne, qui n'arrivaient jamais à destination parce que la gangrène ou le tétanos les avaient achevés en cours de route! Des malheureux qu'on aurait sauvés, neuf fois sur dix, en les trépanant dans les douze heures! »

Brusquement, son indignation tomba, et il sourit :

— « Savez-vous qui m'a aidé, au début de ma campagne? Vous allez être étonné! Une de vos clientes, mon cher! Vous savez : la mère de cette fillette que nous avions plâtrée ensemble, et envoyée à Berck... »

— « Mme de Battaincourt? » bredouilla Antoine, gêné.

— « Oui! Vous m'aviez écrit à son sujet, vous souvenez-vous en 14? »

Dans les premiers mois de la guerre, en effet, lorsque Antoine avait appris par une carte de Simon que Miss Mary, laissant la petite malade seule à Berck, était rentrée en Angleterre, il avait demandé à Philip de s'occuper d'Huguette. Celui-ci avait fait le voyage, et décidé que la jeune fille pouvait, sans inconvénient, reprendre une vie quasi normale.

— « J'ai rencontré plusieurs fois Mme de Battaincourt, à cette époque. Elle connaissait tout Paris, cette femme-là! Elle m'a obtenu, en vingt-quatre heures, une audience que je sollicitais depuis six semaines; grâce à elle, j'ai pu voir le ministre lui-même, tout à loisir, déballer mes dossiers, — et tout ce que j'avais sur le cœur... Une visite qui a duré près de deux heures, mon cher. Mais qui a été décisive! »

Antoine se taisait. Il considérait sa tasse vide avec une attention que, vraiment, rien ne justifiait. Il s'en aperçut, et, par contenance, il y versa un peu de lait.

— « C'est devenu une belle fille, votre jeune protégée », dit Philip, surpris qu'Antoine ne lui demandât pas des nouvelles d'Huguette. « Je ne la perds pas de vue... Elle vient me voir tous les trois ou quatre mois... »

« A-t-il su ma liaison avec Anne? » se demandait Antoine. Il se força à parler :

— « Elle vit en Touraine? »

— « Non, à Versailles, avec son beau-père. Battaincourt s'est installé à Versailles pour rester près de Paris. C'est Châtenaud qui le soigne... Quel déveinard, ce pauvre Battaincourt! »

« Non », se dit Antoine. « S'il savait, il aurait évité le mot *déveinard.* »

— « Vous avez appris comment il avait été blessé? »

— « Vaguement... En permission, n'est-ce pas? »

— « Il avait fait deux ans de front, sans une égratignure! Et puis, une nuit, à Saint-Just-en-Chaussée, — il venait en permission, — son train s'est arrêté à la gare régulatrice. Et juste pendant cet arrêt, des avions boches ont bombardé la gare! On l'a ramassé, la figure en bouillie, un œil perdu et l'autre très menacé... Châtenaud le suit de près. Il est presque aveugle, vous savez... »

Antoine se souvint du regard clair, honnête, de Simon, au cours de la visite que celui-ci lui avait faite, rue de l'Université, un peu avant la mobilisation, — cette visite qui avait décidé Antoine à rompre.

— « Est-ce que... », commença-t-il. Sa voix était si peu distincte que Philip dut se pencher. « Est-ce que Mme de Battaincourt vit avec eux? »

— « Mais elle est en Amérique! »

— « Ah? »

Pourquoi cette nouvelle lui causait-elle une sorte de soulagement?

Philip souriait silencieusement, tandis que Denis déposait sur la table une jatte de cerises cuites.

— « Hum!... La mère... », reprit Philip, en se servant pour laisser au domestique le temps de s'éloigner. « Drôle de créature, à ce qu'il semble? » Il s'arrêta, la cuiller levée : « Pas votre avis? »

« Sait-il? » se demanda de nouveau Antoine. Il parvint à sourire évasivement. (En présence de Philip, il perdait toujours de son assurance, et redevenait automatiquement le jeune interne que le maître avait longtemps intimidé.)

— « Oui, en Amérique!... La petite m'avait dit, la dernière fois que je l'ai vue : " Maman va sans doute se fixer à New-York, où elle a beaucoup d'amis. " Renseignements pris, il paraîtrait qu'elle s'est fait envoyer là-bas, en mission, par je ne sais quel comité de propagande française... Et que cette mission a très exactement coïncidé avec le rappel aux Etats-Unis d'un certain capitaine américain, qui a occupé quelque temps un poste à l'ambassade de Paris... »

« Non », pensa Antoine, « décidément, il ne sait rien. »

Philip cracha quelques noyaux, s'essuya la barbe, et poursuivit :

— « C'est du moins ce que dit Lebel, qui dirige toujours l'hôpital que Mme de Battaincourt avait fondé, dans sa propriété, près de Tours, — hôpital qu'elle continue d'ailleurs à subventionner royalement, paraît-il... Mais les racontars de Lebel sont suspects : on affirme que lui aussi, malgré ses tempes grises, avait été un... collaborateur intime... C'est ce qui expliquerait qu'il ait tout quitté pour aller s'enterrer en Touraine, dans le premier hiver de la guerre... Vous ne finissez pas votre carafe? »

— « Deux tasses, c'est tout ce que je peux faire », murmura Antoine, en souriant. « J'ai le lait en horreur! »

Philip n'insista pas, plia gauchement sa serviette, et se leva :

— « Retournons là-bas!... » Il prit familièrement le bras d'Antoine, et, tout en le ramenant vers son cabinet : « Vous avez vu les conditions de paix imposées à la Roumanie par les Centraux?... Instructif, n'est-ce pas? Les voilà approvisionnés de pétrole. Ah, ils tiennent encore le bon bout. Quelle raison auraient-ils de faire la paix? »

— « L'entrée en jeu des troupes américaines! »

— « Bah... S'ils n'arrivent pas, cet été, à une victoire décisive, — et c'est peu probable, bien qu'on leur prête l'intention de tenter une nouvelle offensive sur Paris — eh bien, l'an prochain, ils opposeront, au matériel et aux soldats américains, le matériel et les soldats russes... Autre réservoir, pratiquement inépuisable... Que voulez-vous qu'il advienne de deux masses en lutte, à peu près égales, qui ne veulent d'aucun compromis, et dont aucune ne peut soumettre l'autre par la suprématie de sa force? Elles sont fatalement condamnées à s'affronter jusqu'à leur double épuisement... »

— « Vous n'espérez donc rien du bon sens d'un Wilson? »

— « Wilson habite Sirius... Et puis, pour l'instant, je constate que, ni en France ni en Angleterre, on ne souhaite la paix. Je parle des dirigeants. A Paris comme à Londres, on veut mordicus une *victoire;* toute velléité de paix est qualifiée de trahison. Des gens comme Briand sont suspects. Wilson le sera bientôt, s'il ne l'est déjà! »

— « On peut être contraint de faire la paix! » dit Antoine, songeant aux propos de Rumelles.

— « Je ne crois pas que l'Allemagne puisse jamais être en état de nous l'imposer. Non : je vous le répète : je crois à l'égalité approximative des forces en présence... Je ne vois aucune issue avant l'épuisement commun. »

Il avait repris sa place, derrière son bureau, et Antoine, fatigué, avait, sans se faire prier, obéi au geste amical qui l'engageait à s'allonger sur la chaise longue.

— « Nous vivrons peut-être assez pour voir la fin de la guerre... Mais ce que nous ne verrons certainement pas, c'est la paix. Je veux dire : l'équilibre de l'Europe dans la paix. » Il se troubla légèrement, et ajouta aussitôt : « Je dis : *nous*, malgré votre âge, parce que, à mon avis, pour retrouver cet équilibre-là, il faudra sans doute attendre plusieurs générations! » Il s'interrompit de nouveau, jeta vers Antoine un coup d'œil à la dérobée, fourragea un instant dans sa barbe, et reprit, en haussant tristement les épaules : « Un équilibre, dans la paix, est-il seulement concevable, avec les éléments actuels? L'idéal démocratique a du plomb dans l'aile. Sembat avait raison : les démocraties ne sont pas faites pour la guerre : elles s'y fondent comme cire au feu. Plus la guerre dure, et moins l'avenir de l'Europe a de chances d'être démocratique. On imagine très bien dans l'avenir le règne despotique d'un Clemenceau, d'un Lloyd George. Les peuples laisseront faire : ils sont déjà habitués à l'état de siège. Ils abdiqueront peu à peu jusqu'à leur républicaine prétention à la souveraineté. Considérez seulement ce qui se passe en France : la distribution contrôlée des vivres, le rationnement de la consommation, l'ingérence de l'Etat dans tous les domaines, ceux de l'industrie et du commerce, ceux des contrats entre particuliers — voyez le moratoire, — celui de la pensée, — voyez la censure! Nous acceptons tout ça comme des mesures exceptionnelles. On se persuade qu'elles sont nécessitées par les circonstances. En fait, ce sont les prodromes de l'asservissement total. Une fois le joug bien assujetti, on ne le secouera plus! »

— « Vous avez connu Studler? *Le Calife*... Mon collaborateur? »

— « Un Juif, avec une barbe assyrienne et des yeux de mage? »

— « Oui... Il a été blessé, et maintenant, il est quelque part, sur le front de Salonique... D'où il m'envoie, de temps à autre, de prophétiques élucubrations, à sa manière... Eh bien, Studler prétend que la guerre amènera infailliblement la révolution. Chez les vaincus, d'abord; chez les vainqueurs, ensuite. Révolution brutale, ou révolution lente, mais révolution partout... »

— « Oui... », fit évasivement Philip.

— « Il annonce la faillite du monde moderne, l'effondrement du capitalisme! Lui aussi, il pense que la guerre durera jusqu'à l'épuisement de l'Europe. Mais, quand tout aura disparu, quand tout sera nivelé, il prédit l'avènement d'un monde nouveau. Il voit s'élever sur les ruines de notre civilisation quelque chose comme une confédération mondiale, l'organisation d'une grande vie collective de la planète, sur des bases entièrement renouvelées... »

Il avait forcé la voix pour arriver au bout de sa tirade. Il s'arrêta, plié en deux par une quinte.

Philip le suivait de l'œil. Il n'eut l'air de s'apercevoir de rien.

— « Tout est possible », fit-il, avec un regard amusé. Il était toujours prêt à laisser courir son imagination : « Pourquoi pas? Peut-être que la mystique de 89, après nous avoir longtemps fait croire, contre toutes les évidences biologiques, que les hommes sont égaux par nature et doivent l'être devant les lois, peut-être que cette mystique-là, sur laquelle nous avons vécu un siècle, peut-être qu'elle est parvenue au terme de son efficacité, et qu'elle doit céder la place à quelque autre belle foutaise, d'un genre différent... Une idéologie nouvelle, génératrice, à son tour, de pensée et d'action, dont l'humanité se nourrira, s'enivrera, un certain temps... Jusqu'à ce que tout change, encore une fois... »

Il se tut quelques instants, pour laisser Antoine tousser.

— « C'est possible », reprit-il, sur un ton gouailleur, « mais je laisse ces visions à votre messianique ami... L'avenir que j'entrevois est plus proche; et tout autre. Je crois que les Etats ne sont pas prêts à renoncer aux pouvoirs absolus que la guerre leur a conférés. Aussi, je crains que l'ère des libertés démocratiques ne soit close pour longtemps. Ce qui est assez déroutant, j'en conviens, pour des gens de ma génération. Nous avons cru, dur comme fer, que ces libertés-là étaient définitivement acquises; qu'elles ne pourraient jamais plus être remises en question. Mais tout, toujours, peut être remis en question!... Qui sait si ce n'étaient pas des rêves? Des rêves que la fin du XIXe siècle a pris pour des réalités durables, parce que les hommes d'alors avaient la veine de vivre dans un temps exceptionnellement calme, exceptionnellement heureux... »

Il parlait, de sa voix rêche et nasillarde, comme s'il était seul, les coudes sur les bras de son siège, son long nez rougeaud baissé vers ses mains jointes, regardant ses doigts qu'il nouait et dénouait par saccades :

— « Nous avons cru que l'humanité, adulte, s'acheminait vers une époque où la sagesse, la mesure, la tolérance, s'apprêtaient enfin à régner sur le monde... Où l'intelligence et la raison allaient enfin diriger l'évolution des sociétés humaines... Qui sait si nous ne paraîtrons pas, aux yeux des historiens futurs, des naïfs, des ignorants, qui se faisaient d'attendrissantes illusions sur l'homme et sur son aptitude à la civilisation? Peut-être que nous fermions les yeux sur quelques données humaines essentielles? Peut-être, par exemple, que l'instinct de détruire, le besoin périodique de foutre par terre ce que nous avons péniblement édifié, est une de ces lois essentielles qui limitent les possibilités constructives de notre nature? — une de ces lois mystérieuses et décevantes qu'un sage doit connaître et accepter?... Nous voilà loin des prédictions de votre *Calife* », conclut-il, en ricanant. Et comme Antoine toussait toujours : « Vous ne voulez pas boire quelque chose? une gorgée d'eau? une cuillerée de codéine? Non? »

Antoine fit un geste de refus. Au bout de deux ou trois minutes, (pendant lesquelles Philip arpenta la pièce en silence), il se sentit mieux. Il redressa le buste, essuya les larmes qui coulaient sur ses joues, et s'efforça de sourire. Il avait les traits tirés, le teint congestionné, le front en sueur.

— « Je vais... me retirer... Patron... », articula-t-il, la gorge en feu. « Excusez-moi... » Il sourit de nouveau, fit un effort et se mit debout : « Je suis dans un fichu état, avouez-le! »

Philip ne parut pas avoir entendu :

— « On parle », dit-il, « on prophétise... Je me moque de votre *Calife*, et je fais exactement comme lui!... Tout ça, est absurde. Tout ce que nous voyons depuis quatre ans est absurde. Et tout ce que ces absurdités nous amènent à prévoir, est absurde... On peut critiquer, oui. On peut même condamner ce qui est; ça, ce n'est pas absurde. Mais vouloir prédire ce qui arrivera!... Voyez-vous, mon petit, on en revient toujours là : la seule attitude — j'allais dire : scientifique... Soyons plus modeste : la seule attitude raisonnable, la seule qui ne déçoive pas, — c'est *la recherche de l'erreur*, et non pas la recherche de la vérité... Reconnaître ce qui est faux, c'est difficile, mais on y arrive : et c'est tout, rigoureusement tout ce qu'on peut faire!... Le reste : pures divagations! »

Il s'aperçut qu'Antoine était debout et l'écoutait distraitement. Il se leva :

— « Quand vous reverrai-je? Quand repartez-vous? »

— « Demain matin, à huit heures. »

Philip tressaillit imperceptiblement. Il attendit quelques secondes que sa voix eût retrouvé son assurance :

— « Ah, ah... »

Puis il suivit Antoine qui se dirigeait vers le vestibule. Il examinait ce dos voûté, cette nuque maigre et cordée qui émergeait du col de la tunique. Il eut peur de se trahir, peur de ce silence, peur de sa propre pensée. Il se hâta de parler :

— « Au moins, êtes-vous content de cette clinique? Sont-ils sérieux, là-dedans? Est-ce bien la clinique qu'il vous faut? »

— « Pour l'hiver, rien de mieux », répondit Antoine, tout en marchant. « Mais je redoute l'été, là-bas. Au point que je pense à me faire envoyer ailleurs... Il me faudrait la campagne... Un pays aéré, pas humide... Des bois de pins, peut-être... Arcachon? Très chaud, Arcachon... Alors? Une station thermale, dans les Pyrénées?... Cauterets? Luchon?... »

Il avait atteint le vestibule, et il soulevait déjà le bras pour décrocher son képi, lorsqu'il tourna brusquement la tête, avant d'ajouter : « Votre avis, Patron? » Et soudain, sur ce visage dont il avait, en dix années de collaboration, appris à déchiffrer les moindres nuances, dans les petits yeux gris, clignotants derrière le lorgnon, il surprit l'aveu involontaire : une intense pitié. Ce fut comme un verdict : « A quoi bon? » disaient ce visage, ce regard. « Qu'importe l'été? Là, ou ailleurs... Tu n'échapperas pas, *tu es perdu!* »

« Parbleu », pensa Antoine, étourdi par la brutalité du choc. « Moi aussi, *je savais*... Perdu! »

— « Oui, Cauterets », balbutia précipitamment Philip. Il se ressaisit : « Pourquoi pas la Touraine, tout simplement, mon cher?... La Touraine... Ou bien l'Anjou... »

Antoine regardait fixement le parquet. Il n'osait plus affronter le regard... Que la voix du Patron sonnait faux! Qu'elle lui faisait mal!...

D'une main qui tremblait, il se coiffa, puis il gagna la porte, sans relever la tête. Il n'avait plus qu'une pensée : brusquer l'adieu, se retrouver seul, — avec son épouvante.

— « La Touraine... Ou l'Anjou... », répétait mollement Philip. « Je me renseignerai... Je vous écrirai... »

Les yeux toujours baissés sous la visière qui dissimulait l'altération de ses traits, Antoine tendit la main, d'un geste machinal. Le vieux médecin la saisit; ses lèvres émirent un bruit mouillé. Antoine se dégagea, ouvrit la porte et s'enfuit.

— « Oui... Pourquoi pas l'Anjou?... », chevrotait Philip, penché sur la rampe.

XIV

Dehors, l'obscurité pesait sur la ville. De-ci, de-là, un réverbère encapuchonné rabattait sur le trottoir un rond de clarté bleuâtre. Peu de passants. De rares autos glissaient prudemment, précédées du bruit insistant de leurs trompes.

Titubant, sans bien savoir où il allait, il traversa le boulevard Malesherbes et prit la rue Boissy-d'Anglas. Il marchait, indifférent à tout, un poids sur la nuque, le souffle court, la tête étrangement sonore et vide, longeant de si près les façades que parfois son coude heurtait les murs. Il ne pensait pas. Il ne souffrait pas.

Il se trouva sous les arbres des Champs-Elysées. Devant lui, à travers les troncs, s'étendait, à peine éclairée mais visible sous la lumière nocturne de ce beau ciel de printemps, la place de la Concorde, sillonnée de voitures silencieuses, qui apparaissaient comme des bêtes aux yeux phosphorescents et s'évanouissaient dans le noir. Il aperçut un banc et s'en approcha. Avant de s'asseoir, par habitude, il se dit : « Ne pas prendre froid. » (Pour penser aussitôt : « Qu'importe, maintenant ! ») Le verdict fulgurant qu'il avait saisi dans le regard de Philip habitait son esprit, et non seulement son esprit, mais son corps, pareil à une chose énorme, parasite, une dévorante tumeur qui aurait refoulé tout le reste pour s'épanouir monstrueusement et occuper l'être entier.

Ramassé sur lui-même, le dos appuyé au dur dossier, les bras croisés pour comprimer cette chose étrangère, greffée dans sa chair et qui l'étouffait, il revivait mentalement sa soirée. Il voyait le Patron à califourchon sur sa chaise : « Commençons par le commencement. Votre première blessure? Qu'est-ce qu'il en reste? », et il reprenait posément ses explications. Mais, peu à peu, les mots qu'il s'entendait dire n'étaient plus tout à fait ceux qu'il avait prononcés : avec une lucidité objective toute nouvelle, il exposait maintenant son cas sous son véritable jour. Il décrivait, dans leur réalité inexorable, les crises successives, les rémissions de plus en plus brèves, les rechutes chaque fois plus sérieuses. Il rendait sensible, évidente, l'aggravation régulière, ininterrompue, irrémédiable. Et il lui semblait suivre, de seconde en seconde, sur le visage décomposé de son vieil ami, la progression d'une anxiété clairvoyante, l'élaboration graduelle du diagnostic fatal. La sueur au front, le souffle oppressé et douloureux, il tira son mouchoir et s'épongea la figure.

Au loin, un son traînant, une sorte de mugissement auquel il ne prêta qu'une attention nébuleuse, troubla soudain le calme du soir.

Il se voyait, sur la chaise longue, après l'auscultation, redresser péniblement le buste et hocher la tête avec une feinte résignation : « Vous le voyez, Patron : il n'y a plus à conserver le moindre espoir! » Et Philip baissait le nez sans répondre.

Il se leva violemment de son banc pour couper court à l'angoisse qui l'étranglait. Alors, tandis qu'il était debout, immobile, — comme un souffle frais venu de l'abîme, — une idée apaisante se glissa dans son cerveau : « Nous autres médecins, nous avons toujours un recours... la possibilité de ne pas attendre... de ne pas souffrir. »

Il ne tenait pas sur ses jambes. Il se rassit.

Deux ombres, deux silhouettes féminines, sortirent en courant de sous les arbres. Et, presque aussitôt, toutes les sirènes d'alerte se mirent à glapir en même temps. Les rares points lumineux, qui palpitaient faiblement autour de la place, s'éteignirent d'un coup.

« Manquait plus que ça », songea-t-il, en prêtant l'oreille. Un tambourinement lointain ébranlait le sol.

Derrière lui, dans les allées, des pas fuyaient, des voix alarmées s'élevaient confusément dans la nuit, des groupes galopaient, s'enfonçaient dans l'ombre. Avenue

Gabriel, des autos, sans lumière, filaient en cornant. Une escouade de sergents de ville passa près de lui, au pas gymnastique. Il restait assis, les épaules lourdes, regardant sans rien voir, détaché de tout événement humain.

Plusieurs minutes s'écoulèrent sans qu'il prît conscience de rien. Quelques détonations étouffées par l'éloignement, puis quelques coups de canon, espacés, le tirèrent de cette prostration.

« Les pièces du mont Valérien? » se demanda-t-il.

L'indication donnée par Rumelles lui revint à l'esprit : l'abri du ministère de la Marine.

Au loin, des canons continuaient à aboyer sourdement. Il se leva, et s'avança vers la place jusqu'au bord du trottoir. Au-dessus de Paris, un ciel admirable s'était mis à vivre. Jaillis de tous les points de l'horizon, des faisceaux lumineux balayaient la voûte nocturne, allongeant et entrecroisant leurs traînées laiteuses, scrutant comme un regard le fouillis des étoiles, brutaux, rapides, ou parfois hésitants, s'arrêtant soudain pour inventorier un point suspect, puis recommençant leur investigation glissante.

Il ne se décidait pas à descendre sur la chaussée. Il demeura figé sur place, la tête levée, jusqu'à ce que la nuque lui fît mal. « S'étendre », songea-t-il, « fermer les yeux... Un soporifique... Dormir... » Il ne bougeait toujours pas, paralysé par une indicible lassitude. « Mieux vaudrait rentrer », se dit-il. « Si seulement je trouvais un taxi! » Mais la place maintenant était déserte, obscure, immense. On ne la distinguait que par instants. Elle se dessinait brusquement, surgissant du clair-obscur sous le reflet intermittent des projecteurs, avec ses balustrades, ses statues pâles, son obélisque, ses fontaines, et les colonnes funèbres de ses hauts lampadaires; pareille à une vision de rêve, à une ville pétrifiée par quelque enchantement, vestige d'une civilisation disparue, une ville morte, longtemps ensevelie sous les sables.

Il fit un effort pour vaincre sa torpeur, et partit, d'un coup, comme un somnambule, à travers cette nécropole. Il piqua droit sur l'obélisque pour gagner, en biais, l'angle des Tuileries et des quais. La traversée de cette étendue lunaire, sous ce ciel chaviré, lui parut interminable. Il croisa un groupe de soldats belges, qui galopaient en débandade. Puis, un couple de vieilles gens le dépassa. Ils couraient, gauchement enlacés, flottant comme des épaves dans la nuit. L'homme cria : « Venez vous abriter dans le métro ! » Il ne songea à répondre que lorsqu'ils eurent disparu.

L'air bourdonnait de mille moteurs invisibles, qui se confondaient en une seule et vaste vibration métallique. A l'est, au nord, le tir faisait rage : les lignes de défense crachaient sans arrêt leur mitraille; de minute en minute, une nouvelle batterie, plus proche, entrait en action. La clarté mouvante des pinceaux lumineux empêchait de distinguer les éclatements. Dans les intervalles des coups, il perçut soudain un crépitement de mitrailleuses.

« Vers le pont Royal », se dit-il machinalement.

Il prit le quai, le long du parapet. Pas une voiture. Pas une lumière. Pas un être humain. Sous ce ciel en folie, la terre était inhabitée. Il était seul avec le fleuve, qui luisait, large et paisible, comme une rivière dans la campagne sous la lune.

Il s'arrêta une seconde, le temps de penser : « Je m'y attendais, je *savais* très bien que j'étais perdu... » Et il reprit sa marche d'automate.

Le tintamarre était devenu si précipité qu'il devenait impossible de distinguer la nature des bruits. Pourtant, une explosion sourde domina tout à coup le vacarme. D'autres suivirent. « Des bombes », songea-t-il, « *ils* ont traversé les barrages. » Dans la direction du Louvre, très loin, des cheminées se découpèrent soudain sur un fond rose de feu de Bengale. Il se retourna : d'autres halos d'incendie rougeoyaient de-ci, de-là, sur Levallois, sur Puteaux peut-être... « Ça flambe un peu partout », se dit-il. Il avait oublié sa misère. Sous cette menace invisible, imprécise, qui planait comme la colère aveugle d'un dieu, une excitation factice lui fouetta le sang, une sorte d'ivresse rancunière lui rendit des forces. Il hâta le pas, atteignit le pont, franchit la Seine et s'engouffra dans la rue du Bac. Elle était sombre. Il buta contre une boîte à ordures. Le coup de reins qu'il donna pour ne pas perdre l'équilibre retentit douloureusement dans ses bronches. Il descendit du trottoir, se guidant sur la tranchée du ciel, battue par les projecteurs. Un vrombissement se fit entendre derrière lui. Il n'eut que le temps de remonter sur le trottoir. Deux engins étranges, métalliques, brillants, passèrent en trombe, tous feux éteints, suivis d'une auto à fanion.

— « Les pompiers », fit une voix, tout près de lui. Un homme était là, collé dans le renfoncement d'une porte. Toutes les cinq secondes il tendait le cou et sortait la tête, comme s'il guettait la fin d'une averse.

Antoine reprit sa marche, sans un mot. Sa fatigue l'avait ressaisi. Il avançait lourdement, traînant son idée fixe, pareil au haleur attelé à une péniche. « Je le savais... Je le savais depuis longtemps... » Aucune surprise dans sa détresse : il était comme quelqu'un qui plie sous un poids, non comme quelqu'un qui vient de recevoir un coup. L'atroce certitude avait trouvé en lui une place toute préparée. Le regard de Philip n'avait fait que lever une secrète interdiction, libérer une pensée claire, enfouie, de longue date, dans les ténèbres de l'inconscient.

A l'angle de la rue de l'Université, à quelques pas de chez lui, une peur le saisit : la peur panique de la solitude qui l'attendait là-haut. Il stoppa net, prêt à fuir. Il avait machinalement levé les yeux vers le ciel balayé de lueurs, cherchant dans sa tête quelqu'un auprès de qui se réfugier, auprès de qui quêter un regard de compassion.

— « Personne... », murmura-t-il.

Et, plusieurs minutes, adossé au mur, tandis que les tirs de barrage, le ronflement des avions, le sourd éclatement des bombes, lui martelaient le crâne, il réfléchit à cette chose inexplicable : pas un ami ! Il s'était toujours montré sociable, obligeant; il s'était acquis l'attachement de tous ses malades; il avait toujours eu la sympathie de ses camarades, la confiance de ses maîtres; il avait été violemment aimé par quelques femmes; — mais il n'avait pas un seul ami ! Il n'en avait jamais eu !... Jacques lui-même... « Jacques est mort sans que j'aie su m'en faire un ami... »

Il eut soudain une pensée vers Rachel. Ah, qu'il eût été bon, ce soir, de se blottir dans ses bras, d'entendre la voix caressante et chaude murmurer comme autrefois : « Mon *minou*... » Rachel! Où était-elle? Qu'était-elle devenue? Son collier, là-haut... L'envie le prit de tenir entre ses doigts cette épave du passé, de palper ces grains qui devenaient si vite tièdes comme une chair, et dont l'odeur évocatrice était comme une présence...

Il se détacha de la muraille avec effort, et, vacillant un peu, il franchit les quelques mètres qui le séparaient de sa porte.

XV

LETTRES

Maisons, le 16 *mai* 18.

Les éclats qui m'ont mis la cuisse en bouillie ont fait de moi un être sans sexe. De vive voix, je n'ai pu me décider à cette confidence. Vous êtes médecin, peut-être avez-vous deviné? Quand nous avons parlé de Jacques, quand je vous ai dit que j'enviais son sort, vous m'avez regardé bizarrement.

Détruisez cette lettre, je ne veux pas qu'on sache, je ne veux pas qu'on me plaigne. J'ai sauvé ma peau, l'Etat m'assure de quoi n'être à charge à personne, beaucoup m'envient, sans doute ont-ils raison. Tant que ma mère vivra, non; mais si, un jour, plus tard, je préfère disparaître, vous seul saurez pourquoi.

Je vous serre les mains.

D. F.

Maisons-Laffitte, 23 *mai.*

Cher Antoine,

Ce n'est pas un reproche, mais nous nous inquiétons un peu, vous aviez promis de nous écrire et toute la semaine s'est écoulée sans nouvelles, peut-être que ce long voyage a été plus éprouvant encore que nous ne pensions?

Je voudrais vous dire le réconfort que m'a apporté votre visite, ce sont des choses que je ne sais pas dire, que je ne sais même pas laisser voir, mais depuis votre départ il me semble que je suis encore plus seule.

Bien affectueusement,

JENNY.

Maisons, samedi 8 *juin* 18.

Cher Antoine,

Les jours passent, trois semaines déjà que vous avez quitté Maisons et toujours rien de vous, aucune nouvelle, je commence à m'inquiéter sérieusement, je ne peux attribuer ce silence qu'à votre état, je vous demande instamment de me dire la vérité.

Le petit a eu quelques jours de grosse fièvre pour une amygdalite, il va mieux mais je le garde encore à la chambre, ce qui complique un peu la vie à la maison. Figurez-vous, nous avons tous l'impression qu'il a grandi pendant ces huit jours de lit, ce n'est pourtant guère possible, n'est-ce pas? J'ai l'impression aussi que son intelligence s'est développée pendant cette petite maladie, il invente un tas d'histoires pour expliquer à sa façon les images de ses livres et les dessins que Daniel lui fait. Ne vous moquez pas de moi, je n'ose dire cela qu'à vous : je trouve que cet enfant est extraordinairement observateur pour ses trois ans, et je crois vraiment qu'il sera très intelligent.

A part cela, rien de bien nouveau ici. L'hôpital a reçu l'ordre d'évacuer le plus de convalescents possible pour faire de la place, et il a fallu renvoyer de pauvres diables qui comptaient bien avoir encore dix ou quinze jours de repos. Nous avons tous les jours des arrivées, et maman s'est fait prêter par les voisins anglais la petite villa à glycines qui était inoccupée, ce qui va donner vingt lits de plus, peut-être davantage. Nicole a reçu une longue lettre de son mari, son auto-chir a quitté la Champagne pour aller du côté de Belfort. Il dit qu'en Champagne les pertes sont terribles. Jusqu'à quand? Jusqu'à quand durera ce cauchemar? Les habitants de

Maisons qui vont quotidiennement à Paris disent que les bombardements commencent à démoraliser beaucoup.

Cher Antoine, même si vous avez à m'apprendre une rechute grave, dites-moi la vérité, ne nous laissez pas plus longtemps dans cette incertitude.

Votre amie,

JENNY.

Grasse, 11-6-18.

Etat de santé médiocre mais actuellement sans aggravation particulière. — Vous écrirai dans quelques jours. — Affectueusement.

THIBAULT.

Le Mousquier, 18 *juin* 1918.

Je me décide enfin à vous écrire, ma chère Jenny. Vous aviez raison de redouter pour moi ce long voyage. Dès mon retour, une assez grave alerte m'a mis au lit avec d'inquiétantes oscillations de température. Un nouveau traitement, des soins énergiques, semblent avoir encore une fois enrayé la progression du mal. Depuis une semaine je me lève de nouveau et reprends peu à peu mon ancien train de vie.

Mais cette rechute n'est pas la cause de mon silence. Vous me demandez la vérité. La voici. Il m'est arrivé cette chose terrible : j'ai appris, j'ai compris, que j'étais *condamné*. Sans retour. Cela traînera sans doute quelques mois. Quoi qu'on fasse, *je ne peux pas guérir*.

Il faut être passé par là pour comprendre. Devant une pareille révélation, tous les points d'appui s'effondrent.

Excusez-moi de vous dire cela sans ménagements. Pour celui qui sait qu'il va mourir, tout devient si indifférent, si étranger. Je vous récrirai. Aujourd'hui, pas capable de faire davantage.

Affectueusement,

ANTOINE.

Je vous demande de garder pour vous seule cette nouvelle.

Le Mousquier, 22 *juin* 18.

Non, ma chère Jenny, ce n'est pas, comme vous le croyez (ou feignez de le croire), contre des craintes imaginaires que je me débats. J'aurais dû avoir le courage de vous donner plus de détails. Je vais essayer de vous écrire moins brièvement aujourd'hui.

Je suis devant une réalité. Devant une *certitude*. Elle a fondu sur moi le jour où je vous ai quittée, le dernier jour que j'ai passé à Paris : au cours d'un entretien avec mon vieux maître le docteur Philip. Pour la première fois, à la faveur d'un brusque dédoublement dû, sans doute, à sa présence, j'ai pu porter sur mon cas un jugement objectif, lucide, un diagnostic de médecin. La vérité m'est apparue dans un éclair.

Pendant mon voyage, je n'ai eu que trop le temps d'y réfléchir. J'avais avec moi les notes quotidiennes que je prends depuis le début, et qui permettent de suivre, jour à jour, crise par crise, le rythme régulier et continu de l'aggravation. J'avais aussi le dossier que j'ai constitué cet hiver, et qui contient à peu près toutes les observations cliniques et rapports médicaux, français et anglais, parus dans les revues spéciales depuis l'emploi des gaz. Tout cela, qui m'était déjà connu, se présentait à moi sous une lumière nouvelle. Et tout me confirmait dans ma certitude. De retour ici, j'ai discuté mon cas avec les spécialistes qui me soignent. Non plus, comme avant, en malade qui se croit sur la voie de la guérison et qui accepte d'emblée tout ce qui peut confirmer sa confiance, mais en confrère averti, bien armé, qu'on ne trompe plus avec des pieux mensonges. Je les ai vite acculés à des attitudes évasives, à des silences significatifs, à des demi-aveux.

Ma conviction, maintenant, repose sur des bases indiscutables. Etant donné depuis dix mois le processus de l'intoxication, ses ravages ininterrompus, je n'ai plus aucune chance, — rigoureusement : *aucune* — de jamais guérir. Pas même de rester dans un état stationnaire, chronique, qui ferait de moi un infirme à vie. Non : je suis une bille sur une pente, — condamnée à rouler jusqu'en bas, à rouler de plus en plus vite. Comment ai-je pu me leurrer si longtemps? Un médecin, quelle dérision! J'ignore le délai, cela dépend des crises futures, inévitables, et de leur importance, et de la durée des périodes de rémission. Je peux, selon les hasards des rechutes, l'efficacité provisoire des traitements, mettre deux mois, ou — limite extrême — une année, à mourir. Mais l'échéance est fatale, et elle est proche. Il y a bien, dans certains cas, ce que vous appelez des « miracles ». Dans le mien, non. L'état actuel de la science ne permet pas le moindre espoir. Persuadez-vous que je n'écris pas ceci comme un malade qui plaide le pire pour quêter des contradictions rassurantes, mais comme un clinicien bien documenté, en présence d'un mal *mortel*, définitivement classé. Et si j'insiste ainsi, posément, c'est

23 *juin*. — Je reprends cette lettre commencée hier et interrompue. Pas encore assez maître de moi pour m'astreindre à une longue attention. Je ne sais plus ce que je voulais vous dire encore. J'ai écrit : *posément*. Ce calme relatif devant la fatalité — calme bien instable, hélas — je ne l'ai pas atteint sans traverser une effroyable révolution intérieure.

Pendant des jours, d'interminables nuits d'insomnie, j'ai vécu au fond d'un gouffre. Les tortures de l'enfer. Je ne peux pas encore y penser sans être ressaisi par un froid affreux, un tremblement de tout l'être. Personne ne peut imaginer. Comment la raison résiste-t-elle? Et par quel mystérieux cheminement finit-on par dépasser ce paroxysme de détresse et de révolte, pour parvenir à cette espèce d'acceptation? Je ne me charge pas d'expliquer. Il faut que l'évidence du fait ait sur les cerveaux rationalistes un pouvoir sans limites. Il faut aussi que la nature humaine ait une faculté d'adaptation démesurément extensible, pour que l'on soit capable de s'habituer même à cela : à l'idée qu'on va être dépossédé de sa vie avant d'avoir eu le temps de vivre, qu'on va disparaître avant d'avoir rien réalisé des immenses possibilités qu'on croyait porter en soi. D'ailleurs, je ne sais plus retrouver les étapes de cette évolution. Cela a duré longtemps. Ces crises de désespoir aigu devaient alterner avec des moments de prostration, sans quoi je n'aurais pas pu les supporter. Cela a duré plusieurs semaines, pendant lesquelles la douleur physique et les pénibles soins du traitement étaient les seules diversions à l'autre, à la vraie souffrance. Peu à peu, l'étau s'est desserré. Aucun stoïcisme, aucun héroïsme, rien qui ressemble à de la résignation. Usure de la sensibilité plutôt, créant un état de moindre réaction, un commencement d'indifférence, ou plus exactement d'anesthésie. Ma raison n'y a eu aucune part. Ma volonté non plus. Ma volonté, je l'exerce seulement depuis quelques jours, à essayer de faire durer cette apathie. Je m'applique à une progressive réintégration dans la vie. Je renoue contact avec le monde qui m'entoure. Je me suis levé pour fuir mon lit, ma chambre. Je me contrains à prendre mes repas avec les autres. Aujourd'hui, j'ai regardé quelque temps des camarades jouer au bridge. Et ce soir je vous écris, sans trop de peine. Même avec un étrange et nouveau plaisir. Je suis venu finir cette lettre dehors, à l'ombre d'une rangée de cyprès derrière laquelle les infirmiers font leur partie de boules du dimanche. J'ai cru d'abord que cette proximité, ces contestations, ces rires, me seraient intolérables. Mais j'ai voulu rester, et je l'ai pu. Vous le voyez, un nouvel équilibre, peut-être, tend à s'établir.

Tout de même, assez las de ces efforts. Je vous récrirai. Dans la mesure où mon esprit peut encore s'intéresser à autrui, c'est à vous que je pense, et à votre enfant.

ANTOINE.

Le Mousquier, 28 *juin.*

J'ai plusieurs fois depuis ce matin relu votre lettre, ma chère Jenny. Elle n'est pas seulement simple et belle. Elle est telle que je la souhaitais. Telle que je vous souhaitais, telle que je vous avais devinée. J'ai attendu la nuit, le silence de la maison, pour vous écrire : l'heure où les traitements sont terminés, où l'infirmier de garde a fait sa tournée, où l'on n'a plus devant soi que l'insomnie, — et les spectres... A cause de vous, je me sens — j'allais écrire : plus de courage. Ce n'est pas de courage qu'il s'agit, ni de courage que j'ai besoin, mais d'une présence peut-être, et de me sentir un peu moins tout seul dans ce tête-à-tête qui peut durer des mois. Ces mois, croiriez-vous que j'y songe sans désirer qu'ils soient écourtés! Un répit, auquel je ne voudrais pas renoncer! Je m'en étonne. Vous pensez bien, j'aurais des moyens d'en finir. Mais, ces moyens, je les réserve pour plus tard. Maintenant, non. J'accepte le répit, je m'y accroche. Etrange, n'est-ce pas? Quand on a été passionnément épris de la vie, on ne s'en détache pas facilement, il faut croire; et moins encore si l'on sent qu'elle échappe. Un arbre foudroyé, sa sève monte plusieurs printemps de suite, ses racines n'en finissent pas de mourir.

Pourtant, Jenny, il manquait une chose à cette bonne lettre : des nouvelles du petit. Une seule fois, vous m'avez parlé de lui, dans une précédente lettre. Lorsque je l'ai reçue, j'étais encore dans un tel état d'isolement, de refus à tout, que je l'ai gardée une journée, peut-être davantage, sans l'ouvrir. J'ai fini par la lire, je suis tombé sur ces quelques lignes où il était question de Jean-Paul, et, pour la première fois, j'ai pu, pendant un instant, éloigner l'idée fixe, sortir de l'envoûtement, projeter de l'intérêt sur autre chose, redevenir sensible au monde extérieur. Depuis, j'y repense, à ce petit. A Maisons, je l'ai vu, touché, je l'ai entendu rire, j'ai encore le frémissement de ses muscles sous mes doigts; si je pense à lui, je le revois. Et autour de lui certaines idées cristallisent, des idées d'avenir. Même chez un condamné, un mort en sursis, il y a un tel appétit de projets, d'espérances ! Cet enfant, je pense qu'il existe, qu'il commence, qu'il a une vie toute neuve à vivre; cela m'ouvre des échappées qui me sont interdites. Rêveries de malade, peut-être. Tant pis, je redoute moins qu'autrefois de me laisser attendrir. (Cela, faiblesse de malade, à coup sûr!) Je dors si peu. Et je ne veux pas encore recourir aux drogues, je n'en aurai que trop l'emploi, avant peu.

Je continue avec méthode mes efforts de réadaptation. Exercice de volonté qui, à lui seul, est déjà salutaire. J'ai recommencé à lire les journaux. La guerre, le discours de von Kuhlmann au Reichstag. Il déclare très justement que la paix ne se fera jamais entre gens qui considèrent d'avance toute proposition de l'adversaire comme une manœuvre, une offensive de démoralisation. La presse alliée égare une fois de plus l'opinion. Pas « agressif » du tout, ce discours : conciliant même, et significatif.

(J'ai mis quelque coquetterie à écrire cela. L'obsession de la guerre n'est pas éteinte en moi, et je crois qu'elle m'habitera jusqu'au bout. Mais, tout de même, je me force un peu, en ce moment.)

Je m'arrête. Ce bavardage m'a fait du bien, je le reprendrai bientôt. Nous ne nous serons guère connus, Jenny, mais votre lettre m'a apporté une grande douceur, et j'ai le sentiment de n'avoir pas au monde d'autre *ami* que vous.

ANTOINE.

Le Mousquier, 30 *juin*.

Je vais vous étonner, ma chère Jenny. Savez-vous à quoi j'ai employé mon après-midi d'hier? A faire des comptes, à feuilleter des paperasses, à écrire des lettres d'affaires. Depuis plusieurs jours déjà, j'y pensais. Une sorte d'impatience à régler certaines questions matérielles. Pouvoir me dire que je laisse les choses en ordre derrière moi. D'ici peu je serai incapable d'un effort de ce genre. Donc, profiter de l'intérêt momentané que ces préoccupations éveillent encore.

Je m'excuse du ton de cette lettre. Il faut bien que je mette la tutrice de Jean-Paul au courant de mes affaires, puisque c'est à cet enfant que doit naturellement revenir ce que j'ai.

Ce n'est plus grand-chose. Des titres que m'avait laissés mon père, il ne subsistera sans doute rien. J'y avais fait une large brèche lorsque j'ai transformé la maison de Paris. Et j'avais imprudemment converti le reste en fonds russes, que je crois perdus à jamais. L'immeuble de la rue de l'Université et la villa de Maisons-Laffitte ont, par chance, échappé au désastre.

Pour l'immeuble, il peut être loué, ou vendu. Ce qu'on en tirera doit vous permettre de vivoter et d'assurer à notre petit une éducation convenable. Il ne connaîtra pas le luxe, et tant mieux. Mais il ne pâtira pas non plus des restrictions stérilisantes de la pauvreté.

Quant à la villa de Maisons, je vous conseille, après la guerre, de la vendre. Elle peut tenter quelque nouveau riche. C'est tout ce qu'elle mérite. D'après ce que m'a dit Daniel, la propriété de votre mère est grevée d'hypothèques. Il m'a semblé que Mme de Fontanin et vous-même y étiez très attachées. Ne serait-il pas souhaitable que la somme obtenue par la vente de la villa Thibault serve à vous libérer définitivement de ces hypothèques? La propriété de vos parents se trouverait ainsi appartenir en fait à Jean-Paul. Je vais consulter le notaire sur les moyens de réaliser ce projet.

Dès que j'aurai une estimation approximative de ce que je laisse, je fixerai le chiffre de la petite rente que je désire assurer à Gise. C'est vous, ma pauvre amie, qui aurez le souci de gérer tout cela jusqu'à la majorité de votre fils. Vous trouverez en la personne de mon notaire, maître Beynaud, un bonhomme assez timoré, un peu trop formaliste, mais sûr et, somme toute, de bon conseil.

Voilà ce que je voulais vous écrire. Soulagé de l'avoir fait. Je ne vous parlerai plus de cela avant de pouvoir vous donner les dernières précisions. Mais il y a un autre projet qui me hante depuis quelques jours, un projet auquel vous êtes personnellement mêlée. Sujet délicat entre tous, et qu'il me faudra aborder pourtant. Je n'en ai pas le courage aujourd'hui.

Je viens de passer deux heures à l'ombre des oliviers, avec les journaux. Que se trame-t-il derrière l'immobilité des armées allemandes? Notre résistance entre Montdidier et l'Oise semble avoir enrayé leur avance. Il y a aussi l'échec des Autrichiens, qui a dû causer là-bas une cuisante déconvenue. Si l'effort des Centraux, au cours des mois d'été, avant l'entrée en ligne des Américains, n'aboutit pas à des succès décisifs, la situation pourrait changer. Serai-je encore là pour le voir? La terrible lenteur, aux yeux de l'individu, des événements par lesquels se fait l'histoire, c'est une chose qui m'a fait frémir bien des fois depuis quatre ans. Et pour celui qui n'a plus longtemps à vivre!...

Je dois dire cependant que je crois entrer momentanément dans une période meilleure. Est-ce l'effet de ce nouveau sérum? Les crises d'étouffement sont moins douloureuses. Les poussées fébriles moins fréquentes. Voilà pour le physique. Quant au « moral », — terme consacré, celui dont use le haut commandement pour mesurer la passivité des soldats qui vont mourir, — il est meilleur, lui aussi. Peut-être le sentez-vous, à travers cette lettre? Sa longueur vous prouve en tout cas le plaisir que je prends à venir bavarder avec vous. Mon *seul* plaisir. Mais je dois l'interrompre. L'heure du traitement.

Votre ami,

A.

Ce traitement, je m'y soumets avec la même conscience qu'autrefois. Etrange, n'est-ce pas? L'attitude du médecin envers moi s'est curieusement modifiée. Ainsi, en ce moment, bien qu'il constate une amélioration, il n'ose plus m'en faire la remarque, il m'épargne les : « Vous voyez bien, etc. » Mais il vient me voir plus souvent, m'apporte des journaux, des disques, me témoigne de mille manières son amitié. Ceci, pour répondre à votre question. Nulle part je ne puis être mieux qu'ici pour attendre la fin.

Hôpital 23, à Royan (Charente-Inférieure.)

29 *juin* 1918.

Monsieur le docteur,

Ayant quitté la Guinée depuis l'automne de 1916, je suis en possession de votre honorée du mois dernier qui vient seulement de me rejoindre ici où je suis infirmière au service de chirurgie. Je me rappelle en effet de l'envoi dont vous me parlez sur votre lettre, mais mes souvenirs ne sont pas assez précis pour vous donner des renseignements comme vous me demandez. Je n'ai guère connu la personne qui m'avait chargée de cette commission pour vous et qui nous était arrivée très malade à l'hôpital d'un accès de fièvre jaune qui l'a emportée peu de jours après, malgré les soins du docteur Lancelost. C'était je crois au printemps 1916. Je me rappelle bien qu'on l'avait débarquée d'urgence d'un paquebot de passage à Conakry. C'est pendant une garde de nuit qu'elle m'a remis cet objet et votre adresse dans un de ses rares moments de lucidité, car elle délirait constamment. Tout de même, je peux affirmer qu'elle ne m'a chargée d'aucune chose à vous écrire. Elle devait voyager seule quand le paquebot a fait escale, car personne ne venait la voir pendant les deux ou trois jours qu'a duré son agonie. Je pense qu'elle a dû être inhumée dans la fosse du cimetière européen. L'administrateur-chef de l'hôpital, M. Fabri, s'il y est encore, pourrait rechercher sur les livres et vous donner sans doute le nom de cette dame et la date de son décès. Je regrette de n'avoir pas d'autres souvenirs à vous faire part.

Monsieur le docteur, veuillez agréer mes salutations respectueuses.

LUCIE BONNET.

Je rouvre ma lettre pour vous envoyer encore ce détail que je crois bien que c'est cette dame-là qui avait avec elle un gros bouledogue noir qu'elle appelait Hirt ou Hirch, et qu'elle réclamait tout le temps dès qu'elle reprenait conscience, mais qu'on ne pouvait garder à l'étage à cause des règlements et parce que ce chien était méchant. Une de mes camarades infirmières avait voulu l'adopter, mais elle a eu tous les ennuis, on n'a jamais pu en venir à bout et finalement il a fallu lui donner une boulette.

XVI

JOURNAL D'ANTOINE

JUILLET

Le Mousquier.
2 *juillet* 1918.

Rêvé de Jacques, à l'instant même, dans ce court assoupissement à la fin de la nuit. Impossible déjà de renouer les fils de l'histoire. Ça se passait rue de l'Université, autrefois, dans le petit rez-de-chaussée. M'a remis en mémoire cette époque où nous avons vécu ensemble, si proches. Entre autres souvenirs : le jour où J. est sorti du pénitencier, où je l'ai installé chez moi. Pourtant, c'était moi qui l'avais voulu, pour le soustraire à la surveillance de père. Mais je n'ai pas pu me défendre d'un vilain sentiment hostile, d'un regret égoïste. Me rappelle très bien que je me suis dit : « Soit, je veux bien l'avoir là, mais que ça ne dérange pas mes habitudes, mon travail, que ça ne m'empêche pas d'arriver. » *Arriver!* Tout au long de mon existence, ce refrain : *arriver!* Le mot d'ordre, l'unique but, quinze ans d'efforts... et maintenant, ce mot, *arriver*, ce matin, dans ce lit, quelle dérision!...

Ce cahier. J'ai chargé hier l'économe de m'acheter ce cahier à la papeterie de Grasse. Enfantillage de malade, peut-être. Je verrai bien. Ai constaté, par mes lettres à Jenny, l'espèce de soulagement que j'éprouve à écrire ce que je pense. N'ai jamais tenu de journal, pas même à seize ans, comme faisaient Fred, et Gerbron, et tant d'autres. Un peu tard! Pas un journal, mais noter, si l'envie m'en prend, les idées qui me travaillent. Hygiénique, à coup sûr. Dans le cerveau d'un malade, d'un insomnieux, tout tourne à l'obsession. Ecrire, ça délivre.

Et puis, diversion, tuer le temps. (Tuer le temps, moi, qui, naguère, trouvais le temps si court! Même au front, et même pendant cet hiver à la clinique, j'ai vécu sous pression, comme j'ai fait toute ma vie, sans une heure inoccupée, sans avoir notion du temps qui coule, sans avoir la conscience du présent. C'est depuis que mes jours sont comptés que les heures sont interminables.)

Nuit passable. Ce matin, 37,7.

Soir.

Recrudescence des étouffements. Tempér. 38,8. Douleurs intercostales. Me demande s'il n'y a pas menace du côté plèvre.

Exorciser les spectres, en les fixant sur le papier.

Hanté toute la journée par cette question de succession. Organiser ma mort. (Ce souci tenace d'*organisation!* Mais il ne s'agit pas de moi, cette fois : il s'agit d'eux, du petit.) Fait et refait dix fois les calculs, vente de la villa de Maisons, location de la rue de l'Université, vente du matériel des labos. A moins de prendre pour locataire une entreprise de produits chimiques? Studler pourrait s'en occuper. Ou, à défaut, diriger le démontage des appareils, et chercher acquéreur.

Penser aussi à Studler, qui va se trouver sans situation, sans ressources, après la guerre.

Laisser une note pour lui et pour Jousselin, relative aux documents, aux tests. (Biblioth. de la Faculté?)

3 *juillet.*

Lucas m'a remis les résultats de l'analyse sanguine. Nettement mauvais. Bardot, de sa voix traînante, a dû avouer : « Pâs fâmeux. » Mon beau sang d'autrefois! Ma convalescence à Saint-Dizier, après ma première blessure, quelle confiance dans ma carcasse! quelle fierté de la qualité de mon sang devant la rapidité des cicatrisations! Jacques aussi. Le sang des Thibault.

Ai posé à Bardot la question complications pleurales : « Manquerait plus que je vous fasse une purulente... »

Il a haussé ses épaules de bon géant, m'a examiné avec soin. Rien à craindre, dit-il.

Sang des Thibault. Celui de Jean-Paul! Mon beau sang d'autrefois, notre sang, c'est dans les veines de ce petit qu'il galope maintenant!

Au cours de la guerre, je n'ai pas un seul jour accepté de mourir. Pas une seule fois, fût-ce durant dix secondes, je n'ai fait le sacrifice de ma peau. Et de même, maintenant : je me refuse au sacrifice. Je ne peux plus me faire d'illusions, je suis bien obligé de constater, d'attendre l'irrémédiable; mais je ne peux pas *consentir* ni être *complice* par la résignation.

Après-midi.

Je sais bien où seraient la raison, la sagesse, où serait la *dignité :* pouvoir de nouveau considérer le monde et son incessant devenir, en lui-même. Non plus à travers moi et cette mort prochaine. Me dire que je suis une parcelle insignifiante de l'univers. Parcelle gâchée. Tant pis. Qu'est-ce, en comparaison du reste, qui continuera après moi?

Insignifiante, oui, mais j'y attachais tant de prix!

Essayer, pourtant.

Ne pas se laisser aveugler par l'individuel.

4 *juillet.*

Bonne lettre de Jenny, ce matin. Détails charmants sur son fils. N'ai pu me retenir d'en lire des passages à Goiran, qui raffole de ses deux gosses. Il faut que Jenny le fasse photographier.

Il faut aussi que je me décide à lui écrire *la lettre.* Difficile. J'attends d'avoir eu une nuit de vrai repos.

Quel miracle — pas d'autre mot — que l'apparition de cet enfant à l'instant précis où les deux lignées dont il sort, Fontanin et Thibault, allaient s'éteindre sans avoir rien donné qui vaille! Qu'est-ce qu'il porte en lui de son hérédité maternelle? Les meilleurs éléments, j'espère. Mais ce que je sais déjà, sans doute possible, c'est qu'il est bien de notre sang à nous. Décidé, volontaire, intelligent. Fils de Jacques. Un Thibault.

Rêvé là-dessus toute la journée. Cet élan imprévu de la sève, qui fait à point nommé surgir de notre souche ce rameau neuf... Est-ce fou d'imaginer que ça répond à quelque chose, à quelque dessein de la création? Orgueil familial, peut-être. Et pourquoi cet enfant ne serait-il pas le prédestiné? l'aboutissement de l'obscur effort de la race pour fabriquer un type parfait de l'espèce Thibault? le génie que la nature se doit de réussir un jour, et dont nous n'étions, mon père, mon frère et moi, que les ébauches? Cette violence concentrée, cette puissance, qui étaient déjà en nous avant d'être en lui, pourquoi ne s'épanouiraient-elles pas, cette fois, en force vraiment créatrice?

Minuit.

Insomnie. Spectres à « exorciser ».

Un mois et demi, maintenant, sept semaines, que je me sais perdu. Ces mots : *savoir qu'on est perdu*, ces mots que j'écris, qui sont pareils à d'autres, et que tout le monde croit comprendre, et dont personne, sauf un condamné à mort, ne peut pénétrer intégralement le sens... Révolution foudroyante, qui brusquement fait le vide total dans un être.

Pourtant, un médecin qui vit en contact avec la mort, devrait... Avec la mort? Celle des autres! Ai déjà essayé bien des fois de rechercher les causes de cette impossibilité physique d'acceptation. (Qui tient peut-être à un caractère particulier de ma vitalité. Idée qui m'est venue ce soir.)

Cette vitalité d'autrefois, — cette activité que je mettais à entreprendre, ce perpétuel rebondissement, — je l'attribue en grande partie au besoin que j'avais de me prolonger par la création : de « survivre ». Terreur instinctive de disparaître. (Assez générale, bien sûr. Mais à des degrés très variables.) Chez moi, trait héréditaire. Beaucoup réfléchi à mon père. Désir, qui le hantait, de donner son nom : à ses œuvres, à des prix de vertu, à la grande place de Crouy. Désir, qu'il a réalisé, de voir son nom *(Fondation Oscar-Thibault)* gravé au fronton du pénitencier. Désir d'imposer son prénom (le seul élément qui, dans son état civil, lui était personnel), à toute sa descendance, etc. Manie de coller son monogramme partout, sur la grille de son jardin, sur sa vaisselle, sur ses reliures, jusque sur le cuir de son fauteuil!... Beaucoup plus qu'un instinct de propriétaire (ou, comme je l'ai cru, un signe de vanité). Besoin superbe de lutter contre l'effacement, de laisser son empreinte. (La survie, l'au-delà, en fait, ne lui suffisaient pas.) Besoin que j'ai hérité de lui. Moi aussi, secret espoir d'attacher mon nom à une œuvre qui me prolonge, à une découverte, etc. *On n'échappe pas à son père!*

Sept semaines, cinquante jours et cinquante nuits face à face avec la *certitude!* Sans un seul moment d'hésitation, de doute, d'illusion. Cependant, — et c'est ce que je voulais noter — il y a malgré tout des répits dans cette obsession. De brefs intervalles, non pas d'oubli, mais où l'idée fixe recule... Il m'arrive, et de plus en plus fréquemment, de vivre quelques instants — deux, trois minutes; maximum : quinze ou vingt — pendant lesquels la certitude de mourir bientôt n'occupe plus le devant de la scène, se met en veilleuse. Pendant lesquels il m'est tout à coup possible d'agir, de lire attentivement, d'écrire, d'écouter, de discuter, enfin de m'intéresser à des choses étrangères à mon état, comme si j'étais délivré de l'emprise; et pourtant sans que l'obsession cesse d'être là, sans que je cesse de la sentir présente, au second plan, en réserve. (Cette sensation qu'elle est là, je l'ai même en dormant.)

6 *juillet, matin.*

Mieux, depuis jeudi. Tout me paraît presque beau et bon, dès que je souffre moins. Dans les journaux de ce matin, l'article sur les succès italiens dans le delta du Piave m'a causé une sorte de plaisir dont j'avais oublié la saveur. Bon signe.

Rien écrit hier. Me suis aperçu, dehors, que j'avais laissé mon cahier dans ma chambre. Paresse de monter, mais ça m'a manqué tout l'après-midi. Je commence à prendre goût à ce passe-temps.

Guère le temps d'écrire aujourd'hui. Trop d'observations à consigner dans l'agenda noir. M'aperçois que je l'ai un peu négligé, l'agenda, depuis l'achat du carnet. Me suis contenté de notations trop abrégées. Pourtant, c'est l'agenda qui mérite effort, qui doit passer avant. Faire deux parts : le *carnet*, pour les « spectres »; et l'*agenda*, pour tout ce qui est santé, température, traitements, effets thérapeutiques, réactions secondaires, processus de l'intoxication, discussions avec Bardot ou avec Mazet, etc. Sans m'exagérer leur valeur, je crois que ces précisions quotidiennes, prises depuis le premier jour, par un gazé qui est en même temps un médecin, pourront constituer, en l'état actuel de la science, un ensemble d'observations cliniques d'une incontestable utilité. Surtout si je mène la chose *jusqu'au bout*. Bardot m'a promis qu'il le ferait paraître dans le *Bulletin*.

Hier, départ du gros Delahaye. Congé de convalescence Se croit définitivement guéri. L'est peut-être, qui sait? Il est monté me dire adieu. Gauche, faisant semblant d'être en retard, et pressé. Ne m'a pas dit : « On se reverra » ni rien d'approchant. Joseph, qui rangeait la chambre, a dû le remarquer, car il s'est empressé de dire, aussitôt la porte refermée : « Vous voyez bien qu'on s'en tire, Monsieur le major! »

J'ai été sur le point d'écrire, tout à l'heure : « Si je vis encore, c'est à cause de cet agenda. » Il faudra tirer au clair la question *suicide*. Reconnaître enfin que l'agenda n'a jamais été qu'un prétexte. Les comédies qu'on se joue à soi-même! Etrange. Je répugne à m'avouer que je n'ai jamais eu vraiment le désir, d'en finir. Non, même aux pires heures. Si j'avais dû faire le geste, c'est à Paris, le matin où j'ai acheté les ampoules, que... J'y ai bien pensé, avant de monter dans mon train... Et c'est ce matin-là que j'ai commencé à me jouer la comédie de l'agenda. Comme si j'avais un dernier devoir à accomplir avant de disparaître. Comme si j'avais une œuvre capitale à terminer. Comme si l'importance que j'attache à ces notes cliniques était capable de contrebalancer, d'écarter, la tentation. Manque de cran? Non, vraiment non. Si la tentation avait été réelle, ce n'est pas la peur qui m'aurait retenu. Non. Ce n'est pas le cran qui m'a manqué, c'est l'envie. Le vrai, c'est que la tentation n'a jamais fait que m'effleurer. Je la repoussais chaque fois, sans peine. (En simulant la force d'âme, et bien aise d'avoir ce prétexte : l'agenda à tenir...)

Et pourtant, à moins d'une mort brusque, — improbable, hélas — je sais que je n'attendrai pas la fin naturelle. Je le *sais*. Là, je suis sincère, et parfaitement lucide, je crois. L'heure viendra, j'en suis sûr. Je n'ai qu'à la laisser venir. La drogue est là. Un geste à faire. (Pensée qui, malgré tout, apaise.)

Soir.

Avant le déjeuner, sous la véranda, Goiran nous a apporté un journal suisse qui donne en entier le nouveau discours de Wilson. Il l'a lu à haute voix. Emu, et nous aussi. Chaque message de Wilson, large bouffée d'air respirable qui passe sur l'Europe! Fait penser à l'oxygène qu'on projette au fond de la mine après l'éboulement, pour que les malheureux ensevelis puissent lutter contre l'asphyxie, durer jusqu'à la délivrance.

7 juillet, 5 heures du matin.

L'idée fixe. Un mur, contre lequel je me jette. Je me relève, je me précipite, je me heurte encore, et je retombe, pour recommencer. Un mur. Par instants, — sans y croire une seconde, — j'essaye de me dire que peut-être ce n'est pas vrai, que peut-être je ne suis pas condamné. Pour avoir un prétexte à refaire tous les raisonnements logiques qui, toujours, fatalement, me rejettent contre le mur.

Après-midi, dehors.

Relu le message de Wilson. Beaucoup plus précis que les précédents. Définit sa conception de la paix, énumère les conditions indispensables pour que le règlement soit « définitif ». Projet d'une ampleur exaltante : 1° Suppression des régimes politiques susceptibles d'amener de nouvelles guerres. 2° Avant toute modification de frontières ou attribution de territoire, consultation des peuples intéressés. 3° Accord entre tous les Etats sur un code de *droit international*, aux lois duquel ils s'engageront tous à se soumettre. 4° Création d'un organisme international, faisant fonction de *tribunal d'arbitrage*, et où seraient représentées, sans distinction, *toutes* les nations du monde civilisé.

(Plaisir enfantin que je prends à écrire ça, à le fixer. Impression d'adhérer davantage : de collaborer.)

Sujet de toutes les conversations ici. Flamme d'espoir sur tous les visages. Et combien bouleversant de penser qu'il en est de même, en ce moment, dans toutes les villes d'Europe, d'Amérique! Le retentissement de ce discours dans chaque cantonnement de repos, dans chaque abri de tranchée! Tous, si las de s'entre-tuer depuis quatre ans! (De s'entre-tuer depuis des siècles, sur l'ordre des dirigeants...) On attendait cet appel à la raison. Sera-t-il entendu des responsables? Pourvu, cette fois, que la graine lève, et partout! Le but est si clair, si sage, si conforme au destin de l'homme, à ses instincts profonds! La réalisation peut soulever mille problèmes, demander de longs efforts; mais comment douter que ce soit dans cette voie-là, et non dans une autre, que doit s'engager coûte que coûte le monde de demain? Quatre années de guerre, sans autre résultat que massacres, entassements de ruines. Les plus aventureux rêveurs de conquêtes doivent bien être forcés de reconnaître que la guerre est devenue pour l'homme, pour les Etats, une catastrophe sans compensation possible. Alors? A partir du moment où l'absurdité de la guerre est dans tous les domaines vérifiée par l'expérience, où l'accord est fait là-dessus entre les constatations des politiciens, les calculs des économistes, la révolte instinctive des masses, —

quel obstacle reste-t-il à l'organisation de la paix perpétuelle?

Après le déjeuner, crise d'étouffement. Piqûre. Chaise longue, sous les oliviers. Trop fatigué pour cette lettre à Jenny, qu'il me tarde tant d'écrire, cependant.

Discussion, en ma présence, entre Goiran, Bardot et Mazet. L'idée maîtresse de Wilson : cet organisme d'arbitrage international. Rien à y perdre pour personne; et, pour chaque Etat, tout à gagner. Et même ceci, à quoi on ne pense pas assez : le fonctionnement de ce tribunal suprême ménagerait les amours-propres, les susceptibilités nationales, d'où sont sorties tant de guerres. Un peuple, un gouvernement, un souverain même, si chatouilleux soient-ils, se sentiraient moins touchés dans leur orgueil et leur prestige, s'ils avaient à s'incliner devant la sentence d'une Cour internationale décidant au nom de l'intérêt collectif des Etats, que s'ils avaient à capituler devant la menace d'un voisin ou la pression d'une coalition ennemie. Il faudrait (dit Goiran) que ce tribunal soit constitué dès la fin des hostilités, et *avant* le règlement des comptes. Pour que les clauses de paix soient discutées, non plus hargneusement entre adversaires, mais sereinement, au sein d'une Société universelle des nations, qui arbitrerait de haut, qui répartirait les responsabilités, qui rendrait un verdict impartial.

Sociétés des Nations. — Unique moyen, et moyen infaillible, de rendre désormais toute guerre impossible : puisque, dès qu'un Etat serait attaqué ou menacé par un autre, tous les Etats feraient automatiquement front contre l'agresseur, et paralyseraient son action, et lui imposeraient l'arbitrage du droit!

Et il faut voir plus loin encore. Cette Société des Nations devrait être l'instigatrice d'une politique et d'une économie *internationale;* aboutir à une coopération générale, organisée, qui soit enfin à l'échelle de la planète. Etape nouvelle, étape décisive, pour la civilisation.

Goiran a dit là-dessus beaucoup de choses très justes. Je me souviens d'avoir été trop sévère pour Goiran. Cet ancien normalien, qui avait toujours l'air de tout savoir, m'agaçait. Et le ton, aussi : comme s'il était à Henri-IV, dans sa chaire de professeur d'histoire... Mais c'est exact, il sait vraiment beaucoup de choses. Il suit de près les événements, il lit huit ou dix journaux tous les jours, il reçoit chaque semaine un colis de journaux et de revues suisses. Esprit pondéré, en somme. (J'ai toujours eu un faible pour les *pondérés.*) L'application qu'il met à juger les faits contemporains avec recul, en historien, me plaît. Voisenet était là, lui aussi. (« Goiran et Voisenet sont les seuls de la clinique à âvoir des côrdes vôcâles à peu près intâctes... Ils en prôfitent! » dit Bardot.)

Pas mauvaise journée. Autant qu'à la piqûre, je crois que c'est à Wilson que je le dois!

J'ajoute encore : la création d'une Société des Nations pourrait faire surgir des décombres de cette guerre quelque chose d'absolument neuf : l'apparition d'une conscience mondiale. Par quoi l'humanité ferait un bond définitif vers la justice et la liberté.

11 *heures du soir.*

Feuilleté les journaux. Verbiage, médiocrité repoussante. Wilson semble vraiment être le seul homme d'Etat d'aujourd'hui qui ait le don des larges vues. L'idéal démocratique, dans ce qu'il a de plus noble. Comparés à lui, nos démagogues français (ou anglais) font figure de petits *affairistes.* Tous, plus ou moins, restent les instruments de ces traditions impérialistes qu'ils affectent de condamner chez l'adversaire.

Ai parlé d'Amérique et de démocratie avec Voisenet et Goiran. Voisenet a vécu quelques années à New-York. Stabilité des Etats-Unis, sécurité. Goiran, en verve, en veine de prophétie, prédit pour le XXIe siècle l'envahissement de l'Europe par les Jaunes, et l'avenir de la race blanche réduit au seul continent américain...

2 *heures matin.*

Insomnie. Un bref assoupissement, pendant lequel j'ai rêvé de Studler. A Paris, dans le labo du fond. Le Calife, en blouse, un képi sur la tête, la barbe coupée plus court. Je venais de lui expliquer je ne sais quoi, avec véhémence. Wilson, peut-être, et la Ligue des Nations... Il m'a regardé, par-dessus l'épaule, de son grand œil mouillé : « Qu'est-ce que ça peut bien te foutre, puisque tu vas claquer? »

Je songe encore à Wilson. (N'en déplaise au Calife.) Wilson me paraît prédestiné au rôle qu'il assume. Pour que la fin de cette guerre soit aussi la fin des guerres, il faut que la paix soit l'œuvre d'un homme neuf, d'un homme du dehors, sans ressentiment; qui n'ait pas vécu quatre ans dans cette convulsion, comme les dirigeants d'Europe, acharnés à l'écrasement de l'adversaire. Wilson, homme d'outre-mer. Représentant d'un pays qui incarne l'union dans la paix et la liberté. Et il a derrière lui un quart des habitants du globe! Tout Américain sensé doit évidemment se dire : « Si nous avons pu établir entre nos Etats, et conserver, depuis un siècle, une paix solide et constructive, pourquoi les Etats-Unis d'Europe seraient-ils impossibles? » Wilson continue la lignée des Washington, etc. (Il en a conscience. Allusions dans son discours.) Ce Washington, qui haïssait la guerre, et qui l'a faite néanmoins, pour affranchir son pays de la guerre. Avec l'arrière-pensée (dit Goiran) qu'il affranchirait du même coup le monde; que, s'il réussissait à faire, de ces petits Etats hostiles, une vaste Confédération pacifique, l'exemple serait irrésistible pour le Vieux Continent. (Lequel aura mis plus de cent ans à comprendre!)

J'écris, et les aiguilles tournent autour du cadran... Wilson m'aide à tenir en respect les *spectres!*

Problèmes passionnants, même pour un « mort en sursis ». Pour la première fois depuis mon retour de Paris, je parviens à m'intéresser à l'avenir. L'avenir du monde, qui va se jouer à la fin de cette guerre. Tout serait compromis, et pour combien de temps, si la paix qui vient n'était pas refonte, reconstruction, unification de l'Europe exsangue. Oui : si la force armée continuait à être le principal instrument de la politique entre les Etats; si chaque nation, derrière ses frontières, continuait à être seule arbitre de sa conduite, et livrée à ses appétits d'extension; si la fédération des Etats d'Europe ne permettait pas une paix *économique*, comme la veut Wilson, avec la liberté des échanges commerciaux, la suppression des barrières douanières, etc.; si l'ère de l'anarchie internationale n'était pas définitivement bouclée; si les peuples n'obligeaient pas leurs gouvernements à se soumettre enfin, de concert, à un régime d'ordre général, basé sur le droit; — alors, tout serait à recommencer, et tout le sang versé aurait coulé en vain.

Mais tous les espoirs sont permis!

(J'écris ça, comme si je devais « en être »...)

8 *juillet*.

Trente-sept ans. Dernier anniversaire!...

En attendant la cloche de midi. La blanchisseuse et sa fille viennent de passer sous la véranda, leurs ballots de linge à l'épaule. L'émotion que j'ai ressentie, l'autre jour, en regardant cette jeune femme, en remarquant un peu de lourdeur dans sa démarche, une certaine cambrure des reins, une certaine raideur dans les hanches. Enceinte. A peine visible. Trois mois et demi, quatre au plus. Emotion poignante, effroi, pitié, envie, désespoir! Pour qui n'a plus d'avenir, le mystère de cet avenir, étalé là, presque tangible! Cet embryon, si loin encore de la vie, et qui aura toute sa vie inconnue à vivre! Cette naissance, que ma mort n'empêchera pas...

Dehors.

Wilson occupe encore tous les esprits. Les bridges chôment. Même le club de l'adjudant : deux heures qu'ils palabrent, sans toucher leurs cartes.

Les journaux aussi, pleins de commentaires. Bardot constatait ce matin combien significatif que la censure laisse les imaginations s'exciter devant ces mirages de paix. Bon article dans le *J. de L.* Rappelle le message de Wilson en janvier 17 : « Paix sans victoire », et « limitation progressive des armements nationaux, *jusqu'au désarmement général* ». (Janvier 17. Souvenir de ce patelin en ruines, derrière la cote 304. La cave voûtée de la popote. Les discussions sur le désarmement avec Payen, et le pauvre Seiffert.)

Interrompu par Mazet, pour l'analyse. Diminution des chlorures et surtout des phosphates.

Temps orageux, épuisant. Me suis traîné jusqu'à la noria, pour entendre le bruit de l'eau. J'ai de plus en plus de mal à lire avec suite, à fixer mon attention sur la pensée d'autrui. Sur la mienne, ça va encore. Ce carnet m'est un délassement. Qui ne durera pas toujours. J'en profite.

Discours Wilson janvier 17. *Désarmement.* But essentiel. Conversations au déjeuner. Tous d'accord, sauf Reymond. Des choses qu'on dit couramment aujourd'hui, et qu'on n'aurait pas osé dire, qu'on n'aurait pas osé penser, il y a seulement deux ans : l'armée, chancre qui se nourrit de la substance d'une nation. (Image frappante, *ad usum populi :* chaque ouvrier, employé à la fabrication des obus, cesse de collaborer à la production utile, devient donc un parasite à la charge de la collectivité.) Une nation, dont le tiers du budget s'engouffre dans les dépenses militaires, ne peut pas vivre : la ruine ou la guerre. Le cataclysme actuel est le résultat fatal de quarante années d'armement systématique. Aucune paix ne serait durable sans désarmement général. Vérité cent fois proclamée. En vain, et l'on sait pourquoi : en temps de paix armée, il est illusoire d'espérer que des gouvernements, convaincus de la primauté de la force sur le droit, et déjà dressés les uns contre les autres, et lancés à fond dans la course aux armements, puissent jamais s'entendre pour renverser la vapeur et renoncer tous ensemble à leur folle tactique. *Mais* tout peut changer demain, à l'heure de la paix. Parce que tous les pays d'Europe seront revenus à zéro. Table rase. Epuisés par la guerre, ayant vidé leurs arsenaux, ils auront à recommencer *tout* sur des bases neuves. Une heure exceptionnelle approche, une heure sans précédent : celle où le désarmement général devient une chose possible. Wilson l'a compris. L'idée du désarmement, reprise et lancée par lui, ne peut pas ne pas être accueillie avec enthousiasme par toutes les opinions publiques. Ces quatre années ont préparé les voies, ont consolidé partout l'instinct de résistance à la guerre, ont aiguisé le désir de voir s'établir une morale internationale, qui se substitue enfin au duel des armées pour régler les conflits entre peuples.

Il faudrait maintenant que l'immense majorité des hommes qui veulent la paix impose enfin à l'infime minorité de ceux qui ont intérêt à fomenter des guerres, une organisation forte, capable de la défendre à l'avenir, — une *Ligue des Nations*, disposant au besoin d'une police internationale, et d'une autorité arbitrale capable d'interdire à jamais l'emploi de la force. Que les gouvernements soumettent la question à un plébiscite général; le résultat n'est pas douteux!

Ce matin, à table, il n'y a eu naturellement que le commandant Reymond pour s'indigner et traiter Wilson de « puritain illuminé », totalement ignorant des « réalités européennes ». Exactement le son de cloche de Rumelles, chez *Maxim's*. Goiran lui a bien tenu tête : « Si la paix à venir n'était pas une réconciliation, dans un commun souci de justice, pour la création d'une Europe solidaire, cette paix, que des millions de pauvres bougres ont payée si cher, ne serait rien d'autre qu'un traité de plus, un simulacre de paix, condamné à être balayé à la première occasion par le désir de revanche des vaincus! » — « On sait ce que valent et ce que durent les Saintes Alliances », disait Reymond. Et comme j'étais intervenu, je me suis attiré cette boutade (peut-être pas si sotte, à la réflexion; et moins paradoxale qu'elle n'en a l'air) : « Naturellement, Thibault, vous êtes bien trop réaliste pour ne pas être sensible aux séductions des utopies! » (Cela demanderait examen.)

Premières gouttes. Si l'orage pouvait nous donner une nuit fraîche!

9 *juillet, à l'aube.*

Mauvaise nuit. Etouffements. Pas dormi deux heures, et en combien de fois?

Pensé à Rachel. Par ces nuits chaudes, le parfum du collier est insoutenable. Elle aussi, fin stupide, dans un lit d'hôpital. Seule. Mais on est toujours seul pour sa fin.

Pensé brusquement à ceci : que, ce matin comme chaque matin, à cette heure-ci, quelque part dans les tranchées, des milliers de malheureux attendent le signal de l'assaut. Me suis appliqué cyniquement à y chercher du réconfort. En vain. Je les envie plus d'être bien portants et de courir leur chance, que je n'arrive à les plaindre d'avoir à enjamber le parapet...

Dans ce Kipling que j'essaie de lire, je trouve ce mot : *juvénile*. Je pense à Jacques... *Juvénile :* épithète qui lui convenait si bien! N'a jamais été qu'un adolescent. (Voir dans les dictionnaires les caractères typiques de l'adolescent. Il les avait tous : fougue, excessivité, pudeur, audace et timidité, et le goût des abstractions, et l'horreur des demi-mesures, et ce charme que donne l'inaptitude au scepticisme...)

Aurait-il été, dans son âge mûr, autre chose qu'un vieil adolescent?

Je relis mes notes de cette nuit. La phrase de Reymond : utopies... Non. Me suis toujours défié — exagérément même — des entraînements illusoires. Ai toujours retenu cette maxime de je ne sais qui : que « le pire dérèglement de l'esprit, c'est de croire les choses parce qu'on veut qu'elles soient ». Vraiment, non. Quand Wilson déclare : « Ce que nous demandons, c'est que le monde soit rendu pur et qu'il soit possible d'y vivre », là, mon scepticisme résiste : pas assez d'illusions sur la perfectibilité de l'homme pour espérer que le monde, aménagé par lui, soit jamais rendu « pur ». Mais quand Wilson ajoute : « et qu'il soit rendu *sûr* pour toutes les nations qui aiment la paix », j'emboîte le pas. Rien de chimérique. La société a bien obtenu des individus qu'ils renoncent à se faire justice eux-mêmes, et qu'ils soumettent leurs querelles à des tribunaux! Pourquoi n'empêcherait-on pas les gouvernements de jeter les peuples les uns contre les autres, quand ils ont des sujets de désaccord? La guerre, loi de nature? La peste aussi. Toute l'histoire de l'humanité est lutte victorieuse contre des forces nuisibles. Les principales nations de l'Europe ont bien su, peu à peu, forger leurs unités nationales. Pourquoi le mouvement n'irait-il pas s'amplifiant, jusqu'à la réalisation d'une unité continentale? Nouvelle étape, nouvel essor de l'instinct social. « Et le sentiment patriotique? » dirait le commandant. Ce n'est pas le sentiment patriotique, instinct naturel, qui pousse à la guerre : c'est le sentiment nationaliste, sentiment acquis, et artificiel. L'attachement au sol, au dialecte, aux traditions, n'implique aucune hostilité violente envers le voisin : Picardie et Provence, Bretagne et Savoie. Dans une Europe confédérée, les instincts patriotiques ne seraient rien de plus que des caractères régionaux.

« Chimérique »! C'est par là, évidemment, qu'ils vont tous essayer de torpiller les idées de Wilson. Agaçant de voir dans la presse que, même les plus favorables aux projets américains, l'appellent « grand visionnaire », « prophète des temps futurs », etc. Pas du tout! Ce qui me frappe, au contraire : son *bon sens*. Ses idées sont simples, à la fois neuves et très anciennes : aboutissement de toutes les tentatives et expériences de l'histoire. L'Europe va se trouver demain à un grand croisement de routes : ou bien la réorganisation fédérative; ou bien le retour au régime des guerres successives, jusqu'à épuisement de tous. Si, par impossible, l'Europe se refusait à faire la paix raisonnable proposée par Wilson, — et qui est la seule vraie, la seule durable : la paix du désarmement définitif, — elle s'apercevrait bientôt (et à quel prix peut-être?) qu'elle s'est de nouveau fourvoyée dans l'impasse, et vouée à de nouveaux massacres. Peu probable, heureusement.

Soir.

Journée pénible. Repris par le désespoir. L'impression d'être tombé dans une trappe ouverte... Je méritais mieux. Je méritais (orgueil?) ce « bel avenir » que me promettaient mes maîtres, mes camarades. Et tout à coup, au tournant de cette tranchée, la bouffée de gaz... Ce piège, ce traquenard tendu par le destin!...

3 *heures.* — Trop essoufflé pour m'endormir. Ne respire qu'assis, calé sur trois oreillers. J'ai rallumé pour prendre mes gouttes. Et écrire ceci :

Je n'ai jamais eu le temps ni le goût (romantique) de tenir un journal. Je le regrette. Si je pouvais aujourd'hui avoir là, entre mes mains, noir sur blanc, tout mon passé depuis ma quinzième année, il me semblerait davantage avoir existé; ma vie aurait un volume, du poids, un contour, une consistance historique; elle ne serait pas cette chose fluide, informe comme un rêve oublié dont on ne peut rien ressaisir. (De même, l'évolution d'une maladie s'inscrit, se fixe, sur la feuille de température.)

J'ai commencé ce carnet pour exorciser les « spectres ». Je le croyais. Au fond, un tas de raisons obscures : passe-temps, complaisance envers moi-même, et aussi sauver un peu de cette vie, de cette personnalité qui va disparaître et dont j'étais si fier. Sauver? Pour qui? Pour quoi? Absurde, puisque je sais que je n'aurai pas le temps, le recul, de me relire. Pour qui donc? *Pour le petit!* Oui, cela vient de m'apparaître, à l'instant, pendant cette insomnie.

Il est beau, ce petit, il est fort, il pousse dru, tout l'avenir, le mien, tout l'avenir du monde, est en lui! Depuis que je l'ai vu, je songe à lui, et l'idée que, lui, il ne pourra songer à moi, m'obsède. Il ne m'aura pas connu, il ne saura rien de moi, je ne laisse rien, quelques photos, un peu d'argent, un nom : « l'oncle Antoine ». Rien. Pensée, par moments, intolérable. Si j'avais, pendant ces mois de sursis, la patience d'écrire au jour le jour dans ce carnet... Peut-être, plus tard, petit Jean-Paul, auras-tu la curiosité d'y chercher ma trace, une empreinte, ma dernière empreinte, la trace des pas d'un homme qui s'en va? Alors, l'« oncle Antoine » deviendrait pour toi un peu plus qu'un nom, qu'une photo d'album. Je sais bien, l'image ne peut guère être ressemblante : entre l'homme que j'étais, et ce malade rongé par son mal... Pourtant, ce serait quelque chose tout de même, mieux que rien! Je m'accroche à cette espérance.

Trop las. Fiévreux. L'infirmier de garde a vu la lumière. Me suis fait donner un oreiller de plus. Ces gouttes n'agissent plus du tout. Demander autre chose à Bardot.

Lueur bleuâtre de la fenêtre dans la nuit. Est-ce encore la lune? Est-ce déjà le jour?... (Tant de fois, après un assoupissement dont je ne parvenais pas à évaluer la durée, j'ai allumé pour regarder l'heure, et lu avec découragement sur le cadran narquois : 11 h. 10... 1 h. 20...!)

4 h. 35. Ce n'est plus la lune. C'est la pâleur qui précède l'aube. Enfin!

11 *juillet.*

L'amère, l'irritante douceur de ces journées de vague souffrance, dans ce lit...

Le déjeuner est fini. (Ces repas interminables, sur la petite table de malade, ces attentes qui usent la patience, qui coupent le peu d'appétit qu'on pourrait avoir!... Toutes les dix minutes, Joseph et son plateau, une portion de dînette dans une soucoupe...) De midi à 3, c'est l'heure creuse et calme où le jour emprunte à la nuit son silence, coupé par les toux voisines, que j'identifie, sans même y penser, comme des voix connues.

A 3 heures, le thermomètre, Joseph, les bruits du couloir, les appels dans le jardin, la vie...

12 *juillet.*

Deux tristes jours. Hier, radio. Les paquets de ganglions bronchiques ont encore augmenté. Je le sentais bien.

Kuhlmann, qui avait prononcé au Reichstag ce discours si modéré, a dû démissionner. Mauvais symptôme de l'état d'esprit allemand. Par contre, l'avance italienne dans le delta du Piave se confirme.

Soir.

Resté au lit. Quoique la journée ait été moins pénible que je ne craignais. Ai pu recevoir quelques visites, Darros, Goiran. Longue consultation ce matin, en présence de Sègre, que Bardot a envoyé chercher. N'ont rien trouvé de spécialement inquiétant; pas d'aggravation sérieuse. Et autour de moi, tous s'abandonnent à l'espoir. J'ai beau me répéter qu'il ne faut pas prendre ses désirs pour des réalités, je me sens gagné moi-même par cette vague de confiance. Evidemment, nous gagnons du terrain : Villers-Cotterets, Longpont... La 4e armée... (Si ce brave Thérivier y est toujours, il doit avoir du travail!) Evidemment, aussi, il y a l'échec autrichien, qui a été complet. Et le nouveau front oriental du Japon. Mais Goiran, bien renseigné souvent, prétend que, depuis que Paris est bombardé, le moral est gravement touché; même à l'avant, où les hommes n'acceptent pas de savoir leurs femmes, leurs enfants, menacés comme eux. Il reçoit beaucoup de lettres. On n'en peut plus. On n'en veut plus. Que la guerre finisse, à n'importe quel prix!... Elle finira bientôt, peut-être, à la remorque des Américains. J'y vois un avantage : si nos gouvernants laissent l'Amérique terminer la guerre, ils seront bien obligés de lui laisser faire la paix, — la sienne, celle de Wilson, pas celle de nos généraux.

Si le mieux continue demain, écrirai enfin à Jenny.

16 *juillet.*

Beaucoup souffert ces derniers jours. Sans force, sans goût à rien. Carnet à portée de la main, mais aucune envie de l'ouvrir. A peine le courage de faire chaque soir bilan santé, sur l'agenda.

Depuis ce matin, apparence de mieux. Etouffements plus espacés, crises courtes, toux moins profonde, supportable. Serait-ce le traitement d'arsenic, recommencé depuis dimanche? Rechute enrayée, cette fois encore?

Le pauvre Chemery, plus à plaindre que moi! Phénomènes septicémiques. Broncho-pneumonie gangreneuse à foyers disséminés. Fichu.

Et Duplay, phlébite suppurée de la veine crurale droite!... Et Bert, et Cauvin!

Tout ce qui dort dans *les replis!* (Tous ces germes ignorés, que la guerre, par exemple, m'a fait découvrir en moi... Même des possibilités de haine et de violence, voire de cruauté... Et le mépris du faible... Et la peur, etc. Oui, la guerre m'a fait apercevoir en moi les instincts les plus vils, tous les bas-fonds de l'homme. Serais capable maintenant de comprendre toutes les faiblesses, tous les crimes, pour en avoir surpris en moi le germe, la velléité.)

Vendredi 17 *juillet, soir.*

Mieux certain. Pour combien de temps?

J'en ai profité pour écrire enfin *la lettre*. Cet après-midi. Plusieurs brouillons. Difficile de trouver la note juste. J'avais d'abord songé à préparer le terrain par quelques manœuvres d'approche. Mais je me suis décidé pour la lettre unique, longue et complète. Bon espoir. Telle que je crois la connaître, préférable avec elle d'aborder les questions de front. Me suis appliqué à présenter la chose comme une affaire de pure forme, indispensable à l'avenir du petit.

La levée de ce soir était faite. J'ai jusqu'à demain matin pour relire ma lettre, et décider si je l'envoie.

Attaques allemandes en Champagne. Rochas doit être dans la danse. Est-ce le déclenchement de leur fameux plan : atteindre la Marne, pousser sur Saint-Mihiel, encercler Verdun, et se retourner vers l'Ouest, direction Marne et Seine? Ils progressent déjà au nord et au sud de la Marne. Dormans est menacé. (Je revois si bien la ville, le pont, la place de l'église, l'ambulance en face du portail...) Que l'échéance est encore lointaine! Aucune chance d'en voir même les premiers signes. En mettant tout au mieux : 1919, l'année des débuts américains, une année d'apprentissage; 1920, l'année de lutte intense, décisive; 1921, l'année de la capitulation des Centraux, de la paix Wilson, de la démobilisation...

Relu ma lettre, une dernière fois. Ton satisfaisant, sans équivoque possible; et les arguments, convaincants au maximum. Elle ne peut pas ne pas comprendre, ne pas accepter.

18, *matin.*

Viens d'apercevoir Sègre en caleçon. Plus aucune ressemblance avec Monsieur Thiers!

Après-midi, jardin.

Noter ce qui s'est passé ce matin.

Levé plus tôt, pour expédier ma lettre par la voiture de l'économe. En allant baisser mon store, j'ai surpris, dans l'entrebâillement d'une des fenêtres du pavillon 2, Sègre, M. le professeur Sègre, faisant toilette. Torse nu, caleçon collant (ses pauvres fesses de vieux dromadaire!), la mèche mouillée, aplatie, collée au crâne... Il était fort occupé à se brosser les dents. Suis tellement habitué à le voir en Monsieur Thiers, tel qu'il se montre à nous, solennel, cérémonieux, sanglé dans ses vêtements, le toupet au vent, le menton tendu, ne perdant pas un pouce de sa petite taille, — que, d'abord, je ne l'ai pas reconnu. L'ai regardé cracher une eau mousseuse, puis se pencher vers son miroir, enfoncer ses doigts dans sa bouche, extraire son râtelier, l'examiner d'un air soucieux, et le flairer avec une curiosité d'animal. A ce moment, j'ai reculé brusquement jusqu'au milieu de la chambre, gêné, inexplicablement *ému.* Eprouvant tout à coup pour ce pète-sec prétentieux — que dire? — une sympathie fraternelle...

Ce n'est pas la première fois que pareille chose m'arrive. Sinon pour Sègre, du moins pour d'autres. Voilà des mois que je suis ici, en contact, en promiscuité, avec ces médecins, ces infirmiers, ces malades. Je connais si bien leurs silhouettes, leurs gestes, leurs manies, que je peux sans me tromper identifier de loin une nuque émergeant d'un fauteuil, une main qui vide un cendrier par la fenêtre, deux voix qui passent derrière le mur du potager. Mais ma camaraderie n'a jamais franchi les limites de la plus banale réserve. Même au temps où j'étais comme les autres, libre d'esprit, sociable, je me suis toujours senti séparé de tous par une cloison étanche, étranger parmi des étrangers. D'où vient que cette sensation d'isolement peut fondre soudain, céder la place à un élan de fraternité, presque de tendresse, pour peu que je surprenne l'un d'entre eux au cœur de sa solitude? Tant de fois, il m'a suffi d'apercevoir, (au hasard d'un jeu de glaces, d'une porte entrouverte), un voisin d'étage en train de faire un de ces humbles gestes auxquels on ne s'abandonne que si l'on est assuré d'être seul (penché sur une photo subrepticement tirée d'une poche; ou se signant avant de se mettre au lit; ou, moins encore : souriant à une pensée secrète, d'un air vaguement égaré) — pour découvrir aussitôt en lui le *prochain*, le *semblable*, un *pareil à moi*, dont, une minute, je rêve de faire mon ami!

Et pourtant, inaptitude totale à « faire ami ». N'ai pas *d'ami*. N'en ai jamais eu. (Ce que j'enviais tant à Jacques : ses amitiés.)

Retrouve du plaisir à écrire. Vais certainement beaucoup mieux depuis ces derniers jours.

Soir.

Ce matin, à table, souvenirs de guerre. (Après la paix, les histoires de guerre remplaceront les histoires de chasse.) Darros raconte une patrouille, en Alsace, tout à fait au début. Le soir, il traverse avec quelques hommes un village évacué, silencieux, sous la lune. Trois fantassins allemands, couchés sur le trottoir, leurs flingots près d'eux, endormis, ronflants. Il dit : « De si près, ça n'était plus des Boches, ça n'était plus que des copains fourbus. J'ai hésité deux secondes. J'ai décidé de continuer ma route, *sans voir*. Et les huit bonshommes qui étaient derrière moi ont fait de même. Nous avons passé à dix mètres des dormeurs, sans tourner la tête. Et jamais aucun de nous n'a fait allusion à ce que nous avions fait, d'un commun accord, ce soir-là. »

20 *juillet*.

Hier, « inspection » de la clinique par une « Commission ». Toutes les *huiles* de la région. Depuis la veille, Sègre, Bardot et Mazet étaient sur les dents. Sinistres souvenirs de caserne. A l'arrière, la guerre n'a rien changé.

Bien à dire sur « discipline », « force des armées », — parbleu!... Je songe à Brun, à d'autres médecins militaires. Leur infériorité par rapport aux médecins de réserve. Due pour une grande part au fait qu'ils ont travaillé des années dans le respect de la hiérarchie. Habitude prise d'obéir; de limiter au nombre de leurs galons la liberté de leur diagnostic, le sens de leur responsabilité.

Discipline militaire. Me souviens du féroce Paoli, le sous-officier de l'infirmerie, au dépôt de Compiègne. Sa tête de souteneur, ses yeux toujours injectés. Pas mauvais bougre, peut-être : il allait tous les soirs au bord de l'eau cueillir du chènevis pour son sansonnet... De cette race abominable et réprouvée des *rempilés* d'avant-guerre. (Pourquoi rempilé? Sans doute parce qu'il avait trouvé dans ce métier l'unique occasion de pouvoir régner sur ses semblables, par la terreur.) Il était chargé par le major d'inscrire les jeunes soldats qui se présentaient à la visite. J'entendais, de mon bureau, les malades frapper à sa porte. Toujours la même question, à pleine gueule : « Alors, nom de Dieu! Est-ce oui ou merde? » J'imaginais la tête effarée du *bleu*. « Eh bien, si c'est merde, vous pouvez disposer! » Le *bleu* faisait demi-tour, sans demander son reste ! Le major prétendait que Paoli était un excellent gradé : « Avec lui, plus jamais de fricoteurs. »

« L'Armée est la grande école d'une nation », disait père. Et il poussait vers les bureaux de recrutement ses pupilles de Crouy.

21, *dimanche.*

Analyses de la semaine marquent déphosphatisation et déminéralisation régulièrement progressives, malgré tous les efforts.

Communiqué. Les nouvelles sont bonnes. Avance au sud de l'Ourcq. Avance sur Château-Thierry. Le mouvement va de l'Aisne à la Marne. On a dit que Foch se réservait, à son heure, de passer de la défensive à l'offensive. L'heure est-elle venue ?

Le commandant occupe ses journées à déplacer ses drapeaux sur la carte. Discussions envenimées sur la « trahison » Malvy et la Haute Cour. La politique reprend ses droits dès que les communiqués sont meilleurs.

22, *soir.*

Kérazel a eu aujourd'hui la visite de son beau-frère, député de la Nièvre. A déjeuné avec nous. Radical-socialiste, je crois. Peu importe : tous les partis, maintenant, ont adopté le conformisme de l'état de guerre, et rabâchent les mêmes lieux communs. Conversation d'une médiocrité accablante. Ceci, pourtant : à propos des offres de paix de l'Autriche, transmises au gouvernement français par Sixte de Bourbon, au printemps de l'an dernier. Goiran s'indignait du refus de la France. Il paraît que le plus intransigeant aurait été le vieux Ribot, qui a su convaincre Poincaré et Lloyd George. Et l'un des arguments invoqués dans les milieux politiques français aurait été celui-ci : « Impossible d'examiner une paix apportée à la République par un membre de la maison de Bourbon. La propagande monarchiste en tirerait trop grand avantage. Danger pour l'avenir du régime. Surtout à l'heure où le pouvoir est entre les mains des généraux!... »

A peine croyable!

23 *juillet.*

Le député, hier. Beau spécimen de la fébrilité moderne! Arrivé de Paris par le rapide de nuit, pour gagner douze heures. Consulte sans cesse sa montre, d'un œil fiévreux. Comme une légère ébriété : sa main vacillait en touchant la carafe. Sa pensée trébuche en maniant les idées.

Prend le déplacement pour l'activité, et son activité incohérente pour du travail. Prend la hauteur du verbe pour un argument rationnel. Et le ton péremptoire pour un signe d'autorité, de compétence. Dans la conversation, prend le détail anecdotique pour une idée générale. En politique, prend l'absence de générosité pour du réalisme intelligent. Prend sa bonne santé pour du cran, et la satisfaction de ses appétits pour une philosophie de la vie. Etc.

Peut-être aussi a-t-il pris mon silence pour une approbation béate?...

23 *juillet, soir.*

Le courrier. Réponse de Jenny.

Je regrette maintenant de ne pas m'être d'abord adressé à la mère, comme j'y avais songé. Jenny refuse. Lettre mesurée, mais ferme. Elle revendique dignement l'entière responsabilité de ses actes. C'est librement qu'elle s'est donnée. L'enfant de Jacques ne doit pas avoir d'autre père, même aux seuls yeux de la loi. La femme de Jacques ne doit pas se remarier. Elle n'a rien à redouter des jugements de son fils, etc.

Il est visible que mes considérations pratiques, loin de l'ébranler, lui paraissent parfaitement négligeables, voire mesquines. Ne le dis pas, mais emploie plusieurs fois les termes de « convenances sociales », « préjugés d'autrefois », etc., sur un ton clairement méprisant.

Bien entendu, je ne renonce pas. Revenir à la charge, autrement. Puisque ces « convenances sociales » n'ont aucune valeur, pourquoi s'insurger contre elles? C'est justement leur donner une importance qu'elles n'ont pas! Surtout, insister sur ceci : qu'il ne s'agit pas d'elle, mais de Jean-Paul. Le discrédit, qui s'attache encore aux naissances irrégulières, est absurde, — d'accord. Mais c'est un fait. Si je lui fais comprendre ça, elle n'hésitera pas à accepter mon nom et à me laisser reconnaître l'enfant. Les circonstances sont exceptionnelles : tout est tellement simplifié par ma disparition prochaine!

Vais tâcher de lui répondre aujourd'hui même.

Ai eu le tort, aussi, de ne pas donner assez de précisions sur la manière dont les choses se passeront. Elle a dû imaginer des situations gênantes. Mettre les points sur les *i*. Lui dire : « Vous aurez simplement à prendre, un soir, le rapide. Je vous attendrai à Grasse. Tout sera prêt à la mairie. Et deux heures après votre arrivée, vous reprendrez le train pour Paris. Mais avec un état civil en règle! »

24.

Content de ma lettre d'hier. Ai bien fait de ne pas remettre à aujourd'hui. Mauvaise journée. Très fatigué par le nouveau traitement.

Trop bête de penser qu'il suffit d'une formalité administrative, pour épargner définitivement à ce petit toutes les difficultés qui l'attendent. Impossible que je ne parvienne pas à convaincre Jenny.

25 *juillet*.

Journaux. Château-Thierry est occupé par nous. Défaite allemande, ou recul stratégique? La presse suisse affirme que l'offensive de Foch n'est pas commencée.

Le but actuel serait seulement d'entraver le repli des Allemands. L'immobilité des Anglais sur le front rend l'hypothèse plausible.

Crises d'étouffements, plus nombreuses, avec angoisses. Oscillations de température. Abattement.

Samedi 27.

Mauvaise nuit. Mauvais courrier : Jenny s'obstine.

Après-midi.

Piqûre. Deux heures de répit.

Lettre de Jenny. Elle ne veut pas comprendre. Se bute. Ce qui n'est qu'un jeu d'écriture prend à ses yeux de femme l'importance d'un reniement. (« Si je pouvais consulter Jacques, il me déconseillerait sans aucun doute cette concession aux préjugés les plus bas... Je croirais le trahir, si je... » Etc.)

Irritant, tout ce temps perdu à discuter. Plus elle tardera à consentir, moins je serai en état pour toutes les démarches (réunir les pièces, obtenir que le mariage ait lieu ici, publication des bans, etc.).

Trop peu vaillant pour lui écrire aujourd'hui. Suis décidé à porter, moi aussi, la question sur le terrain sentimental. Mettre en avant l'apaisement moral que j'éprouverais, si j'avais enfin la certitude d'épargner à ce petit une existence difficile. Exagérer même mes inquiétudes. Conjurer Jenny de ne pas me refuser cette dernière joie, etc.

28.

Lettre écrite, et expédiée. Non sans un pénible effort.

29 *juillet.*

Journaux. Pression sur la totalité du front, de l'Aisne, de la Vesle. La Marne, dégagée. Fresnes, la forêt de la

Fère, Villeneuve, et Ronchères, et Romigny, et Ville-en-Tardenois...

Me souviens si bien de tous ces coins-là!

Dans le jardin.

Ce que j'ai sous les yeux. Tout autour, d'autres jardins pareils au nôtre, avec leurs orangers en boule, leurs citronniers, leurs oliviers gris, les troncs écorchés des eucalyptus, les tamaris plumeux, et ces plantes à larges feuilles, genre rhubarbe, et ces jarres d'où tombent des cascades de roses, de géraniums. Débauche de couleurs : toutes les nuances de l'arc-en-ciel. Chacune de ces habitations qu'on aperçoit, et qui brille au soleil à travers sa haie de cyprès, est crépie d'un ton différent : blanc, rose, mauve, orangé. Le vermillon des tuiles, contre le bleu du ciel. Et ces vérandas de bois, peintes en brun, en pourpre, en vert sombre! A droite, la plus proche : une maison ocre à volets bleu pervenche. Et cette autre, d'un blanc si cru, avec ses jalousies d'un vert acide, et son large pan d'ombre violacée!

Qu'il serait bon d'avoir sa maison là, de faire son bonheur là, d'avoir toute une vie à vivre là...

Dans la rangée noire des cyprès, un coup de soleil donne un éclat presque insoutenable aux porcelaines du poteau télégraphique.

30, *soir.*

Suis redescendu aujourd'hui. Ce que je n'avais pu faire ces deux jours.

Désemparé, hébété. Je regarde la vie, les autres, comme si l'univers m'était devenu surprenant, incompréhensible, depuis que je suis rejeté hors de l'avenir.

L'avance paraît déjà arrêtée.

Et voilà les Russes (Lénine) qui déclarent la guerre aux Alliés.

Soir.

Souvenir : après la mort de père, j'avais emporté chez moi son papier à lettres; trois mois plus tard, j'écrivais un mot au Patron, je retourne la feuille, elle avait été commencée par père : *Lundi. Cher Monsieur, j'ai reçu ce matin seulement*... Rencontre brutale, qui fait toucher la mort comme avec la main! Sa petite écriture appliquée, ces quelques mots vivants, cet effort interrompu à jamais!

AOUT

1er *août* 18.

Toujours l'offensive du Tardenois. Tient-on enfin le bon bout? Mais à quel prix? Avance importante entre Soissons et Reims. Bardot a reçu une lettre de la Somme; on dit qu'une autre offensive, franco-anglaise, se prépare à l'est d'Amiens. (Amiens, en août 14... Cette pagaille, partout! J'en ai bien profité! Ce que j'ai pu rafler de morphine et de cocaïne, grâce au petit Ruault, à la pharmacie de l'hôpital, pour réapprovisionner notre poste de secours! Et ce que ça m'a servi, quinze jours plus tard, pendant la Marne!)

La Chambre a voté l'appel de la classe 20. Ce doit être celle de Loulou. Pauvre gosse, il n'a pas fini de regretter l'hôpital Fontanin.

2 *août*.

Plus aucun espoir de vaincre l'obstination de Jenny. Cette fois, le *non* définitif. Lettre courte, pleine d'affection, mais inébranlable. Et tant pis. (Le temps est loin où le moindre échec m'était impossible à accepter. J'abandonne.) Son refus, elle en fait maintenant une question de principe, et — assez inattendu! — de principe révolutionnaire... Elle ne craint pas d'écrire : « Jean-Paul est un bâtard, il restera un bâtard, et si cette situation irrégulière doit mettre, de bonne heure, l'enfant de Jacques en lutte contre la société, tant mieux : son père n'aurait pas souhaité de meilleur départ pour son fils! » (Possible, en effet... Soit, donc! Et que triomphe, même après la mort, l'esprit de révolte que Jacques portait en lui!)

3, *nuit.*

C'est l'heure où j'aime écrire. Plus lucide que dans la journée, plus seul encore avec moi.

Jenny. Réserve faite quant au fond, je dois reconnaître que ses lettres forment un tout, parfaitement cohérent. Ne manquent ni de force ni de grandeur. Imposent le respect.

A Jean-Paul :

Tu les admireras un jour, ces lettres, mon petit, si tu as la curiosité de lire les papiers de l'oncle Antoine. Je sais que dans ce débat du donneras sans hésiter raison à ta mère. Soit. Le courage, la générosité de cœur, sont de son côté, non du mien. Je te demande seulement de me comprendre, de voir dans mon insistance autre chose qu'une soumission opportuniste et rétrograde aux préjugés bourgeois. Cette génération qui vient et qui est la tienne, je crains qu'elle ne soit aux prises, dans tous les domaines, avec des difficultés terribles et pour longtemps peut-être insurmontables. Auprès desquelles, celles que nous avons pu rencontrer, ton père et moi, ne sont rien. Cette pensée, mon petit, m'étreint le cœur. Je ne serai pas là pour t'assister dans cette lutte. Alors, il m'aurait été doux de penser que j'avais tout de même fait quelque chose pour toi. De me dire que, en te laissant un état civil régulier, en te faisant porter mon nom, le nom de ton père, j'avais du moins supprimé de ta route un de ces obstacles qui t'attendent, le seul contre quoi je pouvais quelque chose; — et dont je veux bien croire, avec ta maman, que je m'exagère un peu l'importance.

4 *août.*

Journaux. Soissons, repris. Il était occupé par eux depuis la fin de mars. Nous voilà sur l'Aisne et sur la

Vesle, devant Fismes. (Fismes, encore des souvenirs! C'est là que j'ai croisé le frère de Saunders, qui montait en ligne, et qui n'est pas revenu.)

Sage discours du père Landsdowne. L'écoutera-t-on? Du train dont vont les choses, — c'est aussi l'avis de Goiran, — il y aura essai de négociations avant l'hiver. Mais Clemenceau fera le sourd tant qu'il n'aura pas joué sa dernière carte : les Américains.

En Russie. Là-bas aussi, il doit se passer des choses. Débarquement des Alliés à Arkhangelsk, des Japonais à Vladivostok. Mais, avec le peu de renseignement qu'on laisse passer, comment comprendre quelque chose au chaos russe?

Soir.

Sègre revient de Marseille. A l'état-major, on dit que la première partie de la contre-offensive alliée, commencée le 18, s'achève. Les buts seraient atteints : front rectiligne de l'Oise à la Meuse; plus de saillie permettant un coup de force imprévu. Va-t-on s'installer sur cette nouvelle ligne pour tout l'hiver?

5 *août.*

Dois-je me féliciter des résultats du nouveau calmant de Mazet? Aucun effet sur insomnie. Mais pouls régulier, apaisement nerveux, sensibilité moindre. Lucidité d'esprit, activité d'esprit, décuplées. (Semble-t-il.) Tout compte fait, nuits sans sommeil mais presque agréables, comparées à certaines.

Profitables au carnet!

Joseph, parti en permission. Remplacé par le vieux Ludovic. Ses bavardages me cassent la tête. Je fuis, quand il vient faire le ménage. Ce matin, retenu tard au lit pour les pointes de feu, me suis trouvé à sa merci. Conversation d'autant plus fatigante qu'elle était coupée de hoquets, aboiements, etc., etc., parce qu'il s'était mis dans l'idée de cirer « son » parquet. Dansait une sorte de gigue sur deux brosses, en monologuant.

M'a raconté son enfance, en Savoie. Et toujours : « C'était le bon temps, Monsieur le major ! » (Oui, vieux Ludovic, moi aussi, maintenant, chaque fois que ma mémoire repêche une parcelle du passé, — même une parcelle qui a été pénible à vivre : « C'était le bon temps ! »)

Il use de locutions savoureuses, comme Clotilde, mais d'un autre style, moins patoisant. M'a dit notamment que son père était *apiéceur*. C'est-à-dire l'ouvrier qui, dans les ateliers de confection, est chargé d'*apiécer*, d'ajuster entre elles les pièces taillées par le coupeur. Joli mot. Que d'esprits... (Jacques) auraient besoin de recourir à l'*apiéceur* pour coordonner ce qu'ils ont appris !

Jenny, dans une de ses dernières lettres, parle de Jacques, de sa « doctrine ». Pas de terme plus impropre. Me garderai bien d'ouvrir un débat là-dessus avec elle. Mais il me paraît assez dangereux pour l'éducation du petit qu'elle considère comme une « doctrine » les pensées plus ou moins décousues que Jacques a pu exprimer devant elle, et qu'elle a plus ou moins exactement retenues !

Si tu lis jamais ceci, Jean-Paul, n'en conclus pas trop vite que les pensées de ton père étaient jugées incohérentes par l'oncle Antoine. Je veux seulement dire que ton père, comme les impulsifs, donnait l'impression d'avoir sur la plupart des questions des vues diverses, souvent contradictoires, et qu'il ne parvenait guère lui-même à coordonner. Dont il ne réussissait guère, tout au moins, à tirer une certitude précise, solide, durable, des directives nettement orientées. Sa personnalité, de même, était composée d'éléments hétérogènes, opposés et également impérieux, — ce qui constituait sa richesse, — mais entre lesquels il avait du mal à faire un choix, et dont il n'a jamais su faire un tout harmonieux. De là son éternelle inquiétude, et ce malaise passionné dans lequel il a vécu.

Peut-être, d'ailleurs, sommes-nous tous, à des degrés variables, pareils à lui. Nous, j'entends : ceux qui n'ont jamais adhéré à un système tout construit; ceux qui, —

faute d'avoir, à un certain moment de leur évolution, adopté une philosophie précise, une religion, une de ces plates-formes stables, placées une fois pour toutes hors d'atteinte, hors de discussion, — sont condamnés à faire périodiquement la revision de leurs points d'appui, et à s'improviser des équilibres successifs.

6 *août, 7 heures du soir.*

Le vieux Ludovic. Avec ces mêmes gros doigts qui ont mis puis retiré le thermomètre au 49, nettoyé le crachoir du 55 et du 57, il me sucre ma tasse de tilleul, après avoir entré sa main jusqu'au fond du sucrier. Et je dis : « Merci, Ludovic... »

Journée médiocre. Mais je n'ai plus le droit de faire le difficile.

Ce soir, piqûre. Répit.

Nuit.

Souffre peu. Mais insomnie.

Ce que j'écrivais hier pour Jean-Paul : passablement inexact en ce qui me concerne. Tu pourrais croire que j'ai passé mon temps à la recherche d'un équilibre. Non. Grâce à mon métier sans doute, je me suis toujours senti d'aplomb. N'offrais guère de prise à l'inquiétude.

Sur moi-même :

D'assez bonne heure (dès ma première année de médecine), sans accepter aucun dogme religieux ou philosophique, j'étais assez bien arrivé à concilier toutes mes tendances, à me confectionner un cadre solide de vie, de pensée; une façon de morale. Cadre limité, mais je ne souffrais pas de ces limites. J'y trouvais même un sentiment de quiétude. Vivre satisfait entre les limites que je m'étais assignées était devenu pour moi la condition d'un bien-être que je sentais indispensable à mon travail. Ainsi, très tôt, je m'étais commodément installé au centre de quelques principes — j'écris *principes*, à défaut de mieux; le terme est prétentieux, et forcé, —

principes qui convenaient aux besoins de ma nature, et à mon existence de médecin. (En gros : une philosophie élémentaire d'homme d'action, basée sur le culte de l'énergie, l'exercice de la volonté, etc.)

Rigoureusement vrai, en tout cas, pour la période d'avant-guerre. Vrai, même, pour la période de guerre, au moins jusqu'à ma première blessure. Alors (convalescence à l'hôpital de Saint-Dizier), j'ai commencé à remettre en question certaines façons de penser et de se conduire qui m'avaient assuré jusque-là une certaine pondération, une confortable harmonie, et m'avaient permis de tirer bon rendement de mes facultés.

Fatigué. J'hésite à poursuivre cette espèce d'analyse. Manque d'entraînement. Je m'y enferre. Plus j'avance, plus ce que j'écris sur moi me semble sujet à caution.

Par exemple. Je songe à quelques-uns des actes les plus importants de ma vie. Je constate que ceux que j'ai accomplis avec le maximum de spontanéité étaient justement en contradiction flagrante avec les fameux « principes ». A chacune de ces minutes décisives, j'ai pris des résolutions que mon « éthique » ne justifiait pas. Des résolutions qui m'étaient imposées soudain par une force intérieure plus impérieuse que toutes les habitudes, que tous les raisonnements. A la suite de quoi, j'étais généralement amené à douter de cette « éthique », et de moi-même. Je me demandais alors avec inquiétude : « Suis-je vraiment l'homme que je crois être? » (Inquiétudes qui, somme toute, se dissipaient vite, et ne m'empêchaient pas de reprendre équilibre sur mes positions coutumières.)

Ici, ce soir (solitude, recul), j'aperçois avec assez de netteté que, par ces règles de vie, par le pli que j'avais pris de m'y soumettre, je m'étais déformé, artificiellement, sans le vouloir, et que je m'étais créé une sorte de masque. Et le port de ce masque avait peu à peu modifié mon caractère originel. Dans le courant de l'existence, (et puis, guère de loisir pour couper des cheveux en quatre), je me conformais sans effort à ce caractère fabriqué. Mais, à certaines heures graves, les décisions qu'il m'arrivait spontanément de prendre étaient sans doute des réactions de mon caractère véritable, démasquant brusquement le fond réel de ma nature.

(Suis assez content d'avoir tiré ça au clair.)

Je suppose d'ailleurs que le cas est fréquent. Ce qui amène à penser que, pour avoir la révélation de leur nature intime, ce ne serait pas dans le comportement habituel des êtres qu'il faudrait chercher, mais bien dans ces actes imprévus, d'apparence mal explicables, scandaleux quelquefois, qui leur échappent. Et par quoi se trahit l'*authentique*.

Suis porté à croire qu'il n'en était pas de Jacques comme de moi. Chez lui, ce devait être la nature profonde *(l'authentique)*, qui commandait la plupart du temps la conduite de sa vie. D'où, pour ceux qui le regardaient vivre, l'instabilité de son humeur, l'imprévisibilité de ses réactions, et souvent leur apparente incohérence.

Premier halo du jour dans la fenêtre. Encore une nuit, — une nuit de moins... Vais essayer de m'assoupir. (Pour une fois, ne regrette pas trop mon insomnie.)

8 *août, dehors.*

28° à l'ombre. Chaleur intense, mais légère, vivifiante. Merveilleux climat. (Incompréhensible, qu'une si grande partie de l'humanité se soit confinée dans le Nord hostile!)

Tout à l'heure, à table, je les entendais causer de leur avenir. Ils croient tous — ou feignent de croire — qu'un « gazé » n'est pas handicapé pour toujours. Ils croient aussi pouvoir reprendre leur existence au point exact où la mobilisation l'a interrompue. Comme si le monde n'attendait que la paix pour reprendre, tel quel, son trantran d'autrefois. Se préparent, je crains, de brutales déconvenues...

Mais, le plus étonnant pour moi : la façon dont ils parlent de leurs besognes civiles. Jamais comme d'une carrière choisie, aimée, préférée. Comme un potache parle de ses classes; quand ce n'est pas comme un bagnard, des travaux forcés. Grande pitié! Rien de pire que d'entrer dans la vie sans une vocation forte. (Rien, — si ce n'est d'entrer dans la vie avec une fausse vocation.)

A Jean-Paul :

Mon petit, méfie-toi de la « fausse vocation ». La plupart des existences manquées, des vieillesses aigries, n'ont pas d'autre origine.

Je te vois, adolescent. A seize, à dix-sept ans. L'âge, par excellence, de la grande confusion. L'âge où ta raison commencera à prendre conscience d'elle-même, à s'illusionner sur ses forces. L'âge où ton cœur, peut-être, commencera à parler haut, et où il deviendra difficile de modérer ses élans. L'âge où ton esprit, tout étourdi, grisé par les horizons qu'il aura récemment découverts, hésitera devant des possibilités multiples. L'âge où l'homme, encore faible et se croyant fort, éprouve le besoin de trouver des appuis, des repères, et se jette avidement vers la première certitude, la première discipline qui s'offre... Attention! L'âge, aussi, — et tu ne t'en douteras guère, — où ton imagination sera le plus encline à déformer le réel : jusqu'à prendre le faux pour le vrai. Tu diras : « Je sais »... « Je sens »... « Je suis sûr »... Attention! Le garçon de dix-sept ans, il est souvent pareil à un pilote qui se fierait à une boussole affolée. Il croit dur comme fer que ses goûts d'adolescent lui sont naturels, qu'il doit les prendre pour guides, qu'ils lui montrent indubitablement la direction à prendre. Et il ne soupçonne pas qu'il est, en général, à la remorque de goûts factices, provisoires, arbitraires. Il ne soupçonne pas que ses penchants, qui lui semblent si authentiquement être *siens*, lui sont au contraire foncièrement *étrangers;* qu'il les a ramassés, comme un déguisement, au hasard, à la suite de quelque rencontre faite, un jour, dans les livres ou dans le monde.

Comment te préserveras-tu de ces dangers? Je tremble pour toi. Ecouteras-tu mes conseils?

Je voudrais, d'abord, que tu ne rejettes pas trop impatiemment les avis de tes maîtres, de ceux qui t'entourent, qui t'aiment; qui te paraissent ne pas te comprendre, et qui, peut-être, te connaissent mieux que tu ne te connais toi-même. Leurs avertissements t'agacent? Dans la mesure, sans doute, où, obscurément, tu les sens fondés...

Mais, surtout, je voudrais que tu te défendes toi-même contre toi. Sois obsédé par la crainte de te tromper sur toi, d'être dupe d'apparences. Exerce ta sincérité à tes dépens, pour la rendre clairvoyante et utile. Comprends, essaie de comprendre, ceci : pour les garçons de ton milieu, — je veux dire : instruits, nourris de lectures, ayant vécu dans l'intimité de gens intelligents et libres dans leurs propos —, la *notion* de certaines choses, de certains sentiments, devance l'*expérience*. Ils connaissent, en esprit, par l'imagination, une foule de sensations dont ils n'ont encore aucune pratique personnelle, directe. Ils ne s'en avisent pas : ils confondent *savoir* et *éprouver*. Ils croient *éprouver* des sentiments, des besoins, qu'ils *savent* seulement qu'on éprouve...

Ecoute-moi. La vocation! Prenons un exemple. A dix, à douze ans, tu t'es cru sans doute la vocation de marin, d'explorateur, parce que tu t'étais passionné pour des récits d'aventure. Maintenant, tu as assez de jugeote pour en sourire. Eh bien, à seize, à dix-sept ans, des erreurs analogues te guettent. Sois averti, méfie-toi de tes inclinations. Ne t'imagine pas trop vite que tu es un artiste, ou un homme d'action, ou victime d'un grand amour, parce que tu as eu l'occasion d'admirer, dans les livres ou dans la vie, des poètes, de grands réalisateurs, des amoureux. Cherche patiemment quel est l'essentiel de ta nature. Tâche de découvrir, peu à peu, ta personnalité réelle. Pas facile! Beaucoup n'y parviennent que trop tard. Beaucoup n'y parviennent jamais. Prends ton temps, rien ne presse. Il faut tâtonner longtemps avant de savoir *qui* l'on est. Mais, quand tu te seras trouvé toi-même, alors, rejette vite tous les vêtements d'emprunt. Accepte-toi, avec tes bornes et tes manques. Et applique-toi à te développer, sainement, normalement, sans tricher, dans ta vraie destination. Car, se connaître et s'accepter, ce n'est pas renoncer à l'effort, au perfectionnement : bien au contraire! C'est même avoir les meilleures chances d'atteindre son maximum, parce que l'élan se trouve alors orienté dans le bon sens, celui où tous les efforts portent fruit. Elargir ses frontières, le plus qu'on peut. Mais ses frontières *naturelles*, et seulement après avoir bien compris quelles elles sont. Ceux qui ratent leur vie, ce sont, le plus souvent, ou bien ceux qui, au départ, se sont trompés sur leur nature et se sont fourvoyés sur une piste qui n'était pas la leur; ou bien ceux qui, partis dans la bonne direction, n'ont pas su, ou pas eu le courage, de s'en tenir à leur *possible*.

9 *août*.

Journaux. Discours optimiste de Lloyd George. Optimisme sans doute exagéré pour les besoins de la cause. Malgré tout, ce qui s'est passé depuis vingt jours sur le front français était inespéré. (Conversation de Rumelles, à Paris.) Et l'offensive de Picardie paraît déclenchée depuis hier. Et les Américains à l'horizon. Le plan Pershing serait, croit-on, de laisser Foch redresser le front et dégager largement Paris; puis, pendant que Français et Anglais tiendront l'ancien front, une massive poussée américaine en direction de l'Alsace, pour passer la frontière et envahir l'Allemagne. Ce jour-là, dit-on, la guerre serait gagnée, grâce à l'emploi d'un certain gaz, qui ne peut être utilisé qu'en territoire ennemi parce qu'il détruit tout, empêche toute végétation pendant des années, etc. (A table, enthousiasme général. Tous ces pauvres gazés, dont beaucoup ne se remettront jamais, jubilaient à l'idée de ce gaz nouveau...)

Darros nous a lu une lettre de son frère, interprète, en liaison avec les troupes américaines. Dit qu'il est agacé par leur confiance puérile. Officiers et soldats sont convaincus qu'il leur suffira d'attaquer, pour remporter à bref délai la victoire finale. Raconte aussi qu'ils sont tous décidés à ne pas s'encombrer de prisonniers, et qu'ils déclarent cyniquement que tout paquet de prisonniers, inférieur à cinq cents hommes, doit être passé à la mitrailleuse. (Ce qui n'empêche pas ces idéologues, au sourire féroce et aux yeux candides, de répéter, paraît-il, à toute occasion, qu'ils viennent se battre pour la Justice et pour le Droit.)

10 *août.*

Ai repris un certain goût à lire. Concentre mon attention sans trop de mal, surtout la nuit. Achève en ce moment l'excellent travail d'un nommé Dawson (*Bull. méd.* de Londres) sur les séquelles dépendant de l'ypérite, comparées à celles dues aux autres gaz. Ces observations confirment sur beaucoup de points les miennes. (Infections secondaires ayant tendances à devenir chroniques, etc.) Tentation de lui écrire, de lui envoyer copie de certaines pages de l'agenda. Mais je redoute de commencer une correspondance. Pas assez sûr de pouvoir continuer. Pourtant, sensiblement mieux depuis le 1er. Aucune amélioration de fond, mais douleurs atténuées. Période de rémission provisoire. Comparée aux semaines précédentes, celle-ci a été presque supportable. N'étaient, chaque matin, ce traitement épuisant, et ces crises d'étouffements (surtout le soir, coucher du soleil), et ces insomnies... Mais les insomnies, moins pénibles quand je peux lire, comme ces nuits-ci. Et grâce au carnet.

Avant déjeuner, de ma fenêtre :

La majesté de ce paysage, de ces amples vallonnements. Ces centaines d'étroites terrasses cultivées qui montent à l'assaut des collines. Cette pente verte, striée parallèlement par tous ces traits crayeux que font les petits murets de pierres sèches. Et là-haut, ce diadème de roches dénudées, d'un gris pierre ponce, si tendre, avec des reflets mauves et orangés. Et plus bas, très loin, juste à la limite de la culture et de la roche, ce petit village étagé : une poignée de graviers luisants, qui serait restée accrochée dans un pli du terrain. En ce moment, les ombres des nuages baladent sur cette étendue d'un vert éclatant des plaques sombres, larges, doucement mouvantes.

Combien me reste-t-il de semaines à regarder ça?

11.

Mazet est un médecin dans le genre de Dezavelles, le quatre galons de Saint-Dizier, qui renonçait totalement à s'occuper de ceux qu'il « flairait » condamnés. Disait : « Un bon toubib doit avoir le flair : sentir le moment précis où le malade cesse d'être *intéressant.* »

Suis-je encore *intéressant* aux yeux de Mazet? Et pour combien de temps?

Depuis que Langlois a eu son abcès, il ne va plus le voir.

L'offensive de la Somme semble bien engagée. Les Anglais n'ont pas voulu être en reste. Le plateau de Santerre est reconquis. La grande ligne Paris-Amiens, dégagée. Bataille à Montdidier. (Tous ces noms, Montdidier, Lassigny, Ressons-sur-Matz, tous les souvenirs de 16!...)

Goiran, très optimiste. Soutient que maintenant tous les espoirs sont légitimes. Je crois aussi. (J'imagine qu'il y a bien des gens étonnés. Et d'abord tous nos grands chefs, militaires et civils, qui avaient mesuré de si près l'abîme, au printemps! Doivent tous redresser la crête. Pourvu qu'ils ne la redressent pas trop.)

12 *août, soir.*

Passé l'après-midi à recopier extraits de l'agenda, pour ma lettre à Dawson.

Journaux. Les Anglais sont sous Péronne. Pauvre Péronne! Qu'est-ce qu'il en reste? (Me rappelle si bien l'évacuation en 14, la ville sans lumière, les falots qui couraient dans la nuit, la retraite de la cavalerie, hommes fourbus, canassons boiteux... Et tous ces brancards alignés au rez-de-chaussée de l'hôtel de ville, jusque sur le trottoir!)

13, *soir*.

Respiration plus difficile aujourd'hui. Ai pourtant terminé les notes que j'enverrai à Dawson.

Cette revision de l'agenda me laisse bonne impression. Excellente même. Progression du mal, lisible comme sur un graphique. Ensemble documentaire important. Peut-être unique. Peut-être appelé à faire autorité, à servir longtemps de base aux recherches. Devrai lutter contre la tentation d'en finir. Attendre le plus tard possible, pour mener jusqu'au bout l'analyse. Laisser au moins derrière moi l'historique complet d'un de ces cas, encore si mal connus.

A certains moments, cette pensée me soutient. A d'autres, suis obligé de me battre lamentablement les flancs pour y trouver un petit brin de consolation...

1 *heure du matin*.

Réminiscence. (Curieux de s'interrompre au cours d'une rêverie pour remonter la chaîne des associations d'idées, suivre en sens inverse le chemin de la pensée, jusqu'au point de départ.)

Ce soir, au moment où Ludovic est entré avec le plateau, la capsule de la salière, mal vissée, est tombée en tintant sur l'assiette.

J'y avais à peine fait attention. Mais, toute la soirée, pendant mon traitement, et en faisant ma toilette, et en recopiant des notes, j'ai pensé à père. Défilé d'anciens souvenirs, évoquant des repas en famille, les dîners silencieux de la rue de l'Université, Mlle de Waize et ses petites mains sur la nappe, les déjeuners du dimanche à Maisons-Laffitte, avec la fenêtre ouverte et du soleil plein le jardin, etc.

Pourquoi? Je le sais maintenant. C'est parce que le tintement de la capsule sur la faïence m'avait (mécaniquement) rappelé le bruit particulier que faisait le lorgnon de père, au début du repas, lorsque père s'asseyait lourdement à sa place, et que le lorgnon, pendu au bout du fil, heurtait le bord de son assiette.

Je devrais rédiger quelques notes sur père, pour Jean-Paul. Personne n'aura l'occasion de lui parler de son aïeul paternel.

Il n'était guère aimé. Même de ses fils. Il était bien difficile à aimer. Je l'ai jugé très sévèrement. Ai-je toujours été juste? Il m'apparaît, aujourd'hui, que ce qui l'empêchait d'être aimé n'était que l'envers, ou l'excès, de certaines forces morales, de certaines austères vertus. J'hésite à écrire que sa vie forçait l'estime; et pourtant, vue sous un certain angle, elle a toute été consacrée à faire ce qu'il pensait être le bien. Ses travers éloignaient de lui tout le monde, et ses vertus n'attiraient personne. Il avait une façon de les exercer qui écartait de lui plus que n'auraient fait les pires défauts... Je crois qu'il en a eu conscience, et qu'il a cruellement souffert de son isolement.

Un jour, Jean-Paul, il faudra que je fasse l'effort de t'expliquer l'homme qu'était ton grand-père Thibault.

14 *août, matin.*

Encore ce vieux bavard de Ludovic. Il affirme (en mettant sa grosse main sur sa moustache) : « Monsieur le major, croyez-moi : le lieutenant Darros n'est qu'un *dissimulateur*. »

Je proteste, naturellement. Ludovic, d'un air entendu : « On sait ce qu'on sait. » Il précise : quand Darros habitait l'annexe, Ludovic a remarqué qu'il « trichait » en prenant sa température, qu'il ne mettait jamais le thermomètre sans s'être agité un bon quart d'heure, qu'il s'octroyait quelques dixièmes de trop en pointant sa feuille, etc.

Je proteste, mais... Ai constaté moi-même certaines choses troublantes. Salle d'inhalation, par exemple. La mollesse avec laquelle Darros fait son traitement.

L'écourte toujours, dès que Bardot ou Mazet ont tourné le dos. Se dérobe en général à tous soins qu'on lui laisse prendre seul, etc. Négligences d'autant plus étranges que Darros s'inquiète beaucoup de lui, m'a questionné souvent, parle de sa « santé définitivement compromise », etc. (Darros n'a pas de lésions, mais état bronchique mauvais, et qui ne s'améliore pas.)

Fin après-midi, dans le potager.

J'aime venir là, jusqu'au banc. Ombres des cyprès sur l'allée. Claies de roseaux. Plates-bandes alignées. Le bruit de la noria. Le va-et-vient de Pierre et de Vincent, avec leurs arrosoirs.

Obsédé par racontars de Ludovic. Si c'est vrai, si Darros est un simulateur, je me pose la question : est-ce *mal ?*

Pas si simple. Ça dépend pour qui. Pour Ludovic, dont les deux fils ont été tués, c'est *mal,* c'est même un crime, une sorte de désertion. Il pense sans doute que Darros mérite de passer en conseil. Pour le père de Darros aussi, ce serait sûrement mal. (Le connais un peu. Il vient quelquefois voir son fils. Pasteur à Avignon. Vieux puritain patriote. A poussé son plus jeune fils à s'engager.) Oui, sûrement, pour le père Darros, c'est *mal.* Mais pour d'autres ? Pour Bardot, par exemple ? Il soigne Darros depuis quatre mois, il l'aime bien. A supposer qu'il s'aperçoive de quelque chose, sévirait-il ? Ou fermerait-il les yeux ? Et pour Darros lui-même, s'il est vraiment coupable de « tricher », a-t-il le sentiment que c'est *mal ?*

Et pour moi ? Me pose la question. Est-ce *mal ?* Certes, je ne peux pas dire que c'est *bien.* Instinctive répugnance à l'égard des embusqués d'hôpitaux, qui « s'arrangent » pour ne pas guérir. Mais ne me décide pas à répondre catégoriquement : c'est *mal.*

Etrange histoire. Intéressant de chercher à tirer ça un peu au clair. Bien ou mal ?

Constate d'abord ceci : que je le suppose, ou non, coupable de jouer la comédie, Darros me reste sympathique. Garçon sensible, réfléchi, cultivé, que je crois foncièrement honnête. Je l'estime, même si c'est un *dissimulateur*. M'a souvent parlé avec confiance. De son père, de sa jeunesse, de la terrible éducation protestante au point de vue sexuel. De sa vie conjugale aussi. Le jour, notamment, où il m'a raconté son passage à Lyon, avec sa femme, le soir de la mobilisation. (Ils arrivaient d'Avignon, où ils passaient leurs vacances. Le lendemain, à l'aube, Darros devait rejoindre son régiment de réserve. Ils ont fini par trouver une chambre, dans un hôtel borgne. La ville en rumeur, le branle-bas de guerre. Me rappelle de quelle voix il disait : « Thérèse tremblait de peur, elle serrait les dents pour ne pas pleurer. J'ai passé la nuit dans ses bras, à sangloter comme un gosse. Je n'oublierai jamais ça. Elle me caressait doucement les cheveux, sans pouvoir parler. Et sur les pavés, toute la nuit, les trains d'artillerie, sans arrêt, un tintamarre infernal. »)

Peut-être un simulateur, aujourd'hui. Mais pas un lâche. Quarante mois d'infanterie, deux blessures, trois citations, et, pour finir, les gaz aux Hauts-de-Meuse. Marié six mois avant la guerre. Un enfant. Une femme de santé fragile. Pas de fortune. Un poste médiocre, dans l'enseignement, à Marseille. C'est en février dernier qu'il a été gazé (légèrement). Il a d'abord été soigné à Troyes, et sa femme — j'attache à ce détail une certaine importance — est venue s'y installer; ils ont pu revivre ensemble, un long mois. Ensuite, on l'a expédié ici, à cent lieues de la guerre. On lui a rendu son ciel bleu, son soleil, une vie de vacances... J'imagine si bien ce qui a pu se passer en lui!... S'il a pris la résolution d'user de tous les moyens pour faire durer ses troubles pulmonaires le plus longtemps possible — et, qui sait? la paix n'est peut-être plus si éloignée — cela n'a pas été, chez ce protestant de bonne trempe, sans débats de conscience. S'il a choisi finalement de sauver coûte que coûte sa peau, — au risque même d'aggraver son mal faute de soins, — est-ce *bien?* est-ce *mal?*

Que répondre?

Non, même s'il a pris ce parti, je ne veux pas lui retirer mon estime.

Minuit.

Insomnie, insomnie. Interminables méditations des heures noires... Sorte d'instinct de conservation qui m'aide, chaque fois que ce n'est pas par trop impossible, à détourner mon attention de moi, des « spectres ».

Darros. Tout de même assez grave, cette histoire Darros. Je veux dire grave *pour moi*, pour tout ce qu'elle soulève de problèmes *pour moi*.

Constatation marginale : je ne crois plus à la responsabilité.

Y ai-je cru, jadis? Oui. Dans la mesure où un médecin peut y croire. (Pour nous, les limites de la responsabilité ne sont jamais tout à fait là où les situe l'opinion courante. — Me rappelle, à Verneuil, discussions avec ce médecin-légiste, aide-major au bataillon de tirailleurs. Savons trop, nous autres, que nos actes sont la conséquence de ce que nous sommes et de ce qui nous entoure. Responsables de notre hérédité? de notre éducation? des exemples donnés? des circonstances? Non, c'est l'évidence même.)

Mais j'ai toujours agi comme si je croyais à *ma* responsabilité absolue. Et j'avais très fort le sentiment, — éducation chrétienne? — du mérite et du démérite.

(Avec des faiblesses, d'ailleurs : tendance à me sentir relativement irresponsable des fautes commises, et à revendiquer le mérite de ce que je faisais de bon...)

Tout ça, assez contradictoire.

(*Pour Jean-Paul :*

Ne pas trop redouter les contradictions. Elles sont inconfortables, mais salubres. C'est toujours aux instants où mon esprit s'est vu prisonnier de contradictions inextricables, que je me suis en même temps senti le plus proche de cette Vérité avec majuscule, qui se dérobe toujours.

Si je devais « revivre », je voudrais que ce soit sous le signe du *doute*.)

Point de vue biologique.

Pendant mes premières années de guerre, j'ai cédé — rageusement, mais j'ai cédé — à la tentation de penser les problèmes moraux et sociaux à la seule lumière simpliste de la biologie. (Réflexions de ce genre : « L'homme, brute sanguinaire, spécifiquement, etc. Limiter ses dégâts par une organisation sociale inflexible. Et ne rien espérer de mieux. ») Traînais même dans ma cantine un volume du père Fabre, déniché à Compiègne. Me complaisais à ne plus considérer les hommes, et moi-même, que comme de grands insectes armés pour le combat, l'agression et la défense, la conquête, l'entremangement, etc. Me répétais hargneusement : « Que cette guerre t'ouvre au moins les yeux, imbécile. Voir le monde tel qu'il est. L'univers : un ensemble de forces aveugles, qui s'équilibrent par la destruction des moins résistants. La nature : un champ de carnage où s'entredévorent les êtres, les races, opposés par leurs instincts. Ni bien ni mal. Pas plus pour l'homme que pour la fouine, ou l'épervier, etc. »

Comment nier que la force prime le droit, du fond d'une cave ambulance pleine de blessés ? (Quelques souvenirs précis : Soir du Cateau. Attaque de Péronne, derrière le petit mur. Poste de secours de Nanteuil-le-Haudouin. Agonie des deux petits chasseurs, dans la grange, entre Verdun et Calonne.) Me souviens de certaines heures où je me suis saoulé, désespérément, de cette vue zoologique du monde.

Courte vue... Le pessimisme mortel où j'avais sombré aurait dû m'avertir que ça mène à des bas-fonds où l'air n'est plus respirable.

Vais éteindre, pour essayer de m'assoupir.

1 *heure*.

Inutile d'espérer dormir cette nuit.

Ce brave Darros (il ne s'en doute guère) est cause que me voici empêtré depuis quinze heures dans les « problèmes moraux », — plus que je ne l'ai été durant toute ma vie !

Littéralement, ces questions ne se posaient pas pour

moi. Le bien, le mal : locutions usuelles, commodes, que j'employais comme chacun, sans y attacher de valeur réelle. Notions vides pour moi de tout impératif. Les règles de la morale traditionnelle, je les acceptais, — pour les autres. Je les acceptais en ce sens que si, par hypothèse, quelque pouvoir révolutionnaire victorieux avait voulu les déclarer caduques, — et s'il m'avait fait l'honneur de me consulter —, je l'aurais probablement dissuadé de saper d'un coup ces bases sociales. Elles m'apparaissaient totalement arbitraires, mais d'une utilité pratique incontestable pour les rapports des « autres » entre eux. Quant à moi, dans mes rapports avec moi-même, je n'en tenais aucun compte.

(Je me demande, d'ailleurs, sous quelle forme j'aurais pu préciser ma règle personnelle de vie, si j'avais eu à le faire, — ce dont je n'avais ni le loisir ni l'idée. Je crois que je m'en serais tenu à quelque formule élastique, de ce genre : « Tout ce qui accroît la vie en moi et favorise mon épanouissement est bien; tout ce qui entrave la réalisation de mon être est mal. » — Resterait maintenant à définir ce que j'entendais par « la vie » et par « réaliser mon être »... J'y renonce.)

A vrai dire, ceux qui m'ont regardé vivre, s'il en est — Jacques, par exemple, ou Philip — n'ont guère pu s'apercevoir de la liberté quasi totale que je m'octroyais en principe. Car, dans mes actes, je me suis toujours, et sans même y prendre garde, conformé à ce qu'on est convenu d'appeler « la morale », — « la morale des honnêtes gens ». Pourtant, à plusieurs reprises, — n'exagérons pas : trois ou quatre fois, peut-être, en quinze ans — à certaines heures graves de mon existence privée ou professionnelle, j'ai pris soudain conscience que mon affranchissement n'était pas uniquement théorique. Trois ou quatre fois dans ma vie, je me suis trouvé d'emblée transporté dans une région où ces règles, que j'acceptais habituellement, n'avaient pas cours; où la raison même n'avait pas accès; où l'intuition, l'impulsion, étaient maîtresses. Une région aérée et sereine, une région de *désordre supérieur*, où je me sentais merveilleusement solitaire, puissant, assuré. Assuré, oui. Car j'éprouvais avec intensité la sensation de m'être infiniment rapproché, tout à coup, de... (Bien du mal à terminer cette phrase...) — mettons : de ce qui serait, pour un Dieu, la pure Vérité. (Celle à majuscule.) Oui, trois fois au moins, à ma connaissance, j'ai sciemment et fermement enfreint les lois les plus unanimement accréditées de la morale. Je n'en ai jamais eu aucun remords. Et j'y pense aujourd'hui avec un complet détachement, sans la plus petite ombre de regret. (D'ailleurs, je peux bien dire que je n'ai aucune expérience du remords. Une disposition foncière à accepter mes pensées ou mes actes, quels qu'ils soient, comme autant de phénomènes naturels. Et légitimes.)

Me sens, cette nuit, particulièrement en train pour écrire. Et lucide. Si je dois payer, demain, par une mauvaise journée, tant pis.

Me suis relu. Rêvé sur tout ça, et autour, un bon moment.

Me suis posé, entre autres, cette question : Pour la moyenne des gens, (dont la vie s'écoule, en somme, sans qu'ils se permettent d'infractions bien accusées aux règles morales admises) qu'est-ce qui peut bien les retenir? Car, il n'y en a guère, parmi eux, qui échappent à la tentation de commettre des actes réputés « immoraux »... J'écarte, bien entendu, les croyants, ceux qu'une profonde conviction religieuse ou philosophique aide à triompher des pièges du Malin. Mais les autres, tous les autres, qu'est-ce qui les arrête? Timidité? Respect humain, crainte des on-dit? Crainte du juge d'instruction? Crainte des conséquences qu'ils risquent d'encourir, dans leur vie privée, ou publique? Tout ça joue, évidemment. Ces obstacles sont forts, et sans doute infranchissables aux yeux d'un grand nombre de « tentés ». Mais ce sont des obstacles d'ordre matériel. S'il n'y en avait pas d'autres, et d'ordre spirituel, on pourrait soutenir que l'individu, pour peu qu'il soit affranchi du joug religieux, n'est maintenu dans la voie droite que par la peur du gendarme, ou, tout au moins, du scandale. Et on pourrait soutenir, en conséquence, que tout individu incroyant, si on le suppose aux prises avec la tentation et placé dans des circonstances telles qu'il est sûr d'un secret total et d'une impunité absolue, céderait aussitôt à l'appel, et commettrait le « mal », avec une satisfaction éperdue... Ce qui reviendrait à dire qu'il n'existe pas de considérations « morales » susceptibles de retenir un incroyant; et que, pour celui qui n'est soumis à aucune loi divine, à aucun idéal religieux ou philosophique, il n'existe aucune interdiction morale efficace.

Une parenthèse : Cela semblerait donner raison à ceux qui expliquent la conscience morale (et la distinction que nous faisons tous, spontanément, entre ce que l'on doit faire et ce que l'on ne doit pas faire, entre ce qui est *bien* et ce qui est *mal*) par une survivance en l'homme moderne d'une soumission d'origine religieuse, longtemps acceptée par les générations précédentes, et devenue caractère acquis. Je veux bien. Mais il me semble que c'est raisonner en oubliant que Dieu n'est qu'une hypothèse humaine. Car, cette distinction du bien et du mal, ce n'est pas Dieu, *invention* de l'homme, qui peut l'avoir imposée à l'esprit humain : c'est, au contraire, l'homme qui l'a attribuée à Dieu, et qui en a fait un précepte divin. Si cette distinction est d'origine religieuse, autant dire que c'est l'homme, un jour, qui l'a prêtée à Dieu. Et donc qu'il l'avait en lui. Et même qu'elle était en lui si fortement enracinée, qu'il a senti le besoin de donner à cette distinction une suprême, et à jamais indiscutable, autorité...

Comment résoudre?

4 *heures.*

Vaincu par la fatigue au milieu de ma parenthèse. Dormi plus de deux heures d'affilée. Appréciable résultat du carnet. Et de mes velléités philosophiques...

Ne sais plus où je voulais en venir. « Comment résoudre?... » Oui, comment? J'avais pourtant l'impression d'être arrivé à y voir un peu plus clair. Mais bien incapable de retrouver l'enchaînement.

Problème de la conscience morale, de ses origines.

Pourquoi pas : survivance d'une habitude sociale? (J'invente peut-être à mon usage une explication archiconnue. Peu importe. Nouvelle pour moi.)

Autant je rejette l'idée que la conscience morale aurait pour source quelque loi divine, autant il me paraît plausible d'admettre qu'elle a ses origines dans le passé humain, qu'elle est une habitude qui survit à la cause qui l'a fait naître, et qui est fixée en nous, à la fois par hérédité et par tradition. Un résidu des expériences que les anciens groupements humains ont eu à faire pour organiser leur vie collective et régler leurs rapports sociaux. Résidu de règlements de bonne police. Je trouverais assez séduisant, assez satisfaisant même pour l'amour-propre, de pouvoir se dire que cette conscience morale, cette distinction d'un *bien* et d'un *mal* (distinction qui préexiste en chacun de nous; et qui est souvent absurde dans les ordres qu'elle nous dicte; et qui, néanmoins, nous contraint sans cesse à lui obéir; et qui même, parfois, nous dirige aux heures où la raison hésite et se récuse; et qui fait accomplir aux plus sages des gestes que leur raison, appelée en contrôle, ne saurait pas justifier) — il me séduirait assez d'admettre qu'elle est la survivance d'un instinct essentiel à l'homme, animal social. Un instinct, qui s'est perpétué en nous à travers les millénaires, et grâce auquel la société humaine s'achemine vers son perfectionnement.

15 *août, jardin.*

Temps glorieux. Cloches des vêpres. Un air de fête, sur tout. Insolence de ce ciel, de ces fleurs, de cet horizon qui tremble dans le halo lumineux des beaux jours. Envie de s'opposer à la beauté du monde, de détruire, d'appeler la catastrophe! Non, envie de fuir, de se cacher, envie de se replier davantage sur soi, pour souffrir.

A Spa, grand conseil de guerre, le Kaiser, les chefs de l'armée. Trois lignes dans un journal suisse. Rien dans les journaux français. Et peut-être une date historique, que les écoliers apprendront plus tard dans des manuels, et dont les conséquences auront changé le cours de la guerre...

Goiran affirme que, parmi ces messieurs du Quai d'Orsay, nombreux maintenant sont ceux qui annoncent la paix pour cet hiver.

Pas grand-chose dans le communiqué. Attente qui pèse comme une chaleur d'orage.

Soir, 10 *heures.*

Viens de relire mes élucubrations de la nuit dernière. Surpris et mécontent d'avoir noirci tant de pages. J'y montre un peu trop mes limites... (Et puis ce misérable vocabulaire humain qui, quoi qu'on fasse, est toujours celui du sentiment, et non celui de la logique!)

Pour Jean-Paul :

Ce n'est pas sur ces balbutiements de malade qu'il faudra juger l'oncle Antoine, mon petit. L'oncle Antoine s'est toujours senti très mal à l'aise dans les labyrinthes de l'idéologie : il s'y égare dès les premiers pas... Lorsque je préparais à Louis-le-Grand mon bachot de philo (le seul examen où j'ai dû me présenter deux fois avant d'être reçu), je traversais parfois des heures bien mortifiantes... Un lourdaud qui veut jongler avec des bulles de savon!... Je constate que le tête-à-tête avec la mort ne change rien à ces dispositions. Je quitterai ce monde sans avoir rien pu changer à cette inaptitude fondamentale aux spéculations abstraites!...

Bientôt minuit.

Ce *Journal* de Vigny ne m'ennuie pas, mais, à chaque instant, mon attention m'échappe, le livre me tombe des mains. Enervement d'insomnie. Mes pensées tournent en rond; la mort, le peu qu'est une vie, le peu qu'est un homme; l'énigme à laquelle l'esprit se heurte, dans lequel il s'enlise, dès qu'il cherche à comprendre. Toujours cet insoluble « au nom de quoi? »

Au nom de quoi un être comme moi, affranchi de toute discipline morale, a-t-il mené cette existence que je peux bien dire *exemplaire*, si je songe à ce qu'étaient mes journées, à tout ce que j'ai sacrifié pour mes malades, à l'extrême scrupule que j'ai toujours apporté dans l'accomplissement de mes *devoirs?*

(Je m'étais juré d'écarter ces problèmes, qu'il faudrait affronter avec d'autres dons. Peut-être, d'ailleurs, n'était-ce pas le meilleur moyen de m'en délivrer?)

Au nom de quoi les sentiments désintéressés, le dévouement, la conscience professionnelle, etc.?

Mais, au nom de quoi la lionne blessée se laisse-t-elle abattre pour ne pas quitter ses petits? Au nom de quoi le repliement de la sensitive? — ou les mouvements amiboïdes des leucocytes? — ou l'oxydation des métaux? etc., etc.

Au nom de rien, voilà tout. Poser la question, c'est postuler qu'il y a « quelque chose », c'est tomber dans le traquenard métaphysique... Non! Il faut accepter les limites du connaissable. (Le Dantec, etc.) La sagesse : renoncer aux « pourquoi », se contenter des « comment ». (Il y a déjà de quoi s'occuper, avec les « comment »!) Renoncer, avant tout, au désir puéril que tout soit explicable, logique. Donc, renoncer à vouloir m'expliquer à moi-même, comme si j'étais un tout cohérent. (Longtemps, j'ai cru l'être. Orgueil des Thibault? — Plutôt, suffisance d'Antoine...)

Tout de même, parmi les attitudes possibles, il y a celle-ci : accepter les conventions morales, sans être dupe. On peut aimer l'ordre, et le vouloir, sans en faire pour cela une entité morale, sans perdre de vue que cet ordre n'est rien de plus qu'une nécessité pratique de la vie collective, la condition d'un appréciable bien-être social. (J'écris : l'ordre, pour éviter d'écrire : le bien.)

Se sentir *ordonné*, et ne rien démêler des lois auxquelles on se sent soumis, — éternel sujet d'irritation! J'ai cru longtemps que je finirais bien, un jour, par trouver le mot de l'énigme. Suis condamné à mourir sans avoir compris grand-chose à moi-même — ni au monde...

Un croyant répondrait : « Mais c'est si simple!... » Pas pour moi!

Recru de fatigue, et incapable de m'endormir. C'est là le supplice de l'insomnie : la contradiction entre cet épuisement du corps qui veut à tout prix le repos, et cette activité déréglée de l'esprit, qui ne laisse pas approcher le sommeil.

Me tourne et me retourne sur mes oreillers depuis une heure. Travaillé par cette pensée : « J'ai vécu dans l'optimisme, je ne dois pas mourir dans le doute et la négation. »

Mon optimisme. J'ai vécu dans l'optimisme. Je n'en ai peut-être pas eu conscience, mais cela m'apparaît aujourd'hui avec évidence. Cet état d'intuition joyeuse, de confiance active, qui m'a perpétuellement soulevé et soutenu, c'est, je crois, dans le commerce de la science qu'il a pris sa source et qu'il a trouvé de quoi s'alimenter chaque jour.

La science. Elle est plus que simple connaissance. Elle est désir d'accord avec l'univers, — avec l'univers dont elle pressent les lois. (Et ceux qui suivent cette route-là, débouchent sur un *merveilleux*, autrement plus vaste et plus exaltant que celui des religions !) Par la science, on se sent profondément en contact, en harmonie, avec la nature et ses secrets.

Sentiment religieux? Le mot fait peur; mais, après tout?...

Charité, espérance et foi. L'abbé Vécard m'a fait remarquer, un jour, que moi aussi je pratiquais les vertus théologales. J'ai protesté. J'acceptais, à la rigueur *charité* et *espérance*, mais je refusais *foi*. Pourtant? Si je voulais aujourd'hui justifier cet élan continu qui m'a porté durant quinze ans, si je cherchais le fin mot de cette indomptable confiance, ce que je trouverais serait peut-être assez proche d'une foi... En quoi? Eh bien, ne serait-ce qu'en la croissance possible et sans doute infinie des formes vivantes. *Foi dans une accession universelle à des états supérieurs...*

Est-ce être « finaliste » sans le savoir? Peu importe. En tout cas, je ne veux pas d'autre « finalité ».

16 *août*.

Température. Respiration difficile, plus sifflante. Ai dû recourir plusieurs fois à l'oxygène. Me suis levé, mais sans descendre.

Visite de Goiran, avec les journaux. Continue à croire la paix possible au cours de l'hiver. Défend son point de vue avec adresse et force. Curieux bonhomme. Curieux de le voir dire des choses rassurantes, avec cet air incurablement soucieux que lui donnent ses petits yeux clignotants, trop rapprochés, ce long nez, ce masque qui avance en museau de lévrier. Tousse et expectore sans arrêt. M'a parlé de son métier comme d'une besogne. Pourtant! Enseigner l'histoire à Henri-IV, ne devrait pas être une tâche ingrate, sans joies. M'a aussi parlé de ses études à Normale. Esprit dénigreur. Prend trop de plaisir à critiquer, pour rester juste. Me donne parfois l'impression d'un esprit faux. Par excès d'intelligence, peut-être, — d'une certaine intelligence, complaisante à elle-même, indifférente à autrui, sans générosité. Avec ça, spirituel souvent.

Spirituel? Il y a deux façons d'être spirituel : par l'esprit qu'on met dans ce qu'on dit, (Philip), et par celui qu'on met dans sa manière de dire. Goiran est de ceux qui paraissent spirituels sans vraiment rien dire qui le soit. Par une certaine élocution, insistance sur les finales, par certains déplacements de voix, certaines mimiques amusantes, certaines tournures elliptiques, sibyllines; par le pétillement malicieux du regard, qui glisse des sous-entendus derrière chaque mot. Si l'on répète un propos de Philip, il reste acéré, subtil, il continue à faire mouche. Si l'on s'avisait de répéter ceux de Goiran, il ne resterait le plus souvent rien qui porte.

17 *août*.

Respiration de plus en plus gênée. Passé à la radio. L'écran montre que l'excursion du diaphragme est nulle dans les inspirations profondes. Bardot en permission pour trois jours. Me sens malade, malade, impossible penser à rien d'autre.

19 *août.*

Mauvais jours, plus mauvaises nuits. Nouveau traitement de Mazet, en l'absence de Bardot.

20 *août.*

Très abattu par le traitement.

21 *août.*

Etrangement mieux ce matin. La piqûre de cette nuit m'a fait dormir près de cinq heures! Bronches sensiblement dégagées. Lu les journaux.

Soir.

Ai somnolé tout l'après-midi. La crise paraît enrayée. Mazet content.

Obsédé par le souvenir de Rachel. Est-ce un symptôme d'affaiblissement, cette emprise des souvenirs? Quand je vivais, je ne me souvenais pas. Le passé ne m'était rien.

Pour Jean-Paul :

Morale. Vie morale. A chacun de découvrir son devoir, d'en préciser le caractère, les limites. Choisir son attitude, d'après son jugement personnel, au cours d'une expérience jamais interrompue, d'une continuelle recherche. Patiente discipline. Naviguer entre le relatif et l'absolu, le possible et le souhaitable, sans perdre de vue le réel, en écoutant la voix de la *sagesse profonde* qui est en nous.

Sauvegarder son être. Ne pas craindre de se tromper. Ne pas craindre de se renier sans cesse. Voir ses fautes, pour aller plus avant dans l'éclaircissement de soi-même et la découverte de son devoir propre.

(Au fond, on n'a de devoir qu'envers soi.)

21 *août, matin.*

Journaux. Les Anglais n'avancent guère. Nous, non plus, malgré de petites progressions ici ou là. (J'écris « petites progressions », comme le communiqué. Mais, moi, je *vois* ce que ça représente pour ceux qui « progressent » : cratères des éclatements, rampements dans les boyaux, postes de secours envahis...)

Me suis levé pour le traitement. Essaierai de descendre déjeuner.

Nuit, à la lueur de la veilleuse.

J'espérais dormir un peu. (Hier soir, température presque normale : 37,8.) Mais, toute une nuit d'insomnie, pas une minute d'inconscience. Et voilà l'aube.

Très douce nuit néanmoins.

Matin du 22.

Panne d'électricité, hier soir, qui m'a empêché d'écrire. Je voudrais noter cette admirable nuit d'étoiles filantes.

Si chaud, que j'étais allé, vers une heure, pour lever les jalousies. De mon lit, je plongeais dans ce beau ciel d'été. Nocturne, profond. Un ciel qu'on aurait dit tout en éclatements de shrapnells, une pluie de feu, un ruissellement d'étoiles en tous sens. Me suis rappelé l'offensive de la Somme, les tranchées de Maréaucourt, mes nuits d'août 16 : les étoiles filantes et les fusées des Anglais, se croisant, se mélangeant, dans un féerique feu d'artifice.

Me suis dit tout à coup (et je suis sûr que c'est vrai), qu'un astronome, habitué à vivre en pensée dans les espaces interplanétaires, doit avoir beaucoup moins de mal qu'un autre à mourir.

Rêvé longtemps, longtemps, sur tout ça. Les regards perdus dans le ciel. Ce ciel sans limites, qui recule toujours dès que nous perfectionnons un peu nos télescopes. Rêverie apaisante entre toutes. Ces espaces sans fin, où tournent lentement des multitudes d'astres semblables à notre soleil, et où ce soleil, — qui nous paraît immense, qui est, je crois, un million de fois plus grand que la terre — n'est *rien*, rien qu'une unité parmi des myriades d'autres...

La voie lactée, une poussière d'astres, de soleils, autour desquels gravitent des milliards de planètes, séparées les unes des autres par des centaines de millions de kilomètres ! Et toutes les nébuleuses, d'où sortiront d'autres essaims de soleils futurs ! Et les calculs des astronomes établissent que ce fourmillement de mondes n'est rien encore, n'occupe qu'une place infime dans l'immensité de l'Espace, dans cet éther que l'on devine tout sillonné, tout frissonnant, de radiations et d'interinfluences gravitiques, dont nous ignorons tout.

Rien que d'écrire ça, l'imagination chancelle. Vertige bienfaisant. Cette nuit, pour la première fois, pour la dernière peut-être, j'ai pu penser à ma mort avec une espèce de calme, d'indifférence transcendante. Délivré de l'angoisse, devenu presque étranger à mon organisme périssable. Moi, une infinitésimale et totalement inintéressante miette de matière...

Me suis juré de regarder le ciel, toutes les nuits, pour retrouver cette sérénité.

Et maintenant, le jour. Un nouveau jour.

Après-midi, jardin.

Je rouvre ce carnet avec reconnaissance. Jamais il ne m'a paru répondre si bien à son but : me délivrer des fantômes.

Suis encore tout envoûté par la contemplation de cette nuit.

Etanchéité de l'animal humain. Nous aussi, nous gravitons les uns autour des autres, sans nous rencontrer, sans nous fondre. Chacun faisant cavalier seul. Chacun dans sa solitude hermétique, chacun dans son sac de peau. Pour accomplir sa vie, et disparaître. Naissances et morts se succèdent à un rythme ininterrompu. Dans le monde, une naissance par seconde, soixante par minute. Plus de *trois mille* nouveau-nés *par heure;* et autant de morts! Chaque année, trois millions d'êtres cèdent la place à trois millions de vies nouvelles. Celui qui aurait vraiment compris, annexé, « réalisé » cela, pourrait-il, comme avant, s'émouvoir égocentriquement sur son destin?

6 *heures.*

Je plane aujourd'hui. Je me sens merveilleusement allégé de mon poids. Une parcelle de matière vivante qui serait pleinement consciente de sa *parcellarité.*

Me suis remémoré les passionnantes conversations que nous avons eues, à Paris, quand Zellinger amenait son ami Jean Rostand passer la soirée avec nous...

Singulière condition que celle de l'homme dans cet immense univers. Elle m'apparaît aujourd'hui avec la même clarté qu'alors, quand nous écoutions Rostand la définir de sa voix incisive et désabusée, avec la prudente précision d'un savant, l'émotion lyrique et la fraîcheur d'images d'un poète. La proximité de la mort donne aujourd'hui à ces pensées un attrait particulier. Je les manie avec piété. Aurais-je trouvé là un remède à ma détresse?

Me refuse d'instinct aux illusions métaphysiques. Jamais le néant n'a eu pour moi tant d'évidence. Je m'en approche avec horreur, avec une révolte de l'instinct; mais aucune tentation de le nier, de chercher refuge dans d'absurdes espérances.

Ai plus que jamais conscience du peu que je suis. Une merveille, pourtant! Je contemple, comme du dehors, cet assemblage prodigieux de molécules, qui, pour quelque temps encore, est moi. Je crois percevoir au fond de mon être ces mystérieux échanges qui, sans arrêt, depuis trente ans et plus, s'effectuent entre ces milliards de cellules dont je suis fait. Ces mystérieuses réactions chimiques, ces transformations d'énergie, qui s'accomplissent à mon insu dans les cellules de mon écorce cérébrale, et qui font de moi, en ce moment même, cet animal qui pense et qui écrit. Ma pensée, ma volonté, etc. Toutes ces activités spirituelles dont je me suis tant enorgueilli, — rien d'autre qu'un composé de réflexes, indépendants de moi, rien de plus qu'un phénomène naturel, instable, qu'il suffira, pour faire cesser à tout jamais, de quelques minutes d'asphyxie cellulaire...

Soir.

Recouché. Calme. L'esprit lucide, un peu grisé.

Continue à rêver sur l'Homme et sur la Vie... Songé avec un mélange de stupeur et d'admiration à la lignée organique dont je suis l'épanouissement. J'aperçois, derrière moi, à travers des milliards de siècles, tous les degrés de l'échelle vivante. Depuis l'origine, depuis cette inexplicable et peut-être accidentelle association chimique, qui s'est produite un jour, quelque part, au fond des mers chaudes ou sur la croûte calcinée de la terre, et d'où sont nées les premières manifestations du protoplasme initial, jusqu'à cet étrange et compliqué animal, doué de conscience, capable de concevoir l'ordre, les lois de la raison, la justice... — jusqu'à Descartes, jusqu'à Wilson.

Et cette idée bouleversante, et parfaitement plausible, après tout : que d'autres formes de vie, appelées à produire des êtres infiniment supérieurs à l'homme, ont pu être détruites en germe par les cataclysmes cosmiques. N'est-il pas miraculeux que cette chaîne organique dont l'homme moderne est le dernier chaînon, ait pu se dérouler au cours des âges jusqu'à maintenant? ait pu traverser, sans être anéantie, les mille perturbations géologiques du globe? ait pu échapper aux aveugles gaspillages de la nature?

Et ce miracle, jusqu'à quand se poursuivra-t-il? Vers quelle fin (inévitable) notre espèce s'achemine-t-elle? Disparaîtra-t-elle à son tour, comme ont disparu les trilobites, les scorpions géants, et tant d'espèces nageantes et rampantes, dont nous savons l'existence? Ou bien l'humanité aura-t-elle la chance de se maintenir, à travers tous les chaos, sur l'écorce de la planète, et à évoluer longtemps encore? Jusqu'à quand? Jusqu'à ce que le soleil, refroidi et immobilisé, lui refuse la chaleur, la possibilité de vie? Et quels nouveaux progrès aura-t-elle réussi à faire, avant de disparaître? Rêve vertigineux...

Quels progrès?

Je ne parviens pas à croire à un plan cosmique, où l'animal humain aurait un rôle privilégié. Je me suis trop heurté aux absurdités, aux contradictions de la nature, pour admettre une harmonie préexistante. Aucun Dieu n'a jamais répondu aux appels, aux interrogations de l'homme. Ce qu'il prend pour des réponses, c'est seulement l'écho de sa voix. Son univers est clos, limité à lui. La seule ambition qui lui soit permise, c'est d'aménager au mieux de ses besoins ce domaine borné, qui peut évidemment lui apparaître immense, comparé à sa petitesse, mais qui est minuscule, par rapport à l'univers. La science lui apprendra-t-elle enfin à s'en contenter? A trouver l'équilibre, le bonheur, dans la conscience même de sa petitesse? Pas impossible. La science peut encore beaucoup. Elle peut enseigner à l'homme à accepter ses limites naturelles, les hasards qui l'ont fait naître, le peu qu'il est. Elle peut l'amener, de façon durable, à ce calme que j'éprouve ce soir. A cette contemplation presque paisible du néant qui m'attend bientôt, du néant où tout se résorbe.

23.

Au réveil. Sommeil un peu plus long, plus profond, que de coutume. Reposé. Me sentirais presque bien, sans ces sécrétions qui m'étouffent, et cette respiration de soufflet percé.

Me suis endormi dans une espèce d'ivresse. D'ivresse désespérée, et douce, pourtant. Tout ce qui m'accable de nouveau, ce matin, me semblait sans poids, sans importance; le néant, ma mort prochaine, s'imposaient à moi avec une certitude d'un caractère particulier, qui excluait la révolte. Pas exactement du fatalisme, non :

le sentiment de participer, même par la maladie et la mort, au destin de l'univers.

Je voudrais tant retrouver mon état d'esprit d'hier soir !

Sous la véranda, avant le déjeuner. Conversations. Gramophone. Journaux.

On se bat devant Noyon, et sur tout le front entre Oise et Aisne. Avance de quatre kilomètres en vingt-quatre heures. Occupons Lassigny. Les Anglais ont repris Albert, Bray-sur-Somme. (C'est à Bray, derrière le presbytère, que le pauvre Delacour a été tué, si bêtement, aux feuillées, par une balle perdue.)

Soir.

Retrouver mon calme d'hier. Ce soir, à l'heure du dîner, crise d'étouffement très forte, très longue. Suivie d'un abattement sans bornes.

26.

Depuis hier matin, douleurs rétrosternales à peu près constantes. Cette nuit, intolérables. Accompagnées de nausées.

27.

Sept heures du soir. Bu un peu de lait. Joseph va revenir, avant de disparaître jusqu'à demain matin. Je l'attends. J'écoute les pas. Beaucoup de choses importantes à faire : arranger le lit, les oreillers, la moustiquaire, préparer la potion, l'urinal, régler les jalousies, nettoyer le crachoir, mettre à portée le verre d'eau, le flacon de gouttes, la poire pour la lumière, la poire pour la sonnerie... « Bonsoir, Monsieur le major. » — « Bonsoir, Joseph. » Attendre huit heures et demie, l'apparition du père Hector, l'infirmier de nuit. Il ne parle pas. Il entrouvre la porte et passe la tête. Il semble dire : « Je suis arrivé. Je veille. Ne craignez rien. »

Après, c'est la solitude, l'interminable nuit qui commence.

Minuit.

Sans courage. Tout en moi se détraque.

Ramène tout à moi, c'est-à-dire à ma fin. Si je pense à quelqu'un d'autrefois, c'est pour me dire aussitôt : « Encore un qui ne sait pas que je suis perdu. » Ou bien : « Qu'est-ce qu'il dira, celui-là, en apprenant ma mort? »

28.

Douleurs semblent s'atténuer. Elles disparaîtront peut-être comme elles sont venues?

Mauvaise radio. La prolifération du tissu fibreux s'est considérablement accélérée depuis le dernier examen. Surtout poumon droit.

29 *août.*

Souffre moins. Très épuisé par ces quatre mauvais jours.

Communiqué : Les nouvelles offensives (entre la Scarpe et la Vesle) progressent. Les Anglais avancent sur Noyon. Bapaume est à nous.

Pour Jean-Paul :

Orgueilleux, tu le seras. Nous le sommes. Accepte-toi. Sois orgueilleux, délibérément. Humilité : vertu parasite, qui rapetisse. (N'est, d'ailleurs, bien souvent, que la conscience intime d'une impuissance.) Ni vanité ni modestie. Se savoir fort, pour l'être.

Parasites aussi, le goût du renoncement, le désir de se soumettre, l'aspiration à recevoir des ordres, la fierté d'obéir, etc. Principes de faiblesse et d'inaction. Peur de la liberté. Il faut choisir les vertus qui grandissent. Vertu suprême : l'énergie. C'est l'énergie qui fait la grandeur.

Rançon : la solitude.

30.

Noyon est dépassé. Mais à quel prix?

Surpris qu'on laisse la presse répéter que la fin de la guerre approche. L'Amérique n'est pas entrée en campagne pour se contenter d'une victoire militaire, d'une paix militaire. Wilson veut décapiter politiquement l'Allemagne et l'Autriche. Leur arracher la tutelle de la Russie. Au train où évoluent les événements, ce n'est tout de même pas en six mois qu'on peut espérer l'effondrement des deux Empires, la constitution, à Berlin, à Vienne, à Pétersbourg, de régimes républicains solides, avec lesquels on puisse efficacement traiter?

Ma fenêtre. Une demi-douzaine de fils électriques, bien tendus, traversent ce rectangle de ciel comme des rayures sur une plaque de photo. Les jours d'orage, de fines perles d'eau glissent sur les fils, à quelques centimètres d'intervalle, toutes dans le même sens, interminablement, sans jamais s'atteindre. A ces moments-là, impossible de rien faire, de rien regarder d'autre...

SEPTEMBRE

1er *septembre* 18.

Un nouveau mois. En verrai-je la fin?

J'ai recommencé à descendre. Déjeuné en bas.

Depuis que j'ai cessé de me raser (juillet), je n'ai plus guère l'occasion de me regarder dans le miroir qui est au-dessus de mon lavabo. Tout à l'heure, dans le secrétariat, je me suis aperçu brusquement dans la glace. Hésité une seconde à me reconnaître dans ce moribond barbu. « Un peu d'âsthênie », reconnaît Bardot. C'est « cachexie » qu'il faut dire!

Impossible que ça se prolonge encore bien des semaines...

Les Anglais ont repris le mont Kemmel. Nous attaquons sur le canal du Nord. L'ennemi se replie sur la Lys.

Nuit du 1er.

Rachel. Pourquoi Rachel?

Rachel. Ses cils roux, ce halo doré autour de son regard. Et la maturité de ce regard! Sa main qu'elle appuyait sur mes yeux pour que je ne sois pas témoin de son plaisir. Sa main crispée, lourde, et qui se détendait tout à coup, en même temps que sa bouche, en même temps que tous les muscles de son corps...

2 *septembre*.

Un peu de vent. M'étais installé à l'abri de la maison. Au-dessus de moi, sous la véranda, j'entendais Goiran,

Voisenet et l'adjudant, évoquer leur vie d'étudiants. (Quartier Latin, *le Soufflot*, *le Vachette*, les bals musette, les femmes, etc.) Prêté l'oreille quelques minutes, et suis remonté dans le hall, irrité, hargneux. Troublé, aussi.

Jean-Paul, ne crains pas trop de perdre ton temps.

Non, ce n'est pas ça que je devrais te dire. Persuade-toi, au contraire, que la vie d'un homme est incroyablement courte, et que tu auras très peu de temps pour te réaliser.

Mais gaspille tout de même un peu de ta jeunesse, mon petit. L'oncle Antoine, qui va mourir, est inconsolable de n'avoir jamais rien su gaspiller de la sienne...

3 *septembre.*

Premières lueurs du jour.

Rêvé de toi cette nuit, Jean-Paul. Tu étais dans le jardin d'ici, et je te tenais appuyé contre moi, et je te sentais ferme et cambré, pareil à un petit arbre qui pousse dru, dont rien ne peut arrêter l'élan. Et tu étais tout ensemble le petit que j'ai pris sur mes genoux il y a quelques semaines, l'adolescent que j'ai été, le médecin que je suis devenu. Au réveil, et pour la première fois, cette pensée m'est venue : « Peut-être sera-t-il médecin ? »

Et mon imagination a vagabondé autour de ça. Et je pense maintenant à te léguer certains dossiers, certains paquets de notes, dix années d'observations, de recherches, de projets ébauchés. Quand tu auras vingt ans, si tu ne sais qu'en faire, donne-les à un jeune médecin.

Mais je ne veux pas si vite abandonner mon rêve. Dans ce jeune médecin qui me continuera, c'est toi, ce matin, que je vois, que je veux voir..

Midi.

Ai peut-être eu tort de renoncer à la rééducation du larynx, d'écourter les exercices respiratoires. En quinze jours, aggravation qui a nécessité ce matin une séance de galvano-cautère.

Matinée au lit.

Journaux. Lu et relu le nouveau message du *Labour Day*. Accent simple et noble, paroles de bon sens. Wilson répète que la paix véritable doit être autre chose et beaucoup plus qu'une nouvelle modification de l'équilibre européen. Dit nettement : « C'est une guerre *d'émancipation.* » (Comme celle d'Amérique.) Ne pas retomber dans les vieux errements, liquider une bonne fois cet état paradoxal de l'Europe d'avant-guerre : des peuples pacifiques, travailleurs, qui se laissaient ruiner par leurs armements, qui vivaient baïonnette au canon derrière leurs frontières. Union des nations réconciliées. Une paix qui apporte enfin au Vieux Continent cette sécurité qui fait la force des U. S. A. Une paix sans vainqueurs et sans humiliés, une paix qui ne laisse aucun ferment de revanche derrière elle, rien qui puisse favoriser un jour une résurrection de l'esprit de guerre.

Wilson marque bien la condition première d'une telle paix : abattre les gouvernements autocratiques. But essentiel. Pas de sécurité en Europe, tant que ne sera pas déraciné l'impérialisme germain. Tant que le bloc austro-allemand n'aura pas fait son évolution démocratique. Tant que ne sera pas détruit ce foyer d'idées fausses (fausses, parce qu'opposées aux intérêts généraux de l'humanité) : la mystique impériale, l'exaltation cynique de la force, la croyance à la supériorité de l'Allemand sur tous les autres peuples et au droit qu'il a de les dominer. (Messianisme de l'entourage du Kaiser, qui voudrait faire de chaque Allemand un croisé dont la mission serait d'imposer l'hégémonie germanique au monde.)

Soir.

Bonne visite de Goiran et de Voisenet, après leur dîner. Conversation sur l'Allemagne. Goiran a prétendu que cette néfaste mystique de la force n'est pas tant un résultat du régime impérial qu'un caractère ethnique, spécifique, de la race : instinct, plutôt que doctrine. Discussions : l'Allemagne n'est pas la Prusse, etc., Goiran reconnaît lui-même qu'il y a, en Allemagne, tous les éléments nécessaires à la formation d'une nation pacifique et libérale. Et quand bien même le messianisme germanique serait un instinct de la race? Evident qu'un régime autocratique l'encourage, le développe, l'utilise! Il dépend de nous, si nous sommes vainqueurs, il dépend du caractère des traités de paix, il dépend de notre attitude vis-à-vis des vaincus, que cette Allemagne malfaisante disparaisse. L'éducation démocratique à laquelle Wilson veut soumettre les Allemands, en laissant ce messianisme sans emploi, l'émousserait vite, ou bien le détournerait vers d'autres buts, si toutefois le traité de paix ne laisse au peuple allemand aucun prétexte de revanche. Ce serait l'affaire d'une quinzaine d'années. J'ai bon espoir. Je ne crois pas me tromper en pensant que l'Allemagne d'après 1930, républicaine, patriarcale, laborieuse et pacifique, sera devenue l'une des plus solides garanties de l'Union européenne.

Voisenet rappelait novembre 1911. Très juste. Pourquoi l'accord franco-allemand de Caillaux a-t-il seulement retardé la guerre? Parce qu'il ne modifiait pas — ne pouvait pas modifier — le régime politique allemand. Parce que les buts de l'Allemagne, de l'Autriche, de la Russie, continuaient à être ceux de leurs empereurs, de leurs ministres, de leurs généraux. Tout ça, Wilson l'a compris. Vaincre le Kaiser n'est rien, si on n'atteint pas l'esprit prussien, teutonique, du régime impérial, son ambition d'hégémonie, son pangermanisme. Supprimer les causes profondes, afin que l'esprit du régime ne puisse jamais ressusciter. Alors une paix durable sera assurée.

Ne pas oublier que c'est le gouvernement du Kaiser, seul contre toute l'Europe, qui a torpillé la conférence de La Haye. (Détails donnés par Goiran : l'unanimité était faite pour la limitation des armements; un accord était conclu, — accord dont les conséquences auraient été incalculables; et, la veille de la signature, le représentant de l'Allemagne a reçu de son gouvernement l'ordre de ne pas s'engager.) Ce jour-là, l'Empire a jeté le masque. Si le principe d'arbitrage avait été voté, si la limitation des armements avait été acceptée par l'Allemagne comme elle l'était par les autres Etats, la situation de l'Europe en 1914 aurait été toute différente, et la guerre vraisemblablement évitée. S'en souvenir. Tant qu'un régime d'extension pangermaniste, placé au centre du continent, gardera pouvoir absolu sur soixante-dix millions de sujets dont il exaspère systématiquement l'orgueil national, pas de paix possible pour l'Europe.

4 *septembre.*

Depuis ce matin, points de côté, mobiles, successifs, très pénibles. (En plus du reste.)

Communiqué annonce de nouveau la prise de Péronne. N'avait jamais avoué, je crois, que Péronne avait été reperdue depuis août.

Courte lettre de Philip. On raconte à Paris que Foch projette trois offensives simultanées. L'une, sur Saint-Quentin. La seconde, sur l'Aisne. La troisième, avec les Américains, sur la Meuse. Comme dit Philip : « Encore de la *casse* en perspective... » Faut-il vraiment tant de morts, avant de s'entendre sur les principes de Wilson?

Soir.

Visite de Goiran. Indigné. Me raconte les discussions soulevées au dîner par le nouveau message Wilson. Quasi-unanimité à considérer que la Ligue des Nations devra être, avant toutes choses, un moyen de prolonger après la guerre, par une institution stable, la coalition du monde civilisé contre l'Allemagne et l'Autriche. Goiran prétend que cette idée, solidement ancrée déjà dans toutes les caboches officielles françaises, (à commencer par Poincaré et Clemenceau), peut être formulée ainsi : « L'unification pacifique de l'Europe ne peut pas se faire sans cette condition *sine qua non :* que les Boches soient exclus de la confédération. Race maudite. Ferment de guerres futures. Pas de paix possible, tant que subsistera en Europe une Allemagne vivace. Donc, la tenir en tutelle pour l'empêcher de nuire. »

Monstrueux. Si Goiran disait vrai, ce serait la trahison absolue de la pensée wilsonnienne. Ecarter, de prime abord, d'une Ligue *générale*, un tiers de l'Europe, sous prétexte que ce tiers est responsable de la guerre, et qu'il est à tout jamais impossible de lui faire confiance, ce serait tuer dans l'œuf l'organisation juridique de l'Europe, se contenter d'une caricature de Société des Nations, avouer qu'on rêve de mettre l'Europe sous une hégémonie anglo-française, et cultiver à plaisir des germes de nouveaux conflits sanglants.

Wilson, trop sensé, trop averti, pour tomber dans ce piège impérialiste!

Le 5, *Jeudi.*

Ne tient pas debout, aujourd'hui. Suis vraiment un asphyxié qui marche. Mis cinq minutes à descendre l'escalier.

Lentement, régulièrement, poussé vers la mort. Ai repensé cette nuit à l'agonie de père. Le refrain de son enfance, qu'il chantonnait :

Vite, vite, au rendez-vous!

Devrais ne pas attendre pour rédiger les notes sur mon père, que je veux laisser à Jean-Paul.

Que de fois, à l'arrière, dans un cantonnement de repos, au calme, heureux d'avoir retrouvé un lit, j'ai passé des heures, étendu, à imaginer l'après-guerre, à rêver naïvement aux temps qui allaient venir, à la vie meilleure, plus laborieuse, plus utile, que j'étais résolu à mener... Tout semblait devoir être si beau!

Mort, mort. Idée fixe. En moi, comme une intruse. Une étrangère. Un parasite. Un chancre.

Tout changerait si l'acceptation me devenait possible. Mais il faudrait recourir à la métaphysique. Et ça...

Etrange, que le retour au néant puisse soulever une

telle résistance. Me demande ce que j'éprouverais si je croyais à l'enfer, et si j'avais la certitude d'être damné. Je doute que ce puisse être pire.

5 *septembre, soir.*

Le commandant m'a fait apporter par Joseph une revue marquée d'un signet. J'ouvre et lis : *Les guerres ont toutes sortes de prétextes, mais n'ont jamais qu'une cause : l'armée. Otez l'armée, vous ôtez la guerre. Mais comment supprimer l'armée? Par la suppression des despotismes.* C'est une citation tirée d'un discours de Victor Hugo. Et Reymond a mis en marge, avec un point d'exclamation : *Congrès de la Paix*, 1869.

Qu'il ricane, tant qu'il voudra. Est-ce une raison parce qu'on prônait déjà la suppression des despotismes et la limitation des armements il y a cinquante ans, pour désespérer de voir l'humanité sortir enfin de l'absurde?

Expectorations plus abondantes que jamais, ces jours-ci. Le nombre des fragments augmente. (Lambeaux de muqueuses et fausses membranes.)

6 *septembre.*

Reçu ce matin une lettre de Mme Roy. M'écrit chaque année, le jour de la mort de son fils.

(Lubin me rappelle souvent le petit Manuel Roy.)

Que penserait-il aujourd'hui, s'il vivait encore? Je l'imagine assez bien, *amoché* (comme Lubin), mais toujours crâneur, et impatient de guérir pour retourner au front.

Jean-Paul, je me demande quelles seront tes idées sur la guerre, plus tard, en 1940, quand tu auras vingt-cinq ans. Tu vivras sans doute dans une Europe reconstruite, pacifiée. Pourras-tu seulement concevoir ce qu'était le « nationalisme »? l'héroïsme mystique de ceux qui avaient ton âge en août 14, vingt-cinq ans, l'avenir devant eux, — et qui sont partis se battre, superbement, comme mon cher petit Manuel Roy? Ne sois pas injuste, sache comprendre. Ne méconnais pas la noblesse de ces jeunes hommes qui n'avaient pas envie de mourir, et qui ont accepté virilement de risquer leur vie pour leur pays en danger. Ils n'étaient pas tous des têtes folles. Beaucoup, comme Manuel Roy, ont consenti à ce sacrifice parce qu'ils étaient convaincus qu'il assurerait aux générations futures — dont tu es — un avenir plus beau. Oui, beaucoup. J'en ai connu. L'oncle Antoine témoigne pour eux.

Journaux. Nous avons passé la Somme, atteint Guiscard. Avancé aussi au nord de Soissons, repris Coucy. Empêcherons-nous les Allemands de s'installer derrière l'Escaut et le canal de Saint-Quentin?

Le 7 au soir.

Pour Jean-Paul :

Je pense à l'avenir. A ton avenir. Cet avenir « plus beau » que souhaitaient les Manuel Roy. Plus beau? Je l'espère pour toi. Mais nous vous laissons en héritage un monde chaotique. Je crains bien que tu n'entres dans la vie en un temps fort troublé. Contradictions, incertitudes, heurt de forces anciennes et nouvelles. Il faudra des poumons solides pour respirer cet air vicié. Attention! La joie de vivre ne sera pas accessible à tous.

Je m'abstiens généralement de toute prophétie. Mais, pour entrevoir l'Europe de demain, il suffit de réfléchir. Economiquement, tous les Etats appauvris, la vie sociale déséquilibrée partout. Moralement, la rupture brusque avec le passé, l'effondrement des anciennes valeurs, etc. D'où, vraisemblablement, un grand désarroi. Une période de mue. Une crise de croissance, avec accès de fièvre, convulsions, élans et rechutes. L'équilibre au bout, mais pas tout de suite. Un enfantement, qui n'ira pas sans les douleurs.

Que deviendras-tu là-dedans, Jean-Paul? Il sera difficile d'y voir clair. Chacun croira détenir la vérité, chacun aura sa panacée à offrir, comme toujours. Epoque d'anarchie, peut-être? Goiran le croit. Moi, non. Si anarchie,

anarchie apparente seulement, et provisoire. Car l'humanité ne va pas, ne peut pas aller vers l'anarchie. Impossible à penser. L'histoire est là. L'humanité, à travers d'inévitables fluctuations, ne peut aller que vers l'organisation. (Bien probable que cette guerre marquera un pas décisif, sinon vers la fraternité, du moins vers la compréhension mutuelle. Avec la paix de Wilson, l'horizon européen s'élargira; les idées de solidarité humaine, de civilisation collective, tendront à se substituer à celles de nationalité, etc.)

De toutes façons, tu verras de vastes transformations, une refonte. Et, ce que je voulais écrire, c'est ceci : il me semble que, en ces temps qui viennent, l'opinion publique, les idées-forces qui la dirigent, auront une influence accrue, déterminante. L'avenir sera probablement plus plastique qu'il n'a jamais été. L'individu aura plus d'importance. L'homme de valeur aura, plus que dans le passé, des chances de pouvoir faire entendre et prévaloir son avis; des possibilités de collaborer à la reconstruction.

Devenir un homme de valeur. Développer en soi une personnalité qui s'impose. Se défier des théories en cours. Il est tentant de se débarrasser du fardeau exigeant de sa personnalité! Il est tentant de se laisser englober dans un vaste mouvement d'enthousiasme collectif! Il est tentant de croire, parce que c'est commode, et parce que c'est suprêmement confortable! Sauras-tu résister à la tentation!... Ce ne sera pas facile. Plus les pistes lui paraissent brouillées, plus l'homme est enclin, pour sortir à tout prix de la confusion, à accepter une doctrine toute faite qui le rassure, qui le guide. Toute réponse à peu près plausible aux questions qu'il se pose et qu'il n'arrive pas à résoudre seul, s'offre à lui comme un refuge; surtout si elle lui paraît accréditée par l'adhésion du grand nombre. Danger majeur! Résiste, refuse les mots d'ordre! *Ne te laisse pas affilier!* Plutôt les angoisses de l'incertitude, que le paresseux bien-être moral offert à tout « adhérent » par les doctrinaires! Tâtonner seul, dans le noir, ça n'est pas drôle; mais c'est un moindre mal. Le pire, c'est de suivre docilement les vessies-lanternes que brandissent les voisins. Attention! Que, sur ce point, le souvenir de ton père te soit un modèle! Que sa vie *solitaire*, sa pensée inquiète, jamais fixée, te soient un exemple de loyauté vis-à-vis de soi-même, de scrupule, de *force* intérieure et de dignité.

Petit matin. Insomnie, insomnie.

(Ai tendance à prendre un ton « prêcheur », dès que je m'adresse à Jean-Paul. Renoncer aux : « Attention », etc.)

Devenir un « homme de valeur »... N'ai oublié qu'une chose : lui donner la recette.

La recette? En fait d'hommes de valeur, je n'ai guère approché que des médecins. Je suis d'ailleurs porté à croire que l'attitude d'un homme de valeur devant les événements, devant les réalités et les imprévus de la vie sociale, ne doit guère différer de celle du médecin devant la maladie. L'important : une certaine virginité du regard. En médecine, ce qu'on sait, ce qu'enseignent les livres, suffit bien rarement pour résoudre le problème nouveau que pose chaque cas particulier. Toute maladie, — et, pareillement, toute crise sociale — se présente comme un cas premier, sans précédent identique; comme un cas *exceptionnel*, pour lequel une thérapeutique nouvelle est toujours à inventer. Il faut beaucoup d'imagination pour être un homme de valeur...

Dimanche 8 *septembre* 18.

Expectoré ce matin, au réveil, un fragment d'environ dix centimètres. L'ai fait remettre à Bardot, pour examen.

Relis ce que j'écrivais cette nuit. Surpris de pouvoir ainsi, par moments, porter intérêt à l'avenir, aux hommes d'après moi. Est-ce seulement à cause de Jean-Paul?

À la réflexion, cet intérêt est tout spontané, et moins intermittent que je ne dis. C'est, au contraire, ma surprise qui est le résultat d'un effort d'esprit, d'un retour sur moi-même. En réalité, penser à l'avenir reste pour moi une opération d'esprit constante, et toute naturelle... Etrange!

Avant déjeuner.

Me souviens d'un écho de presse qui avait frappé Philip. (Une de nos premières conversations extra-professionnelles. Je venais d'entrer dans son service.) Il s'agissait d'un condamné à mort, qui, arrivé devant le couperet, et saisi par les aides, s'était débattu pour crier au procureur : « N'oubliez pas ma lettre. » (Il avait appris, en prison, que sa maîtresse le trompait; et, le matin de son exécution, il avait écrit aux magistrats pour confesser un mauvais coup, resté sans sanction, et auquel la femme avait pris une part active.)

Nous ne parvenions pas à comprendre. Jusqu'à la dernière seconde, s'intéresser aussi exclusivement aux affaires de ce monde! Philip voyait là une preuve de la quasi-impossibilité, pour la plupart des hommes, de « réaliser » vraiment le non-être.

Cette histoire ne m'étonne plus autant.

9 *septembre.*

Un goût infect dans la bouche. A quoi bon ce supplice supplémentaire? N'ai jamais rien espéré de cette potion à la créosote, qui rappelle le dentiste, qui m'enlève tout désir de manger.

Après-midi, dehors.

En écrivant ce matin la date : 9 septembre, me suis brusquement souvenu : aujourd'hui, *deuxième* anniversaire de Reuville.

Soir.

Vécu toute la journée dans le souvenir de Reuville.

Notre arrivée à la fin du jour. L'installation du poste de secours, dans la crypte. Le village en décombres. Deux cents marmites, tombées la veille. Nuit noire où s'élèvent les fusées éclairantes. Le P. C. du colonel, qui fait fonction de général de brigade, dans une maison dont il ne reste que trois pans de murs. Le fracas des 75, mis en batterie dans le bois. Les pignons en ruine autour de la mare. L'édredon rouge, éventré, près duquel je devais être blessé le lendemain matin. Le sol de détritus et de boue sèche, raviné par les convois. Et la crête, derrière le village, la crête qu'on voyait à travers les vitraux brisés de la crypte, la crête d'où venaient les blessés, par paquets, blancs de poussière, clopin-clopant, avec cet air absent et doux qu'ils avaient tous. Je la vois cette crête, découpée sur le ciel d'incendie, hérissée de pieux barbelés, tous penchés dans le même sens, comme bousculés par un cyclone. Et le vieux moulin, à gauche, effondré sur ses ailes, comme un joujou cassé. (Étrange plaisir à décrire tout ça. Pourquoi? Le sauver de l'oubli? Pour qui? Pour que Jean-Paul sache qu'un matin, à Reuville, l'oncle Antoine?...) La crypte, encombrée dès le début de la nuit. Les gémissements, les engueulades. La paille, au fond, où ils déposaient les morts, avec les intransportables. La lampe-tempête posée sur l'autel. La bougie, dans la bouteille. La ronde fantastique des ombres sur la voûte. Je revois la table, des planches sur deux tonneaux, les linges, je revois tout comme si j'avais eu le temps d'observer, pour retenir. Mon activité d'alors! Cet état de demi-ivresse, de joie du métier, cet entrain au boulot. Agir vite. En gardant un maximum de pouvoir sur soi. Tous les sens prodigieusement en éveil, la volonté tendue tout le long des membres jusqu'à l'extrémité des doigts. Une espèce de détresse aussi; et, en même temps, une insensibilité d'automate. Soutenu par le but, l'ouvrage à faire. Ne rien écouter, ne rien regarder, être tout entier à ce qu'on fait. Et faire dans l'ordre, prestement, sans hâte et sans perdre une seconde, chacun des gestes nécessaires pour que cette plaie soit aseptisée, cette artère liée à temps, cette fracture provisoirement immobilisée. Au suivant!

Je revois plus vaguement l'espèce d'auvent, de remise, où ils installaient les blessés sur les brancards, de l'autre côté de la ruelle. Mais je me rappelle bien cette ruelle, où il fallait raser les murs à cause des balles. Et si bien les petits piaulements aux oreilles, et les claquements secs sur le mur de torchis! Le regard rageur du petit commandant barbu avec son bras en écharpe, et la façon dont il agitait sa main valide à la hauteur de la tempe, comme s'il écartait un essaim : « Trop de mouches, ici. Trop de mouches. » (Et je pense brusquement à ce vieil engagé barbu, grisonnant, qui était avec nous à l'ambulance de Longpré-les-Corps-Saints, son air sinistre, son accent de faubourg quand il vidait son brancard d'un blessé : « Descendez, on vous d'mande! »)

Toute la nuit, on a travaillé, sans se douter du mouvement tournant. Et à l'aube, l'arrivée de l'agent de liaison, le village pris de flanc, les tranchées d'évacuation devenues dangereuses, la place à traverser malgré les mitrailleuses pour atteindre le seul boyau praticable. Pas eu, un instant, l'idée que je risquais ma peau. En tombant, la vision de l'édredon rouge, et cette certitude lucide : « Poumon perforé... Cœur pas atteint... *M'en tirerai.* »

(A quoi tiennent les choses... Si, ce matin-là, j'avais été blessé à la jambe ou au bras, je ne serais pas où j'en suis : ce peu d'ypérite que j'ai respiré, plus tard, n'aurait pas fait ces ravages si j'avais eu deux poumons intacts.)

10 *septembre.*

Depuis hier, l'esprit tout occupé de souvenirs de guerre.

Veux noter pour Jean-Paul l'histoire des typhiques, — à quoi j'ai dû de rester au front bien plus longtemps que la plupart de mes confrères des hôpitaux. Dans l'hiver 1915. J'étais toujours attaché à mon régiment de Compiègne, et il se trouvait en ligne, dans le Nord. Mais on avait établi un roulement entre les majors des bataillons, et, toutes les quinzaines environ, chacun de nous s'en allait à six kilomètres en arrière pour diriger pendant quelques jours un petit dépôt, une infirmerie d'une vingtaine de lits. J'arrive là, un soir. Dix-huit malades, dans un sous-sol voûté. Tous avec de la température; plusieurs avec 40!... Je les examine, à la lueur de la lampe. Pas d'hésitation : dix-huit typhiques. Or, il avait été interdit d'avoir des typhiques au front. Pratiquement, la consigne était de ne jamais diagnostiquer une typhoïde. Je téléphone au quatre galons, le soir même. Je lui déclare que mes dix-huit « bonshommes » me paraissent atteints de troubles gastro-intestinaux graves, très voisins des troubles paratyphiques (j'évitais prudemment le mot *typhoïde*), et que, en conscience, je refusais la direction de l'infirmerie, convaincu que ces pauvres bougres allaient claquer dans leur cave si on ne les évacuait pas sur-le-champ. Le lendemain, à la première heure, on m'envoie chercher en auto. On me fait comparaître à la division. Je tiens tête aux autorités. Tant et si bien que j'obtiens l'évacuation immédiate. Mais, de ce jour-là, il y a eu dans mon service une certaine « note », à laquelle j'ai dû, jusqu'à ma blessure, de me voir refuser tout avancement!

Soir.

Je pense à mes rapports, ici, avec les autres. Promiscuité qui devrait rappeler celle du front. Non. Rien de comparable. Ici, camaraderie, rien de plus. Au front, le moindre cuistot est un frère.

Je pense à ceux que j'ai connus. Triste revue à passer. Presque tous réformés, mutilés, disparus... Carlier, Brault, Lambert, et le brave Dalin, et Huart, et Laisné, et Mulaton, où sont-ils? Et Saunais? Et le petit Nops? Et tant d'autres? Combien d'entre eux finiront la guerre indemnes?

Je pense à la guerre, aujourd'hui, autrement que d'habitude. Ce que me disait Daniel, à Maisons : « La guerre, cette occasion d'amitié exceptionnelle entre les hommes... » (Une atroce occasion, et une éphémère amitié!) Tout de même, il avait raison : une espèce de pitié, et de générosité, de tendresse réciproque. Dans cette malédiction partagée, on finit par n'avoir plus que des réactions élémentaires, et les mêmes. Galonnés ou non, ce sont les mêmes servitudes, les mêmes souffrances, le même ennui, les mêmes peurs, les mêmes espoirs, la même boue, souvent la même soupe, le même journal. Moins de combines, de petites crasses, moins de méchanceté qu'ailleurs. On a tellement besoin les uns des autres.

On aime et on aide, pour être aimé et aidé. Peu d'antipathies personnelles, pas de jalousies (au front). Pas de haines. (Pas même de haine pour le Boche d'en face, victime des mêmes absurdités.)

Et puis, ceci encore : par la force des choses, la guerre est un temps de *méditation*. Pour le type inculte comme pour le type instruit. Une méditation simple, profonde. A peu de chose près, la même pour tous. Est-ce le tête-à-tête quotidien avec la mort qui force à réfléchir les esprits les moins contemplatifs ? (Exemple, ce carnet...) Pas un de mes compagnons du bataillon, dont je n'aie surpris, un jour, la *méditation*. Une méditation solitaire, repliée, qu'on cultive comme un besoin, et qu'on cache. Le seul coin qu'on se réserve. Dans cette dépersonnalisation forcée, la méditation, c'est le dernier refuge de la personne.

Que restera-t-il des fruits de cette méditation à ceux qui auront échappé à la mort ? Pas grand-chose, peut-être. Un furieux appétit de vivre, en tout cas ; l'horreur des sacrifices inutiles, des grands mots, de l'héroïsme ? Ou bien, au contraire, une nostalgie des « vertus » du front ?

11.

Le fragment expectoré l'autre matin a été identifié histologiquement. Pas une fausse membrane : une moule de muqueuse.

Soir.

En réalité, je pense presque aussi souvent à ma vie qu'à ma mort. Je me retourne sans cesse vers mon passé. J'y fouille, comme un chiffonnier dans la poubelle. Du bout de mon crochet, je tire à moi quelque détritus, que j'examine, que j'interroge, sur lequel je rêve inlassablement.

Si peu de chose, une vie... (Et je ne pense pas cela parce que la mienne est écourtée. C'est vrai pour toute vie !) Archibanal : la brève lueur dans l'immense nuit, etc. Combien peu savent ce qu'ils disent en répétant ces lieux communs. Combien peu en sentent le pathétique!

Impossible de se débarrasser intégralement de la question oiseuse : « Quelle peut être la signification de la vie? » Moi-même, en ruminant mon passé, je me surprends souvent à me demander : « A quoi ça rime? »

A rien. A rien du tout. On éprouve quelque peine à accepter ça, parce qu'on a dix-huit siècles de christianisme dans les moelles. Mais, plus on réfléchit, plus on a regardé autour de soi, en soi, et plus on est pénétré par cette vérité évidente : « Ça ne rime à rien. » Des millions d'êtres se forment sur la croûte terrestre, y grouillent un instant, puis se décomposent et disparaissent, laissant la place à d'autres millions, qui, demain, se désagrégeront à leur tour. Leur courte apparition ne « rime » à rien. La vie n'a pas de sens. Et rien n'a d'importance si ce n'est de s'efforcer à être le moins malheureux possible au cours de cette éphémère villégiature...

Constatation qui n'est pas aussi décevante, ni aussi paralysante, qu'on pourrait croire. Se sentir bien nettoyé, bien affranchi, de toutes les illusions dont se bercent ceux qui veulent à tout prix que la vie ait un sens, cela peut donner un merveilleux sentiment de sérénité, de puissance, de liberté. Cela devrait même être une pensée assez tonique, si on savait la prendre...

Je songe tout à coup à cette salle de récréation, au rez-de-chaussée du Pavillon B, que je traversais tous les matins en quittant mon service d'hôpital. Je la revois pleine de gosses à quatre pattes, en train de jouer aux cubes. Il y avait là de petits incurables, des infirmes, des malades, des convalescents. Il y avait là des enfants arriérés, des demi-imbéciles, et d'autres très intelligents. Un microcosme, en somme... L'humanité vue par le gros bout de la lorgnette... Beaucoup se contentaient de remuer au hasard les cubes qui se trouvaient devant eux, de les déplacer, de les tourner et retourner sur leurs diverses faces. D'autres, plus éveillés, assortissaient les couleurs, alignaient les cubes, composaient des dessins géométriques. Quelques-uns, plus hardis, s'amusaient à monter de petits édifices branlants. Parfois, un esprit appliqué, tenace, inventif, ambitieux, se donnait un but difficile, réussissait, après dix tentatives vaines, à fabriquer un pont, un obélisque, une haute pyramide... A la fin de la récréation, tout s'effondrait. Il ne restait sur le lino qu'un amas de cubes éparpillés, tout prêts pour la récréation du lendemain.

C'est, somme toute, une image assez ressemblante de la vie. Chacun de nous, *sans autre but que de jouer* (quels que soient les beaux prétextes qu'il se donne), assemble, selon son caprice, selon ses capacités, les éléments que lui fournit l'existence, les cubes multicolores qu'il trouve autour de lui en naissant. Les plus doués cherchent à faire de leur vie une construction compliquée, une véritable œuvre d'art. Il faut tâcher d'être parmi ceux-là, pour que la récréation soit aussi amusante que possible...

Chacun selon ses moyens. Chacun avec les éléments que lui apporte le hasard. Et cela a-t-il vraiment beaucoup d'importance qu'on réussisse plus ou moins bien son obélisque ou sa pyramide?

Même nuit.

Mon petit, je regrette ces pages écrites hier soir. Si tu les lis, elles te révolteront. « Pensées de vieillard », diras-tu, « pensées de moribond... » Tu as raison, sans doute. Je ne sais plus où est le vrai. Il y a d'autres réponses, moins négatives, à la question que tu te poses sans doute : « Au nom de quoi vivre, travailler, donner son maximum? »

Au nom de quoi? Au nom du passé et de l'avenir. Au nom de ton père et de tes fils, au nom du maillon que tu es dans la chaîne... Assurer la continuité... Transmettre ce qu'on a reçu, — le transmettre amélioré, enrichi.

Et c'est peut-être ça, notre raison d'être?

12 *septembre, matin.*

N'ai été qu'un *homme moyen*. Facultés moyennes, en harmonie avec ce que la vie exigeait de moi. Intelligence moyenne, mémoire, don d'assimilation. Caractère moyen. Et tout le reste, camouflage.

Après-midi.

La santé, le bonheur : des œillères. La maladie rend enfin lucide. (Les meilleures conditions, pour bien se comprendre et comprendre l'homme, seraient *d'avoir été* malade, et de récupérer la santé.) J'ai grande envie d'écrire : « L'homme bien portant depuis toujours est fatalement un imbécile. »

N'ai été qu'un homme moyen. Sans vraie culture. Ma culture était professionnelle, limitée à mon métier. Les grands, *les vrais grands*, ne sont pas limités à leur spécialisation. Les grands médecins, les grands philosophes, les grands mathématiciens, les grands politiques, ne sont pas uniquement médecins, philosophes, etc. Leur cerveau se meut à l'aise dans les autres domaines, s'évade au-delà des connaissances particulières.

Soir.

Sur moi-même :

Je ne suis guère plus qu'un type qui a eu de la chance. J'avais choisi la carrière où je pouvais le mieux réussir. (Ce qui prouve déjà une certaine intelligence pratique...) Mais une intelligence *moyenne*, juste assez bien équilibrée pour savoir tirer parti des circonstances favorables.

Ai vécu aveuglé d'orgueil.

Je m'imaginais devoir tout à mon cerveau et à mon énergie. Je m'imaginais avoir créé ma destinée et mériter mes réussites. Je me figurais que j'étais un type de premier plan, parce que j'étais parvenu à me faire juger tel par de moins doués que moi. Camouflage. J'ai donné le change à Philip lui-même.

Mirages, illusions, qui n'auraient pas pu durer toujours. La vie me réservait sans doute de brutales déceptions.

Je n'aurais été rien de plus qu'un bon médecin, — comme tant d'autres.

13 *septembre*.

Expectorations rosées, ce matin. Onze heures. Au lit en attendant Joseph, pour des ventouses.

Ma chambre. Hideux petit univers, dont tous les détails me sont archiconnus, jusqu'à la nausée. Pas un clou, pas une trace d'ancien clou, pas une éraflure de ces murs rosâtres, sur lesquels mes yeux ne se soient posés des milliers de fois! Et toujours ces *girls*, collées au-dessus de la glace! (Qui me manqueraient, peut-être, si j'obtenais enfin qu'on les arrache.)

Dans ce lit, des heures et des heures, des jours et des nuits. Moi, si actif!

Action. Je n'ai pas seulement été actif. J'ai eu pour l'action un culte fanatique, puéril.

(Ne pas être trop injuste pour l'activité d'autrefois. Ce que je sais, c'est l'action qui me l'a appris. Le corps à corps avec les réalités. J'ai été façonné par l'action. Même cet enfer de la guerre, si j'ai pu le supporter si fermement, c'est parce qu'il m'obligeait constamment à l'action.)

Après-midi.

Au fond, c'est chirurgien que j'aurais dû être. J'ai fait de la médecine avec un tempérament de chirurgien. Pour être tout à fait un bon médecin, il faut aussi pouvoir être un contemplatif.

Soir.

Je repense à ma belle activité d'autrefois. Non sans sévérité. J'y distingue maintenant la part, — une part —, de cabotinage. (Vis-à-vis de moi-même, plus encore que — en tout cas : autant que — vis-à-vis des autres.)

Ma faiblesse : un perpétuel *besoin d'approbation*. (Cet aveu me coûte, Jean-Paul!)

Ai constaté cent fois que la présence des autres m'était presque indispensable pour battre mon plein. Me sentir regardé, jugé, admiré, stimulait toutes mes facultés, exaltait mon audace, mon esprit de décision, le sentiment de ma puissance, donnait à ma volonté un élan irrésistible. (Exemples : bombardement de Péronne, — ambulance de Montmirail, — coup de main du bois Brûlé, etc. Autre exemple : dans le civil, j'étais indiscutablement plus perspicace dans mon diagnostic, plus entreprenant en thérapeutique, quand je faisais ma consultation d'hôpital, sous l'œil de mes collaborateurs, que quand j'étais seul chez moi, dans mon cabinet, en face d'un client.)

J'ai conscience aujourd'hui que la véritable énergie, ce n'est pas celle-là : c'est celle qui se passe de spectateurs. La mienne avait besoin d'autrui pour donner son maximum. Seul dans l'île de Robinson, il est probable que je me serais supprimé. Mais l'arrivée de Vendredi m'aurait fait exécuter des prouesses...

Soir.

Cultive ta volonté, Jean-Paul. Si tu es capable de vouloir, rien ne te sera impossible.

14.

Récidive. Douleurs rétrosternales, en plus de tout le reste. Et spasmes inexplicables. Impossible de rien garder dans l'estomac. N'ai pu me lever.

Goiran m'a apporté ses journaux. En Suisse, on parle de propositions de paix austro-hongroises (?), et aussi d'un sourd mouvement révolutionnaire en Allemagne (?)... Les idées démocratiques y feraient-elles déjà leur chemin, grâce aux messages de Wilson?

Moins incertaine, la nouvelle de l'avance américaine en direction de Saint-Mihiel. Et Saint-Mihiel, c'est la route de Briey, de Metz! Mais nous arrivons sur la ligne Hindenburg, qu'on dit infranchissable.

16 *septembre.*

Un peu de mieux. Plus de nausées. Très affaibli par ces deux jours de diète.

Réponse de Clemenceau aux velléités de paix autrichiennes. Souverainement déplaisante. Le ton d'un officier de cavalerie. Pire : le ton d'un pangermaniste. L'effet des récents succès militaires ne se fait pas attendre : dès qu'un des adversaires croit tenir l'avantage, il démasque ses arrière-pensées, *qui sont toujours impérialistes*. Wilson aura fort à faire contre les hommes d'Etat de l'Entente, pour peu que la victoire des Alliés ne soit pas exclusivement américaine. L'Entente avait là une occasion de déclarer loyalement ce qu'elle voulait. Mais elle a voulu bluffer, paraître exiger le maximum, de peur de n'avoir pas, au règlement, tout ce qu'il sera possible de soutirer aux vaincus. Goiran dit : « Quelques succès, et déjà l'Entente est ivre. »

17.

Ils peuvent me raconter ce qu'ils voudront, ces répétitions de poussées broncho-pneumoniques ont toujours été considérées comme une forme d'infection pulmonaire à rechutes.

18.

Long examen de Bardot, puis consultation de Sègre. *Fléchissement accusé du cœur droit, avec cyanose et hypotension.*

Je m'y attendais depuis des semaines. Le vieil adage : « Poumons malades, soigne le cœur. »

La caractéristique d'un infirmier : n'être jamais à portée d'appel quand on a un urgent besoin de lui, — et s'éterniser dans la chambre, aux moments où sa présence est insupportablement inopportune...

Nuit du 19 *au* 20.

La vie, la mort, les germinations ininterrompues, etc.

Cet après-midi, examiné avec Voisenet une carte du front de Champagne. Me suis brusquement souvenu de cette plaine blanchâtre (quelque part, au nord-est de Châlons), où nous avons fait halte pour casser la croûte, quand j'ai changé d'affectation, en juin 17. Le sol avait été si profondément retourné par les pilonnements du début de la guerre, que rien n'y poussait plus, pas même un brin de chiendent. Pourtant c'était au printemps, loin du front, et toute la région alentour avait été remise en culture. Et près de l'endroit où nous étions arrêtés, il y avait, au milieu de ce désert crayeux, un petit îlot tout vert. Je me suis approché. C'était un cimetière allemand. Des tombes à ras de terre, enfouies dans l'herbe haute, et, sur ces jeunes cadavres, un foisonnement d'avoines, de fleurs des champs, de papillons.

Archibanal. Mais, aujourd'hui, ce souvenir m'émeut autrement qu'alors. Rêvé toute la soirée à cette nature aveugle, etc. Sans savoir donner forme à ma pensée.

20 *septembre*.

Succès sur le front de Saint-Mihiel. Succès devant la ligne Hindenburg. Succès en Italie. Succès en Macédoine. Succès partout. Mais...

Mais au prix de quelles pertes?

Et ce n'est pas tout. Comment se défendre d'une appréhension, quand on constate le changement de ton de la presse alliée depuis que nous nous sentons les plus forts? Avec quelle intransigeance Balfour, Clemenceau et Lansing, ont rejeté les offres de l'Autriche! Et obligé sans doute la Belgique à rejeter celles de l'Allemagne!

Visite de Goiran. Non, je ne puis imaginer aussi proche la fin de la guerre. Pour fonder la République allemande et remettre sur des pieds solides le colosse d'argile russe, ce sont de longs mois qu'il faudra encore, voire des années. Et plus nous serons victorieux, moins nous consentirons à une paix de conciliation, la seule durable.

Avec Goiran. Discussion irritante et vaine sur *le progrès*. Il dit : « Alors, vous ne croyez pas au progrès? »

Si fait, si fait. Mais la belle avance! Rien à espérer de l'homme avant des *millénaires*...

21.

Déjeuné en bas.

Lubin, Fabel, Reymond, si différentes que soient leurs opinions, sont tous, pareillement des sectaires. (Voisenet dit du commandant : « J'ai peine à croire que la nature lui ait donné un cerveau. Je ne serais pas surpris d'apprendre qu'il n'a qu'une moelle épinière. »)

Pour Jean-Paul :

Pas de vérité, que provisoire.

(J'ai encore connu le temps où l'on croyait avoir tout résolu par les antiseptiques. « Tuer le microbe. » On s'est aperçu que, souvent, du même coup, on tuait les cellules vivantes.)

Tâtonner, hésiter. Ne rien affirmer définitivement. Toute voie où l'on se lance à fond devient une impasse. (Exemples fréquents dans la science médicale. Ai vu des esprits de même valeur, de même sagacité, animés de la même passion du vrai, aboutir, par l'étude des mêmes phénomènes et en faisant exactement les mêmes observations cliniques, à des conclusions très différentes, quelquefois diamétralement opposées.)

Se guérir jeune du goût de la certitude.

22.

Points de côté si pénibles que, quand je suis installé quelque part, je n'ai plus le courage de me déplacer. Bardot disait merveilles de cet onguent au paraamino-benzoate d'éthyle. Totalement inefficace.

23 *septembre.*

Ils ne savent plus où me faire leurs pointes de feu. Mon buste, une écumoire.

25.

Depuis hier, de nouveau, ces grandes oscillations de température.

Essayé de descendre quand même. Mais obligé de revenir me recoucher, après étourdissement sur le palier.

Cette chambre, ces murs rosâtres... Je ferme les yeux pour ne plus rien voir.

Je pense à l'avant-guerre, à ma vie d'alors, à ma jeunesse. Ma vraie source de force, c'était une secrète, une inaltérable *confiance en l'avenir*. Plus qu'une confiance : une certitude. Maintenant, ténèbres, là où était ma lumière. C'est une torture de tous les instants.

Nausées. Bardot, retenu en bas par trois arrivées. C'est Mazet qui est monté, deux fois, cet après-midi. Ne peux plus supporter ses façons bourrues, sa gueule de vieux colonial. Empoisonnait la sueur, comme toujours. J'ai cru vomir.

Jeudi, 26 *septembre*.

Mauvaise nuit. A l'auscultation, nouveaux foyers de râles sous-crépitants.

Soir.

Un peu soulagé par la piqûre. Pour combien de temps ?

Courte visite de Goiran, qui m'a fatigué. Offensive franco-américaine. Offensive anglo-belge. Les Allemands reculent partout. Succès alliés sur le front balkanique, aussi. La Bulgarie demande armistice. Goiran dit : « La paix bulgare, c'est l'annonce de la fin : le moment de la grossesse où la femme perd les eaux... »

En Allemagne, le torchon commence à brûler. Les socialistes ont posé des conditions précises à leur entrée dans le gouvernement. Mécontentement général du pays, avoué par les allusions qu'y fait le chancelier, dans son discours.

Trop beau. Les événements vont si vite qu'ils font peur. La Turquie écrasée. La Bulgarie et l'Autriche prêtes à capituler. Victoires partout. La paix s'ouvre comme un gouffre. Vertige. L'Europe est-elle mûre pour une *vraie* paix?

Au Grand Hôtel de Grasse, un Américain a parié mille dollars contre un louis que la guerre serait finie pour *Christmas*.

Heureux ceux qui fêteront Noël.

27.

Faiblesse augmente. Etouffements. Complètement aphone depuis lundi. Visite de Sègre, amené par Bardot. Long examen. Moins distant que d'habitude. Inquiet?

Soir.

Analyse des crachats : pneumocoques, mais surtout streptos, de plus en plus abondants, malgré leurs sérums spécifiques. Toxi-infection caractérisée.

Radio demain matin.

28.

Symptômes d'infection générale très nets. Bardot et Mazet montent plusieurs fois par jour. Bardot a décidé, à la suite de l'examen radioscopique, une ponction exploratrice.

Que craint-il? Abcès dans le parenchyme?

OCTOBRE

6 *octobre.*

Huit jours.

Encore trop faible pour écrire. Somnolent. Petite joie de retrouver ce carnet. Et même ma chambre. Et mes *girls.*

Tiré d'affaire, une fois encore?

7 *octobre.*

Pas touché le carnet pendant ces huit jours. Les forces reviennent. La température a définitivement baissé, normale le matin, 37,9 ou 38 le soir.

M'ont tous cru fichu. Et puis, non.

Transporté le lundi 30 à la clinique de Grasse. Opéré par Mical, dans l'après-midi. Sègre et Bardot assistaient. Gros abcès dans le poumon droit. Heureusement bien limité. Ont pu me ramener au Mousquier le cinquième jour.

Pourquoi ne me suis-je pas tué le 29, après la ponction? *N'y ai pas pensé.* (Strictement vrai!)

Mardi, 8 *octobre.*

Moins faible. Je devrais penser qu'il est bien regrettable qu'ils m'aient tiré de là; mais non : j'accepte ce nouvel entracte, avec une joie lâche...

L'interruption dans la lecture des journaux me gêne pour comprendre. J'ignorais la démission du cabinet allemand. Il s'est passé là-bas des choses graves, à coup sûr. La presse suisse dit que Max de Bade a été nommé chancelier pour négocier la paix.

9 *octobre*.

Pas de quoi être bien fier. N'ai même pas été effleuré par la tentation du suicide. N'y ai pensé qu'à mon retour dans cette chambre. Entre le diagnostic de l'abcès et l'intervention, n'ai pensé qu'à une chose : que l'opération soit faite au plus vite, — pour réussir.

Plus humiliant encore : pendant tout mon séjour à Grasse, j'ai été obsédé par le regret d'avoir laissé ici le collier d'ambre. J'avais même pris la décision de le confier à Bardot, dès mon retour ici, en lui faisant promettre... de le déposer dans mon cercueil !

Je ne sais pas si je le ferai. Enfantillage de moribond. Si je cède à la tentation, ne me juge pas trop vite, mon petit, ne méprise pas l'oncle Antoine. Le souvenir qui s'attache à ce collier est lié à une pauvre aventure, mais cette pauvre aventure est, malgré tout, ce qu'il y a eu de meilleur dans ma pauvre vie.

10.

Visite de Mical.

11 *octobre, vendredi*.

Fatigué hier par la visite du chirurgien. M'a donné tous les détails. Gros abcès, bien collecté, cloisonné par des travées fibreuses très résistantes. Pus épais, lié. Avoue qu'il a trouvé le poumon en état de congestion œdémateuse intense. Analyse bactériologique : cultures de streptocoque.

Mical, intéressé par le cas. Relativement peu fréquent : en un an, sur soixante-dix-neuf ypérités traités ici, seulement sept abcès *simples*, dont le mien. Quatre opérés avec succès. Les trois autres...

Plus rares encore, heureusement, les cas d'abcès *multiples*. Jamais opérables. Trois cas seulement sur soixante-dix-neuf gazés, et trois morts.

J'ai eu de la veine. (Phrase écrite spontanément. Ne l'aurais certes pas écrite si j'avais pris le temps de réfléchir. Mais, l'ayant écrite, je ne la biffe pas. Sans doute, pas encore assez détaché de la vie pour appeler « déveine » une prolongation du supplice...)

12 *octobre*.

Recommencé à me lever, hier après-midi. Encore amaigri. Perdu 2 kg 400 depuis le 20 septembre.

Le cœur flanche toujours. Digitaline, drosera, deux fois par jour. Perpétuellement en sueur. Malaises, faiblesse, quintes sèches, étouffements, — tout à la fois. Et si l'on me demande comment je vais, je réponds, ces jours-ci, de bonne foi : « Pas mal... »

13.

Journaux suisses donnent des détails plausibles sur les démarches indirectes. tentées auprès de Wilson par le nouveau cabinet allemand, pour entamer des négociations. Demande d'armistice immédiat, ouvertement formulée. Plausibles, car le dernier discours du chancelier au Reichstag est une franche proposition de paix. L'Allemagne, hier encore si arrogante !

Pourvu que les Alliés n'abusent pas ! Pourvu qu'ils résistent à la tentation de triompher trop... Déjà, partout, une insolence de jockey gagnant ! Suis sûr que Rumelles lui-même a oublié que, au printemps, il envisageait le pire : il ne doit pas y avoir, aujourd'hui, triomphateur plus intransigeant que lui !

Le mot « joie », qui revient sans cesse dans la presse française, est choquant. « Délivrance », mais pas « joie » !

Comment oublier si vite la somme de douleurs qui pèse sur l'Europe? Rien, pas même la fin de la guerre, ne peut empêcher que la douleur domine, et demeure.

14 *octobre, nuit.*

Les insomnies recommencent. Je me surprends à regretter les somnolences de l'infection. Tête vide, abattement. Livré aux « spectres ». Juste assez conscient pour *bien* souffrir.

J'avais voulu donner dans ce carnet une image de moi. Pour Jean-Paul. J'étais déjà, quand j'ai commencé d'y écrire, incapable d'attention, de suite, de travail. Encore un rêve non réalisé.

Qu'importe? Indifférence gagne, fait tache d'huile.

Le 15.

Offensive générale. Succès partout. Tous les fronts donnent à la fois. On dirait que, depuis qu'il est question de paix, le commandement allié veut mettre bouchées doubles, jouir de son reste. La dernière « battue »...

Un peu mieux, aujourd'hui. Plaisir à écrire.

Visite de Voisenet. Sa figure de bouddha. Face plate; yeux écartés, sans profondeur d'orbites, paupières épaisses et courbes comme des pétales de fleurs charnues (magnolia, camélia); large bouche, lèvres épaisses, lentes à se mouvoir. Visage plein de sagesse. Reposant à regarder. Une espèce de sérénité fataliste, très extrême-orientale.

Prétend avoir des renseignements récents sur l'état d'esprit dans les Etats-Majors. Inquiétant. Les pertes ne comptent plus, depuis qu'on croit pouvoir compter sur la « réserve » américaine, réputée inépuisable. Et sourde résistance contre la paix. Refuser tout armistice, envahir l'Allemagne, signer la paix à Berlin, etc. Voisenet dit : « Ils pensent *victoire*, au lieu de penser *fin de la guerre.* » Et, de plus en plus ouvertement, hostiles à Wilson. Déclarent déjà que les « quatorze points » sont seulement des vues personnelles de W.; que l'Entente ne les a jamais ratifiés *officiellement*, etc. Voisenet me fait remarquer que, depuis juillet, depuis les premiers succès militaires, la presse (censurée) parle encore parfois de « Société des Nations », mais plus jamais d' « États-Unis européens ».

Soir.

Voisenet m'avait laissé quelques numéros de *l'Humanité*. Frappé de voir combien nos socialistes font piètre figure, quand on a goûté des messages américains. Un ton de partisans bornés. Rien de grand ne peut naître de ces éléments-là, de ces hommes-là. Les politiciens socialistes d'Europe, à ranger parmi les débris de l'ancien monde. A balayer, avec les autres détritus.

Socialisme. Démocratie. Je me demande si Philip n'avait pas raison, et si les gouvernements vainqueurs vont renoncer aux habitudes de dictature, prises depuis quatre ans. L'impérialisme (républicain), représenté par Clemenceau, se défendra peut-être avant de céder la place! Peut-être que le foyer du vrai socialisme futur se fondera d'abord dans l'Allemagne vaincue. Parce que vaincue.

16.

Légèrement mieux ces huit derniers jours.

Goiran m'a retrouvé le texte du message du 27. N'ajoute rien de nouveau aux précédents, mais définit avec plus de précision les buts de paix. « Cette guerre prépare un ordre nouveau, etc. » Alliance générale des peuples, seule garantie de la sécurité collective. Quand je vois l'effet de ces paroles sur le « mort en sursis » que je suis, j'imagine ce que peuvent éprouver les millions de combattants, les millions de femmes, de mères! On n'éveille pas en vain pareilles espérances. Que les dirigeants alliés soient ou non sincères dans leur adhésion aux principes de Wilson, peu importe maintenant : les choses sont telles, la pression unanime sera si forte, que, l'heure venue, aucun politicien d'Europe ne pourra se dérober à la paix qu'on attend.

Je songe à Jean-Paul. A toi, mon petit. Infini soulagement. Un monde nouveau va naître. Tu le verras se consolider. Tu y collaboreras. Sois fort, pour *bien* collaborer!

Jeudi, 17.

Réponse draconienne de Wilson aux premières avances de l'Allemagne. Exige nettement, avant tous pourparlers, la chute de l'Empire, l'exclusion de la caste militaire, la démocratisation du régime. Au risque, évidemment, de retarder la paix. Intransigeance sans doute indispensable. Ne pas perdre de vue les buts essentiels. Il ne s'agit pas d'obtenir un armistice prématuré ni même une capitulation du Kaiser. Il s'agit du *désarmement général* et d'une *Fédération européenne*. Irréalisables, sans la disparition de l'Allemagne et de l'Autriche *impériales*.

Goiran, très déçu. Ai défendu Wilson contre lui et les autres. Wilson : un praticien averti, qui sait où est le foyer d'infection, et qui vide l'abcès avant de commencer son pansement.

A propos d'abcès, ce bon géant de Bardot explique fort bien que l'ypérite n'est qu'une cause occasionnelle de l'abcès. Lequel, en fait, relève d'une infection secondaire, déterminée par les microbes envahissant le parenchyme *à la faveur* des lésions congestives provoquées par le gaz.

18 *octobre*.

Grand-peine aujourd'hui à surmonter ma fatigue. Impossible de lire, si ce n'est les journaux.

Le ton de la presse alliée pour parler de nos « *victoires* »! Hugo, devant l'épopée napoléonienne... Cette guerre (aucune guerre) n'a rien d'une épopée héroïque. Elle est sauvage et désespérée. Elle s'achève, comme un cauchemar, dans les sueurs de l'angoisse. Les actes d'héroïsme qu'elle a pu susciter restent noyés dans l'horreur. Ils ont été accomplis au fond des tranchées, dans la gadoue et le sang. Avec le courage du désespoir. Avec le dégoût d'une œuvre répugnante qu'il fallait bien mener jusqu'à son terme. Elle ne laissera que de hideux souvenirs. Toutes les sonneries de clairon, tous les saluts au drapeau, n'y changent rien.

21.

Deux mauvais jours. Hier soir, injection intratrachéale d'huile goménolée. Mais l'infiltration et l'hyperesthésie laryngée ont rendu la manœuvre difficile. Ils se sont mis à trois pour en venir à bout. Ce pauvre Bardot suait à grosses gouttes. J'ai dormi trois grandes heures. Un peu soulagé aujourd'hui.

Mercredi (23 octobre).

Les nouvelles doses de digitaline paraissent un peu plus efficaces.

Je remarque, quand je ne suis pas complètement aphone, que je bégaye plus fréquemment. Autrefois, c'était rare, et toujours le signe d'un grand trouble de conscience. Aujourd'hui, rien d'autre sans doute qu'un indice de déchéance physique.

Journaux. Les Belges à Ostende et à Bruges. Les Anglais à Lille, à Douai, à Roubaix, à Tourcoing. Progression irrésistible. Mais lenteur désespérante des échanges de notes entre l'Allemagne et l'Amérique. Pourtant Wilson paraît avoir obtenu, comme condition préalable, une réforme de la constitution impériale, et l'établissement du suffrage universel. Ce serait un grand point. Obtenir ensuite l'abdication du Kaiser. Demain, ou dans six mois ? La presse insiste sur les troubles intérieurs. Ne pas se leurrer : une révolution allemande pourrait hâter les choses, mais les compliquer aussi. Car Wilson semble décidé à ne traiter qu'avec un gouvernement très stable.

24 *octobre.*

Non, je n'envie pas l'ignorance habituelle des malades, leurs naïves illusions. On a dit des sottises sur la lucidité du médecin qui se voit mourir. Je crois, au contraire, que cette lucidité m'a aidé à tenir. M'aidera peut-être jusqu'aux approches de la fin. Savoir, n'est pas une malédiction, mais une force. Je sais. Je sais ce qui se passe là-dedans. Mes lésions, je les *vois. Elles m'intéressent.* Je suis les efforts de Bardot. Dans une certaine mesure, cette curiosité m'est un soutien.

Voudrais pouvoir mieux analyser tout ça. Et l'écrire à Philip.

Nuit du 24-25.

Journée passable. (N'ai plus le droit d'être exigeant.)

Le carnet, contre les « spectres ».

Trois heures du matin. Longue insomnie, dominée par la pensée de tout ce que la mort d'un individu entraîne dans l'oubli. Me suis d'abord abandonné à cette pensée avec désespoir, comme si elle était juste. Mais non. Pas juste du tout. La mort entraîne peu de chose dans le néant, très peu.

Me suis patiemment appliqué à repêcher des souvenirs. Fautes commises, aventures secrètes, petites hontes, etc. Pour chacune, je me demandais : « Et ceci, est-ce que ça disparaîtra entièrement avec moi? Est-ce qu'il n'en reste vraiment aucune trace, ailleurs qu'en moi? » Me suis acharné, près d'une heure durant, à retrouver dans mon passé quelque chose, un acte un peu particulier, dont je sois sûr qu'il ne subsiste rien, rien, nulle part ailleurs que dans ma conscience; pas le moindre prolongement, pas la moindre conséquence matérielle ou morale, aucun germe de pensée qui puisse, après moi, lever dans la mémoire d'un autre être. Mais, pour chacun de mes souvenirs, je finissais par trouver quelque témoin possible, quelqu'un qui avait su la chose ou qui avait été à même de la deviner, — quelqu'un qui vivait peut-être encore, et qui, moi disparu, pourrait, un jour, au hasard d'une réminiscence... Je me tournais et me retournais sur mes oreillers, torturé par un inexplicable sentiment de regret, de mortification, à l'idée que si je ne parvenais pas à trouver quelque chose, ma mort serait une dérision, je n'aurais même pas cette consolation pour l'orgueil *d'emporter* dans le néant quelque chose m'appartenant en exclusivité.

Et tout à coup j'ai trouvé! L'hôpital Laënnec, la petite Algérienne.

Je le tiens donc enfin ce souvenir dont je suis sûr d'être l'unique dépositaire! Dont rien, rien, absolument rien, ne survivra, dès l'instant où j'aurai cessé d'être!

Petit matin. Epuisé de fatigue et incapable de dormir. Brèves somnolences, dont je suis aussitôt tiré par les quintes.

Me suis débattu toute la nuit avec ce souvenir-fantôme. Ecartelé entre la tentation d'écrire ma confession dans ce carnet, pour sauver du néant cette trouble histoire, — et, au contraire, le désir jaloux de la garder pour moi seul; d'avoir au moins ce secret à entraîner avec moi dans la mort.

Non. Je n'écrirai rien.

25 *octobre, midi.*

Faiblesse ? Obsession ? Commencement de délire ? Depuis la nuit dernière, ma fin ne m'apparaît plus qu'en fonction du *secret*. Ce n'est plus à moi, à ma disparition, que je pense, mais à celle du souvenir de Laënnec. (Joseph est venu me parler de la paix : « Bientôt, nous serons démobilisés, Monsieur le major. » J'ai répondu : « Bientôt, Joseph, je serai mort. » Mais ma pensée secrète était : « Bientôt, il ne restera plus *rien* de l'histoire de la petite Algérienne. »)

Du coup, c'est comme si j'étais devenu maître de mon destin. Par là, j'ai barre sur la mort, puisqu'il dépend de moi, puisqu'il dépend d'une note écrite, d'une confidence à n'importe qui, que ce *secret* soit ou non dérobé au néant.

Après-midi.

N'ai pas pu me retenir d'en parler à Goiran. Sans rien lui dire d'explicite, bien entendu. Sans même une allusion à la petite Algérienne, sans même prononcer le nom de l'hôpital Laënnec. Exactement comme font les enfants qu'un secret étouffe, et qui crient à tous venants : « Je sais quelque chose, mais je ne dirai rien. » Il m'a regardé avec un certain malaise, un certain effroi. Il s'est évidemment demandé si je devenais fou. J'ai goûté — pour la dernière fois, sans doute, — une intense satisfaction d'orgueil.

Soir.

Essayé de reposer mon cerveau en feuilletant les journaux. En Allemagne aussi, la caste militaire essaie de torpiller la paix. Ludendorff aurait pris la tête d'un mouvement d'opposition contre le chancelier, qu'il accuse publiquement de trahison, pour avoir voulu négocier avec l'Amérique. Mais le courant vers la paix a été le plus fort. Et c'est Ludendorff qui a dû se démettre de son commandement. Bon signe.

Visite de Goiran. Inquiétant discours de Balfour. L'appétit anglais s'éveille : il veut maintenant annexer les colonies allemandes ! Goiran me rappelle que, l'an dernier encore, aux Communes, Lord Robert Cecil affirmait : « Nous sommes entrés dans cette guerre sans aucune visée d'impérialisme conquérant. » (Ils n'en sortiront pas comme ils y sont entrés...)

Wilson est là, heureusement. Droit des peuples à disposer d'eux-mêmes. Ne laissera pas, j'espère, les vainqueurs se partager des noirs comme des têtes de bétail !

Goiran et le problème colonial. Explique très intelligemment l'impardonnable faute que commettraient les Alliés s'ils cédaient à la tentation de se partager les possessions coloniales allemandes. Occasion unique de réviser, en grand, toute la question de la colonisation. Constituer, sous le contrôle de la Ligue des Nations, une vaste *exploitation en commun* des richesses mondiales. Garantie de paix!

26.

Aggravation subite. Toute la journée, étouffements.

27.

Mes étouffements tendent à prendre un nouveau caractère : spasmodique. Atrocement pénible. Mon larynx se contracte, comme pris dans un poing qui serre. L'étranglement s'ajoute à l'étouffement.

Passé près d'une heure à noter dans l'agenda les progrès du mal. (Ne suis pas certain de pouvoir bien longtemps encore tenir l'agenda à jour.)

28.

C'est le petit Marius qui vient de me monter les journaux. Sentiments affreux. (Ce teint lisse, ces yeux clairs, cette jeunesse... Cette merveilleuse *indifférence* à sa santé!) Ne voudrais plus voir que des vieux, des malades. Comprends qu'un condamné à mort se jette sur son gardien et l'étrangle, pour ne plus voir cet homme libre, bien portant...

La mécanique se détraque de plus en plus vite. Pas possible que les facultés mentales, elles aussi... Sans doute, assez diminué déjà pour n'en pas avoir conscience.

29 *octobre.*

Aurais-je moins de regret, si, dans ce tête-à-tête, j'avais le souvenir de ce qu'ils appellent dans les livres : un « grand » amour?

Je pense encore à Rachel. Souvent. Mais en égoïste, en malade : je me dis qu'il serait bon de l'avoir là, de mourir dans ses bras.

A Paris, quand j'ai trouvé ce collier, mon émotion! Cet élan vers elle! Fini.

L'ai-je « aimée »? Personne d'autre, en tout cas. Personne autant, personne davantage. Mais est-ce ça qu'ils appellent tous « *l'Amour* »?

Soir.

Depuis deux jours, la digitaline complètement impuissante. Bardot reviendra tout à l'heure pour essayer une injection d'huile éthérocamphrée.

30.

Visites.

Je les regarde s'agiter. Qu'est-ce que la vie leur réserve encore? Peut-être que le privilégié, c'est moi.

Las. Las de moi-même. Las, — à désirer maintenant que ça finisse!

Je m'aperçois bien que je leur fais peur.

En ces derniers jours j'ai sûrement beaucoup changé. Ça avance vite. Je dois avoir le visage de ceux qui étouffent : le masque d'angoisse... Je sais, rien de plus pénible à voir.

31 *octobre.*

L'aumônier d'à côté a désiré me voir. Il était déjà venu samedi, mais je souffrais trop. L'ai laissé monter aujourd'hui. M'a fatigué. A essayé d'aborder la question, « votre enfance chrétienne, etc. » Je lui ai dit : « Pas ma faute si je suis né avec le besoin de comprendre et l'incapacité de croire. » M'a proposé de m'apporter de « bons livres ». Je lui ai dit : « Qu'est-ce que l'Eglise attend pour désavouer la guerre? Vos évêques de France et ceux d'Allemagne bénissent les drapeaux et chantent des *Te Deum* pour remercier Dieu des massacres, etc. » M'a fait cette réponse stupéfiante (orthodoxe) : « Une guerre *juste* lève l'interdiction chrétienne de l'homicide. »

Entretien volontairement cordial. Ne savait pas par quel biais me prendre. M'a dit, en partant : « Allons, allons, un homme de votre valeur ne peut pas consentir à mourir comme un chien. » Je lui ai dit : « Et qu'y puis-je, si je suis incroyant, — comme un chien? » Il était à la porte, il m'a regardé curieusement. (Mélange de sévérité, de surprise, de tristesse; et aussi, m'a-t-il semblé, d'affection.) « Pourquoi vous calomnier, *mon fils ?* »

Je crois qu'il ne reviendra pas.

Soir.

Consentirais, *à la rigueur*, si ça devait faire plaisir à quelqu'un. Mais pour qui jouerais-je une mort chrétienne?

L'Autriche demande armistice à l'Italie. Goiran vient de monter. La Hongrie proclame son indépendance, et la république.

Est-ce enfin la paix?

NOVEMBRE

1er *novembre* 18, *matin.*

Le mois de ma mort.

Etre privé d'*espoir*. Pire que la torture de la soif.

Malgré tout, la palpitation de la vie est encore en moi. Puissante. Par moments, *j'oublie*. Pendant quelques minutes je redeviens ce que j'étais, ce que sont les autres, j'ébauche même un projet. Et, brusquement le souffle glacial : de nouveau, je *sais*.

Mauvais signe : Mazet monte moins souvent. Et quand il vient, me parle de tout, mais à peine de moi.

Vais-je regretter Mazet, et sa tête carrée de garde-chiourme?

Soir.

Dire que, passé le seuil de cette chambre, l'univers vivant continue... Dans quel isolement je suis déjà plongé. Aucun vivant ne peut comprendre.

2 *novembre.*

Ne me lève plus. Trois jours que je n'ai fait ces 2 m 50 qui séparent mon lit du fauteuil.

Jamais plus. Jamais plus être assis près de la fenêtre? près d'une fenêtre? La tristesse des cyprès dans le ciel du soir... Jamais plus revoir le jardin, aucun jardin?

J'écris : *Jamais plus*. Mais l'enfer qu'il y a dans ces mots, je ne le perçois que par éclairs.

Nuit.

Comment la mort viendra-t-elle? Question que je me pose combien de fois par nuit, depuis combien de nuits? Il y a tant de cas possibles... — Spasme laryngé, brutal, comme le petit Neidhart? Ou progressif, comme Silbert? Ou bien asthénie cardiaque et syncope, comme Monvielle, comme Poiret?

3, *matin.*

Comment? La pire, c'est l'asphyxie du pauvre Troyat. Celle-là fait peur.

Celle-là, je ne l'attendrai pas.

Soir.

Si mal, ce soir, que j'ai deux fois appelé Bardot. Reviendra vers minuit. A laissé sur ma table sa boîte de trachéotomie.

On dit : « La mort n'est rien, c'est la souffrance. » Alors, puisque je pourrais me dérober, pourquoi continuer à souffrir? à attendre? — Et j'attends!

4 *novembre.*

Armistice signé par l'Italie avec Autriche et Hongrie.

L'aumônier a voulu revenir. (Refusé, prétexté fatigue.) C'est un avertissement. Le jour approche où il faudra se décider.

5.

Tout ce que nous avons espéré, tout ce que nous aurions voulu, tout ce que nous n'avons pas réussi à faire, il faudra que tu le réalises, mon petit.

6 *novembre.*

Visite de Goiran. Attente de l'armistice. Et la bataille continue sur tous les fronts. Pourquoi?

Aphonie totale. N'ai pu articuler un mot.

7.

La glotte ne se dilate presque plus. Paralysie des crico-aryténoïdiens postérieurs? Bardot, impénétrable.

Morphine.

8 *novembre* 1918.

Plénipotentiaires allemands ont franchi nos lignes. C'est la fin.

Aurait tout de même vécu ça.

9 *novembre.*

Aggravation. De nouveau, grandes oscillations de température (37,2 — 39,9). Congestion œdémateuse a repris. Aucun symptôme nouveau, mais recrudescence partout.

Ai demandé (pourquoi?) une radio. Pour pouvoir faire exploration, s'il y avait un nouveau point suspect. Crains un nouvel abcès. Les oscillations indiquent sûrement suppurations profondes.

10.

Poumon droit de plus en plus douloureux. Morphine, toute la journée, par voie buccale. Nouvel abcès? Bardot ne croit pas. Aucun symptôme pathognomonique.

Crachats plutôt moins abondants.

Révolution Berlin. Kaiser en fuite. Dans les tranchées, partout, espoir, délivrance! Et moi...

11 *novembre.*

Journée atroce. Brûlures intolérables, toujours aux mêmes régions, du côté droit.

Pourquoi ne me suis-je pas décidé plus tôt, quand l'énergie était encore intacte? Qu'est-ce que j'attends? Chaque fois que je me dis : « L'heure est venue », je... (Non. Ne me suis encore jamais dit : « est venue ». Me dis : « L'heure *approche.* » Et j'attends.)

12.

Bardot perçoit un souffle entouré d'une couronne de râles sous-crépitants et localisés (?)

Midi.

La radio. Bande ombrée au sommet droit, sans limites nettes. Diaphragme immobilisé. Diminution générale de la transparence, mais pas de collection décelable. Si c'était un autre abcès, il y aurait opacité complète de la région suspecte, avec limites nettes, bien arrondies. Alors? Indications encore trop vagues pour tenter une ponction. Si pas nouvel abcès, quoi? quoi?

13.

Poussées fluxionnaires très localisées, toujours aux mêmes points. Infection se généralise, sûrement. Sueurs terribles, puantes.

Soir.

Petits abcès? Petits abcès *multiples?*

Sûrement Bardot y pense aussi.

Alors rien à faire, abcès noyés dans le parenchyme, aucune intervention possible, asphyxie au bout.

14.

Brûlures des deux côtés. Le gauche est œdématié aussi. Les abcès doivent être disséminés dans les deux poumons.

Dernière chance, tenter abcès de fixation?

Soir.

Abîme de dépression, indifférence. Dans le tiroir, une lettre de Jenny, une de Gise. Ce soir, une autre de Jenny. Pas ouvertes. Laissez-moi seul. N'ai plus rien à donner à personne.

Cette nuit, longtemps, me suis répété ça, que je comprends pour la première fois : *De profundis clamavi.*

15.

Peut-être ai-je eu tort de tant craindre. Peut-être pas si terrible que je croyais. Peut-être que le pire est passé. Me suis tant représenté la fin, ne peux plus. Mais tout est prêt, tout est là.

16.

Abcès de fixation sans résultat. L'ont-ils seulement tenté? ou fait semblant?

Rien écrit dans agenda depuis deux jours. Souffre trop. Penser à en finir. Difficile de se dire : « Demain », de se dire : « Ce soir... »

17.

Morphine. Solitude, silence. Chaque heure me sépare davantage, m'isole. Je les entends encore, je ne les écoute plus.

Elimination des fragments devenue presque impossible.

Comment viendra-t-elle? Voudrais rester lucide, écrire encore, jusqu'à la piqûre.

Pas acceptation. Indifférence. Epuisement, qui supprime la révolte. Réconciliation avec l'inévitable. Abandon à la souffrance physique.

Paix.

En finir.

18.

Œdème des jambes. Grand temps, si je veux encore pouvoir. Tout est là, étendre la main, se décider.

Ai lutté toute cette nuit.

Grand temps.

Lundi, 18 *novembre* 1918.

37 ans, 4 mois, 9 jours.

Plus simple qu'on ne croit.

Jean-Paul.

FIN

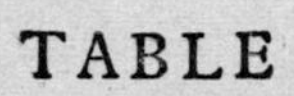

TABLE

HUITIÈME ET DERNIÈRE PARTIE

Pages

ACHEVÉ D'IMPRIMER
PAR L'IMPRIMERIE FLOCH
MAYENNE

(4392)

LE 24 DÉCEMBRE 1959

N° d'éd. : 7.239. Dépôt lég. : 3e trim. 1953

Imprimé en France

Isabel Somerset.

Engelberg. Switzerland

July. 1893.

Read on the Woman

Question p. 16 +

118 + 136

138 – 159 –

THE PROMOTION OF

GENERAL HAPPINESS

A UTILITARIAN ESSAY

BY

MICHAEL MACMILLAN, B.A., OXON.

FELLOW OF THE BOMBAY UNIVERSITY, AND PROFESSOR OF LOGIC AND MORAL PHILOSOPHY
AT ELPHINSTONE COLLEGE, BOMBAY

We cannot expect to agree in our utilitarian estimates, at least without much debate. We must agree to differ, and though we are bound to argue fearlessly, it should be with the consciousness that there is room for wide and *bonâ fide* difference of opinion. We must consent to advance cautiously, step by step, feeling our way, adopting no foregone conclusions, trusting no single science, expecting no infallible guide.— JEVONS: *The State in Relation to Labour.*

LONDON
SWAN SONNENSCHEIN & CO.
PATERNOSTER SQUARE
1890

PREFACE.

In the following pages I have borrowed from Professor Henry Sidgwick the useful word "felicific," and doubtless I have in many passages been consciously or unconsciously influenced by the same writer. It would indeed have been impossible for me to read his *Methods of Ethics* for ten successive years in the ordinary routine of my Indian work, each year with increased admiration for the Aristotelian thoroughness of the discussions it contains, without having my opinions on many subjects, and my way of looking at all questions, considerably affected thereby.

SUMMARY OF CONCLUSIONS.

CHAPTER I.

PAGE

GENERAL REMARKS.—Even if happiness entirely depended on comparison of our own possessions with those of others, happiness might be increased (1) by discovery of a more miserable race of beings, (2) by spread of pessimistic ideas. So far as it depends on comparison with previous generations, it can be increased by the discovery of new sources of pleasure. So far as it depends on comparison with our own past state, it may be increased by sudden increase of production or discovery of new sources of pleasure. But happiness is not always due to comparison, and therefore other sources of happiness must be considered. Custom blunts our sensibility to pleasure and pain, but does not make it impossible to increase or decrease general happiness. We must assume, unless there is reason to the contrary, that the increase of any individual's happiness increases general happiness 1

CHAPTER II.

KNOWLEDGE AND EDUCATION.—Knowledge being imperfect cannot give mental satisfaction, nor can mankind by increase of knowledge gain happiness through a feeling of superiority, nor can greater knowledge of the world's condition be assumed to be productive of happiness unless we accept optimism. Increase of knowledge will direct aright utilitarian action, and will be expected by the utilitarian to lead to the more general adoption of utilitarianism. It will also prevent useless riots and rebellions. The spread of female education should be especially encouraged by the utilitarian as the best remedy for the infelicific inequality between the sexes 12

CHAPTER III.

INVENTIVE KNOWLEDGE.—The power over nature given by knowledge being still imperfect gives no more mental satisfaction

CHAPTER VII.

CHAPTER VIII.

CHAPTER IX.

CHAPTER X.

THE

PROMOTION OF GENERAL HAPPINESS

CHAPTER I.

UTILITARIANS regard the increase of the happiness of the world as the only reasonable end of conduct, as the only object desirable in itself. According to them even virtue itself would not be desirable unless it promoted the happiness of the world, and, if it had the contrary effect, would be the reverse of desirable. This extreme opinion is only held by a fraction of civilised men, a large number of whom consider that not only virtue but also knowledge and art are desirable for their own sake. But even those who regard virtue, knowledge, art and other objects as desirable for their own sakes regard general happiness as also desirable for its own sake. Some might possibly prefer or think they prefer in certain cases increase of virtue, knowledge, and art to increase of happiness, but, if they saw that a certain action would increase happiness and would have no prejudicial results in any other directions, they would think such an action ought to be done. Even the sternest moralists and religious teachers, who show us the admirable discipline afforded by pain, do not appear to be exceptions. For, though they think pain sometimes desirable in the interests of virtue and religion, they would prefer happiness if it were equally conducive to the same end. If beautiful music promoted virtue as much as a trying bodily disease, who would not prefer the former to the latter? Thus it appears that everyone, or at any rate everyone whose opinion is worth taking into consideration, prefers general happiness to general misery either absolutely or *cæteris paribus.* Therefore we may well consider it a question of universal interest whether the general happiness can be promoted by any means, and if so, by what means.

There is one general argument against the possibility of promoting happiness, which, if accepted, will finally close the question we are considering. It may be argued that all happiness depends upon comparison of one's own possessions with another's, that, if a man is happy, it must be because he possesses or thinks he possesses a larger supply of health, wealth and other generally desired objects than other men have. If this is the whole truth of the matter, it might be argued that no human effort can increase the happiness of the world. Certainly in that case it would be useless to try to increase the world's happiness by making the human race wealthier, healthier, or longer lived. Under the supposition the human race would be thereby no more benefited than the candidates in a competitive examination would be by having all their marks doubled. Nevertheless, there would still be other conceivable means by which happiness might be increased. Supposing the human race could become firmly convinced of the existence of some other previously unknown class of beings, say, the inhabitants of another planet less provided with the usual objects of desire than themselves, then the happiness of the human race would be increased, as the happiness of the saints is supposed by some of the ancient fathers to be enhanced by contemplation of the punishment of the damned. But this discovery must not be mutual or else happiness would still remain unaffected. For the happiness of the inhabitants of the other planet would be decreased by the discovery as much as the happiness of the human race would be increased, and the positive and negative quantities would cancel each other. Therefore the utilitarian would have to do his best to defend the inhabitants of the less fortunate planet against the infelicific consequences which would result to them from the knowledge of our better fortunes. But owing to the little probability of being able to discover a new unknown race of beings, and the equal probability of such a race if discovered being more and not less fortunately circumstanced than the human race, the utilitarian, convinced of the comparative nature of happiness, would try to find other means to increase it. He would perhaps try to affect not the facts contemplated but the contemplating mind, and would strive to divert his fellow men from the contemplation of those superior to themselves in the possession of objects of desire, to the contemplation of the many who suffer most from poverty, disease and other evils. Much might be done by disseminating among the multitude at cheap prices the works of Voltaire, Leopardi, Schopenhauer and other pessimists, in order that by reading their descriptions of the misery of the human race, and recognising themselves to be less miserable than the average human being is supposed to be by philosophic observers who have carefully studied the matter, they might feel their superiority over the average man and thereby become happier.

So far we have been considering the consequences that would follow if happiness depended entirely on comparison of one's own condition with that of contemporary men. We also sometimes compare our condition with that of previous generations, and this comparison affects happiness to a certain limited extent. So far as this is the case, it is possible for ordinary human effort to increase happiness by, for instance, endowing each successive generation with sources of pleasure unknown before or with an additional supply of the old sources. For thus men would see that they have sources of pleasure unknown to their ancestors, and would derive pleasure from the fact. This consideration is however, though worth noticing, not important, as men are much more apt to compare themselves with their contemporaries whom they see around them every day, than with their forbears whose lives they dimly realise through the medium of books and traditions.

But there is a different kind of comparison on which happiness depends. Men may be happy not merely because they compare themselves with other men and think themselves happier, but also because they compare their present state with a previous state in which they were less happy. The human race has often anticipated and repeated Dante's judgment that the greatest grief is to remember in misery past happiness. It is equally true that happiness is intensified by comparison with one's own past misery. Virgil makes storm-tost Æneas look forward to a time when the agonies endured in a tempestuous sea will be a subject for pleasant reflection, and the number of times that the words,

Forsitan haec olim meminisse juvabit,

have been since quoted shows that the truth of the idea has been generally recognised. This same close connection between pleasure and pain had been recognised long before by Plato. Socrates, in the *Phœdo*, being released from his chain as a preliminary to his execution, remarks: "How singular is the thing called pleasure, and how curiously related to pain, which might be thought to be the opposite of it; for they never will come to a man together, and yet he who pursues either of them is generally compelled to take the other. Their bodies are two, and yet they are joined to a single head; and I cannot help thinking that if Æsop had noticed them, he would have made a fable about God trying to reconcile their strife, and how, when he could not, he fastened their heads together; and this is the reason why when one comes the other follows, as I find in my own case pleasure comes following after the pain in my leg which was caused by the chain."[1] The fact of the origination of happiness from such comparison of one's own past pain with present pleasure, like the comparison of the misery of past ages with present pleasure, is compatible with the increase of general happiness by human effort. But it affords the means of increasing general happiness to a much greater extent. For men much more often and more vividly compare their present state with their own past state than their state with the state of previous generations of mankind. If the whole human race or any portion of it, owing to the discovery of some new agricultural or other productive machine, increase the production of the earth, and consequently are much less pressed for want of food than they were a few years before, the consequent comparison of present plenty with past want decidedly increases happiness for the time, that is until increase of population restores the normal state of want. The discovery of new sources of pleasure will have the same effect. Thus, so far as human happiness depends upon this kind of comparison, ordinary human effort in the invention of new pleasures and in the increase of man's power over nature increases happiness.

We have now seen that of the three ways in which comparison effects happiness only the first reveals a source of happiness which almost entirely mocks utilitarian effort. It will be shown further on in detail how the consideration of the very large extent to which happiness depends on this first kind of comparison interferes with the happiness which would otherwise be secured by the progress of mechanical science. But we have also seen that the effects of the other two kinds of com-

[1] Jowett's Plato.

parison are not so disheartening to the utilitarian. And after all there are many other sources of happiness besides these three kinds of comparison. In fact if we consider the matter carefully we shall find that comparison rather intensifies than originates pleasure and pain. Comparison is strongest and most frequent when we rise to the full grown civilised man, the highest point in the evolutional scale. In his case, no doubt, each pleasure is often intensified by comparison with past pain or with the pain suffered by other men. But it is merely a case of intensification, not of origination. If comparison were the only source of pleasure, the reflective man would enjoy far more and far keener happiness than the animal world. But this does not seem to be the case, but rather the contrary. The happiness enjoyed by the lowest classes of living beings it is hard or impossible to estimate. Ants, and bees, and flies, and worms, still more such minute organisms as bacteria, are so unlike us that we cannot interpret their signs of emotion. But when we come to the consideration of the animals whose feelings we can more easily conjecture, they seem to enjoy keener or at least as keen pleasure as human beings. The pig at his trough, the dog leaping wildly in anticipation of a walk with his master, the horse galloping over green turf all seem to show manifestations of greater joy than that of which their lords are capable. So does the unreflective child, although he, like the pig, the dog, and the horse, is for the most part absorbed in the present moment and is not readily inclined to think of the happiness of other children. But if the premisses of this argument are not convincing, if it is thought that, after all, the undemonstrative civilised man enjoys greater pleasure than the child with joy beaming in its face or than the dog expressing its exuberant delight by bounding and barking, we must appeal to our own consciousness to settle the question. Do we always, whenever we feel happy, contrast our present state with our own different state in the past or with that of other people? Surely we must answer this question in the negative. The man with a good appetite enjoying a good dinner does not necessarily at the moment of enjoyment think of hungry men or of his own previous hungry state. The virtuous man can feel the glow of self-approbation consequent on a good act without making a comparison in his own favour of himself with other less virtuous men, nor does he think of other moments of his life when he was not engaged in virtuous action. Indeed, if he did make such comparisons, they would cause him pain rather than pleasure. Nor does the astronomer, into whose ken some new planet swims, make any such comparison when he is full of the joy of his great discovery. If he does, it is rather an afterthought, a possible concomitant of his elevated pleasure, than the cause of that pleasure. Thus we may easily convince ourselves that happiness is not altogether the result of comparison. And even if it were, it is clear from the consideration of the three kinds of comparison affecting happiness that the general happiness would not be as impracticable an object of endeavour as perpetual motion or the construction of a triangle with its three angles less than two right angles. Nevertheless, as we consider the various sources of happiness we shall find that again and again the promotion of the general happiness is retarded and rendered impossible by the strong inclination that men have to continually compare their own position with that of their fellowmen and by the all powerful effect on happiness which necessarily follows from this comparison.

Another objection to the possibility of affecting happiness, rests on the effects of custom. There is a vulgar saying, that we can get used to anything as eels get used to being skinned. Mammon in the great debate held at Pandemonium, discussing the practicability of obtaining happiness among the fires of hell, plausibly remarks:

> "Our torments also may, in length of time,
> Become our elements, these piercing fires
> As soft as now severe, our temper changed
> Into their temper; which must needs remove
> The sensible of pain."

Experience gives support to these views. H. Drummond, speaking of the *Ilala* steamer which plies on the shores of the African Lake of Nyassa, ten degrees south of the equator, remarks: "Singularly enough, while deck hands are often enlisted after some persuasion, the competition for the office of fireman—a disagreeable post at any time, but in the tropical heat the last to be coveted—is so keen that any number of natives are at all times ready to be frizzled in the stoke hole. Instead of avoiding heat, the African native everywhere courts it. His nature expands and revels in it; while a breath of cold on a mountain slope, or a sudden shower of rain, transforms him instantly into a most woebegone object." On the other hand, we find many strong Northerners like Kingsley who revel in the cold blasts of a British north easter. In war, soldiers become accustomed to continual danger and the frequent deaths of their comrades. In bombarded towns, civilians and women come to look with indifference upon bursting shells. Many instances might be quoted of persons who, though their life was one long disease, yet reconciled themselves to their situation and seemed to enjoy as much happiness as their neighbours. Even leprosy can lose its horrors from familiarity. Travellers who have visited the leper settlement at Molakai in the Pacific, describe the inhabitants as not utterly miserable, although they are all doomed to die of their loathsome disease sooner or later. On the other hand, familiarity also breeds contempt for sources of pleasure. Most boys thoroughly enjoy eating jam tarts. But allow a boy to eat jam tarts at every meal in the day, and he will soon cease to regard them as very delightful.

There is, then, no doubt that familiarity does in a wonderful way blunt our sensibility to sources of pleasure and sources of pain, and this fact tends to make the balance of happiness throughout the world far more equal than it would otherwise be. But it by no means produces perfect equality of happiness. It may, indeed, in some cases, produce inequality. By the operation of this law, the unfortunate man who always suffers from the same pain, is less unhappy than the unfortunate man who is always plunging out of the frying pan into the fire, and so varying his sources of pain. On the other hand, the fortunate man may increase his happiness through knowledge of this law by continually varying his pleasures. On this account Mill recommends variation between the pleasures of repose and the pleasures of activity, as the best means of securing happiness. Also there are, no doubt, many sources of pleasure that are always pleasant. A healthy man may all through his life at every meal derive real enjoyment from his food, even though each meal may not give him quite as much pleasure as it would give a man who has never sat down to a good meal. And it is the same with many sources of pain. It is quite possible for a deaf man to go on being irritated every day in his life by his failure to hear properly what is being said in his presence. Custom does much to alleviate the pain of the unfortunate, and to lessen the pleasure of the fortunate, but it is far from producing a dead level of happiness among all the members of the human race and of the brute creation. In spite of the effect of custom, it is quite possible for one man to be happier than another, and for the average happiness at one time to be greater than at another time.

After this preliminary discussion we may proceed to discuss the various means by which men confidently hope that the general happiness may be promoted.

Before going farther it is, however, necessary if possible to remove ambiguity in the terms of the discussion, such as is so frequently due to the confusion of individual and general happiness, against which we are warned by Mr. Henry Sidgwick in his *Methods of Ethics.* In the following pages, happiness, when used without qualification, will mean the general happiness of all sentient beings, which may, of course, be promoted by increase of the happiness of one individual, if such increase is not secured at the expense of the happiness of others. Thus, if I make myself or any other individual happier, and see no reason to believe that my or his gain is some other man's loss, I naturally assume that not only one individual's happiness, but also happiness without qualification is promoted. The same assumption must be made with regard to the happiness of unknown creatures of other worlds, if such there be. By promoting happiness in this world we either do not affect at all the happiness of other worlds, or, if we do, we are so entirely unable to calculate whether our actions will affect the happiness of those other worlds favourably or unfavourably, that, as reasonable beings, we leave such possible effects out of consideration, just as we very often leave out of consideration, owing to similar ignorance, the effect of our actions on beings of this world. For instance, a utilitarian in choosing his residence knows that his choice will affect the happiness of the various tradesmen living round the two houses one of which he intends to select. If he settles at A, he will by his custom affect the happiness of the tradesmen of A; and if he settles at B, he will affect the happiness of the tradesmen of that town. But as he probably has no possible data to determine whether the tradesmen of A or of B would derive more happiness from his settling in their midst, he will leave all this out of consideration, and confine his calculations to the effect likely to be produced on the happiness of himself, his relations and friends. When effects are so unknown as to be beyond the power of our intelligence to calculate, and others are well enough known to be estimable by experience, we disregard the former and determine our conduct entirely by the latter. If, following this method of exclusion, we fall into results that we did not desire, we do not incur the charge of folly. Suppose that, of two men equally desirous to reach the same destination, one chooses the road that he knows to be hillier and longer, while the other chooses the shorter and more level road, the latter shows himself by his choice to be the wiser of the two, even though, owing to circumstances which neither of them had any possible means of calculating beforehand, he is gored to death on his way by a mad bull, and never reaches his destination.

CHAPTER II.

LET us begin by trying to estimate how far happiness can be increased by increasing knowledge. This enquiry naturally divides itself into two parts. We must first consider whether the mere possession of knowledge makes each individual happier, and then whether the results of knowledge increase the happiness of the multitude of ignorant and learned who make use of these results.

In considering the former part of the question we are immediately met by the difficulty arising from the imperfection of knowledge. Various degrees of knowledge are after all only more or less near approximations to ignorance. The most learned man more clearly recognises his real ignorance than the untaught clown. Newton describes himself as like a child picking up a few shells by the seashore of knowledge. Not only experience but all knowledge is "an arch wherethrough gleams that untravelled world whose margin fades for ever and for ever as we move." Therefore, as far as the consciousness of having everything explained to one's satisfaction is concerned, the self-confident village ignoramus is often better off than the profoundest philosopher who ever tried and tried in vain to solve the riddle of the universe.

Perhaps the happiest of all then are those who have never desired any more knowledge than that which enables them to live. Men in such a condition are entirely free from the feelings of dissatisfaction felt by those who would like to know everything and are disappointed of their ardent desire for perfect knowledge. Intelligent observers have imagined that they found the greatest happiness among the South Sea Islanders and other ignorant men, if only they live in a fertile country under sunny skies. The negroes of the West Indian islands are very destitute of anything that we should call knowledge, yet Mr. Froude gives a most glowing account of their happiness. "They are," he writes, "perfectly happy. In no part of the globe is there any peasantry whose every want is so completely satisfied as Her Majesty's black subjects in these West Indian Islands. They have no aspirations to make them restless. They have no guilt upon their consciences. They have food for the picking up. Clothes they need not, and lodging in such a climate need not be elaborate. They have perfect liberty and are safe from dangers, to which if left to themselves they would be exposed, for the English rule prevents the strong from oppressing the weak. In their own country they would have remained slaves to the more warlike races. In the West Indies their fathers underwent a bondage of a century or two, lighter at its worst than the earliest form of it in Africa; their descendants in return have nothing now to do save to laugh and sing and enjoy existence. Their quarrels, if they have any, begin and end in words. If happiness is the be all and end all of life, and those who have most of it have most completely attained the object of their being, the 'nigger' who now basks among the ruins of the West Indian plantations is the supremest specimen of present humanity." Or hear the description of this same race of men in a still more ignorant state before they have been torn away from their native soil. "Here in his virgin simplicity," says H. Drummond, describing his central African experiences, "dwells primeval man, without clothes, without civilisation, without learning, without religion—the genuine child of nature, thoughtless, careless and contented. This man is apparently quite happy; he has practically no wants." Such men have never been much troubled by unsatisfied yearnings for knowledge. Confining our attention to those who have had such yearnings, we have no reason to believe that the world in the nineteenth century enjoys more mental satisfaction from its greater but imperfect knowledge than any previous century derived from its lesser knowledge. Therefore, it seems plain that the increase of knowledge does simply nothing to remove the unhappiness of mental unrest, and will do nothing unless it becomes absolutely perfect. But, as far as we can see, absolutely perfect knowledge is beyond the reach of human endeavour.

It may, however, be urged that, though the learned man is equally dissatisfied or more dissatisfied with his ignorance than the unlearned, he will be rendered happier by the consciousness of superiority. This is true with limitations. The unlearned man often thinks he knows more than the learned, and the learned man is often so modest that he is not conscious of his own superiority. But, nevertheless, as a rule not without exceptions it may be allowed that the unlearned man recognizes the superior knowledge of the learned man, and that the learned man recognizes his own superiority. Therefore, as the feeling of superiority gives happiness, this fact tends to make the learned man happier than the unlearned. Here, however, we have individual happiness due to comparison of a man with his fellowmen, which scarcely ever, as we have seen, affords a fulcrum for raising the general happiness to a greater height. However much we increase the knowledge of the world, there will always be, as far as we can see, a certain fraction of mankind superior to the average in knowledge, and another probably equal fraction inferior to the average. The happiness of superiority in knowledge can scarcely be enjoyed by more than half of the human race, and the most successful effort to increase knowledge only raises the standard of average knowledge, and so makes more knowledge to be required to gain that superiority of knowledge which constitutes happiness.

It may, however, be supposed that knowledge in another way promotes happiness, that a wide intelligent survey of the universe shows a great predominance of happiness over misery, and that he who can make such a survey will enjoy happiness through sympathy with his happy fellow men and fellow creatures. This however can only be an *argumentum ad hominem.* It will be convincing to the optimist, but excite the scorn of the pessimist. There are probably as many pessimists as optimists in the world, and most men steer a middle course between these two doctrines, being optimists in good health, and pessimists when they suffer from derangement of the liver or toothache. The majority of mankind will have to be convinced of the truth of optimism before they can be expected to allow that extended knowledge gives clearer recognition of the happiness of the world.

Thus it appears plain that the mere possession of knowledge cannot be clearly seen by any one but a confirmed optimist to promote happiness. We must therefore now consider whether the results of knowledge are such as to promote happiness.

In the first place it is clear that, if it is possible to promote happiness by human action, the increase of knowledge on the part of utilitarians will enable them to carry out this desirable object more successfully. For by increase of knowledge they will see more clearly by what means the great end at which they aim may be best attained. Also the utilitarian will expect that increase of knowledge will lead to the more universal adoption of utilitarian morality. So that for those two reasons, he will be inclined to support the cause of education and spread knowledge over the world with all his power.

There is also a strong political argument in favour of education. It is popularly supposed that education increases the tendency to riots, rebellion and sedition. This popular fallacy may best be answered in the words of Bacon, who remarks that " to say that a blind custom of obedience should be a surer obligation than duty taught and understood, is to affirm that a blind man may tread surer by a guide than a seeing man can by a light. And it is without all controversy that learning doth make the minds of men gentle, generous, maniable, and pliant to government; whereas ignorance makes them churlish, thwart and mutinous; and the evidence of time doth clear this assertion, considering that the most barbarous, rude, and unlearned times have been most subject to tumults, seditions, and changes." The frequency of the delusion combated by Bacon is due to the fact that education affords the means by which discontent is clearly expressed in words, and conveys the knowledge of every riot and insurrection rapidly all over the globe. Owing to the energy of the newspaper press and the large number of those who can now read newspapers, persons not endowed with reflection think that there are far more riots and rebellions than there used to be. But a short comparison of the destruction of life and property in late riots and rebellions and in those of an earlier uneducated age would soon dissipate that idea, and would also make clear that destructive riots and foolish rebellions have been chiefly made by the uneducated masses. Ignorance has led to many hopeless uprisings prompted often not by wrong but by ignorant fanaticism. In English history the Gordon riots and the Rebecca riots are good illustrations of this. India has lately given a conspicuous instance on a small scale of the same fact in the rebellion of a few hundred fanatics at Broach, who thought that they could overthrow the British Government, and believed their leader's promise, that his prayer would render the bullets of the sepoys as harmless as peas. Such uprisings prompted by ignorance lead to much misery by destruction of life and property, and usually do nothing to help the great struggle against unjust oppression. The utilitarian will also with especial zeal support the cause of female education. For now, as in the past, deficiency of education is one of the chief means by which woman is kept in a more or less subservient position throughout the world. Everything that tends to inequality is prejudicial to happiness, because the inferior feels more pain at his inferiority than the pleasure afforded to the superior by his sense of superiority. Also power over inferiors is bad for the moral condition, and therefore, as we shall see later, for the happiness of both inferiors and superiors. This is peculiarly manifest in the effect that is produced on women and men by the inequality of law and custom in the various countries of the world and especially in the East. The greater this inequality is, the more tyrannical man becomes, and the more servile or cunning woman becomes. The history of civilisation has on the whole displayed a tendency towards improvement in the condition of woman. But this tendency to progress has not been without exception. Women were more free and more nearly in a position of equality to men in pre-historic Greece than in the more civilised times of Pericles and Demosthenes, and are less free in Modern India than in the state of society depicted in the old Indian Epics Mahometanism, even when in other respects it has been a civilising influence, has always lowered the status of women by polygamy and seclusion. But generally speaking, the position of women has advanced with the progress of centuries. In the United States, the most modern of the powers of the world, woman has most nearly secured her complete emancipation, and for striking instances of her subjection we must look for the most part to ancient times, and barbarous or half-civilised communities.

We read in the pages of Abbé Raynal that savage mothers on the banks of the Orinoco justified female infanticide on the ground of the overwhelming wretchedness of female life. One of them reproached with this crime by a Jesuit father replied, "Represent to thyself, O Father, the troubles that are reserved for an Indian woman among these Indians. They accompany us into the fields with their bow and arrows; while we go there laden with an infant whom we carry in a basket, and another who hangs at our breast. They go to kill birds or to catch fish, while we are employed in digging the ground, and, after having gone through all the labours of the culture, are obliged also to bear those of the harvest. They return in the evening without any burthen, and we bring them roots for their food, and maize for their drink. As soon as they come home, they go and amuse themselves with their friends; while we are fetching wood and water to prepare for their supper. When they have eaten, they fall asleep; and we pass almost the whole night in grinding the maize and in preparing the chica for them. And what reward have we for these labours? They drink: and when they are intoxicated, they drag us by the hair, and trample us under foot. . . . . . It is a melancholy circumstance for a poor Indian woman to serve her husband as a slave in the fields, oppressed with fatigue and at home deprived of tranquillity, but it is a dreadful thing when twenty years are elapsed, to see him take another woman, whose judgment is not formed. He attaches himself to her. She beats our children; she commands us, and treats us as her servants; and, if the least murmur escape us, a stick raised. . . . . Oh! Father, how is it possible that we should bear this condition? What can an Indian woman do better than to prevent her child from living in a state of slavery worse than death?" This gives a sad but true picture of the way in which women are usually treated in the lowest stage of civilisation, when the rights of the sexes are settled entirely by brute force. Not much better seems to have been the position of women in ancient Greece and in modern and ancient oriental states; for freedom from hard work in the fields is dearly purchased by richer women in the East at the expense of the loss of their freedom of motion in the open air. In many other respects in the East, law and custom make unjust distinctions between men and women. In India a man may take a second wife if his first wife dies or even if she is childless. But as a rule a woman is never allowed to take a second husband, even if her first died when she was a mere child. On the contrary, it was considered proper for a virtuous widow to burn herself with her husband's corpse, and if she failed to do so became degraded for life. Since suttee has been declared illegal by the British Government, it is now rarely practised, but the indignities to which widows are subjected by custom still remain and make many women regret that the law compels them to survive their husbands.

Among some of the tribes that inhabit Madagascar, women are treated with the same kind of injustice that they too often suffer in India. The Mahafali, we read, consider the woman as an inferior being, bound to perform all her duties towards man, but enjoying no rights. The wife is not allowed to eat with her husband, and, when she dies, her corpse is not carried to the sacred ground reserved for him. Among the Sihanaka, widows are treated with savage brutality. "Upon the death of any man of position or wealth," we read in Sibree's Madagascar, "on the day of the funeral the wife is placed in the house, dressed in all her best clothes, and covered with her silver ornaments, of which the Sihanaka wear a considerable quantity. There she remains until the rest of the family return home from the tomb. But as soon as they enter the house, they begin to revile her with most abusive language, telling her that it is her fault that her vintana or fate has been stronger than that of

X He did not seem to see the connection — the hardship or the passing the men inflict on their wives in the orient.

+ an educated Hindoo told a friend of Lady Henry that "if the wife did not know she would be burned at his death she would be likely to poison him!"

her husband. They then strip her of her clothes, tearing off with violence the ornaments from her ears and neck, and arms; they give her a coarse cloth, a spoon with a broken handle, and a dish with the foot broken off with which to eat; her hair is dishevelled, and she is covered up with a coarse mat, and under that she remains all day long, and can only leave it at night; and she may not speak to any one who goes into the house. She is not allowed to wash her face or hands, but only the tips of her fingers. She endures all this sometimes for a year, or, at least, for eight months." For all the oppression and degradation of women in the East, and the inequality of their privileges as compared with men in the West, the remedy is to be found in the improvement of the quantity and quality of female education, which will not only emancipate them from their position of inferiority, but also fit them for the higher and more independent position they may expect to have in the more perfect civilisation of the future.

The same good result is promoted, though in a less degree, by general progress in education. The more educated a nation becomes, the less men are inclined to tyrannise over women by means of their superiority in physical strength, and the greater is the tendency to distribute honour and privileges according to mental excellence. In general ability woman is inferior to man, as was admitted by the staunchest upholder of women's rights in ancient times. "Can you mention," asks Socrates in the fifth book of the Republic, "any pursuit of man, in which the male sex has not all these qualities (natural gifts) in a far higher degree than the female? Need I waste time in speaking of the art of weaving and the management of pancakes and preserves, in which womankind does really appear to be great, and in which for her to be beaten is the most absurd of all things?" To which Glaucon replies: "You are quite right in maintaining the general inferiority of the female sex; at the same time many women are in many things superior to many men, though, speaking generally, what you say is true." The cleverest woman is inferior to the cleverest man, and the average woman is inferior to the average man. But this inferiority has been as a rule grossly exaggerated, and, being ~~partially~~ due to neglect or misdirection of female education in the past, will be much diminished when women are as well taught as men. At any rate it is plain that woman is less inferior to man in mental than in bodily power, and, as the general progress of education causes increased importance and honour to be attached to mental excellence, it is sure to do much to improve the position of women, and so, by removing or diminishing inequality, will promote general happiness. ×

× Men first debase women for illimitable centuries & then quietly pronounce them inferior. This process of thought does little credit to their (man's) powers of just reasoning from Socrates down. Selah.

CHAPTER III.

WE must now turn to the consideration of the more material effects of knowledge. It has been said with truth, that knowledge is power, and the power that knowledge has put into the hands of man has altered the face of the earth, and in a wonderful way changed the conditions of existence for the human race. That this mighty change has been immensely productive of happiness seems to be very generally accepted. The opinions of those who believe this are eloquently and confidently expressed by Macaulay in his eulogium of the Baconian philosophy.

The follower of Bacon being asked what his philosophy has effected for mankind is made to say, "It has lengthened life; it has mitigated pain; it has extinguished diseases; it has increased the fertility of the soil; it has given new securities to the mariner; it has furnished new arms to the warrior; it has spanned great rivers and estuaries with bridges of form unknown to our fathers; it has guided the thunderbolt innocuously from heaven to earth; it has lighted up the night with the splendour of the day; it has extended the range of the human vision; it has multiplied the power of the human muscles; it has accelerated motion; it has annihilated distance; it has facilitated intercourse, correspondence, all friendly offices, all despatch of business; it has enabled man to descend to the depths of the sea, to soar into the air, to penetrate securely into the noxious recesses of the earth, to traverse the land in cars which whirl along without horses, and the ocean in ships which run ten knots an hour against the wind. These are but a part of its fruits and of its first fruits."

This is all very true. The philosophy of invention has produced wonderful results. But what is the good of it all, if it does not add to the sum of human happiness? If it is said that it brings man nearer to perfection thus to conquer nature, we are inclined to reply that Zoroaster upon Ushidarema or Buddha pondering under the sacred fig tree over the mystery of life, was perhaps a grander being than the most skilful engine-driver who ever controlled the speed of the Flying Scotchman. But here we have been tempted for a moment to diverge from the line of our enquiry. What we have proposed to ourselves is a consideration of the possibility of increasing, not excellence, but happiness. Only if excellence or approach to perfection makes the possessor or other men happier, does it come within the scope of our enquiry? Now it seems that excellence can only promote the happiness of the excellent or perfect person by satisfying pride or by removing the restless craving for greater excellence. The satisfaction of pride based on greater power over nature than is enjoyed by one's fellowmen, may perhaps increase the happiness of individuals, but we have seen that it can scarcely increase the happiness of the race, as this feeling of superiority was enjoyed by as large a fraction of mankind when the greatest products of inventive skill were wooden ploughs, flint heads, and bows and arrows, as in the present century of Eiffel Towers, Suez Canals, Cunard steamers, and phonographs. Nor can the age or the individuals who produce such works of power as we now see around us enjoy in any peculiar degree the satisfaction of victory over nature. The feeling of conquest was no doubt enjoyed with the same zest by the first constructor of a roofed hut, as by M. Eiffel when his iron tower reached its destined height. For the joy lies in the progress achieved. The first hut was surely as great an advance on the primeval cave, as the Eiffel Tower is an improvement on the towers of Notre Dame. Looked upon in comparison with the powers of nature, all human mechanical effort is alike insignificant and imperfect. We can divert them a little, and so make the outer skin of an atom in the universe a little different from what it would otherwise have been. But even in this limited sphere the power of man, even in the nineteenth century, is extremely limited, as is shown whenever earthquakes or inundations of tempests exert their destructive powers. And it is painfully evident that if some erratic heavenly body should come into collision with us and drive us into the sun, our poor little earth, bedizened with all the architectural, mechanical, and sartorial glories of the nineteenth century, would be reduced in a moment to a mass of hot matter indistinguishable from what the same world would have become, had it met with the same catastrophe before primeval man had emerged from his cave dwellings and clothed himself in the skins of slain animals.

But it will be answered that, though man is still infinitely removed from complete conquest of nature, all partial advances in this direction give him more satisfaction to his desires, more comfort, and therefore more happiness. This is in the main how Macaulay thought that the Baconian philosophy increased the happiness of the world. He and all who think with him, that is, he and the majority of practical men, suppose that mechanical inventions have done much in the past to increase happiness, and that the best way to get the same result in the future is to go on making such inventions. In Bacon's time the three inventions that most impressed his imagination and that of his contemporaries were gunpowder, printing, and the mariner's compass. These three inventions have probably had a greater effect in modifying the conditions of human existence than the steam engine or the electric telegraph or any subsequent invention. Let us then follow Bacon in taking them as typical examples of great inventions and considering how far they promote happiness.

Although something might be said for the felicific effects of gunpowder, and although Macaulay seems to count the new arms furnished to the warrior among the excellent gifts with which the Baconian philosophy has endowed mankind, it is hardly necessary seriously to discuss the claims of this invention to honour, from a hedonistic point of view. Gunpowder is used most extensively on the battle-field, and does not appear on the whole to have mitigated the horrors of war. If those horrors have been mitigated, the change has been due rather to moral improvement than to change in the weapons of destruction. A gunshot wound may possibly be less painful to the sense and less horrible to the imagination than a sword cut, spear thrust, or an arrow fixed in the flesh, but surely the sight of fellow soldiers mangled out of all resemblance to humanity by artillery and the fear of suffering the same in one's own body is worse than the ordinary incidents of ancient smokeless battlefields. So far as gunpowder is used for peaceful purposes in blasting, it can be considered together with the many other devices for increasing the productive power of human labour, of which devices the most indisputable effect is, as will presently be seen, increase in the population of the world.

This increase of population is also one of the principal effects of the discovery of previously unknown parts of the world due to the invention of the mariner's compass. The other principal effect of ocean travelling is increase in knowledge, which, as we have seen, does not clearly promote happiness. Therefore in considering the mariner's compass we have chiefly to estimate the effect of increase of population on the world's happiness. There is no doubt that the mariner's compass has done much to increase the number of human beings. Had the compass not been invented, America would never have been discovered and peopled by civilised European immigrants, or would have been discovered later. The continent of America before its discovery can scarcely have contained twenty millions of inhabitants. As a consequence of its discovery, it has now a population of 90,000,000, which may be expected in the course of time to expand to 500,000,000.

This is truly a wonderful effect to have been produced by the discovery of the magnetic needle. But does such an increase of population add to the sum of human happiness? In this case we have no reason to believe that the increase of population has diminished the happiness of the average man. The European settlers in America are, for anything one can see to the contrary, as happy or not more miserable than the aboriginal inhabitants whom they have displaced or reduced in numbers, until they have become a small minority in the population of the continent of which they were formerly the undisputed possessors. Now, if the average man before the increase of population due to the discovery of America, enjoyed 10 degrees of happiness, and the world then contained 800,000,000 inhabitants, the aggregate happiness enjoyed was 8,000,000,000 degrees. If the discovery of America adds 500,000,000 to the population of the human race without altering the average happiness, it then adds 5,000,000,000 degrees of happiness to the aggregate happiness of the human race. But how, if the average happiness of man be more properly represented by a negative quantity? The philosophical world is pretty equally divided between optimists and pessimists. Those who hold the latter view should, if consistent utilitarians, offer determined opposition to any discovery tending to add to the number of miserable beings in the world. As for practical persons not addicted to deliberate reflection on the evils and joys of life, they generally waver in the balance between optimism and pessimism. Yet every utilitarian, nay, every one who thinks that happiness is among things desirable for their own sake, ought to make up his mind on this question, as its decision gives a most important motive for the determination of conduct. If the unknown inventor of the mariner's compass was a pessimistic utilitarian, and foresaw that his invention would add millions to the population of the world, he was bound as a rational being to keep his discovery to himself.

The same remarks apply to the invention of all other instruments which increase the world's population either by making the soil more productive, or by improving the means of communication between different parts of the world, so that each country produces what it can produce most easily, and gives its surplus to foreign nations in exchange for what they can produce most easily. For this increase of population is, after all, the principal result of steam-ploughs, steam-ships, steam-locomotives, and all the vaunted triumphs of steam. The population of England at the beginning of this century, was in round numbers 8,500,000, and in the fifty years between 1800 and 1850, rose to 16,000,000. This wonderful increase may almost entirely be attributed to the immense increase in productive power given to human labour by the use of steam-power; for a large number of modern inventions having the same effect were prompted by desire to utilise to the full the power of steam, and, therefore, may be regarded as themselves the offspring of steam-power. When England by the use of steam and of ever-improving engines for the utilisation of steam-power became able to produce more corn and coal, to produce and manufacture more iron, and to manufacture more cotton, and when improved communication by sea and land enabled her to get from every country in the world good prices for her immense surplus production, her sons and daughters found themselves in a position to support a family at an earlier age than their ancestors. The offspring of these earlier marriages, in spite of their numbers, were no more likely than the more limited offspring produced by earlier generations in less productive ages to die of starvation or insufficient nourishment in infancy, and when they grew up, found the means of subsistence still growing, owing to still further improvements in machinery. So they married young like their parents, and brought into the world healthy children, the usual proportion of which were able to survive.

It must not, however, be assumed that the increasing population found the struggle for existence any less severe than their ancestors. It seems unfortunately to be the truth that in England and most other countries the population is always much more than is warranted by the productive powers of land and labour. Whether those productive powers be great or small, increasing or stationary, large fractions of every people seem to be condemned to suffer the miseries of starvation. Of course, if the rich were to abstain from their consumption of expensive luxuries, there would be enough for all for a time. But even this remedy would be only temporary, and would, in a generation, be extinguished by increase of population. As this forbearance on the part of the rich is practically out of the question, in estimating whether the population exceeds the productive powers or not we must assume that a large amount of production will be wasted on expensive luxury. How far the population is excessive in each nation depends not on the amount of production but on the relation between the production not wasted in luxury and the existing population, which is determined by the national character and the standard of comfort in the mind of the average man. A people living in a poor barren country may enjoy a high average of comfort, and have a small percentage of pauperism, if they are prudent enough not to marry until they have the means of supporting a family. No particular age can be fixed upon as the proper age for marriage from an economical point of view. In a country of rapidly-increasing wealth it may be prudent for a people to marry at an age which in other countries would mean starvation. If inventions merely increased productive power, they would necessarily increase comfort and diminish starvation. But unfortunately the effect of invention does not stop short at increase of production. Directly by inventive discovery an increase of wealth takes place, the national soul seems to cry out, "Let us increase and multiply." Thus it is that the saying of Christ, that the poor we will always have, has been confirmed by unvarying experience up to the present day as a political, economical generalization without exception.

Yet, but for the facts of past history, it might seem not impossible that poverty might have been exterminated by increase of productive power. If since the year 1800 the population of England had remained stationary at 8,500,000, or, if some great plague or war were suddenly to reduce the population of the country to that limit, then we should have now the same number of men as then lived in England, but by modern mechanical science they would be able to extract far more wealth out of land and sea than the men of 1800. Thus the average of wealth would be so much higher that there would be abundance for everybody, and starvation and even poverty would be unknown through the length and breadth of the land. But no preacher of prudence arose with sufficient foresight and power of eloquence to persuade the nation to seize the golden opportunity presented them and better their average position. So they did not realise the fact that progress in inventive mechanical skill will never banish want and famine, unless it be accompanied by increased prudence and a higher standard of comfort. Whether with these accompaniments it might increase the general happiness we shall have afterwards to consider. So far as the history of the past has gone, it does not appear that any mechanical invention has permanently increased general happiness by rendering the struggle for existence less severe. Temporary good effects in that direction such inventions may have had. If rotation of crops is suddenly introduced into an agricultural country where this system was previously unknown, the increased production will precede for a shorter or longer time the rise of population. However quickly men and women begin to marry on the strength of the increased wealth in the country, it will be some time before enough new mouths appear to swallow up the increase. During this short interval life will be easier, and there will be less of the pains of starvation and poverty. Thus, according to Mr. Leone Levi's calculations, in the actively inventive period between 1857 and 1884, the average money wages of working men in the United Kingdom rose about 42 per cent. During the interval the purchasing power of money was, at any rate, not diminished. If rent, meat, butter and cheese are dearer, tea, sugar, rice, and bread are cheaper; so that the average working man would appear to be really better off now than he was thirty years ago. It is clear that, if these calculations are correct, the rapid increase of population has of late years not quite kept pace with the more rapid increase of production. Let it not be supposed that this is a contradictory instance to the principles of Malthus. The improvement is evidently due partly to the relief from the pressure of population afforded by emigration, and still more to increased prudence among the working classes which is evidenced by the later average of the age of marriage. Men and women have been gradually learning the advisability of postponing marriage until they have saved something on which to support a family, and now in England and Wales bachelors marry at the comparatively late mean age of 26·2 and spinsters at 24·6 years.

This change is probably due to the influence of education, which may also affect population by making men and women think of the future, and also in another way, if, as seems to be the case, intellectual development is prejudicial to reproductive power. But all this temporary improvement of the condition of the working classes is not very much to boast of. After all we have not yet arrived at a condition of universal material well-being, and, in spite of all the mechanical inventions that have been made in the nineteenth century, English labourers are probably not as well off as they were at a far earlier stage of productive progress when England could only support about 5,000,000 inhabitants. In the days of Henry VIII., as we read in Froude's history, the artizan was better off than the agricultural labourer, and the agricultural labourer received, "steadily and regularly if well conducted, an equivalent of something near to twenty shillings a week, the wages at present paid in English colonies," and had in addition land in connexion with his house and generally the right to gather fuel from a neighbouring common and use it as pasture for his live stock. Each agricultural labourer now earns in wages, in spite of all the improvements in agricultural machinery, from ten to eighteen shillings a week, and is generally out of work for part of the year.

We must next consider the third of Bacon's three favourite types of prolific invention, the art of printing. Any claims that it may have to the promotion of happiness by spreading knowledge we have already considered implicitly in considering whether knowledge of itself adds to happiness. So far as the art of printing has by communicating from one country to another the discoveries of the nations which stand intellectually in the forefront of the world, it is only one of the many means towards the increase of population, and is to be accepted or rejected according as we are optimists or pessimists. But it has had other effects, which require separate consideration. Literature has been immensely extended by the art of printing, and the reading of literary works is a direct source of pleasure. A literary man of ordinary means in the present day has, owing to the invention of printing, far more books on his shelves than were possessed by Solomon, Socrates, or King Alfred. He can buy Shakespeare for sixpence, the whole Bible for a shilling, and without much heavier outlay can provide himself with the masterpieces of foreign literature. What an immense addition it would seem to be to the happiness of the world that even the poorer classes have abundant opportunities of spending their hours of leisure in reading Scott, Dickens, Shakespeare, and Milton! Surely all this is clear gain. The sum of the happiness enjoyed in the reading of good books is very large, is not gained at the expense of others, and is not necessarily preceded by the pains of desire or followed by the pains of satiety. But unfortunately it is not only good books that are printed. The art of printing, besides cheapening classical works, causes the dissemination of a vast amount of worthless and pernicious productions, which are read more greedily than the works of great and good men. The reading of sensational and fleshly novels wastes valuable time, exhausts the brain, and poisons the souls of countless readers. The very multitude of books and newspapers produced yearly owing to the perfection of the art of printing militates against happiness. The natural result of the multitude of printed matter put before the public is that reading is rapid and superficial. Many men, who would derive much more happiness from a careful study of Homer, Shakespeare, and Milton, fritter away their wits in the consumption of innumerable novels, magazines and newspapers, and derive therefrom no solid satisfaction and no real addition to their happiness.

It may be answered that the very fact that such things are preferred to better literature shows that they afford more pleasure. But this is not the case. The fact that most children would prefer to live upon sweetmeats rather than beef, mutton, or bread does not prove that they would be happier if they could carry out their wishes. Men with regard to literature are like children. They sacrifice as a rule the possibility of more permanent enjoyment to the pleasure of the moment, and the vast amount of bad literature that is printed enables them to do so more easily. Under the circumstances, as an extensive exercise of censorship of the press would be incompatible with modern ideas of liberty, it is no wonder that many sigh for the old times before the invention of printing, when children, instead of possessing beautifully printed picture books with Weatherly's verse and Kate Greenaway's illustrations, used to hearken at their nurse's knee to old national ballads about Wallace wight, doughty Douglas, and fiery Percy, and when their parents by a kindly necessity were forced to read over and over again, if they happened to have acquired the power of reading, only such works as had been deemed worthy of being copied by the slow process of writing.

If it be replied that in those old times of which we are thinking, owing to the want of printing, very few found it worth their while to learn to read, so that the pleasures of reading were unknown to the majority of the people, we may well doubt in reply whether the power of reading adds to the happiness of the average man. In fact it may fairly be said that the average man reads too much for his health and therefore for his happiness. Many a man who has to earn subsistence for his family by sedentary work indoors, spends his few hours of leisure over a fire with a newspaper or magazine in his hands, when he might be restoring his health by walking, rifle-shooting, rowing or cricket. One class, however, may be acknowledged to derive on the whole much advantage to their happiness from reading. It consists of those whose work in life is muscular work in the open air, and who therefore may without injury to themselves seek their relaxation indoors. The soldier and the agricultural labourer must find the power of reading a real direct source of pleasure, and it need not indirectly hurt their happiness by undermining their health. But against the happiness that the power of reading confers on the soldier and the sailor, and those who from weakness of body or peculiar mental disposition are unable to enjoy out-door pleasure, must be weighed the ill effects of excessive study on a large fraction of each of those nations whom the art of printing has rendered learned. How many Germans, Frenchmen and Englishmen have had their health and happiness utterly ruined by poring over printed books. In England the baneful effects of over-study sometimes become perceptible before the child has left the nursery. Competitive examinations for scholarships are held by our chief public schools for very young boys at the age when they come up for their entrance examination. This practice entails hard cramming of promising boys even in preparatory schools. Every public school in its anxiety to get the first pick of the boys prepared at preparatory schools naturally makes the scholarship age lower and lower, and thus there is a tendency for the competition and cramming to commence from an earlier and yet earlier age. This system of over-study continues in the case of boys likely to win scholarships or pass hard examinations through the years of growth, when a boy ought to be laying up stores of physical strength; and at an earlier or later stage many break down with ruined health and exhausted spirits, miserable beings to whom life in the future can afford little joy.

Having thus seen that the happiness due to the invention of printing is so inextricably combined with a large amount of misery due to the same cause, that it is impossible to see clearly whether the happiness or the pain predominates, we may now proceed to consider the material comforts conferred upon the world by inventive activity. Certainly they have greatly increased in number, especially during the last hundred years, but that this increase has really added to the happiness of the world is by no means equally certain. The modern has such a much greater abundance of these comforts than the ancient that on a superficial view he would seem to be necessarily far happier. How many luxuries and conveniences are enjoyed by the London clerk that were denied to Alcibiades, and Crassus, and Thomas Beckett. Let us verify this by accompanying a London clerk through an ordinary day of his life. He comes down to his breakfast-room, the floor of which is spread with a Kidderminster carpet, while the state apartments of Thomas Beckett were strewn with clean hay or straw in winter and green boughs and rushes in summer. A fire of coal, first used in England in 1280, is burning in a well-made fireplace, and the smoke is conducted out by a chimney, whereas in the early middle ages it would have burnt in a hole in the middle of the room with an opening in the centre of the roof to emit such part of the smoke as might choose to go straight upward. And then what a comfortable, nay, comparatively speaking, luxurious breakfast does he sit down to! He puts a lump or two of sugar, first introduced into Europe by the Venetians and Genoese in the fourteenth and fifteenth century, or perhaps, if sugar does not agree with his health, he puts a tabloid of the recently-discovered substance called saccharine into a cup of snow-white porcelain such as was first imported into Europe from China and Japan in 1518, and first manufactured in England at Chelsea in 1702. He then helps himself to tea, which was in this country in the days of Pepys[1] a novelty and an expensive luxury, or cocoa which was

[1] "I sent for a cup of tea (a Chinese drink), of which I had never drank before." "Pepys' Diary," Sept. 25th, 1661.

first brought from Mexico in the beginning of the sixteenth century. Beside his plate, which is also of porcelain, is that convenient instrument a fork, which was introduced into England from Italy in the reign of James I. If not solid silver, it has been overlaid with silver through the agency of electricity. His breakfast dish may be home-made bacon or perhaps salmon that has come all the way from Labrador, or meat flavoured with Indian curry powder. But it would be tedious to follow him in the omnibus or underground railway to his desk and back again to his dinner at night. Let us rather content ourselves with enumerating a few of the modern appliances by which the course of his life is made smooth and pleasant. Among them will be barometers, thermometers, gas, clocks, watches, steel pens, artificial ice, coffee, potatoes, tobacco, pianos, photographs, postage stamps, post-cards, money orders, banks, pins, needles, bicycles, tricycles, argand lamps, lightning conductors, matches, umbrellas. All these and much else resulting from modern discoveries, the civilised man of the middle-class now enjoys, and, if he were deprived of them and compelled to live with no other comforts but those enjoyed by Alcibiades, Crassus, and Thomas Beckett, he would bemoan himself with much the same feelings as Ovid experienced when he was banished from Imperial Rome to barbarous Tomi.

Yet it does not follow that he is any happier than the average member of the middle class was in past centuries. All these wonderful inventions, which would sound like fairy tales rather than sober truth to ancient Greek, or early Englishmen, are to the man of the nineteenth century matters of course. We know well enough that we do not enjoy our breakfasts of viands collected from the four corners of the earth a bit more than Queen Elizabeth, who had to prepare herself for the labours of the day with a solid foundation of English beef, English ale, and English bread. When a shower of rain falls, it is a great comfort to have an umbrella to keep the drops off our face and the upper parts of our body; but the constant use of umbrellas has made us so effeminately sensitive to wet that with our umbrellas up we suffer more from the rain that wets our trousers than our ancestors did when a shower of rain fell all over their hats, face, and clothes, or, to go further back, than our still more distant ancestors suffered when the rain fell on the painted skin of their unclothed bodies. It is very convenient for the Englishman in India to be able to apprise his friends in England by telegram that he is at the point of death, but, if the telegraph had never been invented, he would never have dreamt of the possibility of so doing and would not have felt any pain at having to keep his friends waiting three weeks longer for the news. It is considered a great blessing by the travelling Englishman that he is able to get to and from India in journeys of less than three weeks; but, if locomotives and steamships had never been invented, instead of spending the winter in India he would have contentedly and with equal satisfaction to himself have gone to winter in the south of France, the south of Devonshire, or have stopped at home. Our desires are, unfortunately, quite able to keep pace with the means of satisfying them; so that now, while our grandparents managed to get quite well through life with little or no change of air and scene, we think, and are supported in the idea by our medical advisers, that we must for the benefit of our health occasionally take rushes to Switzerland, Italy, Australia, America or more remote quarters of the world; and, if we have not the money to pay the expense, we remain at home, while our friends are wandering abroad, and, owing to our forced inaction, feel much the same feelings as an active dog must feel in his chain. The merchant of to-day, if he cannot get a train to carry him at the rate of forty miles an hour to his family at the sea side, suffers as much annoyance as the traveller in coaching days felt when his coach did not go at whatever happened to be in his day the average rate of mail coaches. The pleasure derived from such sources depends entirely on custom and comparison. The most ingeniously devised contrivance, if possessed by everybody, gives no more pleasure to the possessor than air or water, although, as is also the case with air and water, the deprivation of them may cause great pain. If diamonds were as common as daisies, the possession of a diamond would afford no more pleasure than the possession of a daisy. At least this is surely the case with all the complicated machinery of modern luxury. Whether the same can be said of medical contrivances for curing disease and alleviating pain must be considered in the following chapter.

In considering the effects of mechanical inventions some thinkers are inclined so far to depart from the opinion of the majority as to condemn them as entirely destructive of happiness. The most eloquent exponent of this view is Mr. Ruskin.[1] I have myself heard him at those charming breakfast parties in his Oxford rooms, at which he gathered round his table his fellow labourers at the Hinksey Road, anticipate half in jest, half in earnest, the day when his disciples would pull down the railway embankments which he thinks so ugly and convert them into strawberry beds. All through his works we find continual complaints of the ugliness of the factories and railway stations and other results of modern mechanical inventions, and regret for the old times when men walked on their feet and rode horses instead of driving steam engines or being shut up in railway carriages. There is no reason why a utilitarian should not adopt this view. It is possible for the philosophical utilitarian to be utterly opposed to what are popularly but wrongly called utilitarian ideas. The true utilitarian may reasonably prefer parks and picture galleries to factories and

[1] See especially *Fors Clavigera*, Letter XLIV.

railway stations, and may without inconsistency oppose the tendency of modern invention which is driving the human race to earn their living as the workers of complicated iron machines instead of leading the open-air life of their ancestors. Only he must clearly convince himself that the change is diminishing the average happiness. At first sight one is inclined to think that it is having this effect. Modern invention, especially the invention of steam power, condemns ever-increasing numbers of the human race to work in the grimy darkness of mines or amid the clanging machinery of a great factory. They live in crowded towns, the ground of which is black with coal dust, while the heaven is obscured by smoke. How easy to contrast this with the open-air life of the agriculturist or the hunter among all the beauties of nature.

But after all it is doubtful whether the agricultural life is any happier than that lived by factory hands. The ideas of the agricultural life formed by literary men are rather those of casual observers than of the workers themselves. The cultured man wearied with hard work in great cities enjoys a ramble through the country or a little gardening amongst the flowers of his pleasure grounds, but he should not therefore suppose that the same feelings are felt by the ditcher working all the long day in a marshy meadow with the mud rising almost to his knees. *O fortunati nimium sua si bona norint Agricolæ!* But they do not know their own blessings, and therefore they are not too happy. They are not mentally capable as a rule of enjoying all the pleasures that the literary man who envies their lot derives from the scenery of forest, hill, and valley. They prefer life in the slums of a great city to rural Arcadias, and their preference should not be disregarded as the ignorant opinion of men who do not know what is good for them. Unless we have reason to the contrary, we may suppose that men know themselves best what makes for their own happiness. Therefore the fact that so many agriculturists leave their country life to work in city factories, and that so few care to return to their rural life must be given due weight. Also it must be admitted that minds of a healthy temperament may derive pleasure and elevation of mind even from the associations of a life among machinery. The poet of American democracy can include among his joys of life the driving of a locomotive, "the engineer's joys! to go with a locomotive! to hear the hiss of steam, the merry shriek, the steam whistle, the laughing locomotive! to push with resistless way and speed off in the distance," and even the miner's joys "to work in mines, or forging iron, foundry casting, the foundry itself, the rude high roof, the ample and shadowed space, the furnace, the hot liquid pour'd out and running." On the other hand, the reverse of the Utopian pictures of agricultural life usually given in literature may be seen in such works as *A Village Tragedy* and *The History of an African Farm.*

Such considerations must prevent us from feeling confident that an agricultural labourer's life is less miserable than that of a factory hand. On the other hand, we can scarcely think it more miserable. For it is impossible to read the accounts given of the life of the very poor in great cities, and to see their pale, haggard faces in the streets, and yet suppose that the average happiness has been really increased by the crowding into great manufacturing cities that has resulted from the development of mechanical art. We should rather leave the question open, and, not knowing whether man is happier or unhappier labouring in a factory than he would be labouring in the field, act as if the invention of steam power had neither improved nor diminished the average happiness of the labourer's life.

CHAPTER IV.

In discussing the felicific effects of the discoveries of medical science we may begin by assuming that good health is a source of happiness, and bad health of unhappiness. The assumption will hardly be disputed. A healthy man is *pro tanto* happier than an unhealthy one, a healthy nation than an unhealthy nation, a healthy generation than an unhealthy generation. This leads us to the consideration of a large number of inventions intended to benefit health, and of a body of professional men who always consider themselves, and are generally considered by others to be in a peculiar way the promoters of the happiness of the human race. It must be admitted not only that health promotes happiness, but also that medical men often by their prescriptions free us from pain and restore us to health. He would be a rash man who in the present day would dispute the fact that quinine exerts a beneficial tendency against fever, that vaccination often saves the person vaccinated from small-pox, and that chloroform administered during surgical operations saves the patient from intense pain. This being granted, it would seem to follow that doctors in the exercise of their profession, by discovering and administering cures, increase the happiness and diminish the misery of the human race.

But the argument is at any rate to a great extent fallacious. Medical science can improve the health of the individual; but it does not necessarily follow that it can improve the health of the race. This can be most clearly seen by the consideration of the effects of the progress made in midwifery. Why is it that savage women are without assistance delivered as easily or more easily than civilised women with all the appliances of medical science? The reason is that the savage women being the descendants of many generations of mothers, all of whom have been able to bear children without assistance from art, have inherited that capability. Savage women, who do not happen to be able to do so, die off and leave no descendants. In civilised countries, on the contrary, women who would without medical help have no children are enabled to do so, and their children are likely to resemble their mothers when their time comes to be mothers. Yet there is no doubt this branch of the medical art benefits the individual. It saves many an individual mother from broken health and early death, even though it may do so at the expense of the general happiness. Or perhaps we should rather say "without promoting the general happiness." For it is very possible that the civilised woman with medical help manages to get through her troubles with about as little suffering as the savage mother.

The fact that medical science may benefit the individual and yet not benefit the race may be proved by many instances of nations and tribes that have flourished in health and strength with no help from medicine or in spite of the popularity of cures that must have harmed the individual. The Tuaric, an African tribe, is an instance of this, stretching from ancient times to the present day. Herodotus (IV. 187) says that the healthiest men he knew were the Libyans, and that their secret of health was the burning of the veins of their forehead. According to Rawlinson the Tuaric have the best claim to be regarded as the direct descendants of the Libyans of Herodotus. Certainly they exhibit the same power of flourishing in spite of perverse ideas of the conditions of good health, and they have the same fondness for cautery as a cure. Captain Lyon, who visited them in the beginning of the century, found that they burnt with a hot iron those afflicted with liver complaint, enlargement of spleen, asthma, consumption, rupture and stricture. Blind men had their temples burned, and pieces of onion placed between their eyes. This people had the most decided aversion to washing. "God," they said, "never intended that man should injure his health, if he could avoid it; water having been given to man to drink and cook with, it does not agree with the skin of a Tuaric who always falls sick after much washing." Yet, in spite of this and in spite of the fact that they lived in a temperature that rose to 133 degrees, Captain Lyon described them as being "the finest race of men he ever saw, tall, straight, and handsome."

The same conclusion, that medical skill helps the individual without helping the race, may be arrived at by a comparison between modern and ancient times. There is no doubt, that modern medical skill often lengthens the life of a sick man, and enables him to live to old age, when, without the doctor's aid or with only such aid as he could have got in ancient times or in the middle ages, he would have died in youth or early manhood. Yet there is every reason to believe that the average of human life is no higher now than it was in the days of ancient Greece and Rome and in the middle ages. Unfortunately, it is only possible to get very fragmentary statistics of the duration of life in ancient times. But it is better methodically to use such fragmentary statistics, than for any one to quote carefully selected instances of longevity or early death to support the view he himself wishes to uphold. It might be interesting and amusing, to consider whether Masinissa at the age of 88 charging at the head of his cavalry, was a more remarkable instance of longevity than the grandfather of the present German Emperor, or whether Sophocles in his old age outdid the poetical work of the old age of Tennyson and Browning, or whether any ancient orator could rival the feats performed by Mr. Gladstone in the eighth decade of his life. But such bandying of individual instances would be futile as a means of arriving at a probable conclusion. We are much more likely to effect our object, if we use a fair number of instances collected by some one else who was not thinking of the question of longevity, and see what conclusions they point to. Such an opportunity is afforded us by the editor of "Everybody's Pocket Cyclopædia," who brings together the names of one hundred and nine eminent men of ancient and modern times, and incidentally mentions the dates of their birth and death. We may accept as correct the dates there given, and remove out of consideration nine famous men whose ages are either not given in the list, viz., Homer, Moses, Zoroaster, Confucius, Buddha, and Pythagoras, or given conjecturally, viz., St. Paul, Hippocrates and Galen. Thus we have left one hundred eminent men, who may be divided into three classes, the first class containing twenty-two men who lived before the Christian era; the second class, fifty-two men born in the Christian era before the commencement of the eighteenth century; while the third class will consist of twenty-six persons born after the commencement of the eighteenth century. These examples, though necessarily limited in number, are in quality about as good as we could possibly have, as they consist of eminent men, and eminent men usually have the best available medical advice. So that statistics of eminent men are much better for the purpose of throwing light on the efficacy of medical science than statistics of ordinary men. The names of the persons in the three classes with their ages, will be found to be as follows:—

First Class.—Pindar, 79; Æschylus, 69; Sophocles, 90; Euripides, 74; Aristophanes, 64; Menander, 51; Lucretius, 40; Virgil, 51; Phidias, 59: Praxiteles, 70; Socrates, 70; Plato, 81; Aristotle, 62; Herodotus, 78; Thucydides, 69; Demosthenes, 63;

Cicero, 63 ; Archimedes, 75 ; Pericles, 70 ; Alexander, 33 ; Hannibal, 64 ; Cæsar, 56.

Second Class.—Dante, 60 ; Rabelais, 70 ; Cervantes, 69 ; Shakespeare, 52 ; Milton, 66 ; Moliere, 51 ; Leonardo da Vinci, 67 ; Michael Angelo, 89 ; Raphael, 37 ; Correggio, 60 ; Titian, 96 ; Rubens, 63 ; Rembrandt, 62 ; Bach, 65 ; Handel, 74 ; Mahomet, 62 ; St. Augustine, 76 ; St. Bernard, 62 ; St. Francis of Assisi, 44 ; Erasmus, 70 ; Luther, 63 ; Calvin, 55 ; Loyola, 65 : Bossuet, 87 ; St. Thomas Aquinas, 47 ; Bacon, 65 ; Descartes, 54 ; Spinoza, 45 ; Locke, 72 ; Leibnitz, 70 ; Berkeley, 68 ; Tacitus, 63 ; Plutarch, 70 ; Montaigne, 59 ; Montesquieu, 66 ; Voltaire, 84 ; Copernicus, 70 ; Kepler, 59 ; Galileo, 78 ; Harvey, 79 ; Newton, 85 ; Charlemagne 72 ; Alfred the Great, 52 : William the Conqueror, 60 ; Charles V., 58 ; William the Silent, 51 ; Richelieu, 57 ; Cromwell, 59 ; Peter the Great, 53 ; Guttenberg, 68 ; Columbus, 70 ; Palissy, 80.

Third Class.—Goethe, 83 ; Scott, 61 ; Mozart, 35 ; Beethoven, 58 ; J. Wesley, 88 ; Hume, 65 ; Kant, 80 ; Diderot, 71 ; Lessing, 52 ; Gibbon, 57 ; Linnæus, 71 : Lavoisier, 51 ; Bichat, 31 ; Cuvier, 63 ; Frederick, 74 ; Washington, 67 ; Jefferson, 83 ; Nelson, 47 ; Napoleon, 52 ; Wellington, 83 ; Franklin, 84 ; Montgolfier, 70 ; Howard, 64 ; Arkwright, 60 ; J. Watt, 83 ; Stephenson, 67.

Omitted from the lists owing to uncertainty of age at death.—Homer, Moses, Zoroaster, Confucius, Buddha, St. Paul, Pythagoras, Hippocrates, Galen.

Anyone who works out the sum will find that the average age of the first class is $65\frac{1}{22}$, of the second class, $64\frac{51}{52}$, and of the third class $65\frac{10}{26}$. These statistics show no clear evidence of prolongation of the average of life having been secured by the great advance made in medical science during the last two centuries. Of the lives mentioned in the list, but not included in the statistics above, Moses, as we read in the Bible, "was one hundred and twenty years old when he died," and we are given the following additional information interesting from a medical point of view that "his eye was not dim, nor his natural force abated." Hippocrates is credited in the list with a hundred and three years of life, but the editor has put a note of interrogation after the dates, so that it seems safer to leave him out of consideration. Could Hippocrates and Moses, or Hippocrates alone have been added to the first class of lives, the lives before the Christian era would have attained a decidedly higher average than either of the two subsequent periods. Galen's years are given as seventy in the cyclopædia, the dates being followed by a note of interrogation as in the case of Hippocrates. His inclusion in the second class would raise the average of the second class to over 66, while the insertion of St. Paul, who, according to the dates given in the list, lived either 62 or 55 years, would slightly reduce it.

Let us now take another comparison. We must still confine ourselves to eminent men as the ancient world gives us no statistics of the longevity of ordinary men. Statesmen will not give us a fair comparison, as those who engaged in politics in ancient days had their lives so very often shortened by constant wars, executions or political assassination. Literary men will, however, afford a fair basis of comparison, and let us this time confine ourselves to them only, taking care not to choose our instances.

In the account given in the Encyclopædia Britannica of Greek Literature down to its decadence, if we take the names of all the Greek poets and prose writers mentioned therein and look them out in Smith's biographical dictionary, we find a conjectural or unconjectural statement given of the age of twenty-eight of them. They will be found to be Solon, 80; Xenophanes over 90; Simonides of Ceos, 89; Anacreon, 85; Stesichorus, 80; Pindar, 80; Æschylus, 69; Sophocles, 90; Euripides, 75; Cratinus, 97; Eupolis, 35; Aristophanes, 64; Herodotus, 77 at least; Anaximander, 64; Hellanicus, 85; Thucydides, 70 at most; Antiphon, 69; Xenophon, over 90; Gorgias, 105 or 109; Andocides, at least 74; Lysias, 80; Isocrates, 98; Demosthenes, 63; Æschines, 75; Lycurgus, about 73; Plato, 82; Aristotle, 63; Theophrastus, 85 or 107. For the purposes of our calculation we may ascribe to Gorgias and Theophrastus the ages of 107 and 96, the means between the two extremes given in the dictionary. The average age will then be found to be considerably over 78, and this wonderfully high average would not be diminished by excluding the ages given conjecturally, as among the conjectural ages is the age of Eupolis given at 35.

Let us compare with this the literary men who happen to be mentioned in the last period of English Literature sketched in the same Encyclopædia, taking their ages from Vincent's "Dictionary of Biography," published in 1878. They are Wordsworth, 80; Coleridge, 62; Southey, 69; Scott, 61; Burke, 68; Shelley, 30; Byron, 33; Mary Godwin, 38; Senior, 74; Horner, 39; Romilly, 61; Ricardo, 51; Mill, 67; M'Culloch, 75; Lancaster, 63; Ball, 80; Harriet Martineau, 74; Elliott, 68; Moore, 73. The average age of these nineteen persons is between 61 and 62.

If it be objected that of these Shelley was drowned and Romilly committed suicide, we need only glance our eyes over the ancient list to find that it includes two suicides, Isocrates and Demosthenes, and Antiphon who was put to death.

If it be objected that the English list only reaches down to 1832, since when medical science has made brilliant and rapid progress, I reply that medical science has surely made immense strides between the days of Aristotle and the beginning of the present century, and that the comparison indicates clearly enough the inefficacy of that progress to increase average longevity. It is possible that the extraordinarily rapid advance of medical science since the beginning of this century may have temporarily increased longevity, but, for the reasons given below, this improvement can hardly be permanent. And even the death rate of eminent men during the last few years cannot rival that of the great Greek poets, historians, and orators. To support this, let us examine the obituary list given in Whitaker's Almanack for 1890.

It gives the ages at death of 238 eminent men who died in 1888-1889, and the average will be found to be a little under 70, a wonderfully high average, but far below the average taken from the literary men of ancient Greece.

Thus, on the whole, it is clear that eminent men enjoyed about as long lives in ancient as in modern times, and it is natural, in the absence of evidence to the contrary, to infer that the generalisation may be extended to the lives of ordinary men, that is, of the whole human race. The men of the ancient world and of the middle ages lived just as long as we do in the nineteenth century, and, if they lived as long, it is natural to suppose that they enjoyed just as good health. So that medical science seems to have done nothing to improve the health or lengthen the life of the human race as a whole. Had it done so, it would have promoted happiness. For health promotes happiness, and short lives and frequent deaths involve much painful mourning among bereft relations and friends.

If it be asked how medical science can improve the health of the individual without improving the health of the race, the answer is not far to seek. In fact the explanation has been given above in considering the obstetric branch of medical science. We have only to apply more generally the explanation there given. A hint towards the solution may be found in the Republic of Plato, who praises Asclepius because "bodies, which disease had penetrated through and through, he would not have attempted to cure by gradual process of evacuation and infusion; he did not want to lengthen out useless lives, or that weak fathers should beget weaker sons; if a man was not able to live in the ordinary way he had no business to cure him, for he would have done no good either to the man himself or to the state." Medical science, if its operation could be strictly limited according to the lines laid down by Plato, would increase the average health and happiness. There are cases in which a sick man after his cure is likely to enjoy more than the average health. If an exceptionally healthy man is saved from dying of cholera, he may be as healthy after his cure as he was before he was ill, and the saving of such a life is a gain to the average health and happiness. In other cases a man who is below the average health may, by medical skill, be improved in health so much as to enjoy more than the average health. It is not, however, to be expected that either by legal enactment or public opinion doctors will ever be compelled to confine their ministrations to those whom they have a fair chance of raising above the average health. But until such restrictions are laid upon doctors, medical science cannot be admitted to be a constant element in the diminution of the sum of human pain. Medical science, as long as it cures without discrimination all who can pay their doctor's bills or get attendance for nothing, does good to the general health by giving good health to the moderately healthy, but it cancels its good work by enabling those, who would otherwise die, to live on in bad health, and in some cases produce offspring inheriting their weakness and transmitting it to a third generation.

And it must be remembered that the mere prevention of the death of individuals, unless it leads to a rise in the average health and length of life, is a doubtful benefit to the general happiness. Every life saved by a doctor may be expected to diminish the sum of misery by saving his relations and friends from the grief of bereavement. But on the other hand, as there is only a limited amount of subsistence in the earth at a given time, every death leaves more to be divided among those who do not die. And the saving of lives makes the struggle for existence harder than it would otherwise be. The death of the breadwinner of a family leaves his wife and children destitute, but may enable some other father of a family who succeeds to his vacant post to support his family, which would otherwise have suffered from want. On these grounds the mere saving of life, unless it improves the average health and length of life, is a doubtful benefit to the world, and every doctor should realise the fact that, by enabling a dying man to live, he probably somewhere in the world causes a living man to die, and so benefits the payer of his fee at the expense of some unknown person. Let him therefore abstain from supposing himself a benefactor of the human race on the score of all such triumphs of his art. The medical man who in the exercise of his profession saves lives, by so doing sometimes increases and sometimes decreases the general happiness. He generally increases it when the person saved lives on in more than average health, and generally decreases it when the person saved is so weakened by the disease of which he is cured that his health is below the average.

But some will oppose this reasoning and these statistics by other statistics which seem to point in the opposite direction, and to show that the saving of lives by modern medical science is proved by the increased length of life to have improved the average health. It is popularly believed that the death rate in the nineteenth century is far lower than it ever was before, and this belief is supported by appeals to statistics. We read in "Chambers' Information for the People," that "in England during the period 1690-1820 the ratio of deaths to the population fell no less than two fifths." This statement so confidently put forward cannot rest on any sure foundation. Mr. N. A. Humphreys, in the "Statistical Journal" for June, 1883, remarks that "It is scarcely necessary to say that very little is known of the variations in the annual death-rate in England prior to the establishment of civil registration in 1837. The Registrar-General's mortality statistics embrace the forty-five years, 1838-1882, and constitute the only trustworthy basis for calculations as to the duration of life in England." The conclusion arrived at in "Chambers' Information for the People" must depend partly on London Bills of Mortality, and partly on the experience of insurance companies, etc. The evidence of the former source of information cannot be applied without danger to the whole of England. It is quite possible that sanitary improvements might temporarily improve the death-rate of great cities without affecting the rural districts. In fact, this is a difference that we should naturally expect even without the guidance of statistics. In the country there is less room for sanitary improvement. The death-rate in great cities may partly be attributed to rural immigrants unaccustomed to the sanitary or unsanitary conditions of life in great cities. This part of the city death-rate will be lessened by sanitary improvement, and at the same time the old civic population, as their families have been long settled in the city, the sanitary condition of which has been improved, being descended from ancestors well weeded by much more trying sanitary circumstances, will die less plentifully until their average power of resisting disease has been weakened by the less stringent natural selection due to improved sanitation. These considerations show that the health of great cities may improve without a corresponding improvement in the country generally. And this conclusion is verified by the returns of the Registrar-General for the current decade, which are as follows:—

	1881-1886.	1887.	1888.
Urban Districts,	20·3	19·7	18·4
Rural Districts,	17·6	17·2	16·7

These figures show that the late improvement in health has been about twice as great in cities as in the country.

Further, owing to the practice of selection, the experience of insurance companies is not by any means to be relied upon. The advance of medical science enables the medical advisers of companies more unerringly every year to reject bad lives. It is probable that when insurance companies were first started they rejected fewer lives, and it is certain that the conditions of longevity being then less known the rejections were made with less skill. So that the improvement in assured lives cannot be expected to be true of the whole population. Nevertheless, although the consultation of mortality tables and of the records of insurance companies has undoubtedly given an exaggerated view of the improvement in health before 1838, there is still room to believe that there was a very distinct progress made in this respect between the end of the seventeenth century and the beginning of the nineteenth.

But is this progress, if it may safely without reliable statistics be assumed to have taken place, due to sanitation and medical science or to some more potent cause? In the middle of the seventeenth century the English nation began to drink spirits on a large scale, and so introduced into their midst a terrible engine of destruction. From 1691 to 1708 the annual consumption of home made spirits on which duty was paid rose from 539,868 to 1,155,063 gallons, and in 1735 it had reached 6,440,454 gallons. The sudden introduction of this deadly plague must have made the death-rate abnormally high at the end of the seventeenth century, and the rapidly increasing popularity of the poison until 1735, the year of the gin bill, must have kept it high. But as time went on, like all other plagues it began to work its own cure. Most of the Englishmen living in the beginning of the nineteenth century were descendants of two or three generations who had managed to drink spirits and live and have children. Though they still went on drinking about as much spirits as their ancestors, the process of natural selection that had been going on before they were born enabled them to bear it better. Thus, at the beginning of this century, England was only struggling back by the action of natural selection to the normal death-rate which had been temporarily suspended by the drinking of spirits. No one pretends that the death-rate is absolutely fixed. What appears to be the truth is that it swings back and forward on either side of the mean death-rate with the oscillatory movement of a pendulum. Having been violently disturbed by the introduction of the practice of drinking spirits in the end of the seventeenth century, it began to approach the mean again in the beginning of the nineteenth, and remained there for some time.

Mr. Humphreys points out in the article already quoted that, "although the death-rate varied from year to year, it may be said to have remained practically stationary during the thirty years 1838-70." Since then there has however been a marked improvement. The mean death-rate for England from 1871 to 1880 was 21·5, and from 1881-1888 it was 19·2, the best two years recorded being 18·8 for 1887 and 17·8 for 1888. This improvement may be attributed to sanitary improvements, especially to the improved sanitation in great cities in which the decrease of the death-rate has been most conspicuous, but, unless the improvement in sanitation goes on for ever at the same rate as in this decade, the death-rate is likely first to cease to improve and then to move in a retrograde direction, as the average human being becomes weakened by those who are from a health point of view unfit being helped to survive. But sanitation cannot be expected to go on improving for ever. Immediately it ceases to improve, the death-rate will tend to rise. For if the sanitary condition in England, after improving steadily year by year up to the year x, after that year ceases to improve, and is the same in the year x + 1 as it was in the year x, a larger proportion may expect to die in the latter than in the former year, because those living in the former year will have been better weeded by themselves and their ancestors having lived in years all of which had been inferior from a sanitary point of view, while those living in the latter year will have missed, at least for the immediately preceding year, the advantage of a more stringent natural selection than they will be exposed to in the year x + 1.

There is, however, a particular class of medical discoveries to which the above disparaging reasoning does not apply, because their chief claim to value is not so much that they promote the health of individuals and prolong their lives, though they may effect this also, but that they directly diminish or annihilate pain. Anæsthetics thus stand on quite a different footing from merely curative drugs, and require separate consideration to see whether they promote general happiness. When a man suffering from great pain escapes that pain by taking chloroform, the diminution of his misery is not gained at the expense of any other being. Nor is there any reason why the anæsthetic which drives away pain in his case should in other cases be productive of pain. So far as anæsthetics are instrumental in the prolonging of individual lives and restoring health to individuals, they are no more productive of happiness than any other remedies, but in so far as they simply banish pain they are a clear addition to the happiness of the human race. Thus the inventors of anæsthetics may be regarded as men who have increased the happiness of the human race, unless the anæsthetic produces after effects of a more painful character than the pain escaped. All that can be said on the other side is that some people by the excessive use of anæsthetics ruin their health and shorten their lives. This is as true, though in a less degree, of anæsthetics, as it is of alcohol. Yet, if it has been proved satisfactorily that vaccination, quinine and all the other cures and preventives of disease that have ever been invented have had no appreciable effect in improving the health of the human race, it follows that the use of drugs productive of disease, however ruinous to the individual, cannot permanently decrease the general health and happiness. Although, like alcohol, at their first introduction they may increase the death-rate, as time goes on, and those who have not strength of mind to avoid them, or are not healthy enough to use them with impunity, die out by the process of natural selection, these drugs will not affect the death-rate any more than the excessive cold of Norway, or the excessive heat of Central Africa. So that the direct good effect of anæsthetics in preventing pain, does not seem really to be counterbalanced by any general permanent bad effects on the health and happiness of the human race.

The consideration of anæsthetics naturally suggests the advisability of euthanasia as a means for the increase of happiness. The term euthanasia has been used in two senses, in both of which it deserves to have its felicific effects estimated. Bacon in the "Advancement of Learning" recommends euthanasia, and means by the word the diminution or extinction of the pains of dying. "I esteem it," he writes, "the office of a physician not only to restore health, but to mitigate pain and dolors, and not only when such mitigation may conduce to recovery, but when it may serve to make a fair and easy passage: for it is no small felicity which Augustus Cæsar was wont to wish to himself that same euthanasia, and which was especially noted in the death of Antoninus Pius, whose death was after the fashion and semblance of a kindly and pleasant sleep. So it is written of Epicurus, that, after his disease was judged desperate, he drowned his stomach and senses with a large draught and ingurgitation of wine; whereupon the epigram was made:—

Hinc Stygias ebrius hausit aquas:

he was not sober enough to taste any bitterness of the Stygian water. But the physicians contrariwise, do make a kind of scruple and religion to stay with the patient after the disease is deplored; whereas, in my judgment, they ought both to inquire the skill, and to give the attendances for the facilitating and assuaging of the pains and agonies of death." Certainly euthanasia in this sense is in every way desirable from a utilitarian point of view. So far as the members of the medical faculty have by anæsthetics or other means succeeded in diminishing the pains of death, they have made a clear addition to the happiness of the human race. It is only when the extinction of pain enables those who would otherwise have died to live on in bad health that its felicific effects become doubtful.

But some have gone farther than Bacon and recommended under the name of euthanasia not merely diminution of the pains of death but painless extinction of life in the case of painful and incurable disease. They have ventured to argue that, when a man is so overcome by the pains of an incurable disease that his life is a source of continual pain to himself and others, it would be better for happiness that he should be painlessly put out of misery. No doubt it would be better for the individual sufferer, and, if he could be painlessly killed by other than human agency, his gain would diminish the happiness of no one else, and would therefore be an addition to the happiness of the world. But it is a very different matter to recommend that such a person should be killed painlessly by his doctor after consultation with his nearest relatives. While there is life there is hope. How often have doctors given up as incurable the case of a patient who has nevertheless eventually recovered! Much would be added to the misery of the sick if they were continually in fear of having their dear lives taken away without their consent. But worst of all would be the mutual suspicion engendered by such a course between the nearest relations, and between the patient and his physicians and nurses. Such evils would certainly not be less than the bodily pain from which the individual sufferer would be saved by accelerating the hour of his death.

CHAPTER V.

HAVING found that medical science by interfering with the natural struggle for existence, and enabling those to live and have children, who would without its assistance have died childless at an early age, counteracts the good it would otherwise, by giving good health to those who were slightly unhealthy, have done to the race, we naturally proceed to consider the opposite extreme, which will be found in infanticide and other customs by which man has deliberately set about the task of assisting nature in weeding out the weaker, unhealthier specimens of the human type.

Would it promote the happiness of the world to simply add to the number of destructive agencies in the world, say by abolishing vaccination in order to allow small-pox to rage uncontrolled, or by promoting famine, or by advocating that men should expose themselves more to damp and cold by forswearing houses and clothes?

In answer to this question, a distinction must be made between two classes of diseases. Some permanently weaken even those who recover from them. Therefore, the utilitarian would immediately dismiss the idea of promoting those diseases, as they would obviously not only kill the weak, but also weaken the strong. But there may be, and are certain diseases which kill the weak, and leave no effects of an evil character upon those who are strong enough to recover from them. Thus, while recovery from a sore throat leaves behind it increased liability to the same attack, which liability may doubtless be transmitted to descendants, quite the opposite is the case with small-pox and some other diseases. Small-pox, as a rule, when it fails to kill, leaves no evil effects behind. The person who has recovered is no weaker, and is indeed fortified against small-pox in the future, and probably transmits a tendency to similar immunity. In this way the prevalence of small-pox in one generation increases the health of the next generation, which will be composed of a large number of children of parents either not liable to small-pox, or strong enough to recover from it. From these considerations, it would appear that small-pox may be good for the health of the next generation. But as this advantage is gained at the expense of a large amount of disease and death in the present generation, the advantage of the future is obtained at the expense of the present, and not improbably the plus and minus quantities would be found just about to cancel each other.

Is there then no means by which this advantage to future generations may be secured without the present generation suffering from disease, and without the mourning occasioned by grief for the untimely death of human beings in the hearts of the bereaved? Several peoples have tried to improve their condition by weeding out their weaker members, but none of them have quite succeeded in effecting this in accordance with utilitarian principles. The remedy has generally been found to be as bad as, if not worse than, the evils intended to be cured. The most common form which the effort has taken is infanticide, which was commonly practised by the ancient Greeks, and, until quite recently, by the natives of India. This method of eliminating the weak is in three ways preferable to the elimination by means of disease. Infanticide is more thorough. It kills outright all those who are condemned, whereas many diseases inflicting pains equal to those of death, instead of killing leave the victim alive, but weak, to suffer the pains of ill-health for many years. Secondly, infanticide does not inflict so much pain as disease, inasmuch as infants can be quickly killed without suffering much bodily pain, and are entirely free from the mental pains of anticipated death. Thirdly, infanticide makes a better selection than disease. Though disease more often attacks and kills the weak than the strong, there are many cases in which strong men and women are carried off by disease when the weak escape. Such exceptions may also have happened in the case of infanticide, but much more rarely. Occasionally an unhealthy-looking infant may grow up into a healthy man, and a healthy infant may become an unhealthy man. But such unexpected developments certainly happen in a much smaller proportion of cases than the exceptions to the rule that disease attacks and kills the weaker and spares the stronger.

But these three advantages, though they must make infanticide really improve the health of the people among whom it is practised, are counterbalanced by the one great disadvantage that it is carried out by human agency and by the will of the parents of the child. The diminution of happiness due to the violation of the sacredness of human life, and to the dissolution of the ties of parental affection must be at least as great as the increase of happiness due to the improvement of the average health really secured by infanticide. Among the Spartans an attempt was made to supplement infanticide. New-born infants were bathed in wine, which was supposed to strengthen the strong and kill the weak. Although no one will now believe that a wine bath could have been so doubly efficacious, the plan is interesting as an attempt to secure an ideally perfect elimination of weaker individuals.

Other peoples are said to have practised the opposite of infanticide and to have killed their old men and women. Thus, according to Strabo, the Derbices killed and ate all who passed the age of seventy, and the Caspians killed but did not eat those who had passed the same age. No doubt senicide, like infanticide, was due to rough utilitarian calculations such as could be made by barbarian intellects. It was argued that, food being scarce, it was better for the tribe to get rid of their older members, who could not do much work. It was doubtless also a point in favour of the practice that old men were really incapable of enjoying life like young men. Therefore it was deemed expedient to despatch them, and the Derbices went to a farther length in brutal utilitarianism by making the dead bodies of the old men add to their stock of food. Similar to senicide was the custom followed by the Massagetæ (Herodotus i. 216) and the Indian Padæans of killing those who were ill. Of the Padæans we read in Herodotus that "If one of their number be ill, man or woman, they take the sick person, and if he be a man the men of his acquaintance proceed to put him to death, because they say his flesh would be spoilt for them if he pined and wasted away with sickness. The man protests he is not ill in the least; but his friends will not accept his denial—in spite of all he can say they kill him and feast themselves on his body. So also if a woman be sick the women who are her friends take her and do with her exactly the same as the men." (Rawlinson's Herodotus iii. 99.) The humorous account of Herodotus illustrates how naturally, when once the sacredness of human life is forgotten, interested motives lead to killing beyond the bounds originally laid down. At first we may suppose that only those incurably ill were killed, but unscrupulous persons in time of want would stretch the regulation in a way which they thought would conduce to the general good, by killing those afflicted even with slight indisposition. A society among whom such regulations existed would at least have the advantage of escaping from the annoyance caused to his friends and relations by a hypochondriac's affectation of illness, which is so often an excuse for idleness and ill temper. No Padæan would venture to impose upon the sympathies of his friends by playing the part of a *malade imaginaire.*

Sometimes in the struggle for existence, whole peoples are eliminated by pestilence or by war, and give place to other peoples. The most conspicuous instance of this is the disappearance or decrease of the natives of Australia and America on the advent of European settlers who have destroyed the natives as much by introducing fire water and new diseases as by war. The effect upon happiness of such a substitution of stronger in the place of weaker races has already been partly discussed in considering the effects of the invention of the mariner's compass. For this invention led to the discovery of America, and one principal effect of that discovery has been the disappearance of the aboriginal Indians before the face of white immigrants, men of a superior race. The displacement of the Indians in America, however, had one peculiar feature in the immense increase of population which does not always accompany the extermination or diminution of weaker by stronger races. When, as in North America and Australia, the stronger conquering race is agricultural and manufacturing, while the inferior conquered race is, for the most part, composed of hunters, great increase of population is the natural result of the conquest. But this need not always be the case. The populations of Peru and Mexico may have been as great before the Spanish conquest as at the present date. So that, in some cases, even those who have made up their minds on the question in dispute between optimists and pessimists are not thereby enabled to settle whether general happiness is affected favourably or unfavourably by war between nation and nation, between race and race. Indeed, it cannot be satisfactorily determined whether war does or does not, on the whole, increase the population of the world. On the one hand, the conquering nation is probably superior in knowledge and thereby enabled to get more production out of the earth than the conquered. On the other hand, the conquering nation is not unlikely to have a higher standard of comfort which will prevent the population from increasing in proportion to its increasing means of subsistence. Also the prevalence of war, by withdrawing a large proportion of the population from productive work, tends to diminish population, and the insecurity due to the fear of war together with the actual destruction of life and property in war has the same effect.

We must therefore, in many cases, treat the question as if the result of war would not affect the amount of population, and ask simply whether the average member of a conquering race is likely to be happier than the average member of the conquered race. Let us consider concrete instances. Were the Jews happier than the Canaanites? the Persians than the Assyrians? the Greeks and Macedonians than the Persians? the Romans than the Greeks and Carthaginians? the Saracens than the Christians of the Eastern Empire? the Saxons than the Britons? the Normans than the Saxons? or, looking at the recent colonization of once savage countries by Anglo-Saxon and other settlers, we may ask whether they are happier than the savages whom they displace. In the case of the last instance we can most easily observe for ourselves, if we care to travel, the two sides of the comparison, and without travelling we can refer to the abundant testimony of many modern travellers. Yet room remains for much difference of opinion. "What a vast mass of cannibalism," remarks Sir James Mackintosh, "was the whole population of Brazil! To have replaced it by the most corrupt Europeans was one of the greatest benefits to the world." But Sir James Mackintosh had never visited savages at home. Mr. Hume Nisbet, who in New Guinea made the acquaintance of some of the most savage inhabitants of the world, formed a different opinion. "On the whole," he writes in his *Land of the Hibiscus Blossom*, "I think we civilised savages murder as much and as atrociously as the so-called savages do in dark lands, even though we may not eat our victims; and, aside from this evil, I fancy that they are happier in their simplicity than we are with our vaunted civilisation. . . . Looking on the savages of New Guinea from a material standpoint, I think that they are much more comfortable as they now are than are our English poor—indeed, than many of our English middle classes—who are fighting so madly for an existence, while they, the natives, bask away luxuriously on their coral-fringed and sunny sands." It is difficult to be confident in an opinion opposed to that of many travellers who have passed a good part of their life among savages. But as other travellers hold the other opinion which is more agreeable to our feelings as civilised men, one is inclined, though not without doubt, to believe that civilised men are happier than savages. Perhaps we may also venture to regard it as probable that, as a rule, conquering nations are happier than the conquered were before the conquest, and that, therefore, the world is happier now than it would have been if wars had not raged in the past.

Should the utilitarian then form societies for the encouragement of war? He cannot reasonably do so, unless he has reason to suppose that the increase of happiness due to the imposition of a more orderly or otherwise happier life on the conquered, or to the substitution of stronger in the place of weaker nations, outbalances the accumulation of evils included in the horrors of war. But this conviction is scarcely possible to anyone who reads reflectively the accounts of campaigns given by historians, and more especially by war correspondents who have seen the dying and the dead lying before their eyes on the bare ground, and the wretched inhabitants of the theatre of war driven destitute out of their burning houses. But even if the utilitarian were convinced that war does on the whole more good than harm, he would still shrink from encouraging it, and rather exert himself to diminish its frequency. For war, if a good at all, is one of that class of good things which are only good in moderation. An individual's health may be improved by a daily walk of five miles, but a daily walk of thirty miles would lead not to increased health, but to ill health. In like manner, though a limited amount of war might conceivably be beneficial, a larger amount of war than there has hitherto been in the world would almost certainly be very destructive of happiness. Therefore the utilitarian, although of course he may approve of particular wars waged against tyranny, will never approve of war for its own sake, that is, for its general consequences only. Even if he thinks that the general consequences of war may be good and more than outbalance the pain it causes, he will not promote war in the abstract, but rather discourage it, knowing that up to the present time the angry passions of individuals and nations have provided more than the amount of war required gradually to eliminate inferior races, and remembering that the useful struggle for existence may be as effectually carried on by industrial competition and other methods less painful than war. Much more will he do his best to extinguish war if he thinks, as most utilitarians probably do think, that war in any form or amount is such a painful remedy, that it can never, except in exceptional circumstances, be productive of more happiness than misery. Therefore it will be the duty of utilitarians carefully to consider by what means war may be totally extinguished or rendered less common.

The introduction of arbitration has perhaps done something to diminish the frequency of war, and the utilitarian should encourage the more extensive employment of this method of settling disputes. At the same time there is a danger which interferes with the pacificatory effect of all such milder substitutes for war, as long as the possibility of war remains. When war is the only means of settling national differences, nations are very careful of pressing such differences to extremity, knowing that the result may be war. But, when there is a chance of arbitration settling differences, nations may be inclined to enter into national disputes with as light a heart, as that with which some individuals enter into litigation, and yet after all eventually such angry passions may be roused that arbitration will be found impossible, and the contending parties may have to resort to war after all. However in spite of this danger arbitration may be readily supported by the utilitarian as on the whole furthering the cause of peace.

Another fact, that has diminished the amount of fighting in the world, is the tendency that has manifested itself since the beginning of history towards the division of the human race into larger and larger political aggregates. In ancient Greece, divided as it was into small states, war was terribly frequent. For each small state was surrounded by other small states, with whom it had every now and then to engage in war. Nor did these frequent small wars prevent wars on a large scale. For besides the very petty wars of one Greek state against another, there were wars like the Peloponnesian war of one confederacy of small states against another confederacy, and also national wars against Persians, Macedonians, Carthaginians, and Romans. If war were the best process of natural selection, the Greeks ought to have gone on rapidly from strength to strength, but history shows that they rapidly deteriorated in the midst of continual warfare, and probably, it may be added, because of their continual warfare. If England, France, Germany, and the other countries of Europe, were split up into small states like ancient Greece, war would be incessantly going on in modern Europe also.

But even as things are, in spite of arbitration and the large nations into which the world is now divided, the utilitarian will think there is too much of war, and will consider whether there are not any other means by which its comparative frequency may be diminished. One very practicable scheme for effecting this object has either been entirely overlooked or not sufficiently recognised. It is suggested by the existence of the British volunteer force. *Si vis pacem para bellum* is an old adage, and the most efficient peace-making way of preparing for war is that adopted by the British volunteers and others who strictly follow the motto, "defence not defiance." Owing to the existence of her volunteer force enlisted for the defence of her native soil in case of invasion and not for service abroad, Britain is much stronger for defensive than for offensive war. For offensive warfare, we have only our small standing army with its small reserve, while, if England were invaded, there are more than half a million of men in arms to drive out the invader. From this state of affairs, England naturally abstains from attempting to pursue an aggressive policy except sometimes in colonial wars against savage peoples, and on the other hand even the strongest foreign power is not much tempted to attack England and land an army on her coasts. The chief defect in the English volunteer force is that it is not quite large enough at present to make successful invasion impossible. If it could be increased to about one million of men, England could laugh to scorn the idea of invasion. There is no reason why this increase should not be made. Military training would, in the case of the large number of Englishmen engaged in sedentary employments, be a distinct gain. It would promote their health and happiness, and convenient times for drill and parade could be chosen, which would not interfere with peaceful avocations any more than other kinds of healthy bodily exercise. Therefore, every English utilitarian should do his best to increase the power of the volunteer force by joining it himself and inducing others to do so, and every utilitarian throughout the world should exert himself in favour of the formation of a volunteer force on the same principle in his own nation. If large enough defensive armies cannot be obtained by voluntary enlistment, let us have conscription for purely defensive purposes. When all the great powers of Europe have each one million of men enlisted for defence against invasion, and never required under any circumstances to cross the borders, a great step will have been taken to establish universal peace. For what nation would venture rashly to attack another nation with the knowledge that one million of its best soldiers could not join in the invasion, and that the invading army would be opposed by an overwhelming superiority of defensive force?

There is another kind of struggle for existence carried on between people and people on a vast scale not by war but by industrial competition, the effect of which might be very prejudicial to happiness. This has been recognised by some nations who have, by calling in the aid of laws, tried to defend themselves against the evil effects of being worsted in such a struggle. The laws on this subject have not indeed been prompted by purely utilitarian considerations. When the United States or our Australian colonies pass laws to keep out Chinese cheap labour from their territories, they are actuated by the consideration of their own happiness alone, to which they would, if necessary, sacrifice any amount of Chinese happiness. Yet such legislation might perhaps be justified by pure utilitarian considerations. There is a real danger of the Chinese overrunning the world and everywhere underselling all industrial competitors by the smallness of the wages on which they can keep themselves in life and health. What would be the result upon general happiness if all over the world cheap yellow labour were to take the place of our white labourers in the field and in the workshop? The immediate result would undoubtedly be much misery among the displaced white workmen, who would suffer terribly from starvation and almost more from their indignation at being driven out of existence by an inferior race of men. This indignation would express itself in continual riots that would inflict pain upon white assailants and still more on the weaker yellow men. Nor would the latter feel in their triumph happiness equivalent in amount to a tithe of the misery suffered by the starving and indignant white men. Thus the immediate results would be an immense amount of unmitigated misery. Nor does it appear that there would be any ultimate good results to compensate for all this woe. Would the happiness of the world be found to have been permanently increased, when the heartburnings of the displaced white worker had been mitigated by custom or diminished in aggregate amount by the dying out of the majority of the white population? There is rather reason to anticipate the contrary. In the moral elements of happiness, which will probably be found to be more important than any other, the Chinese seem to be decidedly inferior to Americans, Englishmen, and continental Europeans. Perhaps, however, this opinion may be a wrong opinion mainly due to experience of the inferior and less respectable Chinamen who emigrate to America. Those who, like the author of *The Middle Kingdom,* have lived long in China have much to say in favour of the Chinese at home. At any rate, we have no reason to suppose that the Chinese are on the average happier than ourselves. Thus the world would not be rendered permanently happier if this very painful change, that we are considering, were effected, and, of course, on utilitarian grounds a change painful in itself and not leading to any distinct gain must be condemned. Therefore, utilitarian statesmen are justified in supporting laws for the exclusion of

Chinamen from territory now occupied by white men; and utilitarian Chinamen should, if they recognise the moral inferiority and consequent lesser, or not greater, happiness of their countrymen, be conservative on questions of emigration. At present old laws absolutely forbid emigration, and in consequence no women, and only such disreputable members of the community as can do without female society and have no respect for their own law and religion, emigrate. In the same way the natives of India have a religious horror of crossing the sea, by crossing which they incur guilt only to be atoned by severe penance.

But, perhaps, the change so much to be dreaded may be brought about without a native of India or China leaving his native land. Facility of communication is bringing the remotest corners of the earth into keen industrial competition with each other. Already this competition is beginning to tell with terrible effect on European agriculturalists. Corn raised by the labour of natives of India working for wages of 2d. or 3d. per day comes in large quantities into European markets, and can be sold at a price which even now renders it almost impossible for employers of agricultural labour in England and France to make any profit out of their lands. It is true that the English and French labourer does far more work in a day than an Indian can do. But the value of his work is not nearly so much more than an Indian's work as his wages are than an Indian's wages. So that the Indian's labour is really far cheaper than the European's. In such a state of affairs, which improved communication is likely to intensify, we seem to be drifting towards a time when it will only be possible profitably to grow corn in England and France on exceptionally fertile soil, and the English agricultural labourer will have to leave the plough and convert himself into a factory hand, unless he can consent to work for an oriental labourer's pittance and subsist on vegetarian diet, forswearing his beef and beer.

But even by becoming a factory workman he will scarcely permanently avoid the competition of cheap oriental labour. For in the East there are to be found coal and iron and other materials of manufacturing industry as well as fertile soil. At present Asiatics are not far enough advanced in knowledge to compete on a large scale with European manufacturing industry. But this ignorance will not last for ever Already among the 250 millions of India technical education is advancing and energetic preparations are being made for its further extension. Already in Bombay cotton factories are increasing year by year, and in the course of time the whole of India will follow the lead of her western sea-port. In China the Chinese are determined to teach themselves or be taught how to manufacture cannon and ironclads for their own use. Mr. James in his travels through Manchuria saw a Chinese arsenal in which Chinese workmen without European supervision could manufacture the most improved instruments of destruction for themselves. The progressive party in China will probably before long introduce an extended system of technical education into their country also. Thus in the future Chinese and Indian workmen working for wretched wages will compete with Manchester and Glasgow on more than equal terms. The result of this will be just the same as if Chinese and Indian immigrants settled in the West, and undersold American and European labourers. But it cannot be well stopped by any restrictive legislation as oriental immigration has been checked. In the face of this competition it is likely that the western labourer will have to lower his standard of comfort, and work for far lower wages than he claims at present: or else the labouring population in the west must be reduced in numbers to about a fourth of its present dimensions. In either case the world is threatened with diminution of happiness. The gradual starving out of existence of say one half of the labouring population of Europe, namely, of all the labouring population whose *raison d'être* is that Asia needs manufactured articles and cannot make them for herself, would be the result of Asiatics all over Asia obtaining mastery of all kinds of technical arts; and this starvation, though gradual, would, in the aggregate, cause about as much misery as all the famines that have been chronicled in the world's history. Perhaps less misery would be caused by the gradual lowering of the standard of comfort that would accompany the diminution of European wages down to the oriental average, especially as there would be simultaneously a gradual rise of oriental wages towards the European standard. For the new rate of wages would be somewhere between the present European and the present oriental rate. Thus the millions of Asiatics would derive from a gradual change of this kind increase of happiness, though not as much as the increase of misery on the other side of the world. But even if this, apparently the less painful, alternative be chosen, there will be much misery. Our vast labouring population will not learn to tolerate life in cold climates on vegetarian diet without much pain, and large fractions will die until only those are left who are able to adapt themselves to such very different circumstances. Whether the utilitarian can devise any means by which this change can be averted, or any reasoning by which it can be shown not to be productive of increase of misery, remains to be seen, but it is a question of such difficulty that it can hardly receive even a probable solution without more data of experience bearing upon the subject, than we at present possess.

CHAPTER VI.

"ALL work and no play makes Jack a dull boy." This old proverb expresses the belief that amusement is one of the most essential elements of happiness. If this is so, among the best practical utilitarians would seem to be those who do their utmost to spread a taste for the best games all over the world—Englishmen who teach Indians to play cricket, and Maoris to play football, Americans who introduce into the mother country their fascinating game of base-ball, rural rectors who encourage their parishioners to play cricket on the village green, and all who by precept or example induce their fellow men and fellow women to take any kind of healthy exercise in the open air. The effect upon happiness of such sports is both direct and indirect, direct inasmuch as those engaged in games enjoy themselves while playing, indirect because they lay up for themselves stores of health which may be a permanent source of happiness. There is a Spanish proverb to the effect that the days spent in hunting do not count in one's life. It means that, if a man is forty-two years old, and has spent two years in hunting, he is to all intents and purposes only forty years old, the invigorating effects of the exercise being supposed to exactly counteract the weakening effect of time. The words of this proverb may be extended so as to apply not merely to hunting but to all outdoor sports.

The case of hunting is distinguished from other means

of healthy exercise by the fact that the lower animals are forced to take part in it. Therefore the utilitarian in considering the effects of hunting upon happiness must include in his calculation the effect produced upon the hunted as well as that produced upon the hunter. Is the happiness of the lower animals injuriously affected by hunting? There is no reason to think that it is. Animals must die, and the quick violent death usually inflicted by the hunter and his hounds is less painful than the slow death by starvation or cold that the animal if unhunted would have to undergo, and not more painful than death inflicted by birds and beasts of prey. All that can be said in this connection against hunting is that animals wounded by rifle or arrow more often escape to die a lingering death than those wounded by animals of prey; but this may be balanced by the fact that the bullet and the arrow often kill instantaneously animals that might otherwise die a longer and more painful death by hunger. It may be urged by some against hunting that an animal's life must be considered as a whole, that hunting shortens the life of many, and that, the longer their lives are, the more likely it is that the joys of life will compensate for the eventual pain of dying. This is probably true, as animals, at any rate wild animals, seem to derive more pleasure than pain from life. But on the other hand it must be remembered that hunting usually kills grown-up animals whose joy in life may be supposed to be on the wane, and leaves room for the growing up of numerous new-born animals who would otherwise be crowded out of existence for want of food. For there is no doubt that every year far more animals come into the world than the supply of food can support. Great numbers of these must die of starvation before enjoying the joys of exuberant young life. Every grown-up animal that is shot leaves room for the growth of a younger and therefore presumably happier being. Thus on the whole there is no reason to think that the happiness of lower animals is at all diminished by hunting.

This being so, it only remains to consider the effect of hunting on the happiness of human beings. At an early stage in the history of society hunting was pursued as a means of existence and not as a source of pleasure. The hunter had therefore to hunt not merely when he expected pleasure from his hunting, but at times when, if he had by him enough to eat, he would infinitely prefer bodily ease in his hut or cave. The life of a professional hunter does not seem to be in any way happier than that of a shepherd or an agricultural labourer. Nor is it more unhappy. All that we can say about the hunting stage of society is that it is incompatible with the earth being thickly peopled, so that the utilitarian pessimist has every reason to sigh for the return of the hunting stage of society. In connection with happiness we have rather to consider hunting as an occasional interlude than as the permanent occupation of a man's life. Of the intense pleasure derived from hunting both literature and the experience of life give abundant evidence. Again and again has the desire of this pleasure proved triumphant over the fear of death in tiger-shooting, fox-hunting, bear-hunting, and elephant hunting. It drives rich men, who might take their ease in richly-furnished houses, surrounded by all the comforts supplied by wealth, to toil up the snowy mountains of the Himalayas and struggle through the hot, marshy, pestilential jungles of India, Africa, and South America. The enthusiastic love of hunting, though perhaps it reaches its highest pitch in the modern Briton, is certainly as old as civilisation and perhaps a good deal older. It has been felt by nations most widely different from each other in character. The sculptured walls of Nineveh and Babylon show the delight taken by Assyrian kings in hunting the lion, and from the dawn of civilisation in Homeric Greece to the present day a large portion of the literature of the world has been devoted to celebrating the joys of the chase. Even the tyranny of feudal game laws, that ordered the common man who killed a boar or a deer to have his eyes torn out, and reduced great tracts of good land to desolation that they might be the hunting-ground of kings, helps to show the immense popularity of hunting.

But this popularity seems at last to be somewhat on the wane. Evolutionists tell us that the love of hunting is the survival of a taste that descended through many generations of our ancestors, who, without intense concentration of energy on the task of killing animals, could hardly have survived. But the traces left on our minds by many generations of hunting ancestors must now be growing less distinct, as most of those now living are the descendants for several generations back of men who have never been engaged in hunting. As this process of obliteration continues, fewer and fewer men will be left so constituted in mind as to be able to take great delight in the chase.

There is also another influence working in the same direction. Human sympathy for the lower animals is decidedly on the increase. The society for the prevention of cruelty to animals, though it does not particularly direct its energy against hunting, does indirectly discountenance any such amusement by never allowing us to forget that the lower animals feel pain, which is therefore not to be wantonly inflicted. In old times the hunter as a rule did not trouble his head about the feelings of the hunted animal any more than about the grass bruised under his horse's foot. Now-a-days this unconcern is by no means so easy. The hunter of to-day must often ask himself whether he is justified in promoting his own health at the expense of so much pain to animals, many of whom are weak and harmless. When this troublesome question has again and again been forced upon his mind by reading, by the teaching of the society for the prevention of cruelty, or by the suggestion of some tender-hearted wife or sister, he is not unlikely to resolve with Wordsworth,

> Never to blend his pleasure or his pride
> With sorrow of the meanest thing that feels.

Some hunters who do not go so far as to make this resolve, cannot entirely quench the questionings of their heart, and, though they perhaps go on amusing themselves at the expense of animal pain, do so with occasional feelings of remorse which must seriously detract from the total of their pleasures. Even Scott, devoted sportsman as he was, sometimes asked himself how it came to be that

> The failing wing, the blood-shot eye
> The sportsman marks with apathy,

and the reflection must surely have marred his pleasure in the chase.

Thus Lady Florence Dixie, after shooting one of the golden deer of the Cordilleras, was so troubled in mind that she wrote, "If regret could atone for that death of which I unfortunately was the cause, then it has long ago been forgiven; for, for many a day I was haunted by a sad remorse for the loss of that innocent and trusting life." A similar struggle of contending feelings in the hunter's breast is indicated by an incident related by J. Thomson in his account of his journey through Masai Land. "I shot," he says, "a hartebeest for the pot, and was made to regret my deed of blood on seeing the infinitely pitiful manner in which its mate hung about, divided between terror of the destroyer and wistful tenderness and anxiety for its struggling and bleeding companion. Bounding away a few steps, it would turn again to face the hunter with its great beautiful eyes, or to cast perplexed glances at the dying hartebeest, wondering, doubtless, what horrid fate had fallen upon it. I could easily have shot the poor creature, but I felt too conscience-stricken to do the deed of blood, and I let it alone." Such instances show that universal indulgence in hunting cannot be advocated as productive of happiness in spite of its general good effects upon health, For the happiness due to improved health may be cancelled by the pains of an uneasy conscience.

Should the utilitarian even encourage in this amusement those who, from bluntness of feeling or want of reflection, are able to derive unalloyed enjoyment from the chase? Even this is doubtful. Many will be of opinion that it is essential in the interests of happiness that universal sympathy with all living beings should be aimed at, and that the promotion of this universal sympathy is of far more importance to happiness than the coarse pleasure that unreflective persons derive from pursuing and killing animals, and from the more refined pleasures that attend the chase. Such persons should be taught sympathy, by being continually reminded that the lower animals feel pain or pleasure just as we do, though probably to a less intense degree. It may, however, be urged in favour of hunting, that after all, as pointed out above, hunting does not diminish animal happiness, and that, therefore, a reasonable person who clearly recognises this truth may go on hunting without feeling that he is gaining pleasure at the expense of animal pain. Perhaps a perfectly logical being might do so, but as men are constituted with their emotions continually usurping a position in the realm of reason, it seems impossible for men to inflict death and cruel wounds on sentient beings without doing violence to their sympathetic feelings.

Thus the settlement of this question must be deferred until the effects upon happiness of extended sympathy have to be considered. In the meantime we must consider those many other out-door amusements which, like hunting and shooting, are often very enjoyable in themselves and promote the health of their votaries, but do not inflict pain on animals. The chief of such amusements are cricket, football, lawn-tennis, racquets, fives, riding, swimming, base-ball, skating, bicycling, tricycling.

In this great variety we find out-door active amusements to suit every purse, and almost every taste. Even the poorest man, if he lives in the country, can generally find some beautiful river or seashore open to him as a bathing place, and, at the worst, he can always walk, enjoying the companionship of some dear friend, or silently admiring the beauties of the country, or in great cities the wonderful works of man. Walking only requires a little extra expense in soleing and heeling boots, and some other out-door amusements, such as skating and football, are almost equally inexpensive. There can be no doubt that on the whole they immensely improve the health of those who are addicted to them. Occasionally a man may be maimed for life by an accident in the cricket field or at football. A few Oxford or Cambridge oars may overstrain themselves by violent exercise in the boat race, or the severe preliminary training they have to undergo. But the number of such casualties is immensely exaggerated by the publicity given to them in the press. When reckless assertions about the evil effects of rowing upon rowing men were being made in the papers, Dr. J. E. Morgan, who had a truly Baconian distrust of affirmative instances, took the trouble to look up the life-history of those who had rowed in the world-famous University boat-race. The result of his enquiries was the discovery that their average of life and health was decidedly better than that of ordinary men. If the pain caused by accidents in active out-door amusements were compared with the increase of happiness they confer on the thousands who do not happen to meet with any accident, they would be found to be as nothing in the balance. The contrary opinion could never have been held, but for the tendency to see clearly pain that is concentrated in a few individuals, and to ignore the mass of happiness far greater in the aggregate that is scattered over a large multitude though not conspicuously evident in any of the individual members of the multitude. When the imperceptible growth of thousands of trunks, myriads of branches, and millions of twigs, is taken into consideration, we recognise that the amount of timber in a forest has increased in the course of a year, though a few branches, or even whole trees, may have been blown down by the wind. In the same way we should recognise that the thousands of men and women who pursue enjoyment in active open-air games have vastly increased their happiness, even though a small minority may have hurt themselves by unfortunate accidents, or imprudent excess in their out-door activity.

But those who add to their health and happiness by energetically engaging in out-door recreation are only a fraction, and perhaps a small fraction of the whole world. We must now consider whether it necessarily follows that the general happiness has been advanced because the happiness of this fraction has been advanced. We have seen reason to believe that though medical science improves the health and happiness of individuals, it does not generally improve the health and happiness of the whole race. Can the same disparagement be justly applied to the source of happiness that we are now considering? Or is there any essential difference between out-door exercise and medical curative drugs, operations, diet, &c., on account of which we can say that, while the latter benefit individuals without benefiting the human race, the former benefits the race as much as the individual? There does seem to be such a difference. It consists in the fact that out-door athletic games are eagerly engaged in by the healthy and avoided by the delicate, while medical drugs, diet, and surgical operations are more usually prescribed for and used by the delicate than by the healthy. We saw that the chief evil of medical science from the point of view of general happiness was that it enabled human beings who would otherwise have died childless to survive and transmit their delicacy to their descendants. This bad effect does not arise from out-door exercise at any rate in its more violent forms. A moderate walk of two or three miles a day may benefit the individual delicate man as much as or more than carefully regulated diet or well-chosen drugs. But if the very delicate man attempts football, hunting, Alpine climbing, or big game shooting, it is likely very much to diminish the few years he would otherwise live, and is more likely to reduce the moderately delicate man to the level of the very delicate than to raise the very delicate man to the level of the moderately delicate. Thus these violent delights tend to strengthen the strong, while they debilitate the weak and drive them rapidly out of existence. Out-door amusements have also another advantage over medical appliances, particularly over medical drugs. Surgical operations are painful, and most medical drugs are nauseous. But out-door exercise is not only productive of health, but also delightful in itself. Thus it is doubly conducive to pleasure, and those who exert themselves successfully in establishing football clubs, Alpine clubs, cricket, and rowing clubs, and by other means promote a taste for the more violent athletic out-door amusements, do really substantially promote the utilitarian end.

Another class of amusements deserves careful consideration on the part of the utilitarian, namely, those kinds of recreation which are not accompanied by active bodily exertion. The chief pleasures of this kind are those afforded by the fine arts, especially painting, sculpture, and music. Looked at from a utilitarian point of view, they differ from the pleasures of active bodily exercise in two respects. They do not tend to kill off the weak, and they have little effect, as compared with out-door sports, in strengthening the strong. They can be enjoyed as much by the delicate as by the healthy, and improve the health of the delicate. The first difference tends to make the kind of pleasures we are now considering less productive of the general happiness than the pleasures of active bodily exercise. Nevertheless, while it is clear that they do not do nearly so much to improve the health of the strong, it would be a mistake to suppose that they do nothing. Whatever relieves the mind of the worker from the burden of earning money, or the vacant idler from the monotony of a purposeless existence, promotes cheerfulness and thereby promotes health. But still the active out-door sports have the advantage, as they not only promote cheerfulness, but also improve the health in a far more effectual way by bracing the muscles and keeping us in the open air.

For one class, however, the pleasures of the fine arts are preferable as a means of relaxation. It is possible even for a healthy man to have too much hard work in the open air. The agricultural labourer, the postman, the railway porter, the groom and others, who are fortunate enough to earn their livelihood by open air work, cannot be expected to devote much of their leisure time to football, or cricket. Their muscles and lungs being sufficiently provided for by their working life, they should be taught to turn to the fine arts for recreation. To supply their needs, the utilitarian should provide museums, picture galleries, concert rooms, zoological and botanical gardens, and they should be open on Sundays and week-day evenings, in order that they may be used not merely by those keeping holyday, but also by busy men in their short intervals of leisure. In the country sufficient beauty is provided for the eye by nature. But in the man-made town too often the beauty of nature has disappeared without any architectural beauty being brought in to compensate for the loss. In great cities the utilitarian has plenty of good work to do. Parks have to be made and defended against the attacks of so-called utilitarians, who would like to see them covered over with houses and factories. It is one of the evils of private property that too much beautiful scenery is kept for the enjoyment of the few and denied to the many. Many rich men entirely refuse the public access to their grounds.

> "Why should not these great Sirs
> Give up their parks some dozen times a year
> To let the people breathe ?"

If utilitarians have extensive grounds near a great city, they should throw them open to the public, or, at least, if they are not extensive enough to become promenades, allow the weary walker along the dusty roads to refresh his eyes by looking into them through railings. At present in the suburbs of great towns it is too often the practice to protect gardens and pleasure grounds against intrusive eyes by high walls or hideous barriers of tarred or untarred planks. This abominable selfishness compels the unfortunate citizen to walk miles out into the country, before he can see anything pleasanter to look on than the dusty or muddy road, and should surely be strongly condemned by public opinion.

Material should also be provided for the ear by the utilitarian. Concerts can be organised at low rates, and public rooms may be presented with pianos or harmoniums. Much good work in this direction has been done by the Gordon League, "a body of benevolent individuals who shortly after General Gordon's death formed themselves into a league, to carry on under the auspices of his great name the work of mercy in which he delighted." Besides attending to the material wants of the poor by forming coal funds and clothing funds, they provide excellent gratuitous concerts at their head quarters in the Portman Rooms. "Every Sunday evening," we read in a daily paper, "at half past eight o'clock when the churches are closed, the doors of the Portman Rooms are thrown open to working men and women for a social gathering. There is no Sabbath glumness at these meetings, the League recognising that no hard-and-fast line should be drawn between sacred things and those which are called secular, but that everything good and pure is consecrated by use for worthy ends. Hence the Sunday evening meetings happily associate the religion of Christianity with that of common life. Members of the League sing appropriate songs to their congregation, or play instrumental solos, or give recitations inciting to high and noble deeds, or read the Bible, and lead the psalm or hymn. In this manner the poor are attracted within the influence of much that makes for their peace. As a rule about 1,000 people attend each Sunday evening, most of them being precisely those on whose behalf the Gordon net is spread. Last evening the seats in the spacious hall were well filled by a most orderly and attentive crowd, whose behaviour, we are bound to say, might advantageously be taken as a model by not a few calling themselves their betters. The efforts honestly made to please them were keenly appreciated and loudly applauded." Similar attempts are made in the same spirit in different parts of the country to provide instrumental and vocal music for the poor. They are valuable not merely for the immediate pleasure they confer on the audiences, and as counter attractions rivalling the less innocent pleasures of the public house or gambling den, but also as establishing kindliness between rich and poor, and softening the asperity of the envy with which the latter often regard the former. Also at such meetings a taste for music may be acquired which may be cultivated in many an otherwise dull home as a perennial source of innocent pleasure.

There is, however, a drawback in all attempts to provide the poor with entertainments of a charitable character. This cannot be better expressed than in the words of Mr. G. R. Sims, a writer who has done much to reveal the misery of the London poor, and interpret their feelings. "The well-meaning efforts," he tells us, "of the societies which have endeavoured to attract the poor to hear countesses fiddle and baronets sing comic songs in temperance halls, have not been crowned with anything like success, for the simple reason that there is an air of charity and goody goody about the scheme, which the poor always regard with suspicion. They want their amusement as a right, not as a favour, and they decline to be patronized."

This objection, fortunately, does not apply to another species of musical entertainment within the reach of everybody. It is probable that the poor derive the greatest amount of pleasure, through the ear, from a humble and much-despised source, namely, from the ubiquitous organ-grinder, who spreads all over London familiarity with tunes new and old. Many an air is thus picked up by errand boys and workmen on their way to their work, and they solace their hours of labour by humming and whistling snatches of song, which, but for the street-organ, they would never have known. Let us then ungrudgingly pay our pennies to encourage those wandering minstrels by whose instrumentality the airs, which sung by Patti or Albani delight the rich man in his opera-box, give even more delight to the poor street arab.

Music, even good music, seems to give pleasure without any previous training. It is different with some of the other fine arts. Sculpture, for instance, may almost be regarded as an acquired taste. The average British workman does not derive very much pleasure from the sculptures of the British Museum, and even the more educated crowds, who visit the Royal Academy, do not much frequent the sculpture gallery. In the case of sculpture, and to a less extent in the case of painting, it is necessary to cultivate taste among the masses, and this is not easily done. Some effect is undoubtedly produced by simply placing paintings and sculptures before their eyes, but this needs to be supplemented by a certain amount of instruction in art. No doubt Ruskin's *Modern Painters* has taught many to appreciate art who would otherwise have remained artistically blind. Such literary works then promote the happiness of the world, if the fine arts themselves promote happiness.

But before we arrive at an ultimate conclusion on the latter question we have to give full weight to the effect of the cultivation of the fine arts on the population of the world. The workers who produce beautiful objects for the gratification of the senses, in so far as they merely produce beauty, are unproductive consumers, and, therefore, their presence in the world diminishes the population of the world. If all painters, musicians, sculptors, engravers, poets, manufacturers of ribbons and ornamental cloth, jewellers, makers of fine porcelain, carvers in wood and ivory, and others who produce beautiful objects or beautify useful objects, and in addition all those who manufacture instruments or obtain materials for beautiful workmanship as the makers of musical instruments, of painters' colours, of sculptors', engravers', wood-carvers', and jewellers' tools, and elephant hunters, and miners in ruby and diamond mines, were all to turn their energies to reclaiming waste land or any other distinctly productive work, the world would be able to support a far larger population than it does now. This being the case, pessimist utilitarians should strive hard to promote the fine arts, as the pursuit of them diminishes the number of miserable beings in the world and at the same time makes the average man less miserable. Optimist utilitarians cannot so easily decide the question. They must allow that the fine arts diminish the number of happy beings in the world, but must go on to consider whether the increase in average happiness does or does not more than compensate for that loss. Thus, if without the fine arts the population of the world would be 1,500,000,000 and the average happiness 100°, and with the fine arts the average happiness is 105° and the population is 1,400,000,000, he would prefer that the fine arts should be entirely stamped out, as with the fine arts the aggregate happiness would be only 147,000,000,000°, while without it the sum would be 150,000,000,000°. The utilitarian who leans neither to pessimism nor optimism would prefer to promote the fine arts, because not having made up his mind whether the average man is happy or miserable, he is indifferent whether the number of human beings is greater or smaller, and is bound to favour whatever promotes the average happiness.

CHAPTER VII.

In considering the effect of law and custom upon happiness, we have to consider first whether good laws and good constitutions increase the happiness of the world. Have such lawgivers as Lycurgus, Solon, Justinian, and the authors of the code Napoleon or legislative bodies like the English House of Commons had great opportunities of increasing happiness and how far have they used those opportunities well? If a good code of laws increases the happiness of particular nations, it may be assumed to increase the happiness of the world. For, if happiness is by means of good laws secured for one nation, there is no reason to believe that the gain is secured at the expense of any other nation. Although in the assignment of punishment some suppose that just retribution is a paramount consideration, the promotion of happiness is generally regarded as the great end of the art of jurisprudence: so that jurisprudence may almost be regarded as a branch of utilitarian ethics. This being the case, it is not surprising to find eminent lawyers like Bentham and Austin among the staunchest upholders of utilitarian morality, for, when they pass from jurisprudence to morality, they only change from a more limited to a more general survey of the means of promoting happiness. Although it is generally recognised that the goodness of laws and constitutions is relative, that what suits one nation may be unsuitable to another, there is little or no doubt in the opinion of the world that national happiness may be promoted by good laws and constitutions. Plato is so convinced of the fact that he makes it the foundation on which to build his proof of the happiness of the good man. One of the premises of his reasoning in the main argument of the Republic is that the most perfectly constituted state is sure to be more productive of happiness than a worse constituted state. Others, however, are of the opinion of Pope's couplet:—

> For forms of government let fools contest,
> Whate'er is best administered is best.

To exhaustively consider this question would be to write a book on jurisprudence. It is, however, possible to come to a conclusion on the subject by a shorter route. That legal and constitutional reform does beneficially affect happiness will be seen clearly enough. Even if a nation may be happy in spite of bad laws and a bad constitution, it would surely be still happier with good laws and a good constitution. Pope's antithetical couplet may be easily shown not to prove his point, even if we admit the statement made in the second line. Granting that the government that is best administered is best, it is surely plain that some forms of government are more likely to be well administered than others. This truth was recognised by Solon when he defended himself against a critic by observing that his laws were not ideally the best, but only the best that he thought he could get the Athenians to obey. One or two conspicuous instances in history are enough to make it clear to any unprejudiced mind that legislative changes may much promote the happiness of a people, especially perhaps repeals of bad laws or changes in the constitution of courts of justice. He would be a bold man who would deny that the Great Charter, the Habeas Corpus Act, and the repeal of laws opposed to the principle of religious toleration have done much for the happiness of England. Like good effects were produced by the laws of Solon in Greece, and in Rome by the laws which amicably settled the bitter contentions between the Patricians and Plebeians.

The discussion of the effect that can be produced on happiness by particular political measures has to a large extent been anticipated in the previous pages. The laws may establish national schools, national colleges, and national museums, where the poor can be educated gratis. This will undoubtedly increase knowledge, and, if increase of knowledge implies increase of happiness, happiness will be increased by such laws, or would be but for one difference between spread of knowledge by private effort and by legal enactment. Laws establishing a cheap gratuitous system of public education are in accordance with the socialistic or semisocialistic principle that the rich should be taxed for the benefit of the poor. Whether the carrying out of this principle is productive of happiness or not, is a question on which much difference of opinion prevails. Possessors of wealth will generally urge that the taxation of the rich for the poor discourages accumulation of capital, diminishes the wage fund, increases want, and diminishes industry and happiness. The poor, and the friends of the poor on the other hand, only recognise the fact that gratuitous education satisfies the yearnings of many who would otherwise grow up ignorant, and, owing to their ignorance, be liable to be ground down by poverty. Similar arguments are brought forward on either side in discussing the imposition of a graduated income-tax and laws limiting the freedom of bequests or heavily taxing large legacies, the socialistic tendency of which is more clearly discernible. Laws of this character undoubtedly discourage the accumulation of capital, or drive it to other countries where such laws are not made. With the latter result, though it may be deplorable from a patriotic point of view, the utilitarian has nothing to do, unless he has good reason to believe that it is better for the happiness of the world that capital should be accumulated in his own rather than in some foreign country. Of course, he must not make up his mind upon this point without carefully purging his intellect from patriotic bias. If he comes to the unpatriotic conclusion that capital promotes happiness more in other countries than his own, he will, of course, be inclined to support any laws that drive capital into foreign countries. As to the diminution or less increase of capital brought about by such laws in the country in which they are passed, there can be little doubt that it is a fact. An ordinary mortal will be less inclined to save than to spend, if the more he saves the greater is the proportion of his property that he will be forced to pay to government in the form of taxes, and if he is much limited in exercising what he is inclined to regard as the sacred right of doing what he likes with his own. In the case of free education, the diminution of capital due to discouragement of saving, may be compensated for, or more than compensated for, by the increased productiveness secured by the spread of education among the masses. Knowledge being power, increased education enables man to get more out of nature. Also, education not only produces good sense that will lead to greater thrift, but also, as we have seen, diminishes the number of wasteful riots and rebellions. These considerations render it probable, that, after all, although free education means that the rich must educate not only his own children, but also those of the poor, and so discourages saving, it may nevertheless, on the whole, produce increase of capital.

But is the accumulation of capital productive of happiness? Political economy will not allow us now to believe with Dr. Johnson that the extravagant waste of the rich is a benefit to the poor. We all know now, that the miser who saves and invests his money provides more wages for poor labourers than the extravagant spendthrift. So, if accumulation of capital is a good thing for happiness, laws of a socialistic tendency should be avoided, and we should rather, if strict justice is an unattainable ideal, have income taxes graduated so as to tax the poor more than the rich. But, although it is clear that the accumulation of capital increases population, it is not clear that such accumulation promotes happiness. We are at this point brought back to the old question between optimists and pessimists. Pessimists should regard the increase of population, the increase of miserable beings in the world, as an evil almost sure to result eventually from accumulation of capital, although recognising that it may effect a temporary good by increasing the amount of subsistence, temporary because the population is likely to increase in a very short time till it reaches the greater number that the increased subsistence allows to live. They will also be inclined to think that the numerous masses suffer a great deal of pain from a warranted or unwarranted sense of injustice at seeing the peculiar advantages enjoyed exclusively by the few rich, and that this pain of the many is far greater in the aggregate than the pain from a sense of injustice that would be suffered by the much smaller number of rich at seeing themselves the objects of special legislation, and being compelled to pay out of their property a larger fraction as taxes than the poor are required to pay. Owing to these considerations the pessimist utilitarian ought to be in favour of socialistic legislation. The optimist, on the contrary, seeing that socialism, by depriving those who are industrious and inclined to save of their reward, would decrease the population of the world, ought to be strongly opposed to socialism. At any rate, we may rest assured that the optimist has stronger reasons to oppose socialism than can be brought forward by the pessimist.

The same may be said with even greater confidence in the case of free trade. The corn-laws were repealed in 1846. From 1855 to 1885 the population of the United Kingdom rose from 27,800,000 to 36,300,000. There is no doubt that free trade largely contributed to this great increase of population, and that, if it were more generally adopted, the world would produce more, and so be able to support a still larger population. Political economists show quite clearly that, when trade is free, each country works at the production of whatever it can best produce, while protection is a waste of labour, as it makes a nation produce what might be best produced by some other nation. Free trade may diminish the happiness of the nation that adopts it, if that nation's circumstances cause some very unpleasant industry to be the work which it can most productively engage in. Thus some, who, like Ruskin, think, and are perhaps right in thinking, that agricultural life is happier than labour in factories, may suppose that England loses happiness by free trade, as thereby a very large proportion of her children are condemned to work in mines and ironworks. If this is the case, England's loss is some other nation's gain, for England's devotion to mining and manufactures enables some other nation to addict itself more to agriculture, and thus the happiness of the world is not affected. So that if free trade affect to any great extent the happiness of the world, it does so by increasing the world's inhabitants, and so adding to the aggregate happiness, if the average man is happy, or to the aggregate misery, if the average man is unhappy.

Another way in which free trade may perhaps affect happiness, though only in a slight degree, is by producing monotony of occupation in particular regions. The more the principle of free trade is followed, the more the world will be mapped out into corn-producing regions, mining regions, regions in which iron is manufactured, and so on. Certainly such monotony of occupation is unpleasant in itself, and must also produce narrow-mindedness, and cramp the human intellect, and may so diminish happiness; if it can be proved that happiness is at all in proportion to knowledge. But this is rather a minor consideration. A seemingly more serious way in which free trade, by tending to limit particular areas of the world to particular industries, may be prejudicial to happiness is that it may intensify the horrors of war. A country dependent on foreign countries for many of the necessaries of life may suffer terrible privation when debarred by an enemy from external commerce. Of this danger the United Kingdom is a conspicuous example, since owing to free trade we import yearly 146,000,000 bushels of wheat and only produce about half that amount. The corn produced in England annually is not nearly enough to feed the teeming population. It follows from this state of affairs that, if Britain should ever be blockaded by a superior naval enemy, the sufferings of the population from starvation would be terrible. The same is true in a less degree of many other countries partially dependent on foreign supplies. Thus free trade tends to intensify the horrors of war. But perhaps this is after all not an evil. The more horrible war is, the more nations will keep the peace, and the more quickly wars will be finished. So that free trade while intensifying the horrors of war would seem to tend to make wars less frequent and of less duration.

As this effect and that of the cramping of ideas have no very great influence on happiness, the consideration of free trade for the most part drives us back to the old open question between optimism and pessimism. For the same reason that should make optimists discourage and pessimists encourage socialistic reforms, optimists should approve and pessimists disapprove of such a powerful means of increasing population as free trade is.

Limitation by law of the amount of labour stands on much the same footing as protection, inasmuch as by limiting production it tends to keep down the population of the world. It is looked upon by many friends of the poor as a panacea for the woes of the working classes. They suppose that it will improve the lot of the labourer, firstly, by lightening the burden of men's work, by protecting women against unsuitable work, and by saving young children from having to work at other than their school tasks, and secondly by diminishing production and so enabling labour to be more profitable and to secure higher prices. These were the objects aimed at by the Swiss Government when they invited the European Governments to meet at Berne in September, 1889, to consider the labour question. Their programme included, first, prohibition of Sunday labour; secondly, fixation of a minimum age for the admission of children to factories; thirdly, fixation of a maximum for the daily labour of young workmen; fourthly, prohibition of the employment of women and young workmen in such industries as are specially injurious to health; fifthly, limitation of night labour for women and young workmen; and sixthly, stipulations for the execution of the Convention to be eventually concluded. Usually such schemes include a definite proposal to limit the hours of work to eight hours daily. All the proposals tend to have, and are intended to have the same result, namely, lessening of the burden of daily work and diminution of production.

The following considerations will make it clear that the increase of wages hoped for from the diminution of production is a vain hope, and that such proposals, if approved of at all, must be so solely because they lighten the over heavy average burden of labour. The only way in which diminution of production could increase the profits of labour is, if it were confined to some single industry productive of a necessary of life for which no substitute could be found, and if production in that industry were limited all over the world. For instance, if coal-miners all over the world agree to work only six hours a day in order to limit production of coal, the price of coal would rise perhaps so high that the miners would get as high wages for six hours' work as they now get for a full day's work. But even under such improbable circumstances, these high wages, which, after all, would not be high absolutely, but only in comparison with the amount of work done, could not long be maintained. Even if the high price of coal did not fall before increased production of petroleum and other substitutes, labourers would desert other industries and crowd into coal-mining in order to get good wages for short hours of work, and this competition would infallibly bring down the wages of coal mining, until the miners were paid very much less for their six hours than they used to be paid for their full day's work. Thus even under the most favourable conditions the policy of limited production would, far from bettering the condition of the working classes, lead to their getting a smaller amount of wages daily.

It may be urged on the contrary that trades unions can sometimes prevent the competition of outside labourers, and that thus the coal miners might, in the case we are considering, receive for their half day's work almost as much as the wages before given for a full day's work. This is true, but does not affect the question from a general point of view. The gain of the coal miners in this case would be at the expense of all other wage earners, who in the matter of the purchase of coal would have the value of their wages diminished by the success of the coal miners.

So far we have been considering limitation of hours of work and consequently of production all over the world in one particular industry. If the limitation were confined to one country, the labourers would, unless their industry were fostered at the expense of other wage earners by heavy protective duties, entirely fail of their objects, and be thrown out of employment. For capital would be transferred to other countries where such limitations did not prevail. If the coal miners in England banded together to work only six hours a day to limit the output of coal, capital now engaged in English coal-mining would immediately be transferred to German and other coal mines where it would be employed more profitably, unless the English coal miners were willing to receive half wages for their half day's work, a contingency so utterly opposed to the purpose aimed at by the limitation of production that it need not be considered. The same result would happen if the limitation of production were extended to all the industries of one country, say England. In that case there would be an immense transfer of capital out of England into other countries, whose wage fund would be increased at the expense of England, so that the average wages of the world would not be increased and the general happiness would receive no benefit. England in this case would suffer severely for want of capital, unless the labourers consented to receive small pay, as the Hindus do, in proportion to the small production of each man's short daily labour. The cogency of these considerations is recognized even by some of the most thorough-going friends of the working man, as by Mr. Bradlaugh, who desires wages to be as high, and days of labour as short as is compatible with profitable industry, but objects to legislative action establishing a universal eight hours' day of work, on the grounds that if "eight hours' labour be translated to mean, that no works of any description are to be conducted for more than eight hours in each twenty-four hours, the giving legal effect to a prohibition of this kind would be certainly ruinous to many of the largest industries in this country," and that, "to prevent men in all kinds of labour from working more than eight hours out of twenty-four may, and in some cases would, involve a serious reduction of the wages hitherto received."

On account of the necessity of such results, schemes for the diminution of production by lessening the hours of labour of the men and the amount of work done by women and children, are by some of their advocates intended to extend to the whole world. Such a universal extension of the limitation of labour in the present state of the world is chimerical. There would be little hope of arriving at an international agreement to include China, Japan, India, the Republics of South America and the whole world. But, even if it could be arranged, no benefit would accrue to the labouring classes, at least, not the anticipated benefit of higher wages. If such a world-embracing scheme were realized, the diminished supply would not be enough for the demand, and, therefore, it is supposed that the labours of production would be better rewarded. But those who argue thus, forget that producers are also consumers, and that the possibility of making large profits owing to the scarcity of their production would be defeated by the corresponding scarcity of what they themselves require, tools for their work, and food and clothing, and other necessaries and luxuries. Under these circumstances, even if the labourer got larger money wages, he would be able to buy so much less for the same amount of money that he would not be benefited. From a consideration of this fact, Jevons goes to the very opposite extreme, and asserts that "a real increase of wages to the people at large, is to be obtained only by making things cheaply," that is, by increasing the produce of labour. But this seems to ignore the fact that cheapness of products leads to increase of population, which increase tends to lower wages by increasing the supply of labourers. The fact seems to be that neither diminution of production nor increase of production can clearly be shown to improve wages permanently. On the whole perhaps it would be better to increase than to diminish production, as diminution of production would cause a temporary diminution of happiness until the population of the world adjusted itself to the diminished production, and this adjustment would not be effected without much misery and starvation. When the new state of affairs that would be introduced by universal diminution of production is established, we shall only have, instead of a larger population receiving larger pay for more work, a smaller population receiving a smaller amount of pay for less work. So the advantage to happiness of lighter work would be cancelled by the disadvantage of insufficient food.

Thus the optimist utilitarian at any rate should not advocate limitation of labour. Perhaps the pessimist might be moved to do so on account of the diminution of the world's population, making allowance, however, for temporary misery caused by the adjustment of the population to the limited production. The majority of the world who are neither optimists nor pessimists should join with the optimist in maintaining the *status quo*.

The foregoing remarks mainly apply to the diminution of the daily labour of men. They also apply, but in a less degree, to limitation of the labour of women and children, as that limitation also diminishes production. At any rate, more is produced when not only men but also women work. The case of young children is different. If they work in factories, they cannot be properly educated, and their intelligence suffers, and want of intelligence diminishes production. But whether production is limited or not by regulation of the labour of women and children, the utilitarian should give such regulation his support. The sacrifice of happiness involved in mothers engaging in hard work, and leaving their infants to be fed on artificial food, and their homes to take care of themselves, and in depriving childhood of the pleasant alternation of school and play is very great, far greater than the misery suffered by over-worked men; and, after all, the labours of women and children do not to any appreciable extent lighten the labours of husband and father. Of course, a man and a woman can earn more than a man can by himself, and even young children may add a pittance to the family income. This knowledge makes the poor labourer accept lower wages or marry earlier, as he hopes that his wife will add to his earning, and that, if he has any children, they will at a very early age contribute to their own support. But such early marriages prevent the labours of women and children from raising the standard of comfort among labourers, who, if they have to depend on their own exertions, and therefore marry later, are as well off as if they married early in the hope of being partly supported by their wives and children. Early marriage, rendered possible by wife and children being allowed to overtask themselves in physical labour, does not seem to be desirable. Under such circumstances, domestic happiness must be extinguished in the necessity of heavy labour laid upon weak and strong alike. Therefore, no utilitarian is likely to blame the factory laws of England, which, for the most part leaving grown-up men to themselves, protect women and children against excessive work, and do not allow very young children to work at all. Such legislation might profitably be carried to further extremes, if the nations adopting it could be protected by some such international agreement as that proposed by Switzerland against the danger of being undersold by other nations who do not put the same restrictions upon labour.

But though limitation of production would not really better the condition of the working classes even if it gave the labourer higher money wages, is it not possible by any means to increase the real reward as opposed to the pecuniary wages of the working man? Co-operation, trades unions, and strikes are the usual means employed for the attainment of this object. Now there is no doubt that determined strikes have often produced increase in wages, and so bettered the condition of the workmen. On the other hand it is equally certain that many strikes, especially unsuccessful strikes, have dissipated the savings of poor workers and so reduced them to poverty. These two good and bad effects may be regarded from a working man's point of view as about balancing each other. But what from the same point of view should incline the balance in favour of strikes is the good effected by the fear of strikes. It is this that prevents the capitalist employer all over Europe from venturing to pay very low wages to his workmen when he is himself making very high profits, in case he should thereby be involved in a ruinous contest with them. This fear will not, however, make him pay such high wages as would deprive him of the average rate of profit on capital, and, if the men insist upon an excessively high rate of wages, he will withdraw his capital from the business, unless he can get higher prices out of the consumer. It is hardly likely that he will be able to sell as much goods at the higher as at the lower price, so he will produce fewer goods, and employ a less amount of labour, and transfer much of his capital to other industries in England or to foreign countries, where the rate of wages allows larger profits. In many cases capitalists would take away their whole capital from the business they had, before the strike, been employing it in. If this determination to get higher wages than will, without increasing the price of the goods sold, allow the ordinary rate of profit, should extend over the whole of England, much capital would be transferred to foreign countries, where labour could be obtained for lower wages. Thus capital would only be employed in England in industries in which higher prices could be got from the consumer. English work would be hopelessly undersold in foreign markets, and to a large extent in home markets also, unless importation of foreign goods were prevented by high protective duties. Thus the state of affairs would be that there would be in England a few labourers enjoying high wages, and an immense number of unemployed, who would perish of destitution until the population should be reduced to the small number that could get employment under the new state of affairs. Whether the eventual condition of the labouring population would be worse or better than it is now, would be hard to determine; but it is certain that the reduction in their numbers could not be effected without much misery.

The only way in which strikes could secure higher wages, than without alteration of prices would allow the average rate of profits, is by a harmonious determination all over the world among the working classes to demand higher wages. In this case capitalists, having no foreign country with lower wages to transfer their capital to, might consent to take less profit. If all European labourers could come to some such agreement, how could the same sentiment of resistance to the claims of capital be instilled into the Chinese and Hindoo labourer? Would they not be likely rather to jump at the increased employment in agricultural and manufacturing industries opened up to them by the obstinacy of their European rivals? If, however, in the future, by improved communication, the working classes all over the world can combine for concerted action, they may win for themselves at the expense of the capitalist's profits much higher wages than they now have. Let us consider then whether such a result would promote the sum of human happiness.

The question may to a certain extent be answered by appeals to experience. Wages are very high in America and Australia, very low in India. Is the average happiness of mankind much greater in America and Australia than it is in India? The question would be hard to answer. The difference between the climate, religion, and political position of India and of those two countries is so great that, if any difference in happiness could be traced, it would be rash to attribute it to difference in the rate of wages. It would be more to the purpose to compare the happiness of England and the United States, because, although there is less difference between the average wages of England and the United States than between the average wages of India and the United States, England and the United States very closely resemble each other in climate, religion, government and other conditions, on which happiness mainly depends. On the whole, life would appear to be happier or less miserable in North America than it is in England. At least this is the conclusion indicated by the comparative estimates of travellers and by the doubtful evidence of suicide. From the suicide statistics collected by Morselli it appears that suicide is about twice as common in England as in the United States. This superiority in happiness of Americans over Englishmen may most naturally be ascribed to the higher wages obtained by the working-classes.

Yet it has sometimes been maintained on various plausible grounds that high wages do not promote happiness. It is often said, for instance, that, when labouring men get a spell of high wages, they squander it recklessly on champagne and other ridiculous extravagances. But such lamentable waste is rather the result of the unusualness of high wages than of high wages in themselves. If workmen were more used to high wages, they would look upon them as ordinary income to be spent on useful things, rather than as a temporary windfall to be quickly squandered. Even if these occasional outbursts of extravagance are not exaggerated by critics devoid of sympathy with the working-classes and inclined to concentrate attention exclusively on their failings, they are not quite so painful in their effects as the ruinous extravagance committed by so many ill-paid labourers, who now spend the most of their pittance on gin, when they themselves and their wives and children are starving for want of bread. Others, who cannot be accused of want of sympathy with the working-classes, are disposed to depreciate the good effect of such material advantages as high wages. Mr. Booth, in his valuable work on "East London," says that "An analysis of the elements of happiness would hardly be in place here, but it may be remarked that neither poverty nor wealth have much part in it. The main conditions of human happiness I believe to be work and affection, and he who works for those he loves fulfils these conditions most easily." But the men whose work earns for those they love the barest possible subsistence, and who are threatened with starvation or the work-house at the least reverse, and who have little prospect of laying by anything for their old age, are surely under such circumstances only rendered more miserable or less happy by having loved ones dependent on their labours. No doubt, even in such circumstances, custom, the great equaliser of the happiness and misery of men, can alleviate their sufferings, but this alleviation cannot amount to extinction of pain, especially when they compare their lot with those who seem to do no work, or far less work, and yet have no fear for the future. But do not those earning a miserable pittance derive satisfaction from comparing their lot with the still more miserable condition of the unemployed? No. For the misery of the unemployed is the very prospect that enhances their misery, as the least misfortune is liable to hurl them into the same abyss, while they have very little hope of rising to a higher stratum of society by any stroke of good fortune.

Some one may object that in considering the effect of high wages on general happiness we must consider how it affects, not merely the working-classes, but also the capitalists, whose incomes are diminished, for, if wages are increased, a smaller share will probably be left as the reward of capital. We must, of course, as far as we can, consider the happiness of all concerned, remembering, however, that the working-classes form the majority of the population and capitalists only a small fraction. The general result of high wages would seem to be, in spite of the immense fortunes of American millionaires, an approach to equality of wealth. This would promote happiness, for, while it would make happier the lower classes raised to moderate competence from the starvation limit, it would less affect the richer classes, since they would merely have to diminish the amount of their luxuries, and custom would easily reconcile them to the change, particularly when they saw their friends and associates and all belonging to their class forced to make the same curtailment of their superfluous expenditure. Further, if there were perfect equality of wealth, the world would be spared from the pain of being poorer than others and from the happiness of being richer than others. As men are more inclined to compare themselves with those more fortunate than with those more miserable than themselves, inequality produces more pain than pleasure from comparison. Therefore a condition of equality is productive of happiness, and high wages as tending to such equality should be promoted by the efforts of every utilitarian.

Is it then possible to increase by human effort the reward of labour, and if so by what means? We have seen that trades unionism and strikes do something in this direction, as they prevent capitalists from venturing to give labourers very low wages when profits are very high. But more than this is wanted. The labourer wishes to secure for himself a larger fraction of the profits of production than he now gets. This could only be effected by strikes, if they were extended by a universal agreement of working men over the whole earth. Such an extensive agreement being impossible as far as we can see, some other means must be sought, and we naturally turn to the advocates of the nationalization of land, who are confident that they have in their scheme the true remedy for the poverty of the labouring world. They propose that the state should either buy, or confiscate all land, or impose upon rents such a high tax as would amount to practical confiscation. It is hard to see how the position of affairs would be materially altered by the state *buying* the land from the present holders. The income of the state would, of course, be immensely increased by the rental of all the land, but there could be no diminution of taxation, as interest, about equal to the rent collected, would have to be paid on the money borrowed by the state to compensate the landowners. The proposal to *confiscate* landed property would, if carried out, have much more far-reaching results. Mr. Henry George, because direct confiscation would largely increase the duties of government and would be a needless shock to present habits of thought, would prefer to do the confiscation indirectly by taxing the rent of land so heavily that the landlords would only have left them a small percentage to reward them for the trouble of collecting rents, if they chose to retain their property on such terms. This measure would, he thinks, eradicate the curse of poverty from modern civilisation, by enabling all labourers to earn abundant wages free of all diminution by taxation and would give government an overflowing revenue, which would increase year by year, as the material progress due to the new state of things increased the rent of land. "This revenue arising from the common property could be applied to the common benefit, as were the revenues of Sparta. We might not establish public tables—they would be unnecessary; but we could establish public baths, museums, libraries, gardens, lecture rooms, music and dancing halls, theatres, universities, technical schools, shooting galleries, play-grounds, gymnasiums, &c. Heat, light and motive power as well as water might be conducted through our streets at public expense; our roads be lined with fruit trees; discoverers and inventors rewarded, scientific investigations supported; and in a thousand ways the public revenues made to foster efforts for the public benefit."

Such are the results promised from either the confiscation of all landed property by the state, or the substitution of one tax on rents for all the complicated systems of many taxes now in existence. The most important blessing promised in all this picture of the world's happiness in Mr. George's millennium is the increase of the labourers' wages. If this could really be secured to the extent he imagines, if, by enriching the community at the expense of the landlords, every labouring man could be assured of abundant wages, the utilitarian would be bound to support the scheme. For, in comparison with the banishment of extreme poverty and starvation from the world, the pain suffered by landlords deprived of their superfluous wealth would weigh lightly in the balance. Nor would the sufferings of landlords be as great as might at first sight be supposed. It is only proposed to confiscate land and the rent of land, not improvements added to the land in the shape of buildings. Thus a large part of the wealth of land owners would be untouched, and, as most of them are wealthy men, they could afford the loss of the mere rent of their land without being reduced to absolute poverty, unless their properties were heavily mortgaged. The capital left in their hands would be increased in value, being, like labour, entirely free from taxation, and the increase to the value of their capital would partially compensate them for the loss of rent. Peasant proprietors would gain more than they lost in rent, if the change brought them higher wages and more profits from their capital. In particular cases, such as poor widows, who derived a small income from land, special provision would, no doubt, be made to prevent them from becoming entirely destitute. Beside the pain of having their wealth diminished, landowners would also suffer much from a feeling of injustice at the violation of their rights of property. But perhaps their indignation would not be productive of as much pain as is now felt by the vast number of indigent labourers, and still more indigent unemployed who compare their want with the luxury and abundant wealth of rich landowners, enjoying all the good things of the world without toil. This indignation is heightened by the fact that property in land stands on a different footing from other property, inasmuch as it was originally for the most part obtained by confiscation, and has risen to its present value not by the labours of landowners, but by increase of production due to mechanical inventions and freer trade, and by consequent increase of population which tends to make land scarcer and scarcer, and therefore more and more valuable every year.

After a careful survey of all these considerations the utilitarian would probably feel himself bound to support the confiscation of the whole, or the greater part of the land value of the country by the state, if only it could be shown to increase wages to the extent imagined by Mr. George and those who think with him. But here is the question on which all depends. Would the transference to the state of all the wealth now derived from land permanently raise the rate of wages and permanently afford employment for everybody? There is every reason to believe that, if the state took to itself the whole or nearly the whole of the rent of the country, this one simple and easily collected tax would render all other taxes unnecessary. It would thus free labour and capital from all taxation. The capitalist would not have to pay part of his earnings to the state in the form of income tax, and the labourer and capitalist alike would be able to buy the necessaries and luxuries of life, and the machines and tools which are the instruments of production at prices far lower than is now possible. For at present the consumer pays in the price of most of the articles he buys an indirect tax to the state. Under these circumstances the rewards of production to be divided between the capitalist and the labourer would be much increased, and the labourer would for a time be able to insist on getting his fair share of the increase. If capitalists refused to give higher wages, they would be compelled to do so by strikes; and, as they could yield to the strikes in this case without carrying on business unprofitably, they would yield. Thus the immediate result of the change would be great gain to labourers and capitalists at the expense of landowners. As most landowners are rich and nearly all labourers are poor, the change would be in the direction of equality which is itself a source of happiness, in addition to the immense diminution of misery in the millions of working men who are now underpaid and unemployed, but would then be working for abundant wages. But it is to be feared that the change for the better would only be temporary, like that produced by free trade or improvement in mechanical invention. A great impetus would be given to production partly by the impoverishment of the class which now most abundantly indulges in unproductive consumption. This increase of production would give the world a larger dividend of all things, especially of food and clothing and other necessaries of life, from which poor and rich, and especially the poor, would receive a greater share. But this happy state of affairs could not continue long. The population would soon rise in proportion to the increased supply of the means of subsistence, and then the competition of labourers would recommence as keenly as ever, and force down wages to their present average rate. To secure a temporary rise of wages, it would not appear to be justifiable from a utilitarian point of view to make such an immense interference with property, as the confiscation of all property in land or the one heavy tax on rents proposed by Mr. George would be. But it is clear that the benefit could only be temporary, unless the population doctrine of Malthus is false. This is clearly seen by Mr. George, who therefore devotes a large amount of space to the refutation of Malthus, attempting to show that the increase of population only drives wages down to a starvation point, because landlords are enabled by that increase to absorb more and more of the proceeds of labour in the form of rent. The arguments by which he attempts to prove that "in any given state of civilisation a greater number of people can collectively be better provided for than a smaller," and that "the new mouths which an increasing population calls into existence require no more food than the old ones, while the hands they bring with them can in the natural order of things produce more," are not strong enough to shake the Malthusian position. Therefore the benefit offered by his proposed remedy for poverty would only be temporary, and would be too dearly purchased by the disturbance of the security of all property, bitter feelings and civil wars, that would be sure to result from the attempt to transfer landed property without compensation from its present owners to the state.

Is there then no other remedy for low wages? One is suggested by what, as we have seen, would happen, if strikes for very high wages were made all over one particular country. In this case, much capital will leave the country, fewer labourers will be employed, and until the population is reduced to the limit suited to the new state of affairs, a very painful period of starvation will intervene, but after that painful interval high wages might be maintained. Why not, then, avoid this painful process by inverting the order of cause and effect and beginning with reduction of the population? If the labourers of England, by prudence and late marriages, reduced the number of their offspring by one half, the next generation would secure much higher wages. Of course another condition would be necessary to secure this result. Strict laws would have to be passed to prevent the immigration of foreign labourers. With these two conditions fulfilled, the supply of labour would be diminished and wages would rise high. The production of the country would be much diminished, as it would only be possible for capitalists to engage profitably in industries for which England has peculiar advantages, for instance, in mines and land of exceptional productiveness and of peculiarly advantageous situation. The self-denial necessary to bring about the required partial depopulation of England would involve a certain amount of pain, but much less than the starvation that would result from partial depopulation due to a general strike for higher wages. But it is hardly likely that the labouring classes will ever be taught to practise this kind of self-denial to any great extent. To postpone marriage, not for one's own inclination, but because one's early marriage inflicts infinitesimal disadvantage on the next generation of labouring men requires an amount of public spirit that will perhaps never be generally diffused through the world. Yet this is, according to Mill, the only means by which wages can be permanently improved, and the condition of the labourer be substantially ameliorated.

There does, however, seem to be another way in which the same object might be effected to a certain extent. Education increases the intelligence of working men. This increased intelligence may be expected to better their position in more ways than one. In the first place, it will teach them prudence in marriage, and so prevent them from increasing their number too rapidly, whenever a new invention increases the productive powers of the country. The advantage thus obtained, as it operates by limiting the supply of labourers, is only a means to the remedy the efficacy of which is admitted by Mill. Education, however, seems to work favourably in other ways. It is likely to increase the rapidity of productive invention, and so enable labourers to get larger wages without being forced to reduce their numbers. The increased intelligence produced by education will also teach them how to join their savings together as capital, and so be at once capitalists and labourers to the great advantage of their incomes. It will also enable them more clearly to estimate probabilities and to adjust their expenditure to their income. Indeed, the mere knowledge of arithmetic ought to be of great service to the working classes by helping them to determine when a strike is likely to be successful and when it would be suicidal folly. The settlement of this question is mostly a question of figures determining whether capitalists are or are not securing too high profits. In smaller matters too, the knowledge of figures will be of great use. It will enable the working man to settle better the many questions of domestic life, as to the advisability of marriage, change of place, or change of employment. In all these ways education will tend to give the labouring man a larger income, and will also teach him how to use that larger income to the best advantage.

It is generally assumed in newspapers and in the speeches of politicians that heavy taxation is an evil, and that the diminution of taxation is productive of happiness. The argument on which this conclusion is based is, that diminution of taxation increases the national wealth, and that each individual of the nation is likely to be benefited by that increase. Sometimes, however, diminution of taxation, instead of increasing national wealth, may actually diminish it. If the diminution of taxation diminishes a nation's army, navy, or police, below the quantity necessary for the security of life and property, the individual is likely to suffer, on the average, more from war and robbery, than he gained by relief from taxation. Diminution of taxation with such results would be advocated by no one but robbers or national enemies, and may, therefore, be left out of consideration. Those who desire diminution of taxation do so on the supposition that it may be secured by skilful economy, without impairing the efficiency of the defensive forces, or dangerously curtailing any other expenditure productive of national prosperity. This has, of course, often been done in the past. It has often happened, especially when taxes have been farmed out, that far more has been taken out of the taxpayer than finds its way to the national exchequer. Sometimes this is due to peculation on the part of the tax collectors, sometimes to the nature of the tax which cannot be levied without an excessive number of salaried collectors. In other cases, the waste comes later, and consists of extravagant expenditure of the proceeds of taxation. For instance, it is contended, rightly or wrongly, by Lord Randolph Churchill, and others, that the United Kingdom might have an equally or more efficient army at a less cost. Under such circumstances, the burden of taxation may be reduced without injury to the national wealth, or even, in many cases, with such a great addition to it as was effected by the repeal of the Corn Laws. Conversely heavy taxation may, and generally does, seriously diminish a nation's wealth. The partial depopulation of the once populous regions now included in the Turkish empire is no doubt, in a great measure, due to heavy taxation, and shows how injuriously heavy taxation may affect national wealth. But, if all taxes in the Turkish empire were remitted for ever, the result would only be a temporary increase of happiness, owing to a temporary lightening of the struggle for existence. Very soon the population would rise in proportion to the remission of taxation, until the average income of the people became about what it was before. Owing to this increase of population which may generally be expected to follow increase of national wealth, lightening of taxation need not be expected to make the average man permanently wealthier, or less poor, than he was before. When the reform of taxation leads to increased wealth, and thereby to increased population, it does so by increasing production, much in the same way as improvement in machinery does, and has the same effect, or want of effect, upon the general happiness, as material progress.

In another way, however, reform in taxation may promote happiness. Some taxes tempt men to immoral conduct. As the assessment of the income tax to a large extent depends upon a man's own statement of his income, it rewards falsehood and dishonesty and punishes conscientiousness. In like manner heavy duties on imported goods encourage the kind of dishonesty called smuggling, which often leads to murder and other crimes. Even moderate duties tempt men, otherwise honourable, to condescend to all kinds of evasion, and to tell lies, in order to bring foreign goods in without paying the tax imposed by law. Unscrupulous men, to effect their object, try to bribe custom-house officials, who are often not firm enough to resist the temptation, and betray their trust to the ruin of their moral character. The farming out of taxes enriches generally the most unscrupulous speculators. Wherever, as in the above instances, taxation tempts men to commit vicious actions, its reform is desirable in the interests of happiness, as immoral conduct is in a high degree destructive of happiness.

Unjust taxes, as also all unjust laws, are very prejudicial to happiness. But what taxes or laws are unjust? If, adopting what may perhaps be called the natural utilitarian modification of the meaning of justice, we call all laws unjust which distribute privileges and burdens in a way productive of misery, then it is a verbal proposition to say that unjust laws produce misery, and it would be enough merely to determine which laws are just and which are unjust. Without attempting to settle exhaustively this question, so as to determine difficult questions about the justice or injustice of particular taxes, for and against which much may be said, let us consider certain old taxes admitted to be unjust on all sides except by those who were benefited by their imposition, and see whether they did much to diminish happiness. In Mahometan countries the levying of double taxes on Christians could not appear just to any except some Mahometans whose discrimination between right and wrong was blinded by fanaticism and the wish to have the burden of taxation thrust upon other shoulders. The injustice of this arrangement of taxation consisted in its imposing unequal burdens on men of equal wealth. Equally unjust in another way was the poll-tax of one shilling on every person above the age of sixteen imposed in England in the reign of Richard II. This law exacted as much from the poor as the rich, and its natural consequence was the rebellion of Wat Tyler, at the end of which, after the destruction of much private property, fifteen hundred persons were executed on the gibbet. Such unjust taxes as those just mentioned must be very injurious to happiness, from the bitter indignation excited in the minds of the sufferers and the division of the people into favoured and oppressed, who, instead of sympathising with each other, are animated by envy or proud contempt, according as they belong to the former or latter class. When the oppressed are carried away by their spirit of indignation, they break out in insurrection, which, whether successful or unsuccessful, is sure to be productive of much misery. In Europe, since the French Revolution, such modes of taxation as were flagrantly unjust have been for the most part swept away, to the great advantage of the general happiness. But if these unjust laws had never been imposed, or could have been abolished without insurrection and bloodshed, the improved state of affairs, which the leaders of the French Revolution were mainly instrumental in producing, might have been secured without the sufferings that necessarily accompany a violent uprising. The abuses of taxation are not now in modern Europe as they were before that cataclysm. Such taxes as are now vehemently condemned as unjust by socialists would in the past have almost entirely escaped criticism, or even been lauded as patterns of justice. The effect upon happiness of reform of taxation in a socialistic direction has been discussed above.

Before concluding this short survey of taxation from a utilitarian point of view, there is one principle which must never be forgotten. It is that almost all change of taxation has a tendency to diminish happiness. An old established, heavy tax presses less heavily both upon sellers and buyers than a light one newly imposed. In spite of the heavy taxes levied upon imported wine and spirits, wine merchants and hotel-keepers are as able to support themselves and their families as other tradesmen who deal in articles less heavily taxed. This is because they fix the price of wine and spirits at such a high price as reimburses them for the heavy taxes they pay, and the number of those who engage in these trades is so limited by calculations of prudence on the part of those choosing their calling in life that no more persons enter them than can expect a fair profit out of the comparatively limited amount of wine and spirits likely to be purchased at the high prices necessitated by the heavy tax. On the other hand buyers are so accustomed to the idea of paying high prices for wine and spirits that they look upon it as a matter of course and forbear to be indignant. Suppose now that in England the heavy tax on beer and spirits were taken off and its place were partially supplied by a large increase of the duty on tea. In this case the tea drinkers would be annoyed at having to pay more for their tea than they used to pay, but owing to the perverseness of human nature the drinkers of strong drinks would not feel correspondingly thankful for the diminution of the expense of their drink, so that there would be a diminution of happiness equal to the difference between the great pain of discontent felt by the tea drinkers and the slight pleasure of gratification that the drinkers of alcohol would derive from buying cheaper. Further, owing to the change in the taxation, less tea and more alcoholic drink will be consumed, and, therefore, a certain number of the less prosperous wine merchants and innkeepers will have either to change their trade or be ruined, or, perhaps, do both, for it is often a ruinous measure for a tradesman to give up his old trade and begin life afresh.

On these grounds taxation should not be changed except for the sake of such very solid advantage to happiness as may be enough to counterbalance the evil effects due to the mere fact of change.

CHAPTER VIII.

No doubt a great effect may be produced on happiness by alteration of domestic and social customs. Should polygamy be established all over the world, or are there some nations and climes in which polygamy and polyandry are preferable? Is early marriage or late marriage more productive of happiness? Should a man or boy choose his own wife, or a woman or girl her own husband, or should marriages be arranged by the parents of the principals? Should divorce and re-marriage be sanctioned by society? Should women be as free as the American girl of the period, or closely confined in the walls of a zenana, as in many parts of India, in Turkey, and in ancient Greece during the historic period? Ought they to be educated as men are, or differently, or not at all? Should men be allowed to choose their own calling, or be forced by a rigid system of caste to adopt that of their father and father's father? Is it better to dine at nine in the morning, as the ancient Normans did, and take supper at four or five in the afternoon, or to dine in the afternoon as they did in the days of William of Orange and George I., or to follow the fashion of the rich of to-day and dine late at night? Is it better to enjoy the social cup at meals as in Europe, or between meals as in America, or on no occasion? Many such social questions present themselves for consideration, the settlement of which must be important for the utilitarian.

In the case of some of them it is possible to give a decided answer. We may safely assert that among the domestic customs most destructive of happiness the oriental custom of secluding women must take ~~almost~~ the foremost place. To abolish it gradually among the millions of people among whom it prevails would undoubtedly increase the average happiness or diminish the average misery of the world. The influence of the Mahometan religion has done much to intensify this evil. The natives of India trace its introduction into their country to the Mahometan conquest; at which date they say they began to seclude their women, partly in imitation of their conquerors, and partly in order to defend their wives and daughters from outrage. But the custom existed long before the Mahometan era, and not only in Asia but also in Eastern Europe among the most refined people of the ancient world. In fact it seems to be about as old as civilisation; but not older, for the great epics of Greece and India show that in the uncivilised period, when warriors fought habitually with stones and had hardly given up the idea of eating their conquered enemies, women enjoyed plenty of freedom of action. This fact makes the possibility of reform easier, as reform under the circumstances being a reversion to an earlier custom, can be advocated on conservative grounds and can not be regarded as a revolutionary destruction of a practice observed from time immemorial.

The infelicific effects of seclusion can hardly be disputed, though like all wide-spread customs its evil effects are softened by habituation. Oriental women, owing to the habitual seclusion of themselves and their ancestors through many generations, have come to hug their chains. Like canary birds they would not know how to use their liberty properly, if they were suddenly freed from their restrictions. But this is no reason why the gradual restoration of their freedom, accompanied by an improvement in education to fit them for their new position, should not be a great benefit not only to the women themselves but also to the society of which they form a part.

The clearest evil effect of seclusion is upon health. Human beings cannot expect to be healthy without a fair allowance of exercise and fresh air. But this is what oriental women cannot get, condemned as they are to spend the greater part of their life indoors. A small proportion of them may have access to private gardens and enjoy a certain amount of what is by a misnomer sometimes called carriage exercise. But a promenade in a small high-walled garden or a drive is a poor substitute for riding, or tennis, or walks in the open country. Even when driving they get little fresh air owing to the thick veil with which they are shrouded. And after all, it is only the small minority of the rich that can afford private gardens or carriages. Most of them are shut up in small crowded rooms, from which they seldom or never emerge. Strong vigorous health must be all but impossible under such conditions. Then it must be remembered that it is not only the women themselves who suffer from seclusion. Their children succeed to their weakness. When one half of the parents of a race are deprived of the possibility of vigorous health, it is no wonder if each succeeding generation is less healthy than its predecessor.

The oriental defence of the system we are considering is that it is necessary for the preservation of female chastity. Put into a utilitarian form the argument would be that seclusion secures chastity, and that unchastity is so productive of misery that it is reasonable to secure chastity at the expense of all the unhealthiness due to seclusion. Now, in the absence of experience to the contrary, it might have been supposed that seclusion is a safeguard of chastity and that liberty has the opposite effect. But there is an overwhelming amount of experience to the contrary in the fact that European and even American women are certainly as virtuous as their sisters in the east. There seems no reasonable grounds for doubting this fact. At first sight the large number of divorce cases chronicled in English newspapers would seem to point to an opposite conclusion, as compared with the infrequency of such cases in the history of oriental families. But the reason of this difference is not the superior chastity of women in the east, but the oriental custom of settling such matters by the family or caste without appealing to the law. The aberrations from virtue that in England lead to divorce cases do not as a rule in the east appear in the newspapers in the records of judicial cases, unless they are revenged by murder, and not always even then, although in the newspapers of the east there is no lack of murders actuated by jealousy. As experience shows that women are just as capable of being virtuous in a state of liberty as when subjected to jealous confinement, and that the variety of interests that occupy the mind of a free woman with plenty of liberty of action is a better preservative against error than stone walls and doors, the seclusion of women must, if justified at all, find some other defence.

Can it be defended, on Darwinian grounds, against the charge of being injurious to health? No doubt, if all over the world owing to some universal law of nature the whole of the human race or all the women were compelled to live in houses without ever emerging into the open air, human nature would be able gradually to adapt itself to its environment, and those unable to live and be healthy without fresh air and outdoor exercise, or without their wives and daughters enjoying fresh air and outdoor exercise, would die out and leave no descendants. Thus there would be left to people the world, only those fitted by hereditary temperament to be healthy and happy indoors. But there is no such law of nature, and consequently nations and families who seclude their women are heavily handicapped in the struggle for existence with those who live a life which, in the present condition of things, is healthier. Even in oriental countries like India the poor cannot seclude their wives and daughters, and might be expected, in the long run, to rise successfully against the rich, and by superior bodily health and strength due to a more rational life would overthrow those, who before by their power and wealth were able to follow the pernicious practice of seclusion of women. This was pretty clearly shown by the rise of the poor uncivilised Marathas against their Mahometan rulers. Had it not been for the British conquest, they would doubtless have become the rulers of India, but only for a time, until having adopted from the conquered the practice of seclusion, and being able by their wealth to keep it up, they had paved the way for their own physical deterioration. The weakening effects of this practice partly explains also the rapid fall of many oriental empires when attacked by poor and hardy mountaineers, and especially the deterioration that Mahometan nations seem to suffer from prosperity. The Arabs, and after them the Turks, on first adopting Mahometanism, displayed an immense amount of energy and valour, but in both cases after a few generations these qualities disappeared or remained only among the poorer classes who had not sufficient means to seclude their women. It would therefore appear that though, in the long course of ages, portions of the human race, if isolated from the rest of the world, might manage to be healthy although secluding their women, yet this slower process has always been cut short by the more rapid disappearance of individuals, families, and nations following this practice and having to contend in the struggle for existence with ordinary men who are the offspring of mothers whose minds and limbs have not been cramped by seclusion. This being the case, one may be tempted to argue in favour of seclusion that it is not likely to damage much the happiness of the human race, as those who follow the practice, tend to die out, and, like suicides, leave few or no descendants. But unfortunately, besides the fact that this dying out involves a large amount of painful ill-health and killing, the practice has such attractions to the oriental mind, that many of those, who take the place of the individuals, families, and communities that have died out owing to seclusion, soon adopt the same bad custom, which they are enabled to do owing to the wealth they have won at the expense of the displaced. So that the custom remains, however much those who practise it suffer in health and lose the happiness that good health confers.

And even if seclusion of women were as compatible with health as their liberty, the practice should still be eschewed by utilitarians as directly diminishing the happiness of women. It is only after long confinement that women come to hug their chains and prefer confinement to liberty. Naturally as they grow up they miss the freedom they enjoyed as little girls. Nor are they prepared for seclusion by heredity, for their male parents have been accustomed to liberty, and women derive their mental characteristics as much from their fathers as their mothers. Thus seclusion would seem to diminish happiness both indirectly by militating against health, and also directly. Therefore oriental utilitarians have a great work to do in effecting by precept and example the gradual extinction of this custom.

Another oriental custom, that affords scope to utilitarian effort, is early marriage. This custom is the rule, though not without exceptions, among the two hundred and fifty million inhabitants of India. A large number of those sections of the Indian community, which marry young, aggravate the evil results of the practice by prohibiting widows from re-marriage, and subjecting them to social tyranny. Indian widows are regarded as degraded beings, who have lost their husbands owing to misdemeanours committed in one of their lives, and their presence is supposed to be ominous of evil. They are compelled to shave their hair, forego the use of ornaments, eat the coarsest food, and take the lowest place in the household hierarchy. Owing to early marriage and the prevention of widow re-marriage, there are a disproportionate amount of widows in India. In England, only the death of men produces widows; in India, nearly every boy that dies leaves a widow behind him, and by the prohibition of re-marriage most of those who are once made widows remain widows for ever. In India, there are out of a population of 254,000,000 more than 23,000,000 widows. India, with ten times the population of England and Wales, has twenty-three times the number of widows. The position of widows is proverbially unhappy all over the world. In Christian countries, their unhappy state is alleviated by the religious sanction supporting with all its power the duty of kindness and justice to women and children bereft of their natural protectors, as among the most sacred of moral duties. Hindu religion and custom, on the contrary, as we have seen, goes out of its way to intensify the bitterness of the widow's lot. Thus in India, widows are not only more numerous, but also more miserable than in the rest of the world. Also early marriage helps to make the average state of the widow exceptionally unhappy. In England, few women become widows until they have passed the prime of youth and the most passionate age of life. In India, a vast majority of widows are young girls, whose passions are too strong to be controlled by reason, and, as a natural consequence, they are not unlikely to fall away into vice and misery.

It may be answered that in Europe, there are not only widows, but also a large number of women who remain unmarried till their death, while in India almost every woman gets married, and old maids are scarcely ever heard of. In England and Wales in 1881, there were out of a population of 26,000,000, only 1,000,000 widows, but of unmarried women above the age of twenty, there were nearly 2,000,000. This, however, is a very partial answer. The unhappiness of European spinsters should on the average be much less than that of Indian widows. As marriage in Europe depends mainly on a woman's own free will, almost any woman can marry, if she is very anxious to do so. Consequently, a large proportion of European spinsters are women either totally averse to married life, or who are not very anxious for matrimony, and therefore have been disinclined to accept such men as have happened to ask for their hands. Thus, there is good reason to believe that English spinsters are less dissatisfied with their state than Indian widows. Further, owing to early marriage, Indian wives and husbands are more likely to be dissatisfied with each other than English wives and husbands. Of course, such generalisations are subject to exceptions. Many English wives and husbands, after a few years or months of married life, find their tempers incompatible. But such unfortunate too late discoveries are less likely to be made in the case of husbands and wives who have chosen each other after arriving at years of discretion, than when a match has been made probably on prudential considerations by the parents of bride and bridegroom.

Early marriage is also said to be bad from a physiological point of view, as being injurious to the health both of parents and children, on which account

Plato in his Republic does not allow his guardians to marry before the age of twenty-five, and then, only to women of twenty years old and upwards. Thus, on the score of health, and as much happiness as depends upon health, there is the same objection to early marriage as to the seclusion of women.

But it is unnecessary to dwell upon the evils of early marriage and enforced widowhood, as they have been detailed so exhaustively in the writings of Mr. Malabari, a Parsee of Bombay, who, in a true utilitarian spirit, has devoted himself heart and soul to their extinction in India. The effect produced by his enthusiasm and literary labours in this field is somewhat marred by the fact that the Hindus rather resent being lectured upon their manners and customs by a Parsee or any other outsider. More result may be expected from the efforts of enlightened members of the Hindu community, if only they do not urge on the wheel of progress so rapidly as to provoke reaction. *Festina lente* should be their motto. If all educated Hindus would take up the good cause with the same enthusiasm and self sacrifice as Mr. Malabari, and with such knowledge of the dangers and difficulties in the way of reform as can only be possessed by a Hindu, the happiness of millions would be increased, and, as this increased happiness to India would not be obtained at the expense of any other portion of the human race, general happiness would thereby be promoted.

Closely connected with the seclusion of women, early marriage, and the prohibition of widow re-marriage is the question of caste, because it is by the tyranny of caste rules that these practices are enforced upon the majority of Hindus. Therefore, the evil effects of these practices are arguments against caste. But caste is far more wide-reaching in its results, and rules with a rod of iron the lives of men, as well as of women and children. Its great effect is to sub-divide India into small communities of men who can have no social intercourse with each other. It is therefore condemned by those who have studied the institution, as hostile to the spread of sympathy between man and man. "Caste," says Mr. Sherring, is "a sworn enemy to human happiness. Laws, customs, social compacts, and the sweet acts of self-denial so frequently practised between man and man, are intended to promote the welfare of mankind, to increase the sum of human joy, to make homes tranquil, and to strengthen all the ties by which one family is bound to another. Caste was instituted for a different purpose. It seeks to sever natural ties, to alienate friends, to harden the heart, to stifle sympathy, to increase pride and self-esteem, to generate misanthropy, to repress the kindly affections, and to destroy mutual confidence and trust, without which society is beset with stings, and becomes a stranger to genuine comfort and peace."

This may seem an exaggerated indictment to those who have not realised the immense number of castes in India, and the strict social exclusiveness which separates each caste from the rest of the world. In ancient Persia there are said to have been only four castes, priests, soldiers, husbandmen, and tradesmen. In ancient Egypt there were, according to Herodotus, seven castes, priests, soldiers, cowherds, swineherds, tradesmen, interpreters, and boatmen. But how far these Persian and Egyptian castes were sub-divided, and how strict were the lines of separation, we know very imperfectly, except that it is stated, that in Egypt the swineherd was looked down upon as a degraded being, and was not allowed to enter the temples. It is to India where the caste system is still in full force that one must look for experience of its working. It is very commonly supposed, that in India there are only four castes—(1) The Brahmins or priestly caste, (2) The Kshatryas or military caste, (3) The Vaishyas or mercantile caste, (4) The Shudras or servile caste. If there were only these four castes in India, the accusation that caste restrains sympathy within narrow limits would have less force, for there is plenty of room for the exercise of sympathy for those who can have intimate friendly intercourse with even a fourth part of their fellow-men in a thickly populated country like India. But in truth, this fourfold division is only the original starting-point of the caste system. When the Hindus first divided themselves into these four castes, the barrier of exclusiveness does not appear to have been so strict as it has since become, and men and women of different castes married one another. From the offspring of these mixed marriages new castes have arisen, until now the number of castes is astonishingly large. In the census for 1881, over nineteen thousand caste names were given in to the census officers. This shows the immense number of Indian castes, even allowing for the probability that, in many cases, different caste names were given in by different individuals of the same caste. So firmly fixed is the caste system in India, that even the native Christians are divided into castes. When such an immense number of divisions supplements the ordinary divisions of society according to place and wealth, the Hindu must often have very few human beings with whom to associate in friendly sympathy. Think of a Hindu in his village or town. Like other men he depends for society upon his near neighbours, and especially upon those who are neither much richer, nor much poorer, than himself. But by caste rules he is still further limited in the circle of his possible friendships. He can only familiarly associate with those of his neighbours of about the same fortune as himself, who happen also to belong to the same caste. With those who belong to any one of the thousands of other castes he cannot, as a rule, join in a social meal, or form a marriage connection. Even without such restrictions it is often hard enough for men to find a sufficient number of congenial friends among their neighbours. Just as friendship adds much to human happiness, any institution which, like caste, limits a man's power of selecting congenial friends must be prejudicial to happiness.

Even members of the same caste are restricted in their social intercourse. The men take their meals first, and afterwards the women by themselves. Conversation is forbidden at the time of eating. By the rules which regulate the Namburi Brahmins it is decreed that the "Brahmani woman is strictly prohibited from having access to or seeing any other man besides her lawful husband, and likewise her own male children are restricted from having access to her after they have attained the age of fourteen years." Thus caste like slavery may bring about a forcible separation between mother and child.

We have seen reason to believe that equality is productive of happiness. Caste in one of its principal aspects resembles slavery by being a contravention of the equality of men. An immense number of the regulations of caste are intended to make a great gulf of separation between Brahmins and the rest of mankind. The contempt of white slave-master for black slave, or of Greek for barbarian was much less arrogant than the contempt with which the Brahmin is taught to look down upon the lower castes. "Indian caste," says Dr. Wilson, "is the condensation of all the pride, jealousy, and tyranny of an ancient and predominant people dealing with the tribes which they have subjected, and over which they have ruled often without the sympathies of a recognised common humanity." As Dr. Wilson was a missionary, his judgment on the subject might be naturally suspected, if it were not abundantly supported by extracts from the sacred books of the Hindus. Brahmins and gods are sometimes coupled together in caste regulations. The law books say that in the house of a king, in a cow's fold, and in the presence of a god and Brahmin, and at the time of worship and eating, shoes ought to be pulled off. "The Brahmins are earthly gods, to be adored and honoured with commendations," according to the Kalki Purana. In the Padma Purana it is written that "the Brahmin is the exalted lord of all the castes. To him should gifts be made with faith and reverence. The Brahmin represents all divinities in himself, a visible god on the earth, who saves the giver in the impassable ocean of the world," and again elsewhere in the same book we are told that "Whatever good man bows to a Brahmin, reverencing him as Vishnu, is blessed with long life, with sons, with renown, and with prosperity." In all ways, says Manu, Brahmins are to be worshipped; they are a supreme Divinity. Men of the servile class were only created for the purpose of serving Brahmins.

According to the same lawgiver a Brahmin may without hesitation take the property of a Shudra. The Namburi Brahmins are so proud that they will not allow Shudras to approach within three paces of them, and, if a Pulyar touch them, they must immediately bathe and change their Brahminical threads and clothes, and absolve themselves by reading the Vedas before they dare to enter their houses. The lower castes are compelled by the caste regulations to humiliating restrictions in their mode of life. The Chandala and Shoapaka must live outside towns, be denied the use of unbroken vessels, and have as their sole wealth dogs and asses. Their clothes must be those of the dead, their dishes broken pots, their ornaments rusty iron. Other classes must have no intercourse with them. The Brahmins and other castes are by no means to be equal in the sight of the law. If a Vaishya slanders a Brahmin he must be fined one hundred and fifty or two hundred panas; if a Brahmin slanders a Vaishya, he is fined twenty-five, and, if he slanders a Shudra, only twelve panas. A Shudra slandering a Brahmin must suffer corporal punishment.

Should a Brahmin kill a Shudra, he pays no more penance than if he killed a cat, an ichneumon, a frog, a lizard, an owl, or a crow; but a person intending to strike a Brahmin with intent to kill remains in hell a hundred years, and, if he actually strikes him, a thousand. Every drop of a Brahmin's blood shed and attracting particles of dust, demands a thousand years' torment for each of these particles. These instances, most of which, with many others to a similar effect, may be found in Dr. Wilson's posthumous work on "Indian Caste," illustrate the immense arrogance with which the Brahmin is taught by his sacred books to look down on his fellow-men. Nor is this relation of contempt on the one side and degrading inferiority on the other confined to the Brahmins and Shudras. All the castes are arranged in a kind of hierarchy, the higher members of which are taught to despise the lower, and, when they can, inflict upon them marks of inferiority. Thus the Shudras, though so far below the Brahmins, themselves lord it over the castes of inferior dignity. They are divided into many castes, and some of the higher caste Shudras consider themselves polluted by contact with lower caste Shudras. Below all the Shudras are ranked certain outcast and polluted castes who pay to the Shudras almost as much reverence as the Shudras pay the Brahmins. Such, for instance, are the Pulayars, who form one-twelfth of the whole population of Travancore, and must keep well out of the way of even the Shudras. In Mr. Mateer's account of native life in Travancore we read that "Until lately Pulayars were not allowed even to approach the roads. When they had palm-leaf umbrellas and other small articles to sell, they laid them down near the highway, and, standing at the appointed distance, shouted to their customers . . . Cottayam Pulayars put a few green twigs on the roadside, near where they are working, to warn off high castes. Pulayars, walking on the high road, are required to run off into the jungles or fields when high-caste people pass along. Where there is plenty of room, a kind of side-walk is sometimes formed in this way. It is most painful to see a poor and inoffensive woman with a load on her back, or burdened with an infant, scramble up the steep side of the road and retire into the jungle, to allow a high-caste man to pass." In this account it must be remembered that "high caste" includes Shudras as well as Brahmins. It must not be supposed that such intolerable pretensions to superiority are submitted to without painful feelings of bitter indignation among the oppressed and degraded. Buddhism was a great protest against the tyranny of caste, and very nearly drove Brahminism out of India. Its success showed the strength of the feeling of indignation among the lower castes, and the temporary nature of its success showed the immense strength of the caste system, which, though for a time overthrown, managed once more to recover its ascendency so completely, that now Buddhism is practically an extinct faith in India.

All the caste regulations given above, which draw degrading distinctions between caste and caste, must be condemned as terribly destructive of humility, sympathy between man and man, compassion for the weak, and, therefore, of happiness. There are also many other regulations in the caste codes which will be condemned equally by the ordinary moralist and by the utilitarian. Some of the caste regulations entail great inconvenience even on the castes in whose favour they are made. "All this superstitious punctiliousness," remarks Mr. Mateer in his "Native Life in Travancore," "is fraught with great inconvenience to the unenlightened high castes themselves. They are unable to travel by sea unless they could land daily to cook and eat their food, that prepared with the water on board ship being ceremonially unclean. When travelling by rail along with other classes, they dare not even take a draught of water to refresh themselves; and often there is great suffering from hunger when habitations belonging to their own caste are not at hand. A friend of ours calling a native doctor to the Hills for a serious emergency, the poor man could eat nothing but plantain fruits during the two days he was in patient and kindly attendance." In some exceptional cases the directions given to the castes seem directly opposed to ordinary morality, and, therefore, to happiness. For instance, according to Manu, a Brahmin must live by truth and falsehood rather than by hired service. But, on the whole, the principal objections that the utilitarian will have to the caste system will be on account of the degradation of the lower castes, the seclusion of women, early marriage, enforced widowhood and unkindness to widows.

The culmination of the evils sanctioned by caste is to be found in the practice of suttee. This rite, however, stands on a different footing from the other evils we have been considering, inasmuch as it is recommended as a counsel of perfection, not prescribed as necessary. It was, however, supposed to have such peculiar efficacy in securing a husband's salvation, that wives of the higher castes abstaining from it were liable to contempt and contumely. There were differences in the arrangements allowable according to the caste of the victim. Brahmin women were not allowed to sacrifice themselves except on their husband's dead body. Women of other high castes might and did do so after their husbands had been dead many years, when, perhaps, they found the life of widowhood intolerable. Some of the lowest castes seem to have been denied the honour and privilege of committing suttee in any form. The duty of suttee is not prescribed by Manu, but is advocated in the Brahma-purana and may be regarded as the natural result of the severe regulations by which widows are oppressed. It is not unnatural that, to avoid the evils of existence as a widow, a woman should make a virtue of necessity and die on her husband's funeral pyre. Here is a description of a case of suttee described by an eye-witness in a letter to the *Bombay Courier* of September 10th, 1802, which will illustrate how the ceremony was performed. "About two o'clock the body (of the husband) was brought to the pagoda feet foremost. The wife very richly dressed walked close to the head. At the pagoda some ceremonies were performed by the Brahmins, and the lady threw large quantities of the red powder, which is used at the Hooly, over every person near her, after which she with the corpse went down into the river which was close by, and, after bathing and throwing dust about for a long time, she followed the corpse to the pile, which was about three feet high. She then took off all her ornaments except her nut and two gold rings and distributed them among her mother and children. She gave a few rings to some other female relations who attended. None of the daughters or mother seemed really affected; they appeared to weep, but you might see they were inwardly pleased at the honour that would redound to their family from the victim's fortitude. After she had given away all her jewels, the Brahmins gave her sandal-wood dust which she distributed to all near her. She then walked round the pile, the Brahmins salaaming to her feet as she passed. When she arrived at the feet of the corpse which was the entrance (the wood having been piled about two feet at the head and about the height of the body as it lay), Roba (a Brahmin under whom the dead man had served) got up and went to her, knelt down and made salaam with his head to her feet, and complimented her on her virtue and fortitude, at which she smiled and seemed highly pleased. She then turned, and having salaamed to her husband's feet she entered the pile, and walking up to the head with a firm step she sat herself down and took the head of the corpse into her lap, where she remained perfectly composed whilst the Brahmin piled up the rest of the wood, putting great quantities of dry cow-dung round her person. The wood was laid in a triangular form, so that the entrance at the foot was never closed, and you saw the woman very plain. After it was finished and closed at the top, it looked like an oven. There were a great many pieces put over where she sat, which by very little exertion from without would have been thrown down upon her and crushed her to death, but there was no occasion for that to be done. A lighted torch was given her by an old Brahmin (who remained at the entrance of the pile) with which she very deliberately set fire to the cow-dung all round her, and sat surrounded by the flame without altering a feature. When the flame appeared at the top, the old Brahmin threw a handful of something full in her face which instantly caused a great blaze, and she was entirely enveloped in it. A band of country music then struck up, the Brahmins began knocking the upper part of the pile down upon the bodies, and every person present began clapping their hands and hollowing as loud as they could." The most painful feature in this account is the provision made by pieces of wood piled above her to prevent the victim from bursting away from the pile if her courage failed her at the last moment. When this happened, the poor women trying to escape were often crushed by the Brahmins under the wood of the pile, or, if

No soldier, hero or stoic ever excelled this act of "nerve"!

they got out of the pile, were cut down with the sword.

Such scenes were of frequent occurrence at the commencement of the century, until suttee was placed by law on the same footing as murder by Lord Bentinck, who, in spite of the fact that he stamped out a custom dear to caste prejudices, is still remembered with affection by the people of India as one of the best of English Governor-generals. But much still requires to be done. Suttee being the natural result of the tyranny exercised by caste over the Hindu widow, it may seem from a utilitarian point of view an act of doubtful benevolence to prevent her from escaping her miseries by a voluntary and honoured death. What is required to supplement the abolition of suttee, is some measure for the amelioration of the widow's lot and her freedom from the indignities she is now subjected to on account of her supposed crimes. But this can hardly be effected by law. It may, however, be brought about gradually by the influence of education. This is recognised by one of the noblest champions of woman's rights in India, the Pandita Ramabai, who herself a widow has set about the work of educating widows in India and teaching them to learn to support themselves and be independent. As soon as Indian women have secured the full advantage of the education offered to the people of India, they will effect a reform of the customs that now press so unfairly on the weaker sex.

The utilitarian will prefer to reform the caste system by the gradual influence of education rather than attempt suddenly to subvert it, because the regulations of caste are not by any means all opposed to utilitarianism. In the codes that regulate the castes, there is mixed up with much that the utilitarian will condemn a large amount of good ordinary morality, the obedience to which must be productive of happiness.

A large number of the regulations are neither for nor against happiness. Such, for instance, is the rule that the stick with which a Brahmin rinses his teeth is to be twelve inches long, that of a Kshatriya is to be eleven, and that of a Shudra nine. But mixed up in strange confusion with such immaterial regulations are precepts in accordance with the ten commandments. Thus the Brahmin is commanded to abstain from honey, flesh, perfumes, garlands, vegetable juices, women, acidulated substances, the killing of animated beings, unguents for his limbs, black powder for his eyes, wearing sandals, using an umbrella, sensual desires, wrath, covetousness, dancing, singing, dice, detraction, and falsehood. He is warned by Manu against being puffed up by the lofty position given him in the hierarchy of castes, for "by falsehood, sacrifice becomes vain; by pride, austerities go for nought; by the dishonour of priests, life is diminished; and by the display of charity, its fruit is destroyed." Many of the regulations must have been originally prompted by utilitarian considerations of a sanitary character. Such are the rules for ablutions, for the protection of tanks from pollution, and the penalty imposed upon those who drink water or eat food that has fallen to the ground. Out of the long collections of regulations for the castes on all kinds of subjects in the sacred books a large body of prescriptions productive of happiness might be extracted, and in some cases where the letter of the laws is infelicific it is possible nevertheless to see that they have been dictated by a spirit of benevolence. It is likely that, with the progress of knowledge, the felicific regulations will gradually render obsolete those prejudicial to happiness. At present caste wields the overpowerful sanction of public opinion in support of its rules whether good or bad, and may be regarded as a rigid enforcer of a system of conduct which on the whole is productive of happiness. If caste were suddenly overthrown, it is not unlikely that an immense number of individuals who are now kept in order by the fear of their castes would break out into all kinds of licentiousness. This being the case, the sudden destruction of caste would probably do far more harm than good. Therefore the utilitarian will rather strive to promote the reform of caste from within by education and by giving more and more importance to those parts of the caste regulations, which are in accordance with general happiness, and obedience to which would be found ultimately to be inconsistent with the proud disdain of the higher castes, with the seclusion of women, and with the cruel condition of widows.

Undoubtedly this internal process of reform has long been going on steadily and silently. The view of caste derived by Sanskrit scholars from the ancient literature of India is a picture of caste in its extreme form, in the form which the most conservative upholders of the system would like to see restored, and is not literally true of modern India. The authority of Manu as a legislator is now practically obsolete, and many of his regulations have become a dead letter, though their spirit may be followed as far as the changed circumstances due to the lapse of centuries allow. Also the picture given by Mr. Mateer of caste in Travancore must not be supposed to be applicable to India generally. In and around Bombay I have never had experience of anything approaching the spirit of contemptuous exclusiveness of which he gives so many striking instances. The world is moving even in the East, and the caste system has not shown itself entirely incapable of that internal reform by which alone old institutions can survive and adapt themselves to the changing spirit of successive ages.

CHAPTER IX.

A LARGE number of persons suppose that the happiness of the world would be immensely promoted by the general adoption of vegetarianism, and many of them have devoted much time and trouble to writing books and pamphlets in support of their view. They show clearly that the universal adoption of vegetarianism would enable the earth to support a much larger population. As to this part of their teaching there can be no doubt. If the pasture land now used for the support of sheep and oxen intended for the table were converted into corn land, the earth would produce food for a much greater amount of inhabitants than it can now support. It has been calculated that London alone consumes in the year 500,000 oxen, 2,000,000 sheep, 200,000 calves, and 300,000 swine. If the citizens who consume all these animals were converted suddenly to vegetarianism, they could out of the savings due to their conversion feed all the poor of London sumptuously every day. The same conclusion would be true of the whole world, in which at present there is much misery owing to want and starvation. If vegetarianism were adopted all over the world, there would be far more than enough food for the fourteen or fifteen hundred millions who now inhabit it.

Upon this indisputable fact the vegetarians by making a false assumption base a wrong conclusion. They suppose that, when they have shown this, they have proved that vegetarianism would drive want and starvation out of the world. This conclusion rests on the assumption that the adoption of vegetarianism would not affect the population of the world. But any such assumption is opposed to fact. In India and China and other countries where vegetarianism is the rule there is just as much of the misery of want as in carnivorous countries. This is because population increases in proportion to the supply of food, unless the increased supply of food is accompanied by increased prudence. But increased prudence may just as easily come into play without any increase of the food supply. So there is no reason to suppose that vegetarianism, by increasing the food supply, would save the human race from the pains of want. It would add a few additional millions to the population of the world, but increase of population in itself should not be promoted by any utilitarians except those who are confirmed optimists.

In fact, if we consider the matter aright, we shall probably come to the contrary conclusion, and see that the practice of eating flesh is really a useful defence against famine by providing nations with a kind of reserve fund in times of great scarcity. In countries like England where much flesh is eaten, the population can in bad years evade famine by abstaining to a certain extent from such costly food as beef and mutton; but in vegetarian countries this resource is not available, as the population is almost as large as the average produce of the country can possibly support, so that, if the produce falls below the average, it is terribly difficult to find any means of economy by which to avoid starvation. This is the principal reason why India and China suffer so much more from famine than European nations. In these countries the wages of the poorer labourers are about three pence a day, on which they can barely purchase the rice necessary to keep their bodies in working order. When a bad year comes and their vegetable food becomes dearer, and their employers themselves suffering from the bad times cut down their miserable wages still further or are unable to pay them, the unfortunate men must die in large numbers. Thus the very fact that animal food is so much dearer than vegetable food is a utilitarian argument against the universal adoption of vegetarianism.

A common argument in favour of vegetarianism is that the eating of animal food necessitates a great deal of cruelty in the shambles and in the chase. We have seen that hunting does not on the whole diminish the happiness of hunted animals. Nor does it appear that death in the shambles is more painful than the natural death of animals. In fact, even at present, it is less painful, and it might be rendered still more painless by the use of chloroform or electricity. The diminution of pain, however, due to the suddenness of death at the shambles, is about counterbalanced by the pain suffered by the animals when conveyed by train or driven by road to their place of death. Sometimes at the end of their journey their misery is aggravated by a source of pain rare in the case of the lower animals. Sheep, certainly, when they are being driven in to the shambles, often show distinctly by their terror that they have some idea of what is going to happen to them, and anticipate death. On the whole, according to present arrangements, the fact that they are used as food cannot be seen to affect, one way or another, the happiness of the lower animals. Therefore, as far as the happiness of the lower animals alone is concerned, utilitarians should, instead of advocating vegetarianism, rather exert themselves to diminish the pains suffered by animals on their way to the slaughterhouse, and to render still less painful their death there, which even under present arrangements is not so cruel as the lingering death they would otherwise have to die.

If, then, the eating of animal food is to be condemned by utilitarians on account of cruelty, it must be not on account of suffering inflicted on the lower animals, but because it hardens the hearts of the men who eat and the men who kill sheep and oxen, and so diminishes their happiness, and, it may be added also, that of those with whom they come into contact. For men who are cruel to lower animals are likely also to be cruel to their fellow-men. The general belief in the brutalising effect produced on the mind by the butcher's trade is shown by the common though erroneous idea that butchers cannot serve on a jury, and by the frequency with which "butcher" is used as a term of reproach. On the other hand, there are, no doubt, many exceptions to these general tendencies. There are many butchers who are humane and kindly men, and the excesses committed by the Sepoy mutineers, together with other facts of oriental history, show that vegetarianism and tender regard for animals are no effectual defence against violent outbursts of cruelty against men. On the whole, however, we should be less inclined to expect gentleness and humanity in butchers than in any other trade or profession. Thus the general adoption of vegetarianism would save many thousands of men from entering a trade that is likely to brutalise their minds, and so make them unhappy themselves and the cause of unhappiness to others. This is the most distinct attraction that vegetarianism has to offer to the utilitarian. There is also to be considered the less marked but more extensive bad effect produced on those who eat animal food and see the carcasses of animals exposed in shop windows. However slightly each individual eater of animal food may impair his humane feeling, the aggregate impairment obtained by multiplying this slight impairment by the millions of men who eat flesh must be very great. Therefore the utilitarian ought to do all he can to support the vegetarian movement, if it were not for the fact mentioned above that vegetarian populations are peculiarly exposed to the ravages of famine.

These two considerations, that vegetarianism aggravates

famines, and that eating flesh tends to render less compassionate men generally, and one class of men in particular, may be supposed to balance each. Therefore the utilitarian will neither advocate nor oppose vegetarianism, but do his best to defend both vegetarians and flesh eaters against the sources of pains to which they are peculiarly exposed.

The great famines, to which vegetarian nations are peculiarly exposed, are principally due to great variations in the rain supply. A very barren country with little variation in the produce year by year is much less liable to famine than a rich country that suffers once in ten years from droughts or destructive floods, because in the former case the population is not likely to be much too large for the yearly produce of the country, while in the latter case the number of the population is determined by the large amount of the produce during average good years, so that it is far too great for the produce during the exceptional year of drought. Hence, the best preventive of famines is regularity in a country's annual production of wealth. In agricultural countries, and all countries to a large extent agricultural, this object is best secured by extensive irrigation, by which, when rains are deficient, the deficiency is supplied by more extensive use of the great rivers and lakes of a country. Much can be done by the storage of water in tanks and other large reservoirs, such as dammed-up rivers, in which a large supply of the abundant rainfall of good years may be kept for use in years of drought. Another defence against extreme scarcity of food in bad years is provided by facility of communication between different parts of the world, so that the bad effects of a deficient harvest in England may be alleviated by abundant harvests in Russia, India, or America, and *vice versa*. For it can hardly happen that drought can prevail in the same year over all the countries of the world. Facility of communication, it should be observed, has a double operation in preventing variation in the supply and cost of food from year to year, that is, in preventing the principal cause of famine. It tends to increase the price of corn in good years, and to diminish the price in bad years. In years of abundance a country in communication with the rest of the world can find a market for its superabundant produce in other countries where the harvest is less abundant. Thus, the farmers have not to sell their corn at such a low price as they would have been compelled to take, had they been confined to the market provided by their own country. Also, prices being only moderately low, and a large amount of the produce going to other countries, there is not such a stimulus given to increase of population in the country with the good harvest, and the labouring classes are not so likely on the strength of the exceptionally good harvest to exceed the number that an average year can support. In bad years, on the other hand, corn will be imported from the countries that have had a good harvest, and so the rise of prices that would otherwise have taken place will be diminished. Consequently, in two ways, the difference between the price of food in good and bad years will be lessened, though it can never, of course, be reduced to zero. Thus, in agricultural countries, the utilitarian should labour to improve facility of communication and irrigation.

In manufacturing countries he should, if he can find the means of doing so, aim for the same reason at diminishing the difference between years of abundant trade and years of depression. Much, perhaps, can be done in promoting this object by government, and little by private individuals. Government has every year a large amount of money to expend on ships and weapons, and public works, so that it can do much to encourage industry in bad years by large orders, and can discourage excessive production in good years, by refraining from giving custom to private firms. In this way government would, besides getting its work done cheaply, defend the nation against the pernicious effect of violent oscillations between periods of excessive prosperity and years of great depression.

So far, we have been considering the means of protection against famine and scarcity, to which vegetarian nations are especially exposed, but which also afflict, in a less degree, nations that indulge in a mixed diet. Let us now consider whether there are any means of alleviating the bad effects that the killing of animals must have upon butchers, and that the eating of animal food must have upon the butcher's customers by more or less diminishing their natural sympathy with pain and suffering. One obvious way to the attainment of this object is to introduce a more painless way of killing animals, than that at present practised. The killing of animals by the butcher is probably less painful than the natural death by disease that they would otherwise die. But, though such cruel practices as that called in French *saigner en blanc* are rare in England, death in the shambles is still much more painful to the animals killed, and much more horrifying to the tiro in the art of butchery, than it need be. Animals are too often kept for a long time huddled together without drink, in great heat, waiting their turn to die, and seeing, in the meantime, the death throes of their more fortunate companions. The natural remedy for this would be that animals should, before being slaughtered, be made to pass through a narcotic chamber as was proposed by Dr. Richardson, or that they should be killed by electricity. If this, however, should be rejected as too revolutionary a proposal, all that remains is to improve the shambles as far as is consistent with the continued employment of the knife and the pole-axe and the other lethal weapons now used. Also, a salve may be provided for the conscience of the butcher by teaching him that, in spite of all appearances to the contrary, he does not really increase the sum of animal suffering. No doubt, many a butcher's mind is oppressed by the thought that his trade is a cruel one and repulsive to the best instincts of humanity. If in spite of such qualms of conscience he perseveres in a trade repulsive to his moral nature, then his moral nature must be impaired. He would be saved from much of this pain at the sight of the deaths of sheep and oxen and from the loss of happiness due to moral deterioration, if he could be taught the real facts of the case, namely that butchers substitute a less painful for a more painful death. For if all butchers gave up their profession in disgust, one of two results would follow. Either animals would be killed more painfully by unskilled amateur butchers, or vegetarianism would be adopted universally, and far more animals would die lingering deaths by disease and starvation. Therefore the butcher, if he considers the matter, has a perfect right to regard himself much in the same light as other men regard themselves, when they perform the unpleasant task of killing a painfully wounded animal outright, in order to put it out of misery.

Vegetarians not only advocate their system as likely to free the human world from want and starvation and the brute world from much pain which, as we have seen, are untenable claims, but also as improving the health of mind and body. Vegetarianism, they say, gives its followers "clearer intellects, purer blood, stronger muscles, healthier bodies." If it does so, utilitarians should adopt it. Clearer intellects are at least not obviously opposed to happiness, and health of body is productive of happiness. But whether vegetarianism is or is not conducive to health and strength is an open question. It was once generally supposed in England that plenty of beef and beer was absolutely necessary for great strength and good health. This false idea has been entirely exploded by the many instances of strong and healthy vegetarian individuals and nations that have been brought forward by the supporters of vegetarianism. But, on the other side, just as many good instances of strong and healthy carnivorous nations and individuals can be brought forward. Even if it could be proved that vegetarianism improves the health and strength of each individual who adopts it, there would still remain the further question whether the individual advantage, in the long run, promoted the general health. But as vegetarians have not yet proved conclusively even that every eater of flesh would be stronger and healthier if he confined himself to vegetables, the utilitarian will certainly not feel himself bound to promote vegetarianism on the score of the improvement of health.

There are two other arguments remaining in favour of vegetarianism which are worthy of consideration. The first is that butchers' shops are ugly sights even at Christmas time when the carcasses are gaily decorated with sprigs of holly, and arranged in the most elegant combinations that the butcher's taste can devise. A thing of ugliness is a pain for ever, but the amount of pain that the contemplation of a butcher's shop inflicts on the average individual of a nation, the majority of which are meat eaters, is very small, and even this moderate pain might be evaded without introducing vegetarianism, if butchers were forbidden to flaunt their repulsive wares in the front of their shops.

The last argument to be mentioned in favour of vegetarianism is of much greater importance. It is found that vegetarians have very little inclination for strong drinks. Almost always when a man becomes a vegetarian, he desists from drinking beer, wine and spirits. Thus vegetarianism is a very powerful instrument in favour of temperance and total abstinence. If then it can be shown that total abstinence would benefit the human race, the utilitarian should become an advocate of vegetarianism.

The principal facts that may be regarded as established on the subject of temperance are as follows. The consumption of alcoholic liquors is practically unproductive consumption. According to Liebig "nine quarts of the best ale contain as much nourishment as would lie on the point of a table-knife," and it is really established that intoxicants cannot be regarded as foods. On this unproductive consumption an immense amount of wealth is expended. In the British Isles alone the annual expenditure on intoxicating liquors amounts to about £136,000,000. If this were spent instead upon bread and other necessaries of life, the British Isles might support 2,700,000 more men, women, and children, allowing each individual man, woman, or child £50 a year. So that, if all the inhabitants of the British Isles were to become total abstainers, it would, as far as population is concerned, have about the same effect as the addition to the United Kingdom of a new Scotland equal to the present Scotland, without Lanarkshire. There is a large consensus of medical opinion that wine and spirits and ale, even in moderation, are either utterly useless or distinctly pernicious to almost everybody without exception, whether in good or bad health, whether engaged in mental or bodily labour. The records of insurance offices and provident clubs show that total abstainers live far longer than those in the list of moderate drinkers. Even allowing for the fact that many may be inscribed as moderate drinkers who are really immoderate, or afterwards become so, these lists seem to prove that the total abstainer has a better chance of living a long and healthy life than the average man. Strong drink ruins not only the body but also minds and morals. According to Lord Shaftesbury, 60 out of every 100 who enter asylums are made lunatics by drink, and every newspaper teems with crimes committed by drunkards. All this shows that a total abstainer has far more chance than a drinker of being wealthy, healthy, and wise. The fact that those who drink often enjoy themselves over their cups will hardly be considered to be an argument on the other side, when it is remembered that any unnatural exhilaration due to alcohol is punished on the morrow by a corresponding access of depression.

Is it not therefore incumbent on every utilitarian to go through the land, preaching and practising total abstinence? This would be the necessary conclusion from the facts given above, if it were true that whatever is good for the individual is good for the whole human race or for the nation to which he belongs. But this we have seen, when considering medical science, to be not always the case. Granting that the drinking of strong drink resembles in its effect a widespreading and fatal disease, it may, like other diseases, by killing off the weaker members of each generation, tend to benefit the health of the succeeding generation.

In spite of the £136,000,000 spent annually on drink, the death-rate of the United Kingdom is very low as compared with the death-rate of other countries and with its own death-rate at other times. The history of the effect of strong drink upon English health would appear to have been roughly as follows. Up to about the end of the seventeenth century the English for the most part confined their potations to ale. To this mild intoxicant they had become adapted by the operation of natural selection during many generations, in which those, who were too weak or otherwise unable to drink beer and be healthy, had died out. At the end of this period the drinking of spirits became suddenly habitual. Gin, brandy, and whisky contain about seven times as much alcohol as beer, and are therefore far more destructive. The natural result of the sudden introduction of such powerful intoxicants among a nation of beer drinkers resembled the effect produced by small-pox or measles among a savage nation that has never before been attacked by these diseases. The greater perniciousness of spirits may be seen portrayed with horrible reality by Hogarth in his picture of "Beer Street and Gin Lane." It is probable that about this time the death-rate of England became higher than it ever was before or has ever been since. But gradually the marvellous adaptability of the human race came into play. Those who were too weak in mind or body to stand strong drink were weeded out in successive generations. The present generation is for the most part composed of the descendants of ancestors who could take a certain amount of strong drink without much harm to themselves.

It may, perhaps, when we consider the deleterious effects of strong drink, be wondered why the operation of natural selection has not made us a nation of total abstainers. Other things being equal, a total abstainer is more likely to live long, and become wealthy, and leave descendants behind him than one who drinks alcoholic drinks. How is it then that the drinkers of alcohol have not been stamped out in the struggle for existence? The reason seems to be that abstinence from alcohol is not the only thing that gives advantage in the struggle for existence, and that there are other advantages which, as it so happens, are generally found in union with liking for strong drink. As a rule those who have a great fund of animal spirits, health, muscular strength, and energy are fond of wine and spirits, and by the vigorous exercise of mind and body due to these possessions, are able to bear a certain amount of alcohol without material injury. For, that a certain amount of alcohol may be consumed without much harm is admitted even by some of those whose general evidence is most distinctly in favour of total abstinence. "A minority of persons," we read in Dr. Richardson's lectures on alcohol, "who habitually take alcohol escape with impunity from injury. Some of these escape because they only subject themselves to it on a scale so moderate that they can scarcely be said to be under its spell. If they take it regularly, they never exceed an ounce to an ounce and a half of the pure spirit in the day; and, if they indulge in a little more than this, it is only at recreative seasons, after which they atone for what they have done by a temporary total abstinence. Others take more freely than the above, but escape because they are physiologically constituted in such manner that they can rapidly eliminate the fluid from their bodies. These, if they are moderately prudent, may even go so far as to indulge in alcohol and yet suffer no material harm. But they are a limited few, if the term may be applied to them, who are so privileged." Just as some races of animals escape beasts of prey by developing strength, and others by swiftness, and as some men avoid committing vicious acts by strength of virtuous will, and others by fleeing from the world and its temptations, so some escape the evils of alcohol by splendid health, activity, and powers of self-restraining moderation, while others obtain the same result by pledging themselves to total abstinence. If it be asked why exuberant health in union with total abstinence should not be the characteristics of those likely to conquer in the struggle for existence, the answer is that perhaps eventually this combination may be the ordinary type of humanity. But at present this combination is very rare. There appears to be some incompatibility between the extreme of health and strength, and aversion to wine and spirits, just as in the animal world excessive strength and swiftness are rarely combined, in spite of the advantage such a combination would have over strength without great swiftness, or swiftness without great strength in the struggle for existence.

Thus the destructive effects of alcohol weed out excessive drinkers whether strong or weak, and also moderate drinkers who are only blessed with moderate health, strength, and power of eliminating the alcohol they consume. There are then left to be ancestors of coming generations for the most part those on the one hand whose great strength and activity enable them to take without material harm a limited amount of alcohol, and whose strength of will prevents their love of wine from leading them to excess, and on the other hand in small but perhaps gradually increasing numbers those who for their own sakes or as an example to their fellowmen, and because their delight in wine, ale, and spirits is not very great, become total abstainers. The utilitarian therefore in considering the temperance question will have to make up his mind which of these two classes of survivals is likely to be the happier on the average. Those who effectually preach total abstinence help to produce a world of total abstainers. Would such a world be happier than the descendants of exceptionally healthy moderate drinkers?

With regard to health, it is not clear whether the world of total abstainers would have the advantage or not. It must be admitted that some of the descendants of moderate drinkers would be likely in each generation to degenerate into that excess in the use of alcohol which leads to delirium tremens, liver disease, consumption, kidney disease, paralysis, and insanity. Thus universal abstinence would diminish greatly the number of fatal diseases to which human beings are liable. In this way its effect on the average health of the human race would be much the same as some great medical discovery, as quinine, or vaccination, if in spite of the "Encyclopædia

Britannica" the worth of vaccination may be regarded as an established fact. However beneficial total abstinence may be to the individual, it does not follow that it is advantageous to the race. An ancient Briton would probably have added to his chance of health and long life by taking to wear clothes instead of painting himself blue with woad, but it does not follow that a clothes-wearing world would on the average be healthier or longer lived than a naked world. A civilised Greek once wondered how a half naked savage could endure a biting wind. The savage replied by asking him whether the cold wind hurt his face, and being answered in the negative said, "I am all face." Unclothed savages must die unless their bodies are as impervious to cold as the face of a man in clothes must be, and consequently all their skin becomes equally cold proof. In like manner, where alcohol is drunk, nations by the extinction of the unfit get strong enough to offer resistance to the deleterious effects of strong drink. Savages who have not been trained and weeded for generations by the fiery trial of alcohol, are in danger of being annihilated when strong European drinks are introduced into their midst. But if for a few generations they can survive, they may escape eventual extinction. This appears to have happened long ago in the case of the American negroes and later in the case of the American Indians. At first the latter were decimated by firewater and everyone thought that they would disappear off the face of the earth, seeing how rapidly they decreased in numbers. But now they have, as it were, turned the corner and are once more increasing. "By a careful study of the census," remarks the "Encyclopædia Americana" (1886), "it is noticed that most of the tribes are to-day on the + increase." The remnant which is now left is doubtless the offspring of the few Red Indians who by self-control or physiological constitution could resist alcohol,

+ Is this because they have become habituated to alcohol or because wars have ceased and they are better housed and fed?

In a few more generations it may be expected that the Red Indians may drink intoxicating liquors and be as healthy as they used to be in the old days of their enforced abstinence. If a nation can thus pass from abstinence to non-abstinence without eventually suffering in average health, it is likely that the world might pass from wine-drinking to abstinence without gaining in health by the change, the reason being that total abstinence would enable many weak persons, who would have died childless had they indulged in strong drink, to live and leave weak descendants behind them. This bad effect may just about counterbalance the good effect produced on the general happiness by the improvement in the health of those who, but for alcohol, would be absolutely healthy, or healthy above the average. Thus total abstinence does not seem to increase the happiness of the world by improving the average health.

But though total abstinence does not improve the health of the world, it may promote its happiness in other ways. At any rate, there is little fear of its diminishing the health of the world. So that, if in other respects it promotes happiness, the world would still be the gainer. Let us then, leaving the effect upon the general health an open question, consider how far temperance militates against and how far it promotes happiness. In the first place, there is no doubt that the human race derives a large amount of happiness from drinking wine. It is on account of this happiness that wine has been the subject of poetic praise from the earliest dawn of poetry to the present day. "Wine that maketh glad the heart of man" is ranked by the Psalmist with oil and bread, as one of the greatest of the gifts of God. In the last chapter of Proverbs it is recommended as the best medicine for the miserable. "Give strong drink," we read, "unto him that is ready to perish, and wine unto these that be of heavy hearts. Let him drink and forget his poverty and remember his misery no more."[1] Homer, speaking through the mouth of the wise Ulysses, describes a feast accompanied by song and wine as the acme of happiness. "I cannot say that aught is more pleasing," remarks Ulysses to Alcinous, "than when joy pervades a whole people, and the feasters, seated in their places through the halls, listen to a bard, and the tables are loaded with bread and flesh, and the cup-bearer drawing wine from the bowl carries it round and pours it into the cups." Many such strong evidences in favour of the pleasures of wine might be culled from the writings of sober serious writers without drawing upon the lyrics of distinctly Bacchanalian poets like Anacreon, Lovelace, and Burns. + But it is unnecessary to do so. Every one knows that poetry is full of the praise of wine, and no one in his senses will venture to maintain that all the chorus of praise is due to delusion. What will be said is that all this mass of pleasure is necessarily followed by a corresponding amount of pain, that to the happiness of the convivial night the pain of headache and depression of spirits on the morrow is exactly proportionate. But the impartial consultation of experience on the subject will show that this is not really the case. There seems to be an idea in the minds of many supporters of temperance when speaking of the effects of wine, that each man has a definite amount of potential energy and joy at his disposal, so that if by means of the stimulation of wine you expend more energy and feel more joy to-day, you thereby lessen

[1] "Gie him strong drink, until he wink,
That's sinking in despair ;
An' liquor guid to fire his bluid
That's prest wi' grief and care ;
There let him bouse and deep carouse,
Wi' bumpers flowing o'er,
Till he forgets his loves or debts,
An' minds his griefs no more."—*Burns.*
Compare Horace Epistles 1, v. 16-20.

+ Poor Burns! He deserves a better setting forth than that!

your capabilities of energy and joy in the morrow. It is needless to say that this idea receives no support from the doctrine of the conservation of energy which teaches that there is a definite amount of energy in the universe, not that there is a definite unalterable amount of energy in each man, far less that there is a definite amount of capability of joy in each man. On the contrary, the man that is joyful to-day is often thereby fortified against misery on the morrow, just as a man who has been in a warm room is better able to bear the cold out of doors than one who has long been shivering in a cold place. The subsequent depression is proportionate rather to the amount of excess of wine drinking than to the joy felt at the time of drinking. It is certain that terrible depression often follows heavy drinking in which the drinker has had little or no pleasure, and it is quite possible that joy from very moderate drinking may be had without any subsequent depression. Weariness in the morning is proportionate to the amount of excessive exercise taken the day before, but moderate exercise is followed by no weariness after an ordinary good night's rest has intervened. Nevertheless, the excess that leads to depression is so common among drinkers, and is so much greater among hard drinkers than the pleasure they enjoy from their hard drinking, that, on the whole, it is probable that a drinking world suffers as much pain in the form of subsequent headache and depression as the pleasure it derives from drinking. An individual, who likes wine and knows that he can keep within the bounds of the strictest moderation, may gain the joy without the accompanying pain, and, as far as immediate effects are concerned, may enjoy life more with the help of wine than he could without it. But the same can hardly be said at present of any nation or of the whole human race. The utilitarian, therefore, finding it impossible to decide whether on the whole the pleasure of drinking is greater or less than the quickly following pain due to excess, will not, unless he takes other more remote effects into consideration, be able to decide whether he ought to exert himself in support of the cause of total abstinence or not.

One of these more remote effects, and a very important one, has been already indicated. Consumption of alcohol being unproductive decreases the population of the world, a result which should certainly be desired by the pessimistic utilitarian and opposed in every way by the optimistic utilitarian. Until, however, optimists have given us good reason to believe that the average man is happy, or pessimists have given good reason to believe that he is miserable, most utilitarians will disregard increase and decrease of population and only consider how average happiness may be promoted.

Total abstinence resembles vegetarianism in one of its felicific effects, in so far as it deprives nations who practise it of a convenient means of economy in years of scarcity. When famine is imminent, a people in the habit of spending much on alcoholic drinks can easily avoid starvation by curtailing its expenditure on the luxury of drink. Thus the practice of drinking strong drink, like that of eating animal food, is useful as a kind of insurance against famine, and so tends to promote happiness. + !

We saw above that the good effects of eating animal food as a preventive of famine were about counterbalanced by its evil effects on the minds of butchers in particular and of the general meat-eating public. Similar bad effects are also found to follow from the drinking of strong drink. Here, too, we find one particular class of the population exposed to influences of a peculiarly brutalising character. The publican must shut his heart against the cruel effect of his liquor upon his customer, just as the butcher must render himself insensible to sympathy with animal pain; and, inasmuch

+ Do people drink less or more in time of financial or famine calamity? More says experience

as drunkards suffer far more pain than slaughtered animals, his moral nature must be more impaired by the necessity of so doing. Also the particular class thus injuriously affected is much greater. Whereas there were in 1881 about 84,000 butchers and poulterers in England and Wales, the number of innkeepers and their servants at the same time amounted to 132,000, and there were 70,000 brewers, wine-merchants, and others engaged in the sale and manufacture of strong drink to supply public and private houses. But it is when we come to consider the general public, that we see the evil effects of strong drink on the moral character to be far worse than the evil effects of meat-eating. The worst that can be said of meat-eaters is that if they reflect, they may think, and that wrongly, their mode of life to be prejudicial to animal happiness. Vegetarians often urge that the eating of animal food produces a certain amount of ferocity in man like that which distinguishes the carnivorous animals, but this is a very doubtful assertion. The tremendous demoralising effect of drinking is capable of overwhelming demonstration, and may be confirmed in the police reports of every newspaper we happen to open. If any one likes to read in a consecutive form some typical examples of the horrible crimes to which drunkenness leads, let him get a book called "Legion, or the Modern Demoniac" by W. Gilbert. The book is not pleasant reading, but it is useful as giving a collection of facts throwing a lurid light on the effects of strong drink. The Lord Chief Justice perhaps scarcely exaggerated the amount of crime due to drink when he gave it as his opinion that "but for drink we might shut up nine out of ten of our gaols." And it must be remembered that, besides the overt convicted crime due to drink, there must be an infinite number of vicious acts due to the same cause that escape the clutches of the law. The amount of misery due to all these offences against law and morality committed under the influence of drink is incalculable, and the whole burden would be shaken off, if total abstinence became the universal rule. With the prospect of such a diminution of crime before our eyes, we can say little in favour of ale, wine, and spirits. The transitory joy of moderate drinking is cancelled by the heavy depression of the large proportion of drinkers who are sure to drink too much. As far as can be seen, owing to the regulative action of natural selection, drinking does not injuriously affect average health, nor yet does it improve health. There only remains the good effect of alcoholic drinks, which it shares with all other wasteful expenditure, as a means of insurance against famine, but this advantage as compared with the immense reduction of crime that would be brought about by total abstinence, must promptly kick the beam. Therefore the utilitarian is bound by his principles to promote the cause of total abstinence by all possible means, and especially by becoming himself a total abstainer, as that is the most effective way of promoting the cause.

As the utilitarian by promoting abstinence, while defending the people against temptation to crime, exposes them to famine, he should try his best to provide by other means against danger of famine. The danger of famine due to vegetarianism and total abstinence, fortunately tends to work its own cure, because, wherever real danger is manifest, precautionary measures are more easily adopted. It will be more easy to demonstrate the necessity of insurance against + scarcity to a people consisting of vegetarians and total abstainers, because they really are in more danger than meat eaters and wine drinkers. They will have, in their greater and well warranted fear, a stronger stimulus to secure regularity in the annual produce of wealth, and, since such regularity will always be more or less unattainable, to lay by in good years, as much as can be spared

+ Without liquor, in our Occidental countries we should be practically insured against "scarcity."

to keep them from starvation in the bad years. We have seen that irrigation tends to produce more regularity in the amount of agricultural production, and that facility of communication alleviates the distress of bad years. What remains to be done is to encourage the practice of insurance in its more readily recognised forms. Either the nation as a whole, or individuals, must be taught to provide funds of savings for their support in times of scarcity. The same object may be obtained by raising the standard of comfort, and teaching the average man to regard a certain amount of luxury as essential to his existence. Only he must learn to set his heart on less pernicious luxuries than alcoholic drink, and even than tobacco, which, comparatively harmless in itself, often leads to the consumption of strong drinks. When, by prudence and late marriage, the population is somewhat diminished, and it is found possible to secure the requisites of a higher standard of comfort, it must not be supposed that those living up to the new standard, are any happier than their fathers who lived up to a lower standard. The new idea of comfort will have produced desires commensurate with the improved comfort obtained, and the new luxuries, having become the common possession of the average man, will cease to afford exceptional satisfaction. But each individual, and therefore the whole people, will suffer less from bad years, as the average man will then merely revert to bare necessaries, instead of to extreme want and starvation.

Vegetarians and total abstainers may also be defended against the effect of misfortune by life assurance—an arrangement by which wives and children are defended against destitution, in the case of the early death of a husband and father, and by which people generally can protect themselves and their families, to a certain extent, against heavy loss from illness and accidents. It may be described in sporting phrase as a kind of hedging against extreme misfortune by an agreement between a certain number of persons, namely, those who take policies in the same office, that those who are fortunate shall give support to those who are unfortunate. Thus insurance tends to equalise the lot of all insurers. Those, who die young, or incur the particular misfortunes insured against, gain by insurance, while those who live long, and do not suffer from the illness or accidents, or other misfortune, against which they insured themselves, are pecuniarily losers; for, if they had invested their money in other investments, they would probably have been richer. This system has, without doubt, when applied in its natural and most common way, considerably alleviated the misery of mankind. We have before seen reason to believe, that the same amount of means to happiness produces more happiness when equally, than when unequally distributed, because the loss of ten pounds' worth of the necessaries of life causes more pain to a poor man, than the addition of ten pounds' worth of luxury gives to a rich man. The difference between the misery of uninsured orphans, widows, and men incapacitated for work, or attacked by sudden misfortune, and the less misery which they would suffer if protected by insurance, is greater than the loss of happiness owing to waste of wealth incurred by those who have insured against misfortune, and been long-lived and fortunate. Further, there must be taken into account the peace of mind of the man who has been prudent enough to insure himself against misfortune, as compared with the anxiety about the future in the heart of the man who has not insured himself, and those dearest to him, against sudden and overwhelming calamity. Thus, there are two great advantages secured by insurance. On the other side, it may be said, that insured persons will be less careful to avoid danger. This is true, but only to a very limited extent, and, in some occupations, it is a duty to face danger boldly, so that, in some cases, insurance helps men to do their duty well. A more grave objection is the misuse of insurance, in the heavy insurance of unseaworthy ships, and young children. But these abuses can be checked by legislative interference. It is not difficult to answer a plausible argument against life assurance based on the fact that it encourages marriages and so tends to increase the over-population of the world. There is, indeed, no doubt that young men, who would otherwise have remained single, are enabled to marry by the possibility of insuring their lives and so defending their families against destitution in the event of their early death. But this is no evil, but rather a defence against a great danger. The reckless marriages of the improvident have long threatened to drive prudence out of the world by causing a large portion of each new generation to be children inheriting improvidence from improvident parents. Whatever encourages the prudent to marry must surely have a beneficial effect on the future of the human race. So, after considering possible objections, we may come to the conclusion, that the institution of insurance has promoted the happiness of the world, and that the practice should be encouraged by utilitarians, especially among nations of vegetarians and total abstainers.

CHAPTER X.

To the question whether virtue promotes the general happiness, the utilitarian replies that virtuous action means action productive of happiness, and that therefore it would be a contradiction in terms to say that any particular virtuous action diminished happiness. He may, however, reasonably discuss what classes of virtuous action are most productive of happiness, and it will be his duty to point out for the benefit of his fellowmen that certain actions which they consider virtuous are not really so, because they do not promote or because they actually diminish the sum of happiness.

The latter task will involve him in some difficulties. Supposing another person who is not a utilitarian does an act, thinking it to be virtuous, although it diminishes happiness, must utilitarians regard it as vicious? If they do so, then they disapprove of the action of a man who acted in accordance with the dictates of his conscience, and consider that he would have been less blameworthy, had he acted in opposition to the dictates of his conscience. This seems to be such a paradoxical ethical conclusion that it can hardly be accepted. Surely even utilitarians must admit that the man who obeys his conscience is better than the man who disobeys its commands. Possibly, in such a case, they would distinguish between the act and the agent, and consider that it was a bad act, *i.e.*, an act productive of misery, although the agent showed his goodness by doing it because he thereby manifested a characteristic, namely the tendency to obey conscience, which would in ninety-nine cases out of a hundred, produce good acts, acts productive of happiness. Or they may consider the act under consideration to be, on account of the agent's state of mind, more felicific and therefore better than another possible action, which, had it not been condemned by his unenlightened conscience, would have been more felicific, admitting that those who are not utilitarians must not be judged by the same standards as utilitarians, just as modern moralists do not think it right to judge the ancients by the modern moral standard which they apply to their own actions. They might thus know the act to be the best act open to the other man who is not a utilitarian, although they themselves, being utilitarians, could not do it without immorality. And this is perhaps the better solution of the difficulty, which is not, however, of very great importance. For, ethics being practical, a standard is valuable not for settling theoretic questions, but rather as a means to right action, and for this purpose it is only necessary that we should be able to judge our own conduct, not that we should judge that of others. The difficulty considered above does not come in the way of a utilitarian in judging his own conduct, for, if his conscience approved of an action which he knew would diminish happiness, he would not be a utilitarian.

But how, it may be asked, can he praise or blame aright, if he has no standard to apply to the actions of others? The answer is that the outward expression of praise or blame is an act of his own, which, like his other acts, must be determined by the application of his moral standard. He must praise an act if he thinks that his praise of it will promote the happiness of the world, and blame it if he thinks his blame of it will diminish the happiness of the world, whatever may be his inward feelings of approval or disapproval. Thus it may be incumbent on the utilitarian to praise an action that he would not do himself, and blame an action that his morality would urge him to do if he were in the same position as the actor. For instance, let us consider the promise of James Douglas to take the Bruce's heart to Palestine. A utilitarian, consulted before the promise was given, might have said to Douglas, "Do not promise, for by your departure, and probable death, you will denude Scotland of her best defenders and expose her to invasion and anarchy." But, after Douglas is dead, and neither praise nor blame can undo the evil done in this particular case, he will look rather to the general effects of his words, and will praise Douglas's devotion to his friend, knowing that such devotion only in very exceptional cases diminishes happiness, and that therefore it ought to be encouraged. But the utilitarian who, after Douglas's death, praises his deed, would not perhaps have felt justified in doing it himself. He would probably think that the general good effect of the example given in this brilliant act of devotion is less than the diminution of happiness incurred by Scotland, and therefore by the world, as there is no reason to believe that the happiness that Douglas's presence would have secured to Scotland would have been at the expense of any other part of the world. Similarly a utilitarian might consistently, after the event, express disapproval of Harold for breaking his promise to William, even though he may suppose that the Saxon prince had every reason to believe that the violation of his oath was likely to benefit England and the human race. If he does express disapproval, it will be on the ground of the necessity of discouraging, by words as well as acts, the generally infelicific practice of oath-breaking. In all such cases, however, the utilitarian will have carefully to take into consideration the evil that may accrue from his concealment of his true sentiments.

For the bad effects of falsehood are so great that

it is doubtful whether the utilitarian is ever justified in being untruthful in the least degree. The evils produced by untruthfulness are the lessening of mutual confidence, the bad example given to others, and the degradation of the soul of the deceiver. Imaginary circumstances may be conceived in which these effects are so slight that they would scarcely be taken into account, while the pain that will follow the truth is great and undoubted. For instance, let A, a utilitarian, know a secret, the knowledge of which would embitter the rest of B's life, and which he can only conceal from B by a lie. Further, let there be no chance of A's lie being ever discovered. Each of these conditions is in itself quite possible, though they may not, perhaps, ever all three be combined in fact. But if they were, since according to the hypothesis the lie could never be detected, there would be no impairment of confidence and no bad example. Nor would the liar's soul be degraded, as, being a utilitarian, he would think he had done a virtuous action. But it so seldom happens that one has a chance of telling a lie with the certainty of its never being discovered, that the utilitarian ought, perhaps, to act through life on the simpler rule of unswerving truthfulness even when he is speaking to sick persons, brigands, children, or idiots. The mutual confidence engendered by such strict truthfulness would, it may be argued, do so much to promote happiness as to more than compensate for the death of a few sick persons who might otherwise have recovered, and the saving of one or two lives from brigands, especially as such saving of life can only be effected in a limited number of instances. For sick persons, knowing that lies are told them, refuse to believe and are irritated often in a way to make them more ill by the knowledge that they are being deceived by those around them, and brigands must often be induced to kill, or subject to cruel confinement, their victims, by the fact that they cannot believe their victims' promises and so cannot without great difficulty arrange for a ransom. Therefore, absolute truthfulness would, perhaps, be the best rule for the utilitarian to adopt. At any rate he should preach no other to the world, for the majority of mankind being unable properly to estimate the importance of impairment of confidence, as compared with the effect upon some particular person or persons whom a lie seems likely to benefit, are sure, if they allow themselves occasional deviations from truth, to use that liberty far more than utilitarian considerations really allow.

But it is an old and good moral rule that a man must practise what he preaches. Can this rule be violated without bad effects by a utilitarian, if he can keep secret the discrepancy between his preaching and his practice? This secrecy may deprive the discrepancy of its usual bad effects upon others, namely, the encouragement of untruthfulness by example, and the contempt in which they are induced to hold moral maxims by seeing them transgressed by those who profess them. But in spite of secrecy the bad effect on the utilitarian himself will hardly fail to remain. He can scarcely make a resolution of consistent hypocrisy to extend through his whole life without injuriously affecting his own character. For he will, perhaps, by habit become reconciled to deceit and extend the practice to cases in which it is not really excusable on utilitarian grounds, and the feeling that, if the truth were known, he would be despised by his fellowmen will degrade him in his own eyes and diminish his self-respect. This feeling of degradation will much diminish his own happiness, which is a part of the general happiness as important as anybody else's happiness. These considerations, most of which apply not merely to the teaching of moral doctrine that the teacher does not think binding on himself, but also to lies told with the intention of promoting happiness, are so strong that the utilitarian will have good reason to doubt whether it would not-be better to bind himself once for all to unswerving obedience to truth in all its forms, not merely to verbal truth. Of course it is impossible for any man entirely to prevent others from forming misconceptions about his character and principles of action, but the utilitarian standard would at any rate seem to require us not to act in such a way as would be certain to cause widespread misconception and make men form a higher opinion of us than they would have, if they knew our true principles. Therefore the utilitarian must not preach conduct that he would not practise.

Justice will mean to the utilitarian distribution of rewards and punishments and other objects of desire and aversion in such a way as may be best for the general happiness. This will generally consist in equal distribution when there is no reason for inequality, in satisfaction of ordinary expectations, and in reward or punishment according to desert, if there is such a thing as free will or desert. But all kinds of distribution are, in the eyes of the utilitarian, desirable or undesirable, not in themselves, but as means to the promotion of happiness. Thus the utilitarian may approve of and call just the institution of private property, because it encourages labour, and labour promotes happiness, or because it exists and its abolition would cause unhappiness, or he may condemn it as prejudicial to happiness and therefore unjust. How far can a utilitarian go in the way of neglect of reward according to desert and in inequality of distribution in order to promote the interests of happiness? The answer is that he must go to any length. Otherwise he is not a pure utilitarian. For, if he attaches any importance to equality or reward of desert when opposed to the promotion of happiness, instead of having one moral first principle, he has two or three, which may perhaps come into conflict. For instance, the very unequal distribution of the good things of life due to the institution of private property, if justice is not determined entirely by the utilitarian standard, might be supposed by the same man to be unjust, because it does not reward men according to their virtue, and yet productive of happiness. It is conceivable that happiness might be promoted by distributions far more unequal and far more opposed to the principle of reward according to desert than the distribution of property. Let us take an extreme case. Suppose that a utilitarian, who knows himself to be not very virtuous, were convinced that by depriving every one of a hundred men more virtuous and already more miserable than himself, of one degree of happiness, he could add 101 degrees to his own happiness without diminishing the happiness of the rest of the world, as a utilitarian, he would be bound to make this astounding sacrifice of others to self, if he wished to act strictly in accordance with the principles of his morality. Generally utilitarianism leads to altruistic conduct, because utilitarians generally agree with Paley and Mill, that the promotion of the happiness of others is always the best means of promoting one's own happiness. So closely connected, indeed, are altruism and utilitarianism, owing to the usual acceptance by utilitarians of this assumption, that they are often confounded together as equivalent terms, meaning the opposite of egoism. Nevertheless it is easy to see that the man in the hypothetical case we are considering, who, in accordance with his principles, sacrifices the less happiness of many others to his own greater happiness, promotes the aggregate happiness of the world and therefore is really a utilitarian, although his conduct is free from all tincture of altruism. Therefore, anyone who cannot believe in a morality that might in certain conceivable circumstances bid him be happy at the expense of large numbers of his fellowmen, ought to give up all claim to be a utilitarian.

Utilitarians, who accept this conclusion and admit that utilitarianism in conceivable cases might be opposed to altruism, may perhaps try to make out that the conclusion under consideration only appears paradoxical owing to the common confusion between happiness and objects which are generally productive of happiness. No doubt, there is a danger of such a misunderstanding. Many persons when asked to consider the case of 101 degrees of happiness obtained by subtracting 100 degrees of happiness from 100 fellowmen, would, owing to the difficulty of measuring happiness, translate the instance into numerable material objects, and think perhaps of a man who, for £100 abstracted from 100 men, is enabled to buy as many objects of desire as they could have obtained for £101. This might be the case if a man, living in England, abstracted money from men living in Australia, where objects of desire are dearer. In such a case, if we look beyond the money and the objects of desire that may be purchased for the money, there is almost sure to be a great waste of happiness. The pain of losing a pound is usually greater than the pleasure of gaining one. In this case, the pains of loss would probably be intensified by a sense of injustice, and the pleasures of gain would be diminished by consciousness of meanness. Then there would be the after effects of the action to be considered. The gainer would have done an act that would be a step in the formation of the habit of robbing others for himself, which habit would be sure to cause unhappiness to himself and others. The losers would be inclined to retaliate on him, or, if they could not do that, they would be tempted to do to others as had been done to them. All these evils, though difficult to express in numerical form, would far out-balance the one pound worth of advantage which at first sight seemed to be added to the world by the transfer of property, so much so, that we should, perhaps, if we must express in pounds, shillings, and pence, an example of the transfer of happiness from many to one, so that the sum of happiness may really be increased, think of a man, who, by depriving 100 men of an aggregate sum of one hundred pence, gets as many objects of desire as they could purchase for £100. And even this might not perhaps satisfy the requirements of the case, for it is possible and not improbable, that one man deprived without compensation of a penny or a farthing, might from the sense of wrong suffer more pain than could be cancelled by the whole pleasure, that the spoiler gains by the possession or expenditure of £1000. So hard it is to estimate pleasure by money or any other standard. At any rate, the defender of utilitarianism will be able to show that transfers of sources of happiness, without compensation to the losers and against the will of the losers, can only promote the happiness of the world when the gainer gains very much more happiness from the source of happiness transferred, than the loser loses. When the gain is very much greater than the loss, even those who ordinarily admire altruism would not condemn the man who sacrificed others to himself. For instance, it would not appear paradoxical to approve of a starving man who stole a biscuit, that he could not get by any other means, nor would he be more condemned, if, to assimilate our instance to the hypothetical case we first put forward, we suppose the bakery, from which he steals the biscuit, to be a co-operate concern, consisting of 100 shareholders. Of course, in such a case, there would be other bad effects besides the loss of the shareholders in the bakery, but, perhaps, the aggregate bad effects would be less than the pleasure or diminution of pain secured by the thief. From a consideration of such instances, the utilitarian might argue, that, after all, there is nothing so very paradoxical in maintaining that, in cases where the happiness of the world is really promoted by a man's depriving others of happiness and taking it to himself, he ought to do so.

Yet, after all, after giving due allowance for the fact that as a rule a man cannot make himself happy at the expense of others, except in cases where he transfers to himself something that promotes his happiness a hundred times more than it could promote the happiness of those from whom he takes it, there remain certain exceptional cases in which the utilitarian will add to the happiness of the world by sacrificing others to himself in a way that no ordinary moralist would approve. Let there be two men in the position of Pylades and Orestes. One is to die and the other is to live, and they may settle by mutual agreement which is to survive. Let Pylades be a melancholy man who takes little pleasure in life, and having no great desire to live is willing to consent to die. Let Orestes be a jovial, happy-tempered man, who thoroughly enjoys life. Would not Orestes, if a utilitarian, say to himself, "I derive much more pleasure from life than Pylades. The world will have as good an example of self-sacrifice given in the death of Pylades for me, as it would have, were I to die for him. My conscience not being delicate will not reproach me, indeed, as it is a utilitarian concience, it will rather approve of me for acting in such a way as seems likely to promote the world's happiness. Therefore I am morally bound to let Pylades die." Yet no ordinary moralist would allow that Orestes in such a case showed virtue by living, and would be less virtuous if he died. Ordinary morality approves a victory of altruism over egoism, even where victory decreases the happiness of the world. But what would a utilitarian do, if he were in the place of Orestes under the hypothetical circumstances given above? Altruism is carried to such lengths by the best utilitarians, that under such circumstances they would probably choose what ordinary moralists would call the better part, and make utilitarian yield to altruistic considerations. But if they did so, and defended such conduct as morally justifiable, they would so far cease to be utilitarians.

In reward and punishment the utilitarian will not always think it right to requite according to desert. For he cannot, without infringing his utilitarianism, acknowledge the absolute necessity of requiting good desert and bad desert. The acknowledgment of good and bad desert involves the acceptance of a new moral principle, "Men ought to be requited according to their desert," which might conflict with the utilitarian first principle, "We ought to act in such a way as to promote the greatest amount of happiness." For in certain cases happiness may best be promoted by forbearing to punish the guilty and reward the meritorious. As a rule, when a man has done a wicked deed, it is expedient in the interests of happiness to punish him, in order that the punishment may deter him from repeating his crime and others from imitating it. But as punishment is painful, if the same good results can be obtained by any other means, the utilitarian will prefer those other means. If, for instance, it could be arranged that criminals should be taken to some delightful region where they could enjoy themselves for the rest of their life, and all the while it was generally believed that they were being severely punished for their crimes, the utilitarian would prefer this to the ordinary method of punishment by painful imprisonment and death. As it happens, such arrangements are practically impossible, at any rate on a large scale. In individual cases, however, something like it may be done. Suppose a criminal has done a crime which is only known to me and which can be concealed from the rest of the world, and that, as may well be the case, there is more chance of reforming him by kindness than by inflicting painful punishment, then on utilitarian principles I should be bound not to punish him according to his desert. Also in some cases it is not productive of happiness to reward an act of good desert. Virtuous men that do good for its own sake promote the happiness of the world more than men who do good in the hope of reward. Therefore the utilitarian should indeed reward ordinary average men for their meritorious actions, but, when he meets with men who are capable of rising to the higher unselfish virtue, he should shrink from rewarding them for fear of encouraging them always to look for reward for their good actions.

Thus the utilitarian can only accept the duty of requiting according to desert as an inferior moral rule which must always yield when it conflicts with the utilitarian principle. It can only come into force, if at all, when the utilitarian is deliberating between courses of action and has no reason to believe that the one will promote happiness more than the other. In such a case, utilitarian considerations affording no guidance, he may guide himself by considerations of desert.

So far we have been assuming our utilitarian to be a believer in Free Will and difference of desert among human beings. But very many utilitarians are determinists, and therefore cannot believe that good men really deserve better treatment than bad men. For if bad men do their bad acts necessarily as a result of the previous history of the world, they cannot deserve punishment any more than a tempest or an avalanche, although it may be expedient from utilitarian considerations to punish them in order to provide them with a motive for avoiding the repetition of such acts. Good men cannot, if determinism is a fact, deserve reward more than good trees which bring forth good fruit, although it may be expedient to reward them just in the same way as it is expedient to prune and water the good fruit tree. If then the utilitarian is a determinist, he will believe that no man has any desert. He may still believe the proposition that men ought to be requited according to their desert when utilitarian considerations do not intervene, or when he thinks requital according to desert will promote general happiness. Therefore in such cases, since $0 = 0$, and men having all no desert have an equal amount of desert, he will try to reward all men equally by making them all equally happy. If a villain is, as is generally the case, more miserable than a philanthropist, he will, if utilitarian considerations are in favour of, or not opposed to, requital according to desert, take away from the philanthropist any source of happiness that he can confer on the villain, in order to equalise their lot as is required by the principle of reward according to desert.

Under Benevolence the utilitarian might include the whole of moral duty. He may be said to practise that virtue when he speaks the truth, keeps his promises, rewards virtue and punishes vice, gives just judgment, and abstains from excess. For in these, as in all his actions, he strives to do as much good as he can to his fellowmen. But perhaps he might give the term a rather less wide extent and call any action benevolent in which a man moved by affection or compassion promotes the happiness of the world by giving something of his own to his fellowmen whether it be money, or time, or trouble, or kindly words. The scope of the virtue would still be sufficiently large to include a good deal more than charity in the ordinary sense of the word.

Also a great deal of charity as ordinarily practised would be condemned by the utilitarian as not being true benevolence. For charity in an indiscriminate form has long been known to do more harm than good, at any rate to the recipient. At first sight the most obvious way to promote the happiness of the world would be to keep just enough to feed and clothe oneself and give the rest to the poor whom one sees begging from door to door. But experience shows that such charity encourages begging and idleness. Wherever there are a large number of persons who make a practice of giving money just because they are asked, beggars are sure to abound, and men who would otherwise have had to work prefer the more precarious means of subsistence opened to them. A large amount of money is still given annually in this indiscriminate charity in spite of the teaching of political economists, who show that, if this money had not been given away to beggars, either it would, unless hoarded, have been paid as wages for work to labourers employed directly by the owners of the money, or else it would have been invested as capital in some industrial enterprise, and so have helped to pay the labourers employed therein. Thus men who give away money in this way simply in effect transfer money from men who labour to men who beg. "No," it will be answered, "they rather transfer money from those who can labour and support themselves to those unfortunate beings who can not do so." This is, however, not the case. Many who beg are quite able to work but do not do so, either because there is no work given them to do, or because they think they can support themselves by begging. It would be better and happier for them to get money paid them for work whether done willingly or unwillingly, as they might have, if the greater portion of the money now given in indiscriminate charity were expended instead on labour. But even if the lazy and unemployed men able to work were taken away, some beggars would still remain who are really unfit to support themselves by work. Also there are some few poor men who are temporarily or permanently unfit for work and yet too proud to beg. These two classes of men and women are generally considered to be the most deserving recipients of charity, and the great object of organised charity is to distinguish them from those who can work but won't work.

Is then discriminate charity an effective instrument for promoting happiness? It does not discourage industry and thrift and reward idleness and imprudence, or, at least, it does not do so nearly as much as indiscriminate charity. For charity, whatever form it takes, must, to a certain extent, discourage the inclination to make careful and adequate provision for a rainy day. If a labourer through illness is unable to support himself and his family, he could not well be rejected as an unfit object of charity, and still less the widow and children of a poor worker who dies and leaves them destitute. Yet labourers sometimes save up money, so that, if they fall ill, they may not be dependent on charity; or they effect the same object by subscribing to a Trades' Union which will be bound to support them if they should be thrown out of work, and they can insure their lives in order that their death may not leave their families destitute. Some would make such provision, whether they had hopes of charitable relief or not; others would not do so, even if there were no hope of charity. Between these two extremes there must be an intermediate class who waver between the pleasure of spending all their wages and the duty of making provision for misfortune. To such the fair prospect of help in distress afforded by the practice of discriminate charity must incline the balance in favour of improvidence. And this is the case not only with the poor, but also with men who are rich and earn high salaries only as long as they are in good health. Among men in such a position there will always be found a certain number who are deterred from making by insurance an adequate or any provision for their family, because they feel confident that their friends and relations would help their destitute families in case of their decease.

But, it may be asked, is not relief by charitable assistance, whether of friends or relations, or of strangers, as productive of happiness as provision made by thrift? At first sight it would seem to be in one respect even more productive of happiness, as the giving and receiving might naturally be supposed to excite mutual kindliness. It does so in some cases, but in others, and perhaps in the majority of cases, the prevalent feelings are rather the painful ones of helpless dependence on one side and grudging discontent at the necessity of giving on the other. The feeling of grudging discontent is strongest when the recipient of charity is strong and apparently able to work for a subsistence, and ought to be, and is generally less, when charity is given to the weak in mind or body, who are also just the persons who would suffer most from the entire discontinuance of charity. Owing to defects of mind and body which seem to be ineradicable in the human race, there will always be some members of society incapable of supporting themselves, and, even among the most advanced utilitarians, charity will be prevalent. Of course the incidence of the duty may be altered. It may be decided that the weaker members of society should be supported by their own families, rather than by the community at large or philanthropists not connected with them. If this view is accepted, the philanthropist will cease to bestow his charity upon strangers, on the ground that a good prospect of being relieved from the burden of supporting their needy relatives only makes people less thrifty than they would otherwise be. But this would lead not to the extinction of charity but to the substitution of one kind of charity for another. What then must a utilitarian philanthropist do, who has far more money to give away than is enough to support the infirm members of his family? It is very doubtful whether he can increase the happiness of the world more by giving away his abundant superfluity in charity, than by investing it with apparent selfishness in profitable business. All that we can say is that if he gives in charity to strangers, he should do so in such a way as least to discourage thrift, that is to say, he should relieve by it misery due to earthquakes, or floods, or such other catastrophes against which it is practically impossible for the sufferers to insure themselves. At the same time he should remember that, if he relieves the sufferings of Chinese or Japanese labourers by charity, he will, though helping on by his example the spread of universal world-wide sympathy, be less able to afford employment to English labourers. If our philanthropist resolves to invest his money, he may undoubtedly affect happiness by the manner of his investment. He would, for instance, decrease happiness by investing money in the slave trade, and would increase it by encouraging some industry, in which slave-hunters and the negroes they hunt could peaceably work together. This enquiry, however, cannot well be followed out to the end in this chapter, as, except when the investment considered is likely to bring pecuniary loss to the owner, it can scarcely come under the head of charity. The exhaustive investigation of the felicific or infelicific effects of various investments would indeed almost cover the whole field of the treatise. For money may be so used as to promote medical science, knowledge, art, social reforms, and all the other means of affecting happiness which we have discussed or have left undiscussed.

The strict limitation of charity prescribed above only applies to utilitarians, and only to those utilitarians, who see clearly the bad effects of indiscriminate charity, and the danger that always accompanies, more or less, the best regulated charity. Even in their case there is a danger that they may make themselves, by their reputation for niggardliness and selfishness, very unpopular in the society to which they belong, and that this unpopularity may decrease the happiness of the world by making them unhappy themselves, and by preventing them from using their influence effectually in schemes to promote the happiness of others. To the average man the utilitarian will only, with the greatest caution, prescribe limitation of charity. For most men are so strongly urged by their conscience to charity, that they could not strictly restrain their charitable impulses without doing violence to their moral nature. Such violation of conscience is, of course, extremely undesirable from the utilitarian point of view. The utilitarian thinks it best of all that the whole world should have a utilitarian conscience and obey it. But, while this consummation devoutly to be wished is far from attainment, he thinks it second best that men should obey their own consciences, knowing, as he does, that the conduct prescribed by ordinary morality is almost always such as is likely to promote the world's happiness. Thus, in the case of charity, the principal hedonistic results to be considered are, (1) the surplus remaining, after the happiness lost to those who would have received the money in wages is subtracted from the happiness conferred on those who receive the money as a gift, (2) the good effects produced on the giver by doing an act which will strengthen his habit of obeying conscience, (3) the increase of sympathy due to the interchange of kindly acts, (4) the pleasant feeling of moral approbation felt by the giver; and on the other side, (1) the discouragement of thrift and industry, (2) the feeling of dependence and inferiority on the part of the recipient, (3) the grudge felt by the giver. It is not likely that all these results will follow each act of charity. Some indeed are scarcely compatible with each other. Alms given grudgingly can hardly increase sympathy or afford the giver a glow of moral approbation. In most or all cases some of the results will be present and others absent, and generally there will be considerable difficulty in deciding whether the good or bad effects predominate.

Charity is too often rather a redistribution than an increase of happiness. Other forms of benevolence are much more certain means of increasing happiness than the giving away of money and money's worth. The man who gives kindly words and wise counsel to his fellowmen is much surer of increasing happiness than he who gives them money, for such kindness can scarcely harm the recipients, and is not given at the expense of other men. Each man has only a certain amount of wealth at his disposal. If he gives away to one, he has the less left for others. But the saying of a kindly word of sympathy does not in the least diminish a man's power of uttering similar words of sympathy in the future to other men. The same is true in a less degree of actions of help which do not consist in the giving of money, such as saving a man from drowning, or even such small services as pointing out carefully the way to a wanderer. Every man in the course of his life neglects many such opportunities of aiding his fellowmen which will never return again. If a man regrets not having given money to a beggar, he still has the money he might have given, and can easily satisfy his conscience by giving it later on to another beggar. But, if I neglect an opportunity of preventing a railway accident, or detaching a tin-kettle from the tail of an unhappy dog, the opportunity is gone for ever. It is true that other opportunities of helping men or dogs will present themselves, but the neglect of the past opportunity does not in any way make it easier for me to use the later opportunities of rendering assistance that may present themselves.

Among these acts and words of kindness which add considerably to the happiness of the world, must be reckoned the courtesies of civilised society. Every act and word of politeness is intended to evince a desire to please, and, as a matter of fact, the polite man gives much more pleasure or less pain to the society in which he moves, than the rude man. It is objected that the rude man is often, at heart, a lover of his fellowmen, while the polite man may be a villain, and that a polite villain is likely in the long run to cause more unhappiness than a benevolent, but rude man. This is true. But it must be remembered that the rude man is just as likely to be a villain as the polite man, and that benevolence obscured by rudeness does less good than if it were recommended by polite manners. Another objection made against politeness is that it often makes us do for others, what they do not want or could do as well themselves. Why, for instance, it is said, should a weak man offer his arm to a strong lady who crosses a drawing-room or open the door for her? Are not such mere pretences of rendering help absurd? These acts of polite respect towards others are, however, defensible as signifying, to use the words of Pascal, "Je m' incommoderois bien, si vous en aviez besoin, puisque je le fais sans que cela vous serve." They are to be valued not so much for the advantage conferred, as for the sympathy, kindliness and goodwill that they express more clearly than words can do. Nor need such expressions of kindliness be condemned as deceitful, though, of course, like every other expression of feeling, they may be counterfeited for purposes of deceit. There is probably a great deal more of kindly sympathy in the world than can find expression, and, therefore, any means, by which the sympathy of man for man is expressed, works on the side of truth and helps to make our view of the world more in accordance with the facts. In this case knowledge is very conducive to happiness. For, as it is most miserable to suppose oneself the object of suspicion, hatred, or utter indifference, it is correspondingly pleasant to know that the world on the whole is sympathetic, and that an ordinary man, who does not act in such a way as to make himself peculiarly disagreeable, may count upon the sympathy of his fellowmen, when he is oppressed with grief and misfortune.

The mere expression of sympathy being conducive to happiness, sympathy itself must take a high place in utilitarian virtue. Anyone who increases the amount of sympathy in the world may be sure that he is doing good utilitarian work, the effect of which will go on increasing like a sum of money lent out at compound interest. For sympathy begets sympathy and equally blesses him who gives and him who takes. It is as pleasant to feel sympathy as to be the object of sympathetic feeling, and the example of sympathy is contagious. Men who have been the objects of sympathy, or who have merely seen any striking example of sympathy, are thereby disposed by the force of example, or gratitude, to become sympathetic towards others. The difficulty is to make the necessary beginning. How are we to increase the amount of sympathy in the world? Chiefly by being sympathetic ourselves. But how are we to teach ourselves to be sympathetic? It is not easy to do this. The sympathetic man is born rather than made. Yet within certain limits we may train ourselves to sympathise with our fellowmen. If we habitually try to help them in attaining their ends, though at first we may be without sympathy, we shall find ourselves gradually more and more sympathetic, however slow may be the course of improvement. This explains how it is that doctors sympathise more with the pains of disease than ordinary men. They are so constantly engaged in co-operating with sick persons, in their efforts to get rid of disease, that they readily identify themselves in feeling with all who suffer from ill health. Another means of learning sympathy is to suffer the pains for which our sympathy is needed, for the poor sympathise most with the poor, the oppressed with the oppressed. But as this process would involve going out of one's way to incur pain it would be condemned by utilitarians as directly producing pain, though indirectly promoting happiness. Or, at any rate, such a plan can only be advocated as a means of promoting sympathy with the joys of others. By experiencing the joys of others we may cultivate a taste for their pleasures, which may increase the attractions of our companionship. But this is comparatively unimportant as sympathy is so much less necessary in joy than in pain.

A great deal of want of sympathy springs from contempt of our fellowmen. There is no doubt that the want of sympathy for women and negroes was due largely to the fact that they were despised as inferiors. So that the problem of increasing sympathy is to a large extent resolvable into the question whether we can eradicate our inclination to take pride in our fancied superiority over our fellowmen. This foolish pride is objectionable, not merely because it quenches sympathy, but also because it is painful to be despised, and ruinous to the moral nature to indulge in scorn, unless it be the scorn arising from indignation against vice. What then is the cure of scorn? It is not easily banished from the mind by mere effort of the will, nor is it easy to induce other men to cease to be scornful. Utilitarians, when they recognise the unhappiness caused by their contempt, both to themselves and to those whom they despise, may learn to abhor the feeling and so more or less subdue it.

But more can be done in this direction by religious influence than by moral considerations. Religion is much more teachable than morality to large masses of men. Christianity strongly inculcates such humility as is incompatible with contempt towards our fellowmen. All preachers, who by eloquence spread Christianity among the heathen or induce professing Christians to act more in accordance with the principles of their religion, contribute much to the happiness of the world by increasing humility, sympathy and moral conduct. For religion seems to suggest a satisfactory affirmative answer to the Socratic question: Can virtue be taught? Christianity has been spread by teaching in nineteen centuries over a large fraction of the human race, and, wherever it has been established, men have learned the highest principles of morality, by carrying out which they are most likely to promote their own happiness, and that of others, and to sacrifice their own happiness to the greater happiness of others when those two ends conflict. Thus the acceptance of Christianity is as productive of happiness as the acceptance of the highest principles of morality, and has the advantage of being much more easily taught and more enthusiastically obeyed. Compare for instance the effect on the happiness of the world of Kant's categorical imperative on the one hand, and of the golden rule of Christianity on the other. The categorical imperative is no doubt more precise, and extends to a wider range of conduct than the golden rule. As Sidgwick points out, the golden rule is only applicable to our treatment of others, and, literally obeyed, might lead a man to commit crimes for others, if on reflection he found that he wished others to commit crimes for his benefit. Yet, practically, these objections are of no importance. The spirit, if not the letter, of the golden rule applies to our most self-regarding actions, and there is little likelihood of anyone who seriously tries to follow the precept being led thereby to commit vicious actions. Any objection, that might be made against it on the ground of its want of precision, is as nothing when compared with the fact that it is accepted as the utterance of God by millions of men, who are therefore strongly moved to obey it, not only for its moral excellence, but also because by so doing they both win for themselves everlasting happiness in a future life, and have the satisfaction of obeying, and, so far as they can, of furthering the purposes of a loving God.

This indeed is the great service that religion does

to the cause of happiness. Religion does not interfere with the ordinary motives to morality, and adds to them far stronger motives of its own. The man who regards conscience as the voice of God in his soul and finds the precepts of morality in his sacred books, is far more powerfully impelled towards moral action, than he who is only actuated by such motives as the science of morality can give. Even the utilitarian, however strongly he may be urged on to promote happiness by sympathy with his fellowmen, will be urged still more strongly to promote their happiness if convinced that by so doing he is winning the approval and love of God. Of course this strong support to morality can only be given by a religion which is in accordance with the highest morality and can adapt itself to the progress of humanity. Several forms of religion, by binding themselves to unalterable principles, have come into conflict with progressive morality, and the result of the conflict has either been retardation of moral progress or their own overthrow. Christianity has proved its ability to keep pace with the moral progress of nineteen centuries, and has itself contributed immensely and is still contributing to that progress. Above all, its moral principles are in perfect harmony with utilitarianism, as its principal lesson is the love of God for men, so that, if it contained any precept, the literal obedience to which would in any case diminish general happiness, the Christian would be justified in supposing such precept to be given with the understanding, that, though generally to be obeyed, it was not to be obeyed when in conflict with the more general principle, that man must, by every means, show his love for God by loving his fellowmen. Thus utilitarianism and Christianity should return to the position of alliance and mutual support in which they are found in Paley's "Moral Philosophy."

S. Cowan & Co., Printers, Perth.